LINSEY PHILLIPS

Mikroökonomische Theorie

Historisch fundierte Einführung

Von

Universitätsprofessor

Dr. Winfried Reiß

unter Mitarbeit von

Heide Reiß
Historikerin

5. Auflage

R. Oldenbourg Verlag München Wien

Die Deutsche Bibliothek - CIP-Einheitsaufnahme

Reiß, Winfried:
Mikroökonomische Theorie : historisch fundierte Einführung /
von Winfried Reiß. Unter Mitarb. von Heide Reiß. – 5. Aufl.
- München ; Wien : Oldenbourg, 1998
ISBN 3-486-24645-3

© 1998 R. Oldenbourg Verlag
Rosenheimer Straße 145, D-81671 München
Telefon: (089) 45051-0, Internet: http://www.oldenbourg.de

Gedruckt auf säure- und chlorfreiem Papier
Gesamtherstellung: R. Oldenbourg Graphische Betriebe GmbH, München

ISBN 3-486-24645-3

INHALTSVERZEICHNIS

Kapitel 0: Einleitung

0.1 Die Vermittlung der Mikrotheorie . . . . **XVII**

0.1.1 Einstellung zur Mikrotheorie XVII

0.1.2 Die Struktur der Mikrotheorie XVIII

0.2 Das Konzept . . . . **XX**

0.2.1 Vorstellung des Konzepts XX

0.2.2 Die Verwendung von Texten im Unterricht XXI

0.2.3 Das Arbeiten mit dem neuen Konzept XXII

0.3 Zusammenfassung . . . . **XXIV**

Kapitel 1: Arbeitsteilung - Adam Smith

1.0 Lernziele 1

1.1 Lektüre: A. Smith, Der Wohlstand der Nationen (1776) . 2

    Buch 1, 1. Kapitel 2

    Buch 1, 2. Kapitel 8

    Buch 1, 3. Kapitel 11

    Buch 1, 4. Kapitel 12

    Auszüge aus Buch 2, 1.Kapitel 17

    Auszüge aus Buch 5, 1.Kapitel 18

1.2 Aufgaben zur Lektüre 20

1.3 Wirtschafts- und geistesgeschichtlicher Hintergrund . . 22

    1.3.1 England im 18. Jahrhundert 22

    1.3.2 Die agrarische Revolution 22

    1.3.3 Die industrielle Revolution 23

    1.3.4 Der Merkantilismus 24

    1.3.5 Die Aufklärung 25

    1.3.6 Adam Smith (1723-1790) 26

1.4 Theorie: Die sichtbare und die unsichtbare Hand . . . 28

    1.4.1 Produktionsablauf in einer arbeitsteiligen Wirtschaft 28

    1.4.2 Die sichtbare Hand - Beispiele 31

        1.4.2.1 Der Patriarch - Der Fürst 32

        1.4.2.2 Manufaktur und Unternehmung 33

        1.4.2.3 Zentrale Planung 34

    1.4.3 Die unsichtbare Hand 35

        1.4.3.1 Ziel des Wirtschaftens 35

        1.4.3.2 Institutionen und Infrastruktur 37

        1.4.3.3 Geld 37

    1.4.4 Wirtschaftsorganisation und Spieltheorie 39

        1.4.4.1 Marktspiel 39

        1.4.4.2 Koordinationsspiel 43

        1.4.4.3 Gefangenen-Dilemma-Spiel 46

        1.4.4.4 Spiele als Modelle für Wirtschaftssysteme 48

        1.4.4.5 Spiele und die Analyse der unsichtbaren Hand 49

1.5 Aufgaben zur Theorie 50

1.6 Zusammenfassung 52

1.7 Literatur 53

Kapitel 2: Verteilungstheorie
D. Ricardo, Th. Malthus und J.H.von Thünen

2.0 Lernziele **54**

2.1 Lektüre **55**

    2.1.1 David Ricardo:

        Grundsätze der Volkswirtschaft und Besteuerung (1821) . . 55

    2.1.2 Aufgaben zum Text von Ricardo 61

    2.1.3 Malthus: Das Bevölkerungsgesetz (1798) 62

    2.1.4 Aufgaben zum Text von Malthus 66

    2.1.5 J. H. von Thünen: Der Arbeitslohn ... (1850) 68

    2.1.6 Aufgaben zum Text von Thünen 73

2.2 Geschichtlicher Hintergrund **74**

    2.2.1 Der dritte Stand in Frankreich 74

    2.2.2 Die Kontinentalsperre 74

    2.2.3 David Ricardo (1772-1823) 75

    2.2.4 Thomas Robert Malthus (1766-1834) 76

    2.2.5 Johann Heinrich von Thünen (1783-1850) 77

2.3 Theorie: Arbeitsteilung, Produktion und Verteilung . . **79**

    2.3.1 Die Transformationskurve 79

        2.3.1.1 Direkte und indirekte Arbeit 79

        2.3.1.2 Transformationskurve und Alternativkosten 80

        2.3.1.3 Ganzzahligkeit und beliebige Teilbarkeit 82

        2.3.1.4 Die Transformationskurve bei mehreren

        begrenzenden Faktoren 83

    2.3.2 Produktion mit Faktoren 86

        2.3.2.1 Klassen und Faktoren 86

        2.3.2.2 Produktion mit Faktoren 86

        2.3.2.3 Kapital 88

        2.3.2.4 Natürliche Produktionsfaktoren und Ressourcen . . . 88

        2.3.2.5 Arbeit 88

        2.3.2.6 Produktion, verbundene Produktion und

        Produktionsfunktion 89

2.3.3 Das Verteilungsmodell Ricardos 90

    2.3.3.1 Das Ertragsgesetz 90

    2.3.3.2 Das Gesetz vom abnehmenden Ertragszuwachs . . . 93

    2.3.3.3 Die Bevölkerungslehre von Malthus 94

    2.3.3.4 Bestimmung der Rente 97

    2.3.3.5 Bestimmung des Profites 99

    2.3.3.6 Marginalanalyse 99

2.3.4 Skalenerträge 103

    2.3.4.1 Konstante Skalenerträge 103

    2.3.4.2 Zunehmende Skalenerträge 104

    2.3.4.3 Abnehmende Skalenerträge 105

    2.3.4.4 Aktivitäten 106

2.4 Aufgaben zur Theorie 110

2.5 Ökonomie und Geschichte 111

2.6 Literatur 112

Kapitel 3: Krise, Ausbeutung, Klassenkampf
Karl Marx und Friedrich Engels

3.0 Lernziele **113**

3.1 Lektüre **114**

   3.1.1 K. Marx und F. Engels, "Das kommunistische Manifest" . **114**

   3.1.2 Aufgaben und Fragen zum kommunistischen Manifest . . 124

3.2 Wirtschafts- und geistesgeschichtlicher Hintergrund . . **125**

   3.2.1 Wirtschaftsgeschichtlicher Hintergrund 125

      3.2.1.1 Die Restauration in Europa 125

      3.2.1.2 Industrialisierung und Arbeiterelend 125

      3.2.1.3 Wirtschaftskrisen von 1800 bis 1857 126

   3.2.2 Geistesgeschichtlicher Hintergrund 131

      3.2.2.1 Die Entwicklung des Sozialismus 131

      3.2.2.2 Philosophischer Hintergrund 134

         3.2.2.2.1 Dialektischer Materialismus 134

         3.2.2.2.2 Historische Gesellschaftsformen 136

3.3 Lektüre **139**

   3.3.1 Karl Marx, "Lohn, Preis und Profit" 139

   3.3.2 Fragen und Aufgaben zu "Lohn, Preis und Profit" 156

3.4 Theorie des Mehrwerts **158**

   3.4.1 Arbeit als Ursache des Mehrwerts 158

   3.4.2 Die Analyse von Sraffa 158

   3.4.3 Arbeitswertbestimmung 159

   3.4.4 Ein Input-Output-Modell 161

   3.4.5 Das Reproduktionsschema von Marx 164

   3.4.6 Strategien der Mehrwertproduktion 165

   3.4.7 Marx' Transformation von Werten in Preise 167

   3.4.8 Bewertung der Marxschen Vorgehensweise 168

   3.4.9 Die Bestimmung von Produktionspreisen 170

3.5 Ausblick **173**

   3.5.1 Die Entwicklung des Sozialismus 173

   3.5.2 Die Marxsche Lehre 174

3.6 Weitere Aufgaben zu 3.4 . . . . **175**

3.7 Literatur **176**

Kapitel 4: Die marginalistische Revolution

4.0 Lernziele **177**

4.1 Lektüre **178**

    4.1.1 Hermann Heinrich Gossen

       Entwicklung der Gesetze des menschlichen Verkehrs ... (1854) 178

    4.1.2 Aufgaben 185

4.2 Die Begründer der marginalistischen Theorie **187**

    4.2.1 Hermann Heinrich Gossen (1810-1847) 187

    4.2.2 Menger, Jevons und Walras 188

4.3 Nutzentheorie **191**

    4.3.1 Herleitung der Nutzenfunktion 191

        4.3.1.1 Definition des Begriffes Nutzen 191

        4.3.1.2 Nutzen und Grenznutzen 191

        4.3.1.3 Ein Beispiel für eine Nutzenfunktion 193

    4.3.2 Anwendungen und Erweiterungen 196

        4.3.2.1 Das Wertparadox 196

        4.3.2.2 Nutzen, Preise und Tauschverhalten 197

        4.3.2.3 Nutzen von Güterbündeln 198

        4.3.2.4 Das zweite Gossensche Gesetz 200

        4.3.2.5 Wohlfahrtsmaximierung und interpersoneller

        Nutzenvergleich 202

    4.3.3 Das Problem der Nutzenmessung 204

        4.3.3.1 Methoden der Nutzenbestimmung 204

        4.3.3.2 Offenbarung des Nutzens am Markt 205

4.4 Aufgaben zur Theorie **207**

4.5 Ideengeschichtlicher Hintergrund:Der Gegensatz

zwischen marginalistischer und sozialistischer Theorie . **208**

    4.5.1 Die Sicht der Marxisten:

       Vulgärökonomie und apologetische Theorie 208

    4.5.2 Die Sicht der Marginalisten:

       Überwindung falscher Anschauungen 210

Kapitel 5: Nutzentheorie und Präferenzen

5.0 Lernziele 212

5.1 Lektüre:

Pareto, Die Indifferenzkurven der Wünsche (1906) . . 213

5.2 Vilfredo Pareto (1848-1923) 216

5.3 Fragen und Aufgaben zum Text 218

5.4 Die Theorie der Präferenzen 220

   5.4.1 Annahmen bezüglich der Wünsche der Individuen 220

   5.4.2 Vergleich von Güterbündeln 220

      5.4.2.1 Güterbündel und Vektoren, eine kurze Wiederholung 220

      5.4.2.2 Vergleich von Güterbündeln durch Wertschätzung . 221

   5.4.3 Das Phänomen der Knappheit 222

      5.4.3.1 Bedürfnisse 222

      5.4.3.2 Freie Konsumwahl 223

      5.4.3.3 Die soziale Bedingtheit von Bedürfnissen 224

      5.4.3.4 Knappheit und Nichtsättigung 224

      5.4.3.5 Kritik 225

   5.4.4 Indifferenzkurven 226

      5.4.4.1 Nichtsättigung 226

      5.4.4.2 Tauschbereitschaft 227

      5.4.4.3 Konsistenz 228

      5.4.4.4 Abnehmende Grenzrate der Substitution 230

      5.4.4.5 Subjektiver Wert und subjektive Alternativkosten . 231

      5.4.4.6 Beispiele für Systeme von Indifferenzkurven 232

   5.4.5 Nominale, ordinale und kardinale Skalierung 234

      5.4.5.1 Skalierungsarten 234

      5.4.5.2 Nutzenindizes und Nutzenfunktionen 235

      5.4.5.3 Grenzrate der Substitution und Grenznutzenverhältnis 237

      5.4.5.4 Interpersoneller Nutzenvergleich 238

5.5 Zusammenfassung: Die Annahmen der Haushaltstheorie 239

5.6 Aufgaben zur Theorie 240

5.7 Literatur 241

Kapitel 6: Nachfragegesetze

6.0 Lernziele **242**

6.1 Lektüre **243**

    6.1.1 Engel über die Geschichte der Konsumstatistik bis 1853 . 243

    6.1.2 Aufgaben zum Text 249

6.2 Geistesgeschichtlicher Hintergrund:

    Das Erkennen ökonomischer Gesetze **250**

    6.2.1 Die Historische Schule 250

    6.2.2 Leben und Wirken von Ernst Engel 253

    6.2.3 Der Ansatz von Alfred Marshall 254

6.3 Nachfragetheorie **257**

    6.3.1 Haushaltsoptimum 257

        6.3.1.1 Beschränkungen bei der Güterwahl 257

        6.3.1.2 Die Budgetgerade 257

        6.3.1.3 Haushaltsoptimum und zweites Gossensches Gesetz   259

    6.3.2 Haushaltsoptimum und Parameteränderung 260

        6.3.2.1 Totalanalyse, Partialanalyse und

            Ceteris-paribus-Bedingung 260

        6.3.2.2 Einkommen und Haushaltsoptimum 261

            6.3.2.2.1 Einkommensänderung 261

            6.3.2.2.2 Normale Güter, inferiore Güter und das

                    Engelsche Gesetz 262

        6.3.2.3 Preise und Haushaltsoptimum 264

            6.3.2.3.1 Das Nachfragegesetz 264

            6.3.2.3.2 Preisänderung und Haushaltsoptimum . . 265

            6.3.2.3.3 Giffen-Güter 266

    6.3.3 Nachfragefunktion, Substitutions- und Einkommenseffekt . 267

        6.3.3.1 Individuelle Nachfragefunktion 267

        6.3.3.2 Substitutions- und Einkommenseffekt 268

        6.3.3.3 Aggregation von Nachfragefunktionen 271

6.3.4 Die rechnerische Bestimmung von Nachfragefunktionen . . 272

    6.3.4.1 Das Lagrange-Verfahren 272

    6.3.4.2 Bestimmung der Nachfragefunktionen bei zwei Gütern 274

    6.3.4.3 Bestimmung der Nachfragefunktionen bei drei

        oder mehr Gütern 275

6.3.5 Elastizitäten 276

6.4 Tauschoptimum und Gleichgewicht **278**

6.4.1 Besserstellung aller durch Tausch - Eine graphische Analyse 278

    6.4.1.1 Einführung der Edgeworth-Box 278

    6.4.1.2 Pareto-Verbesserung und Pareto-Optimum 280

6.4.2 Gleichgewicht, Optimum und Gerechtigkeit 283

    6.4.2.1 Preise, Tausch und Haushaltsoptimum 283

    6.4.2.2 Gleichgewicht, Gleichgewichtspreise

        und die unsichtbare Hand 286

6.5 Problematisierender Rückblick **288**

6.5.1 Annahmen und Aussagen 288

6.5.2 Die soziale Bedingtheit der Nachfrage 288

6.5.3 Präferenzen und Dynamik 289

6.6 Literatur **290**

Kapitel 7:
Die sichtbare Hand, Teil 1: Das Unternehmen

7.0 Lernziele **291**

7.1 Amerikanische Wirtschafts-Geschichte **292**

   7.1.1 Von der Unabhängigkeit bis zum Sezessionskrieg 292

   7.1.2 Der Sezessionskrieg 294

   7.1.3 American Tobacco Company als Beispiel für ein
   innovatives Unternehmen 296

7.2 Lektüre: Unternehmen, Unternehmerpersönlichkeit und

   Unternehmergewinn **299**

   7.2.1 Der Schumpetersche Unternehmer 299

   7.2.2 Fragen zum Text von Schumpeter 302

   7.2.3 Coase: Das Wesen der Unternehmung 304

   7.2.4 Fragen zu Coase und Knight 309

   7.2.5 A. A. Alchian und W. R. Allen: Die Unternehmung als Team 309

   7.2.6 Fragen zum Text von Alchian/Allen 311

   7.2.7 Die Position von Marglin 312

   7.2.8 Übergreifende Fragen 314

   7.2.9 Zu einigen der Autoren 314

      7.2.9.1 J.A. Schumpeter 314

      7.2.9.2 F.H. Knight und R.H. Coase 317

7.3 Die traditionelle Theorie der Unternehmung **319**

   7.3.1 Unternehmensziele 319

   7.3.2 Traditionelle Theorie:
   Die Unternehmung mit einheitlichem Ziel 319

   7.3.3 Formalisierung der Gewinnmaximierung 321

   7.3.4 Produktionsfunktion und Isoquanten 322

   7.3.5 Die Cobb-Douglas-Produktionsfunktion 325

   7.3.6 Minimalkostenkombination und Expansionspfad 326

   7.3.7 Kostenfunktion, Erlösfunktion und Gewinnmaximierung . 328

   7.3.8 Vollständige Konkurrenz und Gewinn 330

   7.3.9 Wertgrenzprodukt und Faktorpreis 335

   7.3.10 Gewinnsicherung durch Marktschließung 337

7.4 Unvollständige Konkurrenz - Das Monopol **338**

7.5 Wirtschaft und Ethik **342**

Kapitel 8: Die sichtbare Hand, Teil 2: Der Staat

8.0 Lernziele 344

8.1 Wirtschafts- und geistesgeschichtlicher Hintergrund . . 345

   8.1.1 Die Neo-Klassik 345

   8.1.2 Der Wohlfahrtsstaat 346

      8.1.2.1 Entstehung 346

      8.1.2.2 Gerechtigkeit und Verteilung 348

   8.1.3 Krieg und Weltwirtschaftskrise 350

      8.1.3.1 Der Erste Weltkrieg 350

      8.1.3.2 "Kriegssozialismus" 352

      8.1.3.3 Entwicklung des Währungssystems 353

      8.1.3.4 Die Hyperinflation 354

      8.1.3.5 Die Weltwirtschaftskrise 356

   8.1.4 Keynes und das Keynes'sche System 359

   8.1.5 Neue Politische Ökonomie - Public Choice 362

8.2 Lektüre 364

   8.2.1 Anthony Downs 364

   8.2.2 Anthony Downs: Eine ökonomische Theorie des politischen
Handelns in der Demokratie 365

   8.2.3 Aufgaben und Fragen zum Text 382

8.3 Theorie: Marktversagen 384

   8.3.1 Einführung 384

   8.3.2 Eigentumsrechte und ihre Durchsetzung 384

      8.3.2.1 Eigentum als Bündel von Rechten 384

      8.3.2.2 Das Rivalitätsprinzip 385

      8.3.2.3 Das Ausschlußprinzip 386

   8.3.3 Externe Effekte 388

      8.3.3.1 Obstbauer und Imker 388

      8.3.3.2 Fischer und Chemiewerk 389

      8.3.3.3 Einzelinteresse und vereinigtes Interesse 390

      8.3.3.4 Internalisierung: Zusammenschluß, Staatseingriff und
Verhandlungslösung 394

8.4 Aufgaben zur Theorie 396

Kapitel 9:
Ressourcenknappheit und intertemporale Theorie

9.0 Lernziele **397**

9.1 Ökologie und intertemporale Theorie **398**

    9.1.1 Ökologie - ein historischer Überblick 398

    9.1.2 Der intertemporale Ansatz 401

9.2 Der Zins **402**

    9.2.1 Das Zinsproblem 402

    9.2.2 Transformation von Gütern über die Zeit 404

        9.2.2.1 Lagerhaltung und Horten 404

        9.2.2.2 Investieren 405

    9.2.3 Intertemporale Allokation 406

        9.2.3.1 Intertemporale Transformationskurve 406

        9.2.3.2 Intertemporale Präferenzen 407

        9.2.3.3 Intertemporal optimale Allokation 408

        9.2.3.4 Das normative Zinsproblem 411

    9.2.4 Vergleich von Zahlungen über die Zeit 413

        9.2.4.1 Die Hauptzinseszins-Formel 413

        9.2.4.2 Der Gegenwartswert 415

        9.2.4.3 Verzinsung und Wachstum 416

        9.2.4.4 Intergenerative Nutzenfunktion 418

    9.2.5 Produktionsmöglichkeiten in der Zeit 420

        9.2.5.1 Komplementäre und substitutionale Faktoren . . . 420

        9.2.5.2 Substitution 422

    9.2.6 Die Allokation von erschöpfbaren Ressourcen 423

        9.2.6.1 Zins und Preisänderung bei erschöpfbaren Ressourcen 424

        9.2.6.2 Energie 426

9.3 Lektüre **427**

    9.3.1 Georgescu-Roegen:

        Was geschieht mit der Materie im Wirtschaftsprozeß? . . 427

    9.3.2 Fragen zum Text 441

    9.3.3 Nicholas Georgescu-Roegen 442

Kapitel 0: Einleitung

0.1 Die Vermittlung der Mikrotheorie

0.1.1 Einstellung zur Mikrotheorie

Wenn man Gesprächen über Mikrotheorie zwischen Studenten oder zwischen Dozenten zuhört, kann man kaum glauben, daß sie über denselben Gegenstand sprechen, so unterschiedlich fallen häufig die Urteile aus. Immer wieder stoßen wir auf folgende Einschätzungen:

die Mikrotheorie	
in den Augen von Studenten	in den Augen von Dozenten
ist unwichtige und irrelevante Theorie	ist die grundlegende Theorie in der VWL
ist Teil der Mathematik	ist Teil der Sozialwissenschaften
basiert auf einer Sammlung von wirklichkeitsfremden, abstrusen Theorien	basiert auf einer Reihe von Annahmen, die grundlegend für jede Diskussion wirtschaftlicher Vorgänge sind
führt zu recht sonderbaren, unverständlichen, überflüssigen Ergebnissen	kommt zu Ergebnissen von extremer Bedeutung für die Sozialwissenschaften
kann allenfalls als Propädeutik akzeptiert werden	ist Propädeutik, da es in den Kern der Wirtschaftswissenschaften führt
ist wichtig für die Prüfungen	ist wichtig für das Verständnis der gesamten Wirtschaftstheorie

Man muß sich fragen, wieso es zu solchen gegensätzlichen Einstellungen kommt. Man kann das Urteil der Studenten nicht ganz pauschal auf ihre selbstverschuldete Unwissenheit zurückführen, denn die negative Einstellung zur Mikrotheorie findet man gerade bei Studenten nach dem Besuch der Vorlesungen. Die Dozenten, die Mikrotheorie für eine grundlegende Theorie der Wirtschaftswissenschaften halten, müssen sich fragen, warum es so schwer ist, diesen Teil der Sozialwissenschaften zu vermitteln.

Zur Beantwortung dieser Frage sollte man an die Entwicklung der Wirtschaftstheorie denken. Die grundsätzlichen Fragen werden seit langem gestellt und seit genauso langem zu beantworten versucht. Generationen von Ökonomen haben intensiv an den Problemen gearbeitet, sich dabei immer mehr auf einige für wichtig angesehene Strukturen konzentriert und immer stärker abstrahiert. Die Studenten werden mit dem sehr abstrakten Ergebnis einer langen Reihe von Forschungsarbeiten konfrontiert und können die ursprünglichen einfachen Ausgangsfragen nicht mehr daraus erkennen. Mikrotheorie erscheint wie ein Gerippe ohne Fleisch.

Wie in vielen Wissenschaftsgebieten werden auch in den Wirtschaftswissenschaften Strukturen mit Hilfe der Mathematik untersucht und beschrieben; Mathematik hat sich immer wieder als die geeignete Sprache für die Untersuchung solcher Strukturen erwiesen. Studenten der Wirtschaftswissenschaft, die manchmal Schwierigkeiten beim Erlernen der "Sprache Mathematik" haben, fällt es naturgemäß schwer, in dieser Sprache zu denken und zu erkennen, daß in der Mikrotheorie Probleme der Wirtschaftstheorie durch Anwendung der Mathematik angegangen und nicht Probleme der Mathematik behandelt werden. Die Studenten sehen nur die Methode und nicht den Grund, diese Methode zu verwenden. "Jenen Studierenden, die der formalen Darstellungsweise wenig Geschmack abgewinnen können, hilft die Beschreibung der Entstehungsgeschichte beim Verständnis eines Problems und des Lösungsansatzes. Wer hingegen die Formalisierung als Erleichterung für die Abfolge logischer Ableitungen schätzt, kann aus der Entwicklungsgeschichte die Voraussetzungen der Theorie bei ihrer Anwendung auf die heutige Wirklichkeit rascher erkennen". (D. Schneider, 1981, S.1)

Außerdem behandelt die Standard-Lehrbuch-Mikrotheorie eine spezielle Sichtweise der Mikrotheorie. Dieses Konzept, das man vereinfachend unter dem Begriff Neoklassische Mikrotheorie zusammenfassen könnte, sieht alle anderen Ansätze als Abwege, Umwege oder bestenfalls als wenig versprechende Seitenwege an. Umwege können aber durchaus wichtig sein, um ein Gebiet kennenzulernen; ein Gelände ist erst dann vertraut, wenn man Nebenwege und Abwege kennt; man könnte fast so etwas wie einen "mehrergiebigen Lernumweg" konstatieren, einen Weg, der nicht schnellstmöglich zum Ziel führt, dafür aber ein großes Gebiet zwischen Start und Ziel bekannt macht.

0.1.2 Die Struktur der Mikrotheorie

Mikrotheorie mit ihren Teilgebieten kann wie ein Tau angesehen werden, bestehend aus vielen Strängen, von denen manchmal der eine Strang besonders stark ist oder auch nur besonders hervortritt, mal ein anderer Strang die übrigen überdeckt; keiner der Stränge allein aber macht die Mikrotheorie aus, jeder einzelne ist zu schwach, um das zu tragen, was in den Wirtschaftswissenschaften an die Mikrotheorie gehängt wird. Im folgenden wollen wir einige dieser einzelnen Stränge betrachten. Fangen wir mit der Wurzel aller Wissenschaften an:

Philosophie und Ethik

Die ersten umfassenden Darstellungen ökonomischer Zusammenhänge finden wir bei den antiken Philosophen. Vor allem Aristoteles (384-322 v. Chr.) hat auch in der Ökonomie das Denken für mehr als tausend Jahre entscheidend geprägt. Die Philosophie hat seit dieser Zeit immer wesentliche Bedeutung für die Ökonomie gehabt. Das kann hier nicht dadurch belegt werden, daß das Wesen der Philosophie bestimmt und dann Bezüge zur Ökonomie hergestellt werden (- das erstere ist eine (fast) unlösbare Aufgabe, das letztere ist auch Aufgabe der folgenden Kapitel). Durch Nennung von einigen Namen kann aber aufgezeigt werden, daß bekannte Ökonomen Philosophie als einen wesentlichen Teil ihrer Überlegungen aufgefaßt haben: Adam Smith hat Werke philosophischen Inhalts geschrieben, Karl Marx hat ein philosophisches Lehrgebäude errichtet, Arrow und Sen beschäftigen sich innerhalb der Wohlfahrtstheorie mit philosophischen Grundproblemen, und die ganze moderne Mikrotheorie wird von Gedanken des kritischen Rationalismus durchzogen.

Die genannten Autoren haben sich insbesondere mit der Moralphilosophie bzw. Ethik beschäftigt. In diesem philosophischen Teilgebiet werden Normensysteme für das Zusammenleben von Menschen untersucht und begründet. Fragen nach fairer Eigentumsordnung und nach gerechtem Einkommen sind beispielsweise Probleme der Ethik, die jedoch genauso wichtig für die Ökonomie sind.

Geschichte

Das wirtschaftliche Verhalten von Individuen, Organisationen und Gesellschaften beeinflußt in positiver und negativer Weise deutlich die Entwicklung unserer Welt, umgekehrt beeinflußt die Entwicklung der Welt ebenso deutlich die Ökonomie. Ökonomische Theorie ist somit ohne Betrachtung der Geschichte nicht möglich. Ökonomische Theorie ist abgeleitet aus geschichtlichen Entwicklungen; andererseits muß sich Theorie bewähren in der Konfrontation mit der geschichtlichen Entwicklung. Preisreihen z. B., gleich ob über Jahrhunderte oder nur über wenige Wochen erfaßt, reflektieren einen Teil der Geschichte. Politische Revolutionen, Evolution und technische Umwälzungen sind wichtig dafür, wie unsere Welt, wie unser ökonomisches System entstanden ist.

Dogmengeschichte

Nicht nur der Zustand der heutigen Welt ist das Ergebnis eines langen Entwicklungsprozesses, auch unser Wissen von dieser Welt, unsere Auffassung über diese Welt ist das Produkt eines langen Forschungs- und Denkprozesses. Dabei hat der Zustand der Welt natürlich das Denken und Forschen bestimmt, aber das Denken und Forschen hat auch den Zustand bestimmt. Um die heutigen Wissenschaften, besonders die Sozialwissenschaften ganz zu verstehen, muß man wissen, wie diese Wissenschaft entstanden ist, welche Probleme behandelt und welche Methoden entwickelt wurden.

Rieter (1971, S. 11) schreibt: "... viele Gedanken, die sich modern geben oder revolutionär erscheinen, machen in Wirklichkeit schon ihr zweites oder sogar drittes Leben durch. Das Studium der älteren nationalökonomischen Literatur ist in dieser Beziehung recht fündig. Dabei muß man sich der Gefahr bewußt sein, daß nur allzu leicht zu viel in ältere Texte 'hineingelesen' werden

kann. Trotzdem sind wir überzeugt von der Fruchtbarkeit lehrgeschichtlicher
Analyse für das Verständnis gegenwärtiger Probleme".

Mathematik

Im Laufe des letzten Jahrhunderts wurde die Mathematik immer stärker
als Instrument benutzt, um bestimmte ökonomische Sachverhalte präzise zu
formulieren und zu analysieren. Es ist damit z. B. möglich, komplexe inter-
dependente Zusammenhänge als ein System von Gleichungen aufzufassen und
Variationen einzelner Größen zu untersuchen. Durch den nicht zu bestrei-
tenden großen Einfluß von Mathematikern auf die moderne Gleichgewichtstheorie ist zwangsläufig die Mikrotheorie stark von mathematischen Forma-
lismen geprägt. Dadurch, daß die Entwicklung der ökonomischen Theorie
nachgezeichnet wird, soll in diesem Buch aufgezeichnet werden, warum es
zur Mathematisierung der Theorie kam, welche Probleme damit angegangen
werden sollten und welche Argumente für und wider eine solche Formalisierung sprechen.

Naturwissenschaften

Die Entstehung der Nationalökonomie ist stark durch die Entwicklung
der Naturwissenschaften geprägt worden. Gerade die Erfolge der Physik
in der Mechanik waren Ansporn für die Ökonomen. Damit ist die Ökonomie auch stark durch das Denken dieser Disziplinen beeinflußt worden; diese
Prägung erkennt man schon an der Terminologie (z. B. beim Gleichgewichtsbegriff). Georgescu-Roegen (1979, S. 99) schreibt, "daß die Gründer der
neo-klassischen Schule daran gingen, eine Wirtschaftslehre nach dem Vorbild
der Mechanik zu entwickeln. Diese sollte nach den Worten Jevons' >the mechanics of utility and selfinterest< sein." Sehr enge Beziehungen bestehen
auch zwischen Biologie und Ökonomie. Darwin nennt als eine Wurzel seiner
Evolutionstheorie die Lehre von Malthus, Marx und Engels berufen sich wiederum in ihrer Geschichtsphilosophie wiederholt auf Darwin (z. B. Kapital
I, MEW 23, S. 392 und Feuerbach, MEW 21, S. 294). In den letzten Jahren ist mit der Spieltheorie eine weitere Klammer zwischen Ökonomie und
(Sozio-)Biologie entstanden.

0.2 Das Konzept

0.2.1 Vorstellung des Konzepts

Dieses Buch geht davon aus, daß Mikrotheorie tatsächlich eine Sozial-
wissenschaft ist, geschaffen von Denkern, die sich mit bestimmten Problemen
konfrontiert sahen und deshalb Methoden und Denkstrukturen entwickelten,
um diese Probleme behandeln und eventuell lösen zu können. Probleme wie
auch Lösungsansätze sind besonders gut nachvollziehbar, wenn man sie zeit-
und gesellschaftsbezogen darstellt und analysiert. Zu den Gedankengängen
von Adam Smith gehört so unbedingt eine Darstellung des Merkantilismus,

der Aufklärung und des Beginns der industriellen Revolution; die Lehren
von Marx müssen im Zusammenhang mit der Philosophie, der ökonomischen
Theorie und der sozialen Frage in der ersten Hälfte des 19. Jahrhunderts
gesehen werden. Unsere Behauptung ist, daß sich gerade aus dieser zeitbe-
zogenen Behandlung ergibt, inwieweit die angesprochenen Probleme für die
heutige Theorie relevant sind. Um diese zeitbezogene, aber in die Gegenwart
hinüberführende Betrachtungsweise zu erreichen, wird auf die Wissenschaftler zurückgegriffen, die wesentliche Gedanken erstmals formuliert oder sich
bei der Entwicklung bestimmter Positionen besonders hervorgetan haben. Es
werden ausführliche Textstellen präsentiert, die Zeit des Autors vorgestellt
und von dort aus die Theorie aufgebaut.

Das neue Konzept kann also so zusammengefaßt werden:

**Die Relevanz der Mikroökonomischen Theorie kann am besten
dadurch gezeigt werden, daß man zu den ursprünglichen Problemen zurückgeht und die Lösungsansätze aus der Zeit heraus von
den Originalautoren darstellen läßt. Die heutige Gesellschaft und
auch die heutige Gesellschaftstheorie ist nur aus ihrer Entstehung
zu verstehen.**

0.2.2 Die Verwendung von Texten im Unterricht

Es gibt kaum eine wirtschaftswissenschaftliche Fakultät, an der nicht
irgendwann mit großem Engagement versucht wurde, auch die Studenten des
Grundstudiums an die Lektüre der Originaltexte heranzuführen; in fast jeder
Hochschule schliefen diese Bemühungen überraschend schnell wieder ein.

Solche Erfahrungen können abschrecken, sollten aber mindestens zu einer Überprüfung der Vorgehensweise führen.

Viele Studenten sind stark interessiert, die Quellen der ökonomischen
Wissenschaft kennenzulernen. Natürlicherweise sind dabei die kontroversen
bzw. nicht behandelten Aspekte interessant. Es muß hier kaum auf die vielen
von Studenten initiierten und getragenen Arbeitskreise hingewiesen werden,
die sich mit dem Werk von Marx beschäftigen. Auch andere kritische Stimmen stoßen bei den Studenten auf Interesse, z. B. die amerikanischen Insti-
tutionalisten wie Veblen oder die Kritiker der Neoklassik wie Joan Robinson
und Sraffa und schließlich die Wachstumskritiker wie Georgescu-Roegen.

Es kann also festgehalten werden, daß bei sehr vielen Studenten Interesse und Engagement vorhanden ist, ökonomische Wissenschaft von verschiedenen Blickwinkeln aus zu betrachten und dabei Ansätze unterschiedlicher
Wissenschaftler zu studieren und zu diskutieren. Bedauerlicherweise scheitern in aller Regel diese Bemühungen der Studierenden, da man die Ziele zu
weit gesteckt hat und die Schwierigkeiten unterschätzt werden. Engagierte
und kritische Studenten finden sich plötzlich in pseudoreligiösen Marx-Zirkeln
wieder, vor schwierigen ökonomischen, chemischen und physikalischen Problemen im Zusammenhang mit ökologischen Problemen kapituliert man und
begnügt sich damit, sein Unbehagen über die Gesellschaft zu artikulieren.
An ähnlichen, anders gelagerten Problemen scheitern häufig die vom Lehr-

personal getragenen Bemühungen, die Studenten der Anfangssemester an die Originalliteratur heranzuführen. Die Texte sind zwar mit Bedacht gewählt, gehören in einen Zusammenhang und sind auch einzeln zu bewältigen. Dieser Zusammenhang kann aber von den Studenten meistens kaum gesehen werden, stattdessen fühlen sie sich von der Fülle des Stoffes und der unterschiedlichen Darstellungsform und Sichtweise der Autoren erschlagen.

Es ergibt sich daraus:

Sowohl auf Seite der Lehrenden wie der Lernenden ist die Bereitschaft, ja der Wunsch vorhanden, die ökonomische Wissenschaft von den ursprünglichen Problemen her in der ganzen Breite darzustellen bzw. kennenzulernen. Diese Methode beinhaltet jedoch Schwierigkeiten, die solche Ansätze bisher fast immer scheitern ließen.

0.2.3 Das Arbeiten mit dem neuen Konzept

Aus den bisherigen Ausführungen ergibt sich, daß es von entscheidender Bedeutung ist, aus den einzelnen Texten ein geschlossenes Ganzes zu bilden und die Studenten zu führen. Ohne eine solche Führung ist es Studenten im Grundstudium nicht möglich, die Gemeinsamkeiten oder die Unterschiede verschiedener Texte zu erkennen, die Bedeutung von Gedankengängen zu erfassen und daraus Rückschlüsse für die heutige Sicht der Ökonomie zu gewinnen. Dieses Verklammern von Originaltexten wird dadurch erreicht, daß zu den Texten als Lesehilfe Fragen gestellt werden, die zur Theorie führen, daß außerdem der wirtschaftsgeschichtliche und geistesgeschichtliche Hintergrund erläutert wird und daß schließlich die Theorie explizit vom vorgestellten Text ausgeht und sich daran entwickelt.

Die einzelnen Kapitel enthalten in unterschiedlicher Reihenfolge grundsätzlich folgende fünf Bereiche:

a. Lernziele
b. Originaltext(e)
c. Darstellung des geistesgeschichtlichen und wirtschaftlichen Hintergrunds
d. Wirtschaftstheoretische Darstellung
e. Fragen und Aufgaben

a. Jedes Kapitel beginnt mit einer Liste von Lernzielen. Diese Lernziele dienen als Wegweiser durch das jeweilige Kapitel und geben dabei von vornherein gewisse Wegmarken bekannt, die während der Durcharbeitung dem Lernenden und dem Lehrenden als Orientierungshilfe dienen können. **Am Schluß eines Kapitels kann mit Hilfe der Lernziele überprüft werden, ob die Arbeit erfolgreich war.**

b. Die Originaltexte sind von unterschiedlicher Länge, unterschiedlichem Schwierigkeitsgrad und unterschiedlichem Stil. Das ist unvermeidlich, wenn Texte verschiedener Autoren und Epochen vorgestellt werden. **Der Leser dieses Buches muß also lernen, mit unterschiedlichen Darstellungsformen zu arbeiten.**

Die ausgewählten Autoren haben wesentliche Beiträge zur ökonomischen Theorie erbracht. Das sollte aber gerade dazu führen, kritisch an ihre Texte heranzugehen und nicht anerkennend bis bewundernd zu ihren Leistungen hochzuschauen. Der Leser wird also aufgefordert, die Aussagen der Texte kritisch zu durchleuchten. Einschränkungen wie "Adam Smith kannte noch nicht ..." oder "Karl Marx konnte nicht voraussehen ..." sind häufig angebracht, sollten aber nicht davon abhalten, die Texte aus heutiger Sicht kritisch zu analysieren.

c. Ein Abschnitt über die Wirtschafts- und Geistesgeschichte soll in jedem Kapitel den Zusammenhang zwischen dem Autor, seiner Zeit und seinen Gedanken herstellen. Ebenso wichtig wie diese wirtschaftsgeschichtlichen Hintergründe sind die geistesgeschichtlichen Zusammenhänge.

d. Im Theorieteil soll - wie schon ausgeführt - nicht die Theorie des jeweils ausgewählten Autors detailliert vorgestellt werden. Es ist vielmehr das Ziel, die moderne Theorie von den Überlegungen des Autors ausgehend einzuführen.

e. Zu jedem Kapitel gibt es eine Reihe von Fragen von unterschiedlicher Schwierigkeit. Die Bearbeitung dieser Fragen ist sehr wichtig beim Durcharbeiten des Buches. Dabei ist es entscheidend, die Fragen zu bearbeiten, die die ausgewählten Texte begleiten. Diese Fragen sind häufig sehr einfach, viele beantworten sich schon dadurch, daß man eine bestimmte Textstelle aufsucht. Mit Hilfe dieser Fragen soll der mit Literaturstudium nicht vertraute Leser auf bestimmte Schwerpunkte der Textstelle, auf bestimmte Anliegen des Autors, manchmal aber auch auf - aus heutiger Sicht gesehen - bestimmte Schwachstellen der Argumentation oder auf Brüche in der Analyse hingewiesen werden. Gleichzeitig haben die Aufgaben auch die Funktion, die verschiedenen Teile zu verklammern und von den Texten zu den theoretischen Abschnitten überzuleiten. Fast alle Fragen werden im theoretischen Teil wieder aufgenommen und dort behandelt.

Auch die Aufgaben in oder nach den theoretischen Teilen sollten selbständig erarbeitet werden. Dabei dienen die Aufgaben in den Abschnitten dazu, die Konzepte einzuüben und auf weitere Ausführungen vorzubereiten, während die nachgestellten Aufgaben bestimmte Anwendungsbereiche der Analyse aufzeigen.

Wichtig bei dem Konzept, vor allem bei der Bewältigung der Lehrinhalte, ist das Zusammenspiel von Stoffvermittlung durch die Dozenten und Stofferarbeitung durch die Studenten. Die Lektüre der Texte und die damit verbundene Bearbeitung der Aufgaben sollte auf jeden Fall als "Hausaufgabe" erledigt werden. Die zu den Texten gehörenden Aufgaben werden im Theorieteil wieder aufgenommen; es erübrigt sich also in der Regel, die Aufgaben gesondert zu besprechen.

Somit ist als Unterrichtstoff vorgegeben:

a. Die kurze Vorstellung der Wirtschafts- und Geistesgeschichte.

b. Die intensive Einführung in die Theorie.

0.3 Zusammenfassung

Das vorgestellte Konzept der Vermittlung der Mikroökonomie geht davon aus, daß die Relevanz der Theorie am besten dadurch aufzuzeigen ist, daß bewußt von den ursprünglichen Problemen und Lösungsansätzen ausgegangen wird und daß von dort die Brücke zur modernen Theorie geschlagen wird. Diese Methode stellt nicht zu unterschätzende Anforderungen an die Leistungsbereitschaft der Studenten und an die Motivationskraft der Dozenten. Bei einem erfolgreichen Durchlaufen des vorgesehenen Stoffes ist der Student der Wirtschaftswissenschaften in der Lage, die Methoden der modernen Mikrotheorie zu überblicken und anzuwenden, ihre Relevanz einzuschätzen und die Probleme zu diskutieren. In verbundener Produktion fallen neben diesem erstrebten Ziel auch noch die Grundkenntnisse der Wirtschaftsgeschichte und der Geistesgeschichte an und zwar in einem Maße, wie sie zum wirtschaftswissenschaftlichen Studium im Prinzip gehören sollten, leider jedoch im Rahmen der Studienpläne nicht überall vermittelt werden können.

Von seinem Aufbau her richtet sich das Konzept nicht nur an angehende Volkswirte. Auch Betriebswirte, Juristen, Sozialwissenschaftler und andere an wirtschaftlichen Problemen interessierte müßten nach Durcharbeiten des präsentierten Stoffes die Grundlagen der ökonomischen Theorie kennengelernt haben; Volkswirte müßten in der Lage sein, sich jedes weiterführende mikroökonomisch fundierte Buch z. B. über Gleichgewichtstheorie (wie z. B. Varian (1985) oder Hildenbrandt, Kirman (1976)), aber auch über Finanzwissenschaften oder über Wirtschaftstheorie zu erarbeiten.

Seit etwa drei Jahren wird dieses Konzept eingesetzt, um die mikroökonomische Theorie in Parallelgruppen in Paderborn zu vermitteln. Ich danke den Studenten, vor allem aber meinen mitarbeitenden Kollegen für die vielen Hinweise und Verbesserungsvorschläge; es ist durchaus möglich, ja wahrscheinlich, daß einzelne Passagen, Aufgaben und Sätze des vorliegenden Textes direkt aus solchen Vorschlägen stammen. An dem Konzept und seiner Vermittlung in Paderborn haben mitgewirkt: Ingo Barens, Wolfgang Brandes, Horst Brezinski, Anette Förster, Ulrich Kazmierski, Peter Liepmann, Ulrich Mohr, Hans-Georg Napp, Karl-Heinz Schmidt, Gerhard Wagenhals und Ulrich Walwei. Für die Diskussion des Konzepts und intensive Korrektur von Teilen des Entwurfs danke ich Peter Bernholz, Basel, Friedrich Breyer in Hagen, Dirk Obermann und Bernd Rahmann in Paderborn. Iro Betz, Paderborn und Malte Faber, Frank Jöst und Matthias Ruth in Heidelberg haben mir mit Hinweisen zum gesamten Werk sehr geholfen. Es ist fast unnötig zu sagen, daß die verbleibenden Mängel von mir zu verantworten sind. Frau Gudrun Eberlein danke ich, daß sie sich jahrelang durch meine fast unleserlichen Manuskripte gearbeitet hat.

Durch sorgfältiges Korrekturlesen haben Iro Betz, Frau Gudrun Eberlein und Ulrich Mohr die Zahl der Fehler beträchtlich vermindert. Bei den verbleibenden Mängeln bitte ich den Leser um Nachsicht.

Kapitel 1: Arbeitsteilung - Adam Smith

1.0 Lernziele

1. Das Werk und die Bedeutung von Adam Smith kennenlernen

2. Adam Smith - Wegbereiter sowohl der bürgerlichen wie auch der marxistischen ökonomischen Theorie - kennenlernen. Dabei folgende Zusammenhänge erfassen:

   a. Adam Smith und Merkantilismus

   b. Adam Smith und Aufklärung

   c. Adam Smith, industrielle Revolution und Entfaltung der Produktivkräfte

   d. Adam Smith und staatliche Institutionen

   e. Adam Smith und die unsichtbare Hand

3. Das Wesen und die Auswirkungen der Arbeitsteilung erkennen.

4. Erkennen, daß für die Arbeitsteilung bestimmte Voraussetzungen erforderlich sind:

   a. Zielfunktion(en)

   b. Ein Koordinationsmechanismus

   c. Institutionen und Strukturen, wie Verkehrswege und Informationskanäle.

5. Erkennen, daß Adam Smith einen ganz bestimmten Koordinationsmechanismus im Auge hatte, der von ganz speziellen Zielfunktionen ausgeht und entsprechende Infrastrukturen bedingt.

   a. Zielfunktionen: einzelwirtschaftliches persönliches Interesse

   b. Koordinationsmechanismus: gegenseitiger vorteilhafter Tausch zu Marktpreisen

   c. Institutionen: Märkte und allgemein anerkannte Tauschmittel (Geld)

6. Erkennen, daß Arbeitsteilung und die sich daraus ergebenden Strukturen zu theoretischen und praktischen Problemen in der Wirtschaft und der Wirtschaftspolitik führen:

   a. Gibt es neben dem Koordinationsmechanismus Tausch noch andere Koordinationsmechanismen? Auf welchen Zielfunktionen basieren diese, welche spezielle Strukturen bedingen diese?

   b. Funktionieren die Koordinationsmechanismen tatsächlich? Wie funktionieren sie? Wann funktionieren sie nicht?

   c. Welches ist der "beste" Koordinationsmechanismus?

   d. Sollten bestimmte Mechanismen kombiniert werden?

7. Erkennen, daß die Spieltheorie Modellspiele liefert, mit denen Voraussetzungen und Probleme der Tauschökonomie strukturiert werden können.

8. Das Arbeiten mit wissenschaftlichen Texten einüben.

1.1 Lektüre: A.Smith, Der Wohlstand der Nationen (1776)

5*

Erstes Buch

Die Ursachen der Vervollkommnung der Produktivkräfte der Arbeit und die Ordnung, nach welcher ihr Produkt sich naturgemäß unter die verschiedenen Volksklassen verteilt.

1. Kapitel

Die Arbeitsteilung

Die größte Vervollkommnung der Produktivkräfte der Arbeit und die vermehrte Geschicklichkeit, Fertigkeit und Einsicht, womit die Arbeit überall geleitet oder verrichtet wird, scheint eine Wirkung der Arbeitsteilung gewesen zu sein.

Die Wirkungen der Arbeitsteilung in der allgemeinen Gewerbstätigkeit der Gesellschaft lassen sich leichter verstehen, wenn man beachtet, in welcher Weise jene Teilung in einzelnen Manufakturen auftritt. Man nimmt gewöhnlich an, daß sie in einigen recht unbedeutenden am weitesten getrieben werde. Nicht etwa, weil sie hier wirklich weiter getrieben würde, als in anderen von

6 größerem Belang; sondern, da diese nur eine kleine Zahl von Menschen mit geringfügigen Bedürfnissen zu versorgen haben, so muß die Zahl der Arbeiter notwendigerweise gering sein, und es können oft alle, die mit den verschiedenen Zweigen der Arbeit beschäftigt sind, in derselben Werkstatt versammelt sein und von einem Beobachter mit einem Blicke übersehen werden. Dagegen beschäftigt in jenen großen Manufakturen, welche das große Ganze des Volkes mit seinem großen Bedarf zu versorgen haben, jeder einzelne Arbeitszweig eine so große Zahl von Arbeitern, daß es unmöglich ist, sie alle in einer Werkstatt zu versammeln. Man sieht da selten zu gleicher Zeit mehr als diejenigen, welche in einem einzelnen Zweige tätig sind. Obgleich daher in solchen Betrieben die Arbeit wirklich in viel mehr Teile zerfällt, als in denen von geringerem Belang, so ist die Teilung doch nicht so augenfällig und deshalb auch weniger bemerkt worden.

Um ein Beispiel von einem wenig belangreichen Gewerbe zu geben, bei welchem man jedoch sehr oft von der Arbeitsteilung Notiz genommen hat, nämlich von der Stecknadelfabrikation, so könnte ein für dies Geschäft (woraus die Arbeitsteilung ein eigenes Gewerbe gemacht hat) nicht angelernter Arbeiter, der mit dem Gebrauch der dazu verwendeten Maschine (zu deren Erfindung wahrscheinlich dieselbe Arbeitsteilung Gelegenheit gegeben hat) nicht vertraut wäre, vielleicht mit dem äußersten Fleiße täglich kaum eine, gewiß aber keine 20 Nadeln machen. In der Art aber, wie dies Geschäft jetzt betrieben wird, ist es nicht nur ein eigenes Gewerbe, sondern teilt sich in eine Zahl von Zweigen, von denen die meisten gewissermaßen wieder eigene Gewerbe sind. Einer zieht den Draht, ein anderer richtet ihn, ein dritter schrotet ihn ab, ein vierter spitzt ihn zu, ein fünfter schleift ihn am oberen

---

* Die Zahlen am linken Rand verweisen auf die Seitenzahlen der benutzten Vorlage

Ende, damit der Kopf angesetzt werde; die Verfertigung des Kopfes erfor-
7 dert zwei oder drei verschiedene Verrichtungen; das Ansetzen desselben ist
ein eigenes Geschäft, das Weißglühen der Nadeln ein anderes; ja sogar das
Einstecken der Nadeln in Papier bildet ein Gewerbe für sich. So ist das
wichtige Geschäft der Stecknadelfabrikation in ungefähr 18 verschiedene Verrichtungen geteilt, die in manchen Fabriken alle von verschiedenen Händen
vollbracht werden, während in anderen ein einziger Mensch zwei oder drei
derselben auf sich nimmt. Ich habe eine kleine Fabrik dieser Art gesehen,
wo nur zehn Menschen beschäftigt waren, und manche daher zwei oder drei
verschiedene Verrichtungen zu erfüllen hatten. Obgleich nun diese Menschen
sehr arm und darum nur leidlich mit den nötigen Maschinen versehen waren, so konnten sie doch, wenn sie sich tüchtig daran hielten, zusammen
zwölf Pfund Stecknadeln täglich liefern. Ein Pfund enthält über 4000 Nadeln
von mittlerer Größe. Es konnten demnach diese zehn Menschen täglich über
48 000 Nadeln machen. Da jeder den zehnten Teil von 48 000 Nadeln machte,
so läßt sich's so ansehen, als machte er 4 800 Nadeln an einem Tage. Hätten
sie dagegen alle einzeln und unabhängig gearbeitet und wäre keiner für dies
besondere Geschäft angelernt worden, so hätte gewiß keiner 20, vielleicht
nicht eine Nadel täglich machen können, d. h. nicht den zweihundertvierzigsten, vielleicht nicht den viertausendachthundertsten Teil von dem, was
sie jetzt infolge einer geeigneten Teilung und Verbindung ihrer verschiedenen
Verrichtungen zu leisten imstande sind.

In jeder anderen Kunst und jedem anderen Gewerbe sind die Wirkungen der Arbeitsteilung denen, welche dieses so wenig belangreiche Gewerbe
darbietet, ähnlich, obgleich in vielen derselben die Arbeit weder in so viele
Unterabteilungen zerlegt, noch auf eine so große Einfachheit in der Verrichtung zurückgeführt werden kann. Doch bringt die Arbeitsteilung, soweit sie
sich einführen läßt, in jedem Gewerbe eine verhältnismäßige Vermehrung der
8 Produktivkräfte der Arbeit zuwege. Die Trennung der verschiedenen Gewerbe und Beschäftigungen scheint infolge dieses Vorteils entstanden zu sein.
Auch geht diese Trennung gewöhnlich in denjenigen Gegenden am weitesten,
welche sich auf der höchsten Stufe der Industrie und Kultur befinden: was
in einem rohen Gesellschaftszustande das Werk eines einzigen Menschen ist,
pflegt in einem fortgeschrittenen die Sache mehrerer zu sein. In jeder zivilisierten Gesellschaft ist der Landmann gewöhnlich nichts als Landmann,
der Handwerker nichts als Handwerker. Selbst diejenige Arbeit, welche zur
Herstellung eines vollständigen Fabrikates nötig ist, wird fast immer auf eine
Menge von Händen verteilt. Wie viele verschiedene Beschäftigungen sind
nicht in jedem einzelnen Zweig der Leinen- und Wollenmanufaktur wirksam,
von den Produzenten des Flachses und der Wolle an bis zu den Bleichern und
Mangern der Leinwand oder zu den Färbern und Tuchbereitern!

[...(Adam Smith beschreibt, daß in der Landwirtschaft die Arbeitsteilung nicht in
gleichem Maße durchgeführt ist, wie in den Manufakturen)]

10   Diese große Vermehrung in der Quantität des Erarbeiteten, die infolge der Arbeitsteilung die nämliche Zahl Leute herzustellen imstande ist, verdankt man dreierlei verschiedenen Umständen: erstens der gesteigerten Geschicklichkeit bei jedem einzelnen Arbeiter, zweitens der ersparten Zeit, welche gewöhnlich bei dem Übergange von einer Arbeit zur anderen verloren geht, und endlich die Erfindung einer Menge von Maschinen, welche die Arbeit erleichtern und abkürzen und einen einzigen Menschen instand setzen, die Arbeit vieler zu verrichten.

Erstens. Die gesteigerte Geschicklichkeit des Arbeiters vergrößert notwendig das Arbeitsquantum, das er leisten kann, und da die Arbeitsteilung das Geschäft eines jeden auf eine einfache Verrichtung einschränkt und diese Verrichtung zur alleinigen Beschäftigung seines Lebens macht, so steigert sie unausbleiblich die Geschicklichkeit des Arbeiters zu einem hohen Grade. Ein gewöhnlicher Schmied, der, wenn er auch den Hammer zu führen gewohnt ist, doch niemals im Nägelmachen Übung hatte, wird - davon bin ich überzeugt - wenn er in einem besonderen Falle sich daran machen muß, kaum imstande sein, über 200 bis 300 Nägel im Tage zu verfertigen, und diese noch dazu herzlich schlecht. Ein Schmied, der zwar gewohnt ist Nägel zu machen, dessen alleiniges oder hauptsächliches Geschäft aber nicht das des Nagelschmieds war, kann selten bei äußerstem Fleiße mehr als 800 bis 1000 Nägel

11 im Tage machen. Ich habe Burschen unter 20 Jahren gesehen, welche niemals eine andere Beschäftigung, als die des Nägelmachens gehabt hatten, und die, wenn sie sich tüchtig daran hielten, je über 2 300 Nägel an einem Tage machen konnten. Dennoch ist das Verfertigen eines Nagels keineswegs eine der einfachsten Verrichtungen. Ein und derselbe Mensch bläst die Bälge, schürt an oder legt, wenn's nötig wird, Feuerung zu, glüht das Eisen und schmiedet die einzelnen Teile des Nagels; beim Schmieden des Kopfes ist er sogar genötigt, mit den Werkzeugen zu wechseln. Die verschiedenen Operationen in welche die Verfertigung einer Stecknadel oder eines Metallknopfes zerfällt, sind sämtlich viel einfacher, und die Geschicklichkeit desjenigen, der sein Leben mit diesem einen Geschäfte zugebracht hat, ist gewöhnlich weit größer. Die außerordentliche Geschwindigkeit, mit welcher einige Operationen dieser Manufakturen gemacht werden, übertrifft alles, dessen man die menschliche Hand für fähig hält, solange man nicht Augenzeuge davon war.

Zweitens. Der Vorteil, welcher durch Ersparnis der im Übergange von einer zur anderen Arbeit gewöhnlich verlorenen Zeit gewonnen wird, ist bei weitem größer, als man sich's beim ersten Anblick vorstellen kann. Es ist unmöglich, sehr schnell von einer Art Arbeit zur anderen überzugehen, wenn sie an verschiedenen Orten und mit ganz anderen Werkzeugen ausgeführt werden. Ein Weber auf dem Lande, der ein kleines Gütchen zu bestellen hat, muß ein gut Teil Zeit damit verlieren, daß er von seinem Webstuhl aufs Feld und vom Felde zum Webstuhl wandert. Wenn die beiden Gewerbe in derselben Werkstätte betrieben werden können, so ist der Zeitverlust ohne Zweifel weit geringer; doch ist er auch in diesem Falle sehr ansehnlich. Es pflegt der Mensch ein wenig zu zaudern, wenn er eine Art der Beschäftigung verläßt,

um sich zu einer anderen zu wenden. Wenn er an die neue Arbeit geht, ist er
12 selten recht rührig und herzhaft: sein Geist ist, wie man zu sagen pflegt, noch
nicht dabei, und er vertrödelt eher einige Zeit, als daß er sich wacker daran
hält. Die Gewohnheit des Trödelns und der sorglosen, nachlässigen Arbeits-
weise, die natürlich oder vielmehr notwendig jeder Arbeiter auf dem Lande
annimmt, der mit Arbeit und Werkzeugen alle halben Stunden wechseln und
alle Tage seines Lebens auf zwanzigerlei Art sich beschäftigen muß, macht
ihn fast durchgehends träge, lässig und selbst in den dringendsten Fällen jedes angestrengten Fleißes unfähig. Daher muß, auch abgesehen von seinem
Mangel an Geschicklichkeit, schon dieser Grund allein das Arbeitsquantum,
welches er auszuüben vermag, immer beträchtlich heruntersetzen.

Drittens. Jedermann muß erkennen, wie sehr die Arbeit durch Anwendung geeigneter Maschinen erleichtert und abgekürzt wird. Es ist unnötig,
ein Beispiel anzuführen. Ich will daher nur bemerken, daß die Erfindung aller
jener Maschinen, durch welche die Arbeit so sehr erleichtert und abgekürzt
wird, ursprünglich, wie es scheint, der Arbeitsteilung zu verdanken ist. Es
ist viel wahrscheinlicher, daß man leichtere und bequemere Methoden, eine
Sache zu erreichen, dann entdeckt, wenn die ganze Aufmerksamkeit auf diese
Sache gerichtet ist, als wenn sie auf eine große Mannigfaltigkeit von Dingen
zersplittert wird. Durch die Arbeitsteilung kommt es aber dahin, daß die
ganze Aufmerksamkeit eines Menschen sich auf irgendeinen höchst einfachen
Gegenstand richtet. Es ist daher natürlich zu erwarten, daß einer oder der
andere unter denen, welche es mit einem besonderen Arbeitszweige zu tun haben, bald leichtere und bequemere Methoden, seine eigene, besondere Arbeit
zu verrichten, ausfindig machen wird, wenn anders die Natur derselben eine
solche Vervollkommnung zuläßt. Gar viele Maschinen, die in denjenigen Ge-
werben gebraucht werden, in welchen die Arbeit am meisten geteilt ist, waren
13 ursprünglich Erfindungen gemeiner Arbeitsleute, die, da sie bei irgendeiner
sehr einfachen Operation beschäftigt waren, natürlich ihre Gedanken darauf
richteten, leichtere und bequemere Herstellungsarten herauszufinden. Wer
solche Manufakturen häufig besucht hat, dem müssen oft sehr schöne Maschinen zu Gesicht gekommen sein, die Erfindungen solcher Arbeiter waren,
zu dem Zwecke, ihre eigene Arbeitsaufgabe zu erleichtern und zu beschleu-
nigen. Bei den ersten Dampfmaschinen war ein Knabe fortwährend damit
beschäftigt, die Verbindung zwischen dem Kessel und Zylinder, sowie der
Stempel hinauf- oder hinunterging, wechselweise zu öffnen und zu schließen.
Einer dieser Knaben, der Lust hatte mit seinen Kameraden zu spielen, bemerkte, daß, wenn man eine Schnur von dem Griff des Ventils, welches diese
Verbindung öffnete, nach einem anderen Teil der Maschine zöge, das Ventil
sich ohne sein Zutun öffnen und schließen und ihm Freiheit lassen würde, sich
mit seinen Spielgenossen zu belustigen. Eine der größten Vervollkommnungen, die an dieser Maschine seit ihrer Erfindung gemacht wurden, war so die
Entdeckung eines Knabens, der sich Arbeit sparen wollte.

Doch sind keineswegs alle Vervollkommnungen im Maschinenwesen Erfindungen derjenigen gewesen, welche die Maschinen nötig hatten. Viele Ver-

besserungen wurden durch die Erfindsamkeit der Maschinenbauer gemacht, als das Bauen der Maschinen ein eigenes Gewerbe wurde; andere kamen durch diejenigen zustande, welche wir Philosophen oder Theoretiker nennen, und deren Aufgabe es ist, nicht etwas zu machen, sondern alles zu beobachten: sie sind deswegen oft imstande, die Kräfte der entferntesten und unähnlichsten Dinge miteinander zu kombinieren. Bei dem Fortschritte der Gesellschaft wird aus der Philosophie oder Theorie, wie aus jeder anderen Beschäftigung,

14 das Haupt- oder einzige Gewerbe und Geschäft einer besonderen Klasse von Bürgern. Auch ist dieses, wie jeder andere Betrieb, in eine große Anzahl verschiedener Zweige geteilt, deren jeder einer besonderen Abteilung oder Klasse von Philosophen zu tun gibt; und diese ins einzelne gehende Geschäftsteilung vergrößert ebenso in der Philosophie, wie in jedem anderen Berufe, die Geschicklichkeit und hilft Zeit sparen. Dadurch wird jeder einzelne in seinem besonderen Geschäftszweige erfahrener, mehr Arbeit im ganzen verrichtet und der Umfang des Wissens ansehnlich vermehrt.

Diese große, durch die Arbeitsteilung herbeigeführte Vervielfältigung der Produkte in allen verschiedenen Künsten bewirkt in einer gut regierten Gesellschaft jene allgemeine Wohlhabenheit, die sich bis zu den untersten Klassen des Volkes erstreckt. Jeder Arbeiter hat über das Quantum seiner eigenen Arbeit hinaus, welches er selbst braucht, noch einen großen Teil zur Verfügung, und da jeder andere Arbeiter sich völlig in derselben Lage befindet, so ist er imstande einen großen Teil seiner eigenen Waren gegen einen großen Teil, oder, was auf dasselbe hinauskommt, gegen den Preis eines großen Teils der ihrigen zu vertauschen. Er versorgt sie reichlich mit dem, was sie brauchen, und sie helfen ihm ebenso vollkommen mit dem aus, was er bedarf, und es verbreitet sich allgemeiner Wohlstand über die verschiedenen Stände der Gesellschaft.

Adam Smith

nach einem Stich von

Frederick Mackenzie

Man betrachte nur die Habe des gemeinsten Handwerkers oder Tagelöhners in einem zivilisierten, blühenden Lande, und man wird gewahr werden, daß die Zahl der Menschen, von deren Fleiß ein Teil, wiewohl nur ein kleiner Teil, dazu gebraucht wurde, ihm diese Habe zu verschaffen, alle Berechnung übersteigt. Der wollene Rock z. B., der den Tagelöhner bekleidet, ist, so grob und gemein er auch aussehen mag, doch das Produkt der vereinigten Arbeit von einer großen Menge Arbeiter. Der Schäfer, der

15 Wollsortierer, der Wollkämmer oder Krempler, der Färber, der Hechler, der Spinner, der Weber, der Walker, der Wollbereiter samt vielen anderen, sie alle müssen ihre verschiedenen Künste vereinigen, um auch nur dies einfache Produkt herzustellen. Wie viele Kaufleute und Fuhrleute hatten außerdem

damit zu tun, das Material von den einen Arbeitern zu den anderen, die oft in einem sehr entfernten Teile des Landes wohnen, zu schaffen! Wieviel Handel und Schiffahrt insbesondere, wieviel Schiffbauer, Seeleute, Segelmacher, Seiler waren nötig, um die verschiedenen für den Färber erforderlichen Drogen, die oft von den entlegensten Enden der Welt kommen, zusammenzubringen! Welch eine Mannigfaltigkeit der Arbeit ist ferner nötig, um die Werkzeuge des geringsten unter diesen Arbeitern hervorzubringen! Von so komplizierten Maschinen, wie ein Schiff, eine Walkmühle oder auch ein Webstuhl ist, gar nicht zu reden, wollen wir nur betrachten, welch mannigfaltige Arbeit dazu erfordert wird, jene höchst einfache Maschine, die Schafschere, mit welcher der Schäfer die Wolle abschert, zu verfertigen. Der Bergmann, der Setzer des Ofens zur Metallschmelzung, der Holzfäller, der Köhler, welcher Kohlen für die Schmelzhütte bereitet, der Ziegelstreicher, der Maurer, die Arbeiter, welche den Ofen zu besorgen haben, der Mühlenbauer, der Metallarbeiter, der Schmied müssen ihre verschiedenen Arbeiten zu deren Hervorbringung vereinigen. Wollten wir auf dieselbe Weise alle verschiedenen Teile seines Anzuges und Hausrates untersuchen, das grobe, leinene Hemde, welches er auf dem Leibe trägt, die Schuhe, die seine Füße bedecken, das Bett, worauf er liegt, und alle Teile, woraus es besteht, den Rost in der Küche, auf dem er seine Speisen zurechtmacht, die Kohlen, die er dazu braucht und die aus den Schächten gegraben und ihm vielleicht durch eine lange Land- und Seefahrt
16 zugeführt worden sind, alle anderen Gerätschaften seiner Küche, alles Tischzeug, die Messer und Gabeln, die irdenen oder zinnernen Teller, auf denen er seine Gerichte aufträgt und schneidet, die verschiedenen Hände, welche mit Bereitung seines Brotes und Bieres beschäftigt sind, die Glasfenster, die Wärme und Licht hereinlassen, Wind und Regen abhalten, samt aller Kenntnis und Kunst, welche erforderlich war, die schöne, glückliche Erfindung vorzubereiten, ohne die diese nördlichen Teile der Erde kaum eine sonderlich bequeme Wohnung erhalten konnten, dazu endlich die Werkzeuge all der verschiedenen mit Hervorbringung der verschiedenen Genußmittel beschäftigten Arbeiter: - wenn wir, sage ich, alle diese Dinge betrachten und erwägen, welche Mannigfaltigkeit der Arbeit an jedes von ihnen verwendet wird, so werden wir gewahr werden, daß ohne den Beistand und die Mitwirkung von vielen Tausenden nicht der allergeringste Mensch in einem zivilisierten Lande auch nur in der, wie wir fälschlich glauben, leichten und einfachen Art versorgt werden kann, in der er gewöhnlich ausgestattet ist. Verglichen freilich mit dem ausschweifenderen Luxus der Großen muß seine Habe ohne Zweifel außerordentlich einfach und leicht erscheinen; dennoch ist es vielleicht wahr, daß die Versorgung eines europäischen Fürsten nicht immer die eines fleißigen und dürftigen Bauern in dem Grade übertrifft, als die Versorgung des letzteren über die so manches afrikanischen Königs, des absoluten Herrn über Leben und Freiheit von zehntausend nackten Sklaven, hinausgeht.

2. Kapitel

Das Prinzip, welches zur Arbeitsteilung führt.

17   Diese Arbeitsteilung, aus welcher so viele Vorteile sich ergeben, ist nicht ursprünglich das Werk menschlicher Weisheit, welche die allgemeine Wohlhabenheit, zu der es führt, vorhergesehen und bezweckt hätte. Sie ist die notwendige, wiewohl sehr langsame und allmähliche Folge eines gewissen Hanges der menschlichen Natur, der keinen solch ausgiebigen Nutzen erstrebt, des Hanges zu tauschen, zu handeln und eine Sache gegen eine andere auszuwechseln.

Ob dieser Hang eines jener Urelemente der menschlichen Natur ist, von denen sich weiter keine Rechenschaft geben läßt, oder ob er, was mehr Wahrscheinlichkeit für sich hat, die notwendige Folge des Denk- und Sprachvermögens ist, das gehört nicht zu unserer Untersuchung. Er ist allen Menschen gemein und findet sich bei keiner Art von Tieren, die weder diese noch andere Verträge zu kennen scheinen. Zwei Windhunde, welche zusammen einen Hasen jagen, haben zuweilen den Anschein, als handelten sie nach einer Art von Einverständnis. Jeder jagt ihn seinem Gefährten zu, oder sucht, wenn ihn sein Gefährte ihm zutreibt, ihn abzufangen. Das ist jedoch nicht die Wirkung eines Vertrages, sondern kommt von dem zufälligen Zusammentreffen ihrer gleichzeitigen Begierden bei demselben Objekte. Kein Mensch sah jemals einen Hund mit einem anderen einen gütlichen und wohlbedachten Austausch eines Knochens gegen einen anderen machen. Kein Mensch sah jemals ein Tier durch seine Geberden und Naturlaute einem anderen andeu-
18 ten: ”Dies ist mein, jenes dein; ich bin willens, dies für jenes zu geben”. Wenn ein Tier von einem Menschen oder einem anderen Tiere etwas erlangen will, so hat es keine anderen Mittel, sie dazu zu bewegen, als daß es die Gunst derer gewinnt, deren Dienst es begehrt. Ein junger Hund liebkost seine Mutter, und ein Hühnerhund sucht auf tausenderlei Weise sich seinem bei Tische sitzenden Herrn bemerklich zu machen, wenn er von ihm etwas zu fressen haben will. Der Mensch bedient sich bisweilen derselben Mittel bei seinen Mitmenschen, und wenn er kein anderes Mittel kennt, um sie zu bewegen, nach seinem Wunsche zu handeln, so sucht er durch alle möglichen knechtischen und kriecherischen Aufmerksamkeiten ihre Willfährigkeit zu gewinnen. Er hat jedoch nicht Zeit, dies in jedem einzelnen Falle zu tun. In einer zivilisierten Gesellschaft befindet er sich jederzeit in der Zwangslage, die Mitwirkung und den Beistand einer großen Menge von Menschen zu brauchen, während sein ganzes Leben kaum hinreicht, die Freundschaft von einigen wenigen Personen zu gewinnen. Fast bei jeder anderen Tiergattung ist das Individuum, wenn es reif geworden ist, ganz unabhängig und hat in seinem Naturzustande den Beistand keines anderen lebenden Wesens nötig; der Mensch dagegen braucht fortwährend die Hilfe seiner Mitmenschen, und er würde diese vergeblich von ihrem Wohlwollen allein erwarten. Er wird viel eher zum Ziele kommen, wenn er ihre Eigenliebe zu seinen Gunsten interessieren und ihnen zeigen kann, daß sie selbst Vorteil davon haben, wenn sie

für ihn tun, was er von ihnen haben will. Wer einem anderen einen Handel anträgt, macht ihm den folgenden Vorschlag: Gib mir, was ich will, und du sollst haben, was du willst, - das ist der Sinn jedes derartigen Anerbietens; und so erhalten wir voneinander den bei weitem größeren Teil der guten Dienste, die wir benötigen. Nicht von dem Wohlwollen des Fleischers, Brauers oder Bäckers erwarten wir unsere Mahlzeit, sondern von ihrer Bedachtnahme

19 auf ihr eigenes Interesse. Wir wenden uns nicht an ihre Humanität, sondern an ihre Eigenliebe, und sprechen ihnen nie von unseren Bedürfnissen, sondern von ihren Vorteilen. Nur einem Bettler kann es passen, fast ganz von dem Wohlwollen seiner Mitbürger abzuhängen. Und selbst ein Bettler hängt nicht völlig davon ab. Die Mildtätigkeit gutherziger Leute verschafft ihm allerdings den ganzen Fonds seiner Subsistenz. Aber obgleich aus dieser Quelle alle seine Lebensbedürfnisse im ganzen befriedigt werden, so kann und will sie ihn doch nicht so versorgen, wie die Bedürfnisse sich gerade zeigen. Der größte Teil seines gelegentlichen Bedarfs wird bei ihm ebenso wie bei anderen Leuten beschafft, durch Übereinkommen, Tausch und Kauf. Mit dem Gelde, das man ihm gibt, kauft er Speise; die alten Kleider, die man ihm schenkt, vertauscht er gegen andere alte Kleider, die ihm besser passen, oder gegen Wohnung, Lebensmittel oder Geld, mit dem er Lebensmittel, Kleider, Wohnung, je nachdem er's braucht, sich kaufen kann.

Wie wir durch Übereinkommen, Tausch und Kauf den größten Teil der gegenseitigen guten Dienste, die uns nötig sind, gewinnen, so führt dieselbe Neigung zum Tausche ursprünglich zur Arbeitsteilung. In einer Horde von Jägern und Hirten macht z. B. irgendeiner Bogen und Pfeile mit größerer Geschwindigkeit und Geschicklichkeit, als ein anderer. Er vertauscht sie oft gegen zahmes Vieh oder Wildpret bei seinen Gefährten und findet zuletzt, daß er auf diese Weise mehr Vieh und Wildpret gewinnen kann, als wenn er selbst auf die Jagd ginge. Daher wird bei ihm durch die Rücksicht auf sein eigenes Interesse das Verfertigen von Boden und Pfeilen zum Hauptgeschäft, und er wird eine Art Waffenschmied. Ein anderer zeichnet sich im Bau und in der Bedachung ihrer kleinen Hütten oder beweglichen Häuser aus; er gewöhnt sich daran, auf diese Weise seinen Nachbarn nützlich zu sein, die ihn

20 dafür gleichfalls mit Vieh und Wildpret belohnen, bis er es zuletzt in seinem Interesse findet, sich ganz dieser Beschäftigung hinzugeben, und eine Art Bauzimmermann zu werden. Auf dieselbe Art wird ein dritter ein Schmied oder Kesselschmied, ein vierter ein Gerber oder Zubereiter von Häuten und Fellen, die einen Hauptteil der Bekleidung bei den Wilden ausmachen. Und so spornt die Gewißheit, allen Produktenüberschuß seiner Arbeit, der weit über seine eigene Konsumtion hinausgeht, für solche Produkte der Arbeit anderer, die er gerade braucht, austauschen zu können, einen jeden an, sich einer bestimmten Beschäftigung zu widmen und seine eigentümliche Befähigung für diese Geschäftsart auszubilden und zur Vollkommenheit zu bringen.

Die Verschiedenheit der natürlichen Veranlagung bei den verschiedenen Menschen ist in Wirklichkeit viel geringer, als sie uns erscheint, und die sehr verschiedene Fähigkeit, welche Leute von verschiedenem Beruf zu unterschei-

den scheint, sobald sie zur Reife gelangt sind, ist in vielen Fällen nicht sowohl der Grund als die Folge der Arbeitsteilung. Die Verschiedenheit zwischen den unähnlichsten Charakteren, wie z. B. zwischen einem Philosophen und einem gemeinen Lastträger, scheint nicht so sehr von der Natur als von Gewöhnheit, Übung und Erziehung herzustammen. Als sie auf die Welt kamen, und in den ersten sechs bis acht Jahren ihres Daseins waren sie einander vielleicht sehr ähnlich, und weder ihre Eltern noch ihre Gespielen konnten eine bemerkenswerte Verschiedenheit gewahr werden. Etwa in diesem Alter oder bald darauf fing man an, sie zu sehr verschiedenen Beschäftigungen anzuhalten. Die Verschiedenheit ihrer Talente beginnt dann aufzufallen und wächst nach und nach, bis zuletzt die Eitelkeit des Philosophen kaum noch irgendeine Ähnlichkeit anzuerkennen bereit ist. Aber ohne den Hang zum Tau-
21 schen, Handeln und Auswechseln würde sich jeder für sich den Bedarf und die Genußmittel, die er benötigte, haben verschaffen müssen. Alle hätten die gleichen * Pflichten zu erfüllen und dasselbe zu tun gehabt, und es hätte somit keine solche Verschiedenheit der Beschäftigung eintreten können, die allein zu einer großen Verschiedenheit der Talente führen konnte.

Wie nun dieser Hang unter Menschen verschiedenen Berufs jene so merkbare Verschiedenheit der Talente erzeugt, so macht eben dieser Hang jene Verschiedenheit nutzbringend. Viele Tiergeschlechter, die anerkannterweise zu derselben Gattung gehören, haben von Natur eine viel merklichere Verschiedenheit der Fähigkeiten, als diejenige ist, welche sich der Gewöhnung und Erziehung vorangehend unter den Menschen zeigt. Von Natur ist ein Philosoph nicht halb so sehr an Anlagen und Neigungen von einem Lastträger verschieden, als ein Bullenbeißer von einem Windhund, oder ein Windhund von einem Hühnerhund, oder der letztere von einem Schäferhunde. Dennoch sind diese verschiedenen Tierarten, obgleich alle zu ein und derselben Gattung gehörig, einander kaum in irgendeiner Weise nützlich. Die Stärke des Bullenbeißers wird nicht im geringsten durch die Schnelligkeit des Windhundes, die Spürkraft des Hühnerhundes oder die Gelehrigkeit des Schäferhundes unterstützt. Die Wirkungen dieser verschiedenen Anlagen und Talente können mangels Fähigkeit oder Hang zum Tauschen und Handeln nicht zu einem Gesamtvermögen vereinigt werden, und tragen nicht das Geringste zur besseren Versorgung und Bequemlichkeit der Gattung bei. Jedes Tier ist immer noch gezwungen, sich vereinzelt und unabhängig zu behaupten und zu verteidigen, und hat keinerlei Vorteil von den mannigfaltigen Talenten, mit denen die Natur seinesgleichen ausgestattet hat. Bei den Menschen aber sind im Gegenteil die unähnlichsten Anlagen einander von Nutzen, indem
22 die verschiedenen Produkte ihrer respektiven Talente durch den allgemeinen Hang zum Tauschen, Handeln und Auswechseln sozusagen zu einem Gesamtvermögen werden, woraus ein jeder den Teil des Produktes von anderer Menschen Talenten kaufen kann, den er benötigt.

---

* Hier wurde ein offensichtlicher Übersetzungsfehler nach der Kontrolle am englischen Text korrigiert.

3. Kapitel
Die Arbeitsteilung hängt von der Ausdehnung des Marktes ab.

Da die Möglichkeit zu tauschen zur Arbeitsteilung führt, so muß die Ausdehnung dieser Teilung immer durch die Ausdehnung jener Möglichkeit, oder mit anderen Worten durch die Ausdehnung des Marktes begrenzt sein. Wenn der Markt sehr beschränkt ist, kann niemand den Mut finden, sich einer einzigen Beschäftigung ganz hinzugeben, weil es an der Möglichkeit fehlt, den ganzen Produktenüberschuß seiner Arbeit, der weit über seine eigene Konsumtion hinausgeht, für solche Produkte der Arbeit anderer, die er gerade braucht, auszutauschen.

Es gibt einige Erwerbsarten, selbst des niedrigsten Schlages, die nirgends anders, als in einer großen Stadt betrieben werden können. Ein Lastträger z. B. kann an keinem anderen Orte Beschäftigung und Unterhalt finden; ein Dorf ist eine viel zu enge Sphäre für ihn, und selbst ein gewöhnlicher Marktflecken ist kaum groß genug, ihm fortwährend Beschäftigung zu geben. In den einzeln stehenden Häusern und sehr kleinen Dörfern, die in einem so öden Lande, wie es das schottische Hochland ist, zerstreut liegen, muß jeder Land-
23 wirt gleichzeitig Fleischer, Bäcker und Brauer für seinen eigenen Hausstand sein. In solchen Gegenden kann man kaum erwarten, einen Schmied, Zimmermann oder Maurer näher als in einer Entfernung von 20 Meilen von einem Gewerbsgenossen zu finden. Die zerstreuten Familien, die acht bis zehn Meilen vom nächsten entfernt leben, müssen gar viele kleine Verrichtungen, welche sie in volkreicheren Gegenden von Handwerkern machen lassen würden, selbst ausführen lernen. Dorfhandwerker sind fast überall gezwungen, sich mit all den verschiedenen Gewerbszweigen zu befassen, die nur durch das gleiche Material miteinander in Beziehung stehen. Ein Dorfzimmermann gibt sich mit jeder Art Holzarbeit ab, ein Dorfschmied mit jeder Art Eisenarbeit. Der erstere ist nicht bloß Zimmermann, sondern auch Schreiner, Kunsttischler und sogar Holzschnitzer, so wie Rade-, Pflug-, Wagen- und Stellmacher. Die Beschäftigungen des letzteren sind noch mannigfacher. Es ist unmöglich, daß auch nur das Gewerbe eines Nagelschmieds in den entlegenen, inneren Teilen des schottischen Hochlands selbständig bestehe. Solch ein Arbeiter würde, bei einem Satz von 1000 Nägeln im Tag und bei 300 Arbeitstagen im Jahr, jährlich 300 000 Nägel machen; es wäre aber unmöglich, an einem solchen Orte jährlich 1000, d. h. die Arbeit eines einzigen Tages, abzusetzen.

Da durch die Wasserfracht für jede Art von Gewerbe ein ausgedehnterer Markt eröffnet wird, als ihn die Landfracht allein gewähren kann, so sind es die Meeresküste und die Ufer schiffbarer Flüsse, wo das Gewerbe jeder Art sich zu teilen und zu vervollkommnen anfängt, und oft erstrecken sich die Vervollkommnungen erst lange Zeit nachher in die inneren Teile des Landes. Ein Lastwagen mit breiten Rädern, von zwei Menschen begleitet und mit acht Pferden bespannt, bringt in etwa sechs Wochen Güter von ungefähr vier Tonnen Gewicht zwischen London und Edinburg hin und zurück. In
24 etwa derselben Zeit führt ein Schiff mit sechs oder acht Mann, welches zwi-

schen den Häfen von London und Leith fährt, oft Güter von 200 Tonnen Gewicht hin und her. Somit können sechs bis acht Mann mittels Wasserfracht eine so große Masse von Gütern zwischen London und Edinburg hin- und herbefördern, wie 50 von 100 Menschen begleitete und von 400 Pferden gezogene Lastwagen mit breiten Rädern. Mithin muß auf Güter von 200 Tonnen, die mit der wohlfeilsten Landfracht von London nach Edinburg gebracht werden, der dreiwöchentliche Unterhalt von 100 Menschen und ferner der Unterhalt, so wie, was dem Unterhalt ziemlich gleichkommt, die Abnutzung von 400 Pferden und 50 Lastwagen gerechnet werden, während bei derselben Gütermasse, wenn sie zu Wasser verführt wird, nur der Unterhalt von sechs oder acht Menschen und die Abnutzung eines Schiffes von 200 Tonnen Gehalt, samt dem Betrage des größeren Risikos oder der Differenz zwischen der Land- und Wasserassekuranz gerechnet zu werden braucht. Gäbe es also keine andere Kommunikation zwischen jenen beiden Plätzen, als die durch Landfuhre, so würde sie, da keine anderen Güter von einem zum anderen gebracht werden könnten, als solche, deren Preis im Verhältnis zu ihrem Gewichte sehr hoch wäre, nur einen geringen Teil jenes Verkehrs unterhalten können, der jetzt zwischen ihnen stattfindet, und die Industrie, die sie jetzt wechselseitig fördern, nur wenig aneifern. Da könnte dann nur wenig oder gar kein Handel zwischen den verschiedenen Teilen der Erde stattfinden. Welche Güter könnten die Kosten einer Landfracht zwischen London und Kalkutta aushalten? Oder, wenn einige so wertvoll wären, daß sie die Kosten zu ertragen vermöchten, was wäre das für eine Sicherheit, mit der sie durch die Länder so vieler barbarischer Völkerschaften gebracht werden könnten? Jetzt hingegen treiben diese beiden Städte einen sehr beträchtlichen Handel mitein-
25 ander und ermuntern, indem sie einander einen Markt bieten, wechselseitig ihre Gewerbe aufs beste. [... (Adam Smith zeigt durch historische Beispiele einen Zusammenhang zwischen Wasserfracht und Ausbildung der Zivilisation auf)]

4. Kapitel

Ursprung und Gebrauch des Geldes.

28   Wenn die Arbeitsteilung einmal durchweg eingeführt ist, so ist derjenige Teil von den Bedürfnissen eines Menschen, welcher durch das Produkt seiner eigenen Arbeit befriedigt werden kann, nur ein sehr kleiner. Den weitaus größten Teil derselben befriedigt er dadurch, daß er jenen Produktenüberschuß seiner Arbeit, der über seinen eigenen Bedarf hinausgeht, gegen solche Produkte der Arbeit anderer, die er gerade braucht, vertauscht. Dann lebt jeder vom Tausch, oder wird gewissermaßen ein Kaufmann, und die Gesellschaft selbst wird eigentlich eine Handelsgesellschaft.

Als jedoch die Arbeitsteilung zuerst Platz griff, muß dieses Tauschen häufig in seinen Operationen sehr ins Stocken gebracht und gehemmt worden sein. Nehmen wir an, der eine habe mehr von einer Ware, als er braucht, während ein anderer weniger hat. Natürlich wäre der erstere froh, wenn er einen Teil dieses Überflusses ablassen, der letztere, wenn er ihn bekommen könnte. Hätte indes der letztere gerade nichts, was der erstere benötigte,

so könnte kein Tausch zwischen ihnen zustande kommen. Der Fleischer hat mehr Fleisch in seinem Laden, als er selbst verzehren kann, und der Brauer und Bäcker möchten gern einen Teil davon erwerben; allein sie haben nichts zum Tausch anzubieten, als die verschiedenen Produkte ihrer Gewerbe, und der Fleischer ist schon mit allem Brot und Bier, das er unmittelbar braucht, versehen. In diesem Falle läßt sich zwischen ihnen kein Tausch abschließen. Er kann nicht ihr Kaufmann, sie können nicht seine Kunden sein, und sie
29 sind so alle drei einander von geringerem gegenseitigen Nutzen. Um den Übelstand einer solchen Lage zu vermeiden, wird jeder kluge Mensch zu allen Zeiten gesellschaftlichen Lebens, sobald die Arbeitsteilung eingeführt war, natürlich bemüht gewesen sein, sich so einzurichten, daß er außer dem besonderen Produkte seines eigenen Gewerbes jederzeit noch irgendeine Menge von einer oder der anderen Ware in Bereitschaft hatte, von der er voraussetzen konnte, daß sie wahrscheinlich wenig Menschen beim Tausche gegen das Erzeugnis ihres Gewerbes zurückweisen würden.

Mancherlei verschiedene Waren sind vermutlich nacheinander dafür ins Auge gefaßt und zu diesem Zwecke verwendet worden. In den rohen Zeiten der Gesellschaft soll Vieh das allgemeine Handelsmittel gewesen sein, und obgleich es ein sehr unbequemes sein mußte, so findet man doch in alter Zeit häufig die Dinge nach der Stückzahl des Viehes geschätzt, welches dafür in Tausch gegeben wurde. Die Rüstung des Diomedes, sagt Homer, ist nur neun Ochsen wert, die des Glaukus aber hundert. Salz soll das gewöhnliche Handels- und Tauschmittel in Abessinien sein, eine Art Muscheln in einigen Landesteilen an der indischen Küste, Stockfisch auf Neufundland, Tabak in Virginien, Zucker in einigen unserer westindischen Kolonien, Häute oder zugerichtetes Leder in einigen anderen Ländern, und noch heute gibt es ein Dorf in Schottland, wo es, wie man mir gesagt hat, nichts Ungewöhnliches ist, daß ein Arbeiter statt des Geldes Nägel in den Bäckerladen oder ins Bierhaus bringt.

Indessen scheint es, daß die Menschen in allen Ländern schließlich durch unwiderstehliche Gründe dahin gebracht wurden, zu diesem Zwecke den Metallen vor jeder anderen Ware den Vorzug zu geben. Die Metalle lassen sich nicht nur mit weniger Verlust, als irgendeine andere Ware, aufbewahren, in-
30 dem kaum irgendeine andere Sache weniger dem Verderben preisgegeben ist, sondern sie können auch ohne Verlust in beliebig viele Teile gesondert werden, da die Teile durch Schmelzung sich leicht wieder vereinigen lassen: eine Eigenschaft, die keine andere gleich dauerhafte Ware besitzt, und die mehr als jede andere Eigenschaft sie dazu geeignet macht, Handels- und Zirkulationsmittel zu werden. Wer z. B. Salz kaufen wollte, und nur Vieh dagegen zu geben hatte, war gezwungen, auf einmal Salz im Werte eines ganzen Ochsen oder eines ganzen Schafes zu kaufen. Er konnte selten weniger kaufen, weil dasjenige, was er dafür geben wollte, selten ohne Verlust geteilt werden konnte; und wollte er mehr kaufen, so mußte er aus denselben Gründen das Doppelte oder Dreifache kaufen, d. h. den Gegenwert von zwei oder drei Ochsen, von zwei oder drei Schafen. Hatte er hingegen statt der Schafe oder

Ochsen Metalle in Tausch zu geben, so war es leicht, die Menge des Metalls mit der Menge der Ware, deren er augenblicklich bedurfte, in genaue Übereinstimmung zu bringen.

Es wurden von verschiedenen Nationen verschiedene Metalle zu diesem Zwecke angewandt. Eisen war das gewöhnliche Handelsmittel bei den alten Spartanern, Kupfer bei den alten Römern, und Gold und Silber bei allen reichen, handeltreibenden Nationen.

Diese Metalle scheinen ursprünglich in rohen Barren ohne Stempel und Ausmünzung angewandt worden zu sein. So berichtet Plinius (Hist. Nat. XXXIII, 3.) auf das Zeugnis des Timäus, eines alten Geschichtsschreibers hin, daß die Römer bis auf die Zeit des Servius Tullius kein gemünztes Geld hatten, und ungestempelte Kupferbarren zum Einkauf ihres Bedarfs gebrauchten. Diese rohen Barren versahen damals den Dienst des Geldes.

Mit dem Gebrauch der Metalle in diesem rohen Zustande waren zwei sehr
31 wesentliche Übelstände verbunden: erstens die Mühe des Wägens, zweitens die des Probierens. Bei den edlen Metallen, wo ein geringer Unterschied in der Quantität einen großen im Werte zur Folge hat, erfordert schon das Geschäft eines genauen Abwägens sehr gute Wagen und Gewichte. Namentlich das Wägen des Geldes ist eine sehr delikate Operation. Bei den gröberen Metallen, wo ein kleiner Irrtum unerheblich ist, würde allerdings weniger Genauigkeit erforderlich sein; indes müßte man es doch höchst beschwerlich finden, wenn ein Armer jedesmal, so oft er für einen Pfennig zu kaufen oder zu verkaufen hat, den Pfennig zu wägen genötigt wäre. Die Operation des Probierens ist noch weit schwieriger und langweiliger, und das gewonnene Resultat ist, wenn nicht ein Teil des Metalls mit den gehörigen Lösungsmitteln im Schmelztiegel ordentlich geschmolzen wird, äußerst unzuverlässig. Dennoch mußten vor der Einführung des gemünzten Geldes die Leute diese langweilige und schwierige Operation vornehmen, wenn sie nicht stets den gröbsten Betrügereien und Täuschungen ausgesetzt sein, und statt eines Pfundes reinen Silbers oder reinen Kupfers eine verfälschte Mischung aus den gröbsten und wohlfeilsten Materialien erhalten wollten, die äußerlich das Ansehen hatte, jenen Metallen zu gleichen. Um solchen Mißbräuchen zuvorzukommen, den Tausch zu erleichtern, und dadurch alle Arten des Gewerbes und Handels zu ermutigen, sah man sich in allen Ländern, die beträchtliche Fortschritte in der Kultur gemacht hatten, genötigt, einen öffentlichen Stempel auf gewisse Quantitäten solcher Metalle zu setzen, die daselbst gewöhnlich zum Einkauf von Waren gebraucht wurden. Dies der Ursprung des gemünzten Geldes und jener öffentlichen Anstalten, die Münzen heißen, Einrichtungen genau von derselben Art, wie die Ämter der Meß- und Stempelmeister für Wollen- und Leinenzeug. Sie haben alle die gleiche Bestimmung, durch einen öffentlichen
32 Stempel die Quantität und gleichförmige Güte dieser Waren, wenn sie zu Markt gebracht werden, zu verbürgen.

Die ersten öffentlichen Stempel dieser Art, die auf die umlaufenden Metalle gedrückt wurden, scheinen meistens dasjenige haben verbürgen zu sollen, was am schwierigsten und zugleich am wichtigsten ist, nämlich die Güte oder Feinheit des Metalls, und mögen wohl der Sterlingmarke ähnlich gewesen sein, die man jetzt auf Silbergeschirr und Silberbarren prägt, oder der spanischen Marke, die zuweilen auf Goldstangen gesetzt wird und, da sie nur auf einer Seite des Stückes steht und nicht die ganze Oberfläche bedeckt, zwar die Feinheit, aber nicht das Gewicht des Metalles verbürgt. Abraham wiegt dem Ephron die 400 Seckel Silber zu, welche er ihm für das Feld von Machpelah zu zahlen versprochen hatte. Es wird dabei gesagt, daß es die kurrente Handelsmünze war, und dennoch wird sie zugewogen, nicht zugezählt, gerade so wie es mit den Goldstangen und Silberbarren noch heute geschieht. Die Einkünfte der alten Sachsenkönige in England sollen nicht in Geld, sondern in natura, d. h. in Lebensmitteln und Proviant aller Art gezahlt worden sein. Wilhelm der Eroberer führte die Sitte ein, sie in Geld zu entrichten. Dieses Geld wurde jedoch lange Zeit auf der Schatzkammer nach dem Gewichte und nicht nach Stücken in Empfang genommen.

Die Unbequemlichkeit und Schwierigkeit, jene Metalle mit Genauigkeit zu wägen, gab die Veranlassung zur Verfertigung von Münzen, deren Stempel für geeignet gehalten wurde, um, da er beide Seiten des Stückes und zuweilen auch die Ränder ganz bedeckt, nicht nur das Korn, sondern auch das Gewicht des Metalles zu verbürgen. Solche Münzen wurden daher bis auf den heutigen Tag ohne die Mühe des Wägens stückweise angenommen.

Die Namen dieser Münzen scheinen ursprünglich das Gewicht oder das 33 in ihnen enthaltene Metallquantum ausgedrückt zu haben. Zur Zeit des Servius Tullius, der zuerst in Rom Geld münzen ließ, enthielt das römische As oder Pfund ein römisches Pfund guten Kupfers. Es war nach Art unseres Troyespfundes in zwölf Unzen geteilt, deren jede eine wirkliche Unze guten Kupfers enthielt. Das englische Pfund Sterling enthielt zur Zeit Eduards I. nach Towergewicht ein Pfund Silber von bestimmter Feinheit. Das Towerpfund scheint etwas mehr als das römische gewesen zu sein, und etwas weniger als das Troyespfund. Dieses letztere wurde erst im 18. Regierungsjahre Heinrichs VIII. in der englischen Münze eingeführt. Der französische Livre enthielt zur Zeit Karls des Großen nach Troyesgewicht ein Pfund Silber von bestimmter Feinheit. Die Messe zu Troyes in der Champagne wurde zu jener Zeit von allen europäischen Völkern besucht, und die Gewichte und Maße eines so berühmten Marktes waren allgemein bekannt und geschätzt. Das schottische Geldpfund enthielt von der Zeit Alexanders I. bis zu der Robert Bruces ein Pfund Silber von demselben Gewicht und derselben Feinheit wie das englische Pfund Sterling. Die englischen, französischen und schottischen Pfennige enthielten gleichfalls ursprünglich alle ein wirkliches Pfenniggewicht Silber, den zwanzigsten Teil einer Unze und den zweihundertvierzigsten Teil eines Pfundes. Auch der Schilling scheint ursprünglich der Name eines Gewichtes gewesen zu sein. "Wenn der Weizen 12 Schilling der Malter kostet, sagt ein altes Statut Heinrichs III., so soll ein Semmelbrot von einem Heller 11 Schilling und 4 Pfennige wiegen." Doch scheint das Verhältnis zwischen dem Schilling und Pfennig einerseits, und dem Pfund andrerseits nicht so beständig und gleichmäßig gewesen zu sein, als das zwischen dem Pfennig und dem Pfunde.

Unter der ersten Dynastie der französischen Könige scheint der französische
Sou oder Schilling bei verschiedenen Gelegenheiten bald 5, bald 12, bald 20,
34 und bald 40 Pfennige enthalten zu haben. Bei den alten Sachsen scheint der
Schilling zu einer Zeit nur 5 Pfennige enthalten zu haben, und es ist nicht
unwahrscheinlich, daß er bei ihnen ebenso veränderlich war, als bei ihren
Nachbarn, den alten Franken. Seit der Zeit Karls des Großen bei den Franken, und Wilhelms des Eroberers bei den Engländern scheint das Verhältnis
zwischen Pfund, Schilling und Pfennig bis auf den heutigen Tag dasselbe geblieben zu sein, obgleich ihr Wert sehr verschieden war. Denn ich glaube, daß
in allen Ländern der Welt Geiz und Ungerechtigkeit der Fürsten und Regierungen das Vertrauen der Untertanen mißbrauchte, indem sie nach und nach
den wirklichen Metallgehalt, welcher ursprünglich in den Münzen vorhanden
war, verringerten. Das römische As wurde in der letzten Zeit der Republik
auf den vierundzwanzigsten Teil seines ursprünglichen Wertes reduziert, und
wog statt eines Pfundes nur eine halbe Unze. Das englische Pfund und der
englische Pfennig enthalten gegenwärtig etwa den dritten, das schottische
Pfund und der schottische Pfennig etwa den sechsunddreißigsten, und das
französische Pfund und der französische Pfennig etwa den sechsundfünfzig-
sten Teil ihres ursprünglichen Wertes. Durch diese Operationen setzten sich
die Fürsten und Regierungen instand, dem Scheine nach ihre Schulden zu bezahlen und ihre Verpflichtungen mit einer geringeren Menge Silber, als sonst
nötig gewesen wäre, zu erfüllen. Es war allerdings nur dem Scheine nach so;
denn ihre Gläubiger wurden in Wirklichkeit um einen Teil dessen, was ihnen
zukam, betrogen. Allen anderen Schuldnern im Staate kam dasselbe Privile-
gium zugute, und sie konnten, was immer sie in alter Münze geborgt hatten,
mit derselben nominellen Summe der neuen, entwerteten Münze bezahlen.
Solche Operationen erwiesen sich daher stets günstig für den Schuldner und
35 verderblich für den Gläubiger, und riefen zuweilen größere und allgemeinere
Umwälzungen unter den Vermögen von Privatpersonen hervor, als das größte
öffentliche Unglück hätte verursachen können.

Auf diese Weise ist das Geld bei allen zivilisierten Völkern das allgemeine Handelsinstrument geworden, durch dessen Vermittlung Güter aller
Art gekauft und verkauft, oder gegeneinander ausgetauscht werden.

Ich will nun darangehen, zu untersuchen, welche die Regeln sind, die die
Menschen zum Tausch von Gütern gegen Geld oder gegen einander natürli-
cherweise beobachten. Diese Regeln bestimmen das, was man den relativen
Tauschwert der Güter heißen kann.

Das Wort Wert hat - was wohl zu bemerken ist - zweierlei Bedeutung,
und drückt bald die Brauchbarkeit einer Sache, bald die Möglichkeit aus,
mittels des Besitzes dieser Sache andere Güter zu erlangen. Das eine mag Gebrauchswert, das andere Tauschwert genannt werden. Dinge, die den größten
Gebrauchswert haben, haben oft wenig oder keinen Tauschwert, und umgekehrt: die, welche den größten Tauschwert haben, haben oft wenig oder gar
keinen Gebrauchswert. Nichts ist brauchbarer als Wasser, aber man kann
kaum etwas dafür erhalten; man kann fast nichts dafür eintauschen. Dage-

gen hat ein Diamant kaum einen Gebrauchswert, und doch ist oft eine Menge anderer Güter dafür im Tausch zu haben.

Um die Prinzipien zu erforschen, welche den Tauschwert der Waren regulieren, werde ich zu zeigen suchen

erstens: Was der wahre Maßstab dieses Tauschwertes ist, oder worin der wirkliche Preis aller Waren besteht;

zweitens: Welche die verschiedenen Teile sind, aus denen sich dieser wirkliche Preis zusammensetzt, oder die ihn bestimmen;

und drittens: Welche Umstände es sind, die einige oder alle Preisteile
36 bald über ihren natürlichen oder gewöhnlichen |Stand hinauftreiben, bald unter ihn hinabdrücken, oder welche die Ursachen sind, die den Marktpreis, d. h. den tatsächlichen Preis der Waren daran hindern, genau mit dem, was man ihren natürlichen Preis nennen kann, zusammenzufallen.

Ich werde diese drei Gegenstände so vollständig und deutlich, als ich es vermag, in den drei folgenden Kapiteln auseinanderzusetzen suchen, wobei ich mir aufs angelegentlichste die Geduld und Aufmerksamkeit des Lesers erbitten muß: seine Geduld zur Prüfung eines Details, welches ihm vielleicht an vielen Stellen unnötigerweise umständlich erscheinen könnte, und seine Aufmerksamkeit zum Verständnis dessen, was vielleicht nach der ausführlichsten Erklärung, die ich zu geben imstande bin, immer noch einigermaßen unklar erscheinen könnte. Ich bin stets bereit, einige Umständlichkeit auf mich zu nehmen, um nur sicher zu sein, daß ich deutlich bin; es wird aber dennoch, nachdem ich mir alle mögliche Mühe gegeben haben, deutlich zu sein, einige Unklarheit über einen Gegenstand zurückbleiben, der schon seiner Natur nach höchst abstrakt ist.

Auszüge aus Buch 4, 2. Kapitel

[Die Verfolgung des Eigennutzes fördert das gesellschaftliche Wohl]

232 |Jeder Mensch ist stets darauf bedacht, die ersprießlichste Anwendung alles Kapitals, über das er zu verfügen hat, ausfindig zu machen. Tatsächlich hat er nur seinen eigenen Vorteil und nicht den der Gesellschaft im Auge; aber natürlich, oder vielmehr notwendigerweise, führt ihn die Erwägung seines eigenen Vorteils gerade dahin, daß er diejenige Kapitalbenutzung vorzieht, die zugleich für die Gesellschaft höchst ersprießlich ist.

Erstens sucht jeder Mensch sein Kapital so nahe als möglich und daher womöglich zur Förderung des einheimischen Gewerbefleißes zu verwenden, vorausgesetzt, daß er dabei den üblichen oder doch nicht viel weniger als den üblichen Kapitalprofit bezieht. [...]

235 |Zweitens sucht natürlich jeder, der sein Kapital zur Unterstützung der heimischen Erwerbstätigkeit verwendet, diese Erwerbstätigkeit so zu leiten, daß ihr Erzeugnis einen möglichst großen Wert erhalte.

Das Erzeugnis der Erwerbstätigkeit ist das, was sie dem Gegenstande oder Stoffe, mit dem sie es zu tun hat, hinzufügt. In dem Maße, als der Wert dieses Erzeugnisses groß oder gering ist, sind es auch die Profite des Unternehmers. Nun wendet man aber sein Kapital nur um des Profites willen auf die Erwerbstätigkeit und man wird es daher stets derjenigen Art zuzuwenden suchen, deren Erzeugnis den größten Wert hoffen läßt, d. h. gegen die größte Menge Geldes oder anderer Güter vertauscht werden zu können verspricht.

Nun ist aber das jährliche Einkommen jeder Gesellschaft immer genau so groß wie der Tauschwert des gesamten Jahreserzeugnisses ihrer Erwerbstätigkeit, oder besser gesagt, es ist dieser Tauschwert selber. Da nun jedermann nach Kräften sucht, sein Kapital in der heimischen Erwerbstätigkeit und diese Erwerbstätigkeit selbst so zu leiten, daß ihr Erzeugnis den größten Wert erhält, so arbeitet auch jeder notwendig dahin, das jährliche Einkommen der Gesellschaft so groß zu machen, als er kann. Allerdings strebt er in der Regel nicht danach, das allgemeine Wohl zu fördern, und weiß auch nicht, um wieviel er es fördert. Indem er die einheimische Erwerbstätigkeit der fremden vorzieht, hat er nur seine eigene Sicherheit im Auge und indem er diese Erwerbstätigkeit so leitet, daß ihr Produkt den größten Wert erhalte, verfolgt er lediglich seinen eigenen Gewinn und wird in diesen wie in vielen anderen Fällen von einer unsichtbaren Hand geleitet, einen Zweck zu 236 fördern, den er in keiner Weise beabsichtigt hatte. Auch ist es nicht eben ein Unglück für die Gesellschaft, daß dies nicht der Fall war. Verfolgt er sein eigenes Interesse, so fördert er das der Gesellschaft weit wirksamer, als wenn er dieses wirklich zu fördern beabsichtigt. Ich habe niemals gesehen, daß diejenigen viel Gutes bewirkt hätten, die sich den Anschein geben, um das Gemeinwohls willen Handel zu treiben. Es ist dies tatsächlich nur eine Pose, unter Kaufleuten auch nicht sehr häufig, und es bedarf nicht vieler Worte, um sie davon abzubringen.

In welchem Zweig der heimischen Erwerbstätigkeit er sein Kapital anlegen kann, und bei welchem das Erzeugnis den größten Wert zu haben verspricht, das kann offenbar jeder einzelne je nach den Ortsverhältnissen weit besser beurteilen, als es irgendein Staatsmann oder Gesetzgeber für ihn tun könnte. Ein Staatsmann, der sichs einfallen ließe, Privatleuten darüber Vorschriften zu geben, auf welche Weise sie ihre Kapitalien anlegen sollen, würde sich nicht allein eine höchst unnötige Fürsorge aufladen, sondern sich auch eine Autorität anmaßen, die keinem Senate oder Staatsrate, geschweige denn einem einzelnen Manne mit Sicherheit überlassen werden könnte, und die nirgends so gefährlich sein würde, als in der Hand eines Mannes, der töricht und dünkelhaft genug wäre, um sich für fähig zu halten, sie auszuüben.

Auszüge aus Buch 5, 1. Kapitel

[Pflichten des Staates]

23   Die erste Pflicht des Herrschers, die Gesellschaft gegen die Gewalt und die Angriffe anderer unabhängiger Gesellschaften zu schützen, kann nur mittels einer Kriegsmacht erfüllt werden. Aber die Ausgaben einerseits für die Vorbereitung dieser Kriegsmacht in Friedenszeiten und andererseits für ihre Anwendung zur Zeit des Krieges sind je nach den verschiedenen Zuständen der Gesellschaft und den verschiedenen Perioden ihrer Entwicklung sehr verschieden. [...]

25   Die zweite Pflicht des Herrschers, die Pflicht, jedes Glied der Gesellschaft so viel als möglich gegen die Ungerechtigkeit und Unterdrückung durch jedes andere seiner Glieder zu schützen, oder die Pflicht, eine gute Rechtspflege aufrecht zu erhalten, erfordert ebenfalls in verschiedenen Perioden der Gesellschaft einen sehr verschiedenen Aufwand. '[...]

43   Die dritte und letzte Pflicht des Herrschers oder Staates ist die, solche Anstalten zu treffen und solche Werke herzustellen und zu unterhalten, die, wenn sie auch für eine große Gesellschaft höchst vorteilhaft sind, doch niemals einen solchen Profit abwerfen, daß sie einem einzelnen oder einer kleinen Anzahl von Personen die Kosten ersetzen, und deren Einrichtung und Unterhaltung daher von keinem einzelnen und keiner kleinen Anzahl von Personen erwartet werden darf. Die Erfüllung dieser Pflicht erfordert ebenfalls in den verschiedenen Perioden der Gesellschaft einen sehr verschiedenen Grad von Aufwand. [...]

[Nachteile der Arbeitsteilung]

123   Je weiter die Teilung der Arbeit fortschreitet, um so mehr kommt es dahin, daß die Beschäftigung des größten Teiles derer, die von ihrer Arbeit leben, d. h. der großen Masse des Volkes, auf einige wenige sehr einfache Verrichtungen, oft nur auf eine oder zwei, beschränkt wird. Nun wird aber der Verstand der meisten Menschen notwendigerweise durch ihre gewöhnlichen Beschäftigungen gestaltet. Ein Mensch, der sein ganzes Leben damit hinbringt, ein Paar einfache Operationen zu vollziehen, deren Erfolg vielleicht immer derselbe oder wenigstens fast derselbe ist, hat keine Gelegenheit, seinen Verstand zu üben oder seine Erfindungskraft anzustrengen, um Hilfsmittel gegen Schwierigkeiten aufzusuchen, die ihm niemals begegnen. Er verliert also natürlich die Fähigkeit zu solchen Übungen und wird am Ende so unwissend und dumm, als es nur immer ein menschliches Wesen werden kann. Die Verknöcherung seines Geistes macht ihn nicht nur unfähig, an einer vernünftigen Unterhaltung teilzunehmen oder sie auch nur zu genießen, sondern sie läßt es auch in ihm zu keinem freien, edlen oder zarten Gefühle mehr kommen und erlaubt ihm selbst nicht, die alltäglichen Pflichten des Privatlebens richtig zu beurteilen. Über die großen und umfassenden Interessen seines Landes weiß er sich gar kein Urteil zu bilden, und wenn man sich nicht alle mögliche Mühe gibt, ihn anders zu machen, so ist er sogar unfähig, seinem Vaterlande im Kriege zu dienen. Die Einförmigkeit seines wechsellosen Lebens schwächt seinen Mut, und läßt ihn das unstete, unsichere und gefahrvolle Leben eines Soldaten mit Abscheu betrachten. Sie benimmt ihm sogar alle Rüstigkeit des Körpers und macht ihn unfähig, seine Gliedmaßen in einem anderen Geschäfte, als dem, zu welchem er erzogen ist, mit Ausdauer und Anstrengung zu gebrauchen. Seine Geschicklichkeit in dem ihm eigenen Gewerbe scheint also auf Kosten seiner geistigen, geselligen und kriegerischen

124 Fähigkeiten erworben zu sein. Dies ist aber der Zustand, in welchen in jeder zivilisierten Gesellschaft die arbeitenden Armen, d. h. die Masse des Volkes, notwendigerweise fallen müssen, wenn es sich die Regierung nicht angelegen sein läßt, dagegen Vorsorge zu treffen.

1.2 Aufgaben zur Lektüre

Aufgabe 1.1

Die folgenden Hinweise sollten Sie beim Durcharbeiten jedes wirtschaftswissenschaftlichen Textes beachten!

a. *Lesen Sie den Text gründlich durch!*

b. *Schlagen Sie Unbekanntes nach!*

c. *Bereiten Sie den Text für sich selbst auf, indem Sie:*

    ca. *zu jedem Abschnitt den Inhalt als Randnotiz notieren*

    cb. *Wichtiges anstreichen*

    cc. *unter dem Stichwort z.B. "Arbeitsteilung" auf einer Karteikarte eine kurze Zusammenfassung machen.*

d. *Stellen Sie sich selbst folgende Fragen:*

    da. *Was habe ich Wesentliches gelernt?*

    db. *Was wollte der Autor erklären?*

    dc. *Was fehlt (mir) in der Darstellung, was bleibt (mir) unklar?*

    dd. *Sind die Schlüsse des Autors zwingend?*

    de. *Was will der Autor besonders hervorheben? Welche Probleme, welche möglichen Einwände übergeht der Autor oder spielt ihre Bedeutung herunter?*

e. *Überlegen Sie: Wo steht der Autor*

    ea. *in der Zeitgeschichte?*

    eb. *in der Ideengeschichte?*

    ec. *im wissenschaftlichen Spektrum?*

    ed. *im politischen Spektrum?*

Zur Bearbeitung des Aufgabenteils e. sollten Sie jeweils vom gelesenen Text ausgehen, sich auf Ihre bisherigen Kenntnisse besinnen und eventuell weitere Informationen zu Autor und Text zusammentragen. In der vorliegenden Ausarbeitung finden Sie in der Regel zusätzliche Informationen; die Informationen zu Adam Smith sind im anschließenden Abschnitt 1.3 zusammengestellt.

Aufgabe 1.2

a. *Geben Sie eigene Beispiele für arbeitsteilige Produktion.*

b. *Versuchen Sie Beispiele für Produktion ohne jede Arbeitsteilung zu finden.*

Aufgabe 1.3

Nennen Sie die drei von Smith genannten Gründe, denen man "diese große Vermehrung in der Quantität des Erarbeiteten ... infolge der Arbeitsteilung ... verdankt".

Aufgabe 1.4

Wie begründet Smith die Erfindung der Maschinen in damaliger Zeit?

Aufgabe 1.5

Untersuchen Sie die von Smith berichtete Anekdote über den Knaben, der eine Ventilsteuerung für Dampfmaschinen erfindet.

  a. *Wem nutzt nach Adam Smith diese Erfindung?*

  b. *Wie könnte diese Geschichte in realistischer Weise so weitererzählt werden, daß dem Knaben die Erfindung schadet?*

  c. *Welche Schritte könnte der Knabe heute unternehmen, um von seiner Erfindung zu profitieren?*

Aufgabe 1.6

"Er versorgt sie reichlich mit dem, was sie brauchen und sie helfen ihm ebenso vollkommen mit dem aus, was er bedarf und es verbreitet sich allgemeiner Wohlstand über die verschiedenen Stände der Gesellschaft."

  a. *Was versteht Smith unter Wohlstand? Wie könnte man den Wohlstand versuchen zu messen?*

  b. *Welche Voraussetzungen müssen gegeben sein, daß es zu dem von Smith geschilderten Tausch kommt?*

  c. *Ist Überschußproduktion eine notwendige Bedingung für Tausch?*

Aufgabe 1.7

  a. *Warum ist für die Arbeitsteilung ein Markt von gewisser Größe und eine gewisse Zivilisationsstufe notwendig?*

  b. *Warum entwickelten sich nach Adam Smith die großen Handelszentren zuerst an Meeren und Flüssen und nicht im Innern des Landes?*

  c. *Auf welche "Infrastrukturen" würde Smith in diesem Kapitel wohl eingehen, wenn er sein Buch heute schriebe?*

Aufgabe 1.8

  a. *Beschreiben Sie, wie und warum sich mit der Arbeitsteilung Geld entwickeln mußte.*

  b. *Inwieweit belegt Smith seine Theorie über die Entstehung des Geldes?*

  c. *Könnten Sie sich eine andere Entstehung vorstellen?*

Aufgabe 1.9

Wo im Text spricht Adam Smith von der "unsichtbaren Hand"? Was meint er damit?

Aufgabe 1.10

Erläutern Sie die drei Pflichten, die nach Adam Smith der Herrscher zu erfüllen hat.

Aufgabe 1.11

Welche Nachteile der Arbeitsteilung sieht Adam Smith? Welche Möglichkeit gibt es für die Regierung, "dagegen Vorsorge zu treffen"?

Aufgabe 1.12

"Mit der Teilung der Arbeit [ist] die Möglichkeit, ja die Wirklichkeit gegeben, daß die geistige und materielle Tätigkeit - daß der Genuß und die Arbeit, Produktion und Konsumption, verschiedenen Individuen zufallen." Erläutern Sie diese Auffassung von Marx und Engels (MEW 3, S.32)!

1.3 Wirtschafts- und geistesgeschichtlicher Hintergrund

1.3.1 England im 18. Jahrhundert

Das 18. Jahrhundert brachte England einen ungeheuren politischen und wirtschaftlichen Aufschwung. In Nordamerika dehnten sich die Siedlungsgebiete der englischen Einwanderer immer mehr aus; England beherrschte Jamaika und Barbados, einen Teil der afrikanischen Westküste und erwarb Bengalen. Das Reich wurde weltumspannend.

Auf den britischen Inseln wuchs die Bevölkerung innerhalb des 18. Jahrhunderts um 5,5 auf 14 Millionen Menschen an. Das Wachstum der Bevölkerung ging Hand in Hand mit einschneidenden Veränderungen in der Wirtschafts- und Sozialstruktur. Die ersten gravierenden Neuerungen zeigten sich in der Landwirtschaft.

1.3.2 Die agrarische Revolution

Vom Mittelalter bis zum Beginn des 18. Jahrhunderts hatten sich die Methoden in der Landwirtschaft kaum verändert; jetzt setzte sich der Gedanke durch, daß die größtmögliche Rentabilität die Produktion bestimmen solle.

Der Bedarf an Milch, Fleisch, Wolle und Leder nahm ständig zu; Ackerland und auch Ödflächen wurden zu Weideland umgewandelt. Aus einer bäuerlichen Landschaft mit vielen Gehöften und zahlreichen verschieden bebauten Feldern wurde die englische Park- und Weidelandschaft. Die Überführung des Gemeindelandes (Allmende) und der Ödflächen in Privateigentum ist als "enclosure" bzw. "Einhegung" bekannt. Bei diesen Einhegungen setzten sich die wirtschaftlich und politisch Stärkeren gegen die Schwächeren durch. Pachtverträge wurden nicht verlängert, Kleinbauern verloren oder verkauften ihre Höfe, der Adel und die Großgrundbesitzer ließen ihre neuen Besitzansprüche durch das Parlament bestätigen. Es bildeten sich

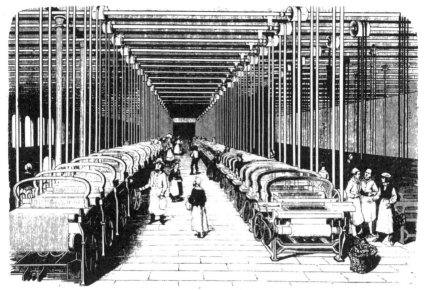

Fig. 203. Inneres einer mechanischen Weberei.

Quelle: F. Kohl, F. Luckenbacher, E. Rentsch: Die mechanische Bearbeitung der Rohstoffe, Leipzig und Berlin, 1867, S. 237

neue Bevölkerungsschichten heraus, neben den Großgrundbesitzern entstand eine Klasse, die bereit und darauf angewiesen war, ihren Lebensunterhalt als Arbeiter zu verdienen.

Die Fortpflanzung der Tiere wurde nicht mehr dem Zufall überlassen, sondern man begann, systematisch zu züchten. So gelang es, das Verkaufsgewicht von Ochsen um 100, das von Schafen um 150 % zu steigern.(Treue, 1973, Bd. 1, S. 79)

Auch das verbliebene Ackerland wurde nach neuesten Erkenntnissen bebaut. Bisher hatte noch die mittelalterliche Dreifelderwirtschaft mit einem Jahr der Brache vorgeherrscht; jetzt ersetzte man die Brache durch den Anbau von Hackfrüchten oder Futterpflanzen. Der Dünger der großen Viehherden ermöglichte es außerdem, schlechtere Böden zu bebauen.

Am Ende des 18. Jahrhunderts hatte sich die Produktion der Landwirtschaft stark vergrößert, während die Zahl der Betriebe und der in der Landwirtschaft Beschäftigten zurückgegangen war. Es wurden Arbeitskräfte frei für die nächste große Umwälzung, die industrielle Revolution.

1.3.3 Die industrielle Revolution

Schon im 17. Jahrhundert waren englische Tuche sowie englische Eisen-, Stahl-, Kupfer- und Messingwaren berühmt. Diese Wirtschaftszweige wurden aber erst durch drei Erfindungen zu mächtigen Industrien, nämlich durch Hargreaves Spinnmaschine (1767), Cartwrights mechanischen Webstuhl (1784) und James Watts Dampfmaschine (1769).

Die Spinnmaschine ermöglichte es, daß ein Arbeiter 30 Spindeln gleichzeitig bedienen konnte, während im Handbetrieb immer nur eine Spindel im
Einsatz war. Die Spinnmaschine senkte die Lohnkosten des Garns um 90 %.
Das billig hergestellte Garn wurde dann auf mechanischen Webstühlen, die
wenige Arbeiter zur Aufsicht brauchten, verarbeitet. Bisher war die Weberei
verlegerisch organisiert. Bei diesem "Verlagssystem" arbeiteten die Arbeiter in ihren eigenen Wohnungen. Der "Verleger", also der Unternehmer,
versorgte die Arbeiter mit Aufträgen und eventuell mit den Materialien und
übernahm den Absatz der Produkte. Dieses Verlagssystem, das z. B. in Schlesien noch weit bis ins 19. Jahrhundert vorherrschte (vgl. "Die Weber" von
Gerhard Hauptmann), wurde in England um 1770 von Richard Arkwright
und anderen durch ein Fabriksystem ersetzt, einem System also, bei dem die
Beschäftigten in den Werkstätten des Unternehmers arbeiten und bei dem
der Produktionsprozeß besser zu planen, zu organisieren und zu überwachen
ist.

Die aufblühenden Industrien hatten einen steigenden Energiebedarf; der
traditionelle Energiespender Holz war in England immer recht knapp und
reichte nun nicht einmal mehr aus, um die Metallindustrie auf dem Niveau
des frühen 18. Jahrhunderts zu halten. So wurde der Steinkohlebergbau
intensiviert; die geförderte Menge verdreifachte sich im Laufe des Jahrhunderts. Die Dampfmaschine wurde, da sie sehr viel Kohle verschlang, zunächst
nur in Bergwerken eingesetzt. Da sie sehr schnell Wasser abpumpen konnte,
machte sie viele Stollen zugänglich und schon aufgegebene Bergwerke wieder
rentabel. Durch Weiterentwicklung wurde sie immer energiesparender und
konnte bald überall verwendet werden.

Die Kohle, die Rohstoffe und die fertigen Produkte mußten befördert
werden. Das vorhandene Straßennetz und die Fuhrwerke waren nicht für
den Transport größerer und schwererer Lasten geeignet, und so legte man
ein dichtes Kanalnetz an, das Bergwerke, Industriegebiete und Ausfuhrhäfen
miteinander verband. Das Verkehrsnetz verstärkte die Industriekonzentra-
tion in den Gegenden von Liverpool, Manchester, Birmingham und Sheffield.

Die Arbeitskräfte für die Industrialisierung wurden zunächst von der
Landwirtschaft freigesetzt; später gab es eine Einwanderungsbewegung aus
Irland. Die Industrialisierung brachte in England die in Europa bestbezahlte
Facharbeiterschicht hervor, die aber auch besonders krisen- und konjunk-
turanfällig war.

1.3.4 Der Merkantilismus

Diese ökonomischen und sozialen Umwälzungen fanden größtenteils noch
unter dem System des Merkantilismus statt. Der Merkantilismus (abgeleitet
von französisch mercantile = kaufmännisch) war das Wirtschaftssystem des
Absolutismus, das vor allem die Kassen des Staates füllen sollte. In diesem
System maß man den Reichtum eines Landes an den ihm zur Verfügung stehenden Geld- und Edelmetallmengen. Dieser Reichtum blieb im Lande, wenn
man die Einfuhren beschränkte und die Ausfuhren förderte. So bemühte man

sich, möglichst autark zu werden und gleichzeitig Produkte herzustellen, die im Ausland begehrt waren und sich gut exportieren ließen. Die Produktion wurde staatlich geregelt. Der Staat vergrößerte seine Einnahmen weiter durch Monopole, d. h. durch Alleinverkaufsrechte für bestimmte Artikel, z. B. Salz. Das System der merkantilistischen Reglementierung war in Frankreich am ausgeprägtesten.

England schützte seine Landwirtschaft durch Korneinfuhrverbote in guten Erntejahren und Ausfuhrverbote bei schlechter Ernte. Weiter gab es für englische industrielle Güter niedrige Ausfuhrzölle und hohe Einfuhrzölle für ausländische Erzeugnisse. Englands selbstbewußtere Überseehandel treibende Kaufleute ließen sich nicht in ein enges Korsett von merkantilistischen Vorschriften pressen, sondern bildeten unter staatlichem Schutz "Handelskompanien" mit weitgehenden Machtbefugnissen. Diese Kompanien erhielten das Handelsmonopol für bestimmte Gegenden (z. B. gab es die Ostindische Kompanie, die Hudson-Bay Companie, die Südsee-Kompanie) und deren koloniale Erzeugnisse. Schon im "Navigation act" von 1651 hatte England bestimmt, daß Waren von oder zu den Kolonien nur auf englischen Schiffen befördert werden durften. Diese Beschränkung machte Englands Handelsflotte zur führenden der Welt. Um die englische Wirtschaft weiter zu stärken, wurde es den Kolonien untersagt, ihre Rohstoffe selber zu verarbeiten; die Verarbeitung übernahmen die Fabriken im Mutterland, die die fertigen Waren in die Kolonien exportierten.

1.3.5 Die Aufklärung

Mit dem Erstarken des Bürgertums setzte sich im Laufe des 18. Jahrhunderts die Philosophie der Aufklärung immer mehr durch. Lassen wir den Begriff "Aufklärung" von Immanuel Kant definieren:

"Aufklärung ist der Ausgang des Menschen aus seiner selbst verschuldeten Unmündigkeit. Unmündigkeit ist das Unvermögen, sich seines Verstandes ohne die Leitung eines anderen zu bedienen. Selbstverschuldet ist diese Unmündigkeit, wenn die Ursache derselben nicht am Mangel des Verstandes, sondern der Entschließung und des Mutes liegt, sich seiner ohne Leitung eines andern zu bedienen. Sapere aude! Habe Mut, dich deines eigenen Verstandes zu bedienen! ist also der Wahlspruch der Aufklärung." (Kant, 1975, IV. Band, S.53)

Menschen, die den eigenen Verstand zum Maßstab ihres Handelns zu machen versuchten, waren nicht mehr bereit, als Untertanen die Anordnungen eines absolutistischen Staates einfach hinzunehmen, sondern überdachten ihre Rolle in Staat, Gesellschaft und Wirtschaft neu. Die Überzeugung, daß es am klügsten sei, wenn ein absoluter Herrscher aufgrund seiner von Gott gegebenen Macht ein Land regiert, bestimmt und lenkt, wurde abgelöst durch die Ansicht, die der englische Philosoph John Locke (1632-1704) vertrat: "Der Staat ist eine Vereinigung von Menschen, einzig und allein zu dem Zweck geschaffen, um ihre bürgerlichen Interessen zu vertreten, zu behaupten und zu entwickeln." Ein wesentliches Mittel, die Interessen des einzelnen im Staat zu vertreten und zu behaupten, ist eine Teilung der Gewalten nach Montesquieu (1689-1755) in die Exekutive des Herrschers, die Legislative der Volksvertretung und in eine unabhängige richterliche Gewalt.

Als Maßstab für den Reichtum eines Landes wurde nicht mehr der Vorrat an Edelmetallen, sondern die Produktivität der Landwirtschaft angesehen. Die Physiokraten vertraten diese Meinung mit besonderem Nachdruck. Der Glaube an eine optimale Wirtschaftsförderung durch straffe staatliche Lenkung und dirigistische Maßnahmen geriet immer stärker ins Wanken. Mehrere aufklärerische Schriftsteller forderten, das Individuum von wirtschaftlichen Zwängen und Vorschriften zu befreien und es seinem Eigennutz gemäß handeln zu lassen, um eine natürliche Harmonie und damit den größten Nutzen für alle zu schaffen.

1.3.6 Adam Smith (1723-1790)

In dieser Zeit des Umbruchs wurde Adam Smith im schottischen Kirkcaldy als Sohn eines Rechtsanwalts geboren. Sein Vater starb schon vor seiner Geburt, und so lag seine Erziehung in den Händen der Mutter, mit der er bis zu ihrem Tode zusammenlebte.

Adam Smith fiel früh durch seine Begabung auf sowie durch Zerstreutheit und seine Angewohnheit, auch in Gesellschaft scheinbar völlig geistesabwesend Selbstgespräche zu führen. Nach einer gründlichen Schul- und College-Ausbildung mit dem Hauptgewicht auf Mathematik und klassischen Sprachen ging er 1740 nach Oxford, wo er seine Kenntnisse der antiken Literatur weiter vertiefte, aber auch begann, zeitgenössische Philosophen wie David Hume zu lesen, obwohl die Universität es verbot. Ab 1748 hielt er in Edinburgh selber Vorlesungen, und zwar über englische Literatur und Nationalökonomie. Bereits in dieser Zeit tritt Smith für Handelsfreiheit ein. Seine Vorträge fanden Anklang und trugen ihm 1751 einen Lehrstuhl für Logik und 1752 für Moralphilosophie in Glasgow ein. Jetzt konnte er seine Ideen über die natürliche Freiheit, die er später im "Wealth of Nation" darlegte, einem größeren Publikum erläutern. Seine Anschauungen verbreiteten sich und wurden akzeptiert, bevor sie veröffentlicht wurden. 1759 erschien sein erstes Buch, die "Theory of Moral Sentiments".

Dieses Buch machte ihn so bekannt, daß der Herzog von Buccleuch ihm eine Stelle als Reisebegleiter anbot. Es war damals üblich, daß junge Adlige in Begleitung eines Mentors den Kontinent bereisten. Neben der Möglichkeit, fremde Länder zu sehen, lockte auch das Gehalt, das wesentlich höher war als das eines Professors und lebenslang bezahlt wurde. Adam Smith nahm das Angebot an und verließ für zweieinhalb Jahre mit dem Herzog England. Bei diesen Bildungsreisen wurde ganz besonders Gewicht auf die Begegnungen und das Gespräch mit den Berühmtheiten der Zeit gelegt. So besuchten A. Smith und der Herzog mehrmals am Genfer See Voltaire zu intensiven Unterhaltungen. In Paris traf Smith nicht nur seinen langjährigen Freund und Gesprächspartner David Hume wieder, sondern wurde auch in mehrere literarische Salons eingeführt, die damals Treffpunkte der geistigen

Elite waren. Die Gedanken und Forderungen der Aufklärung wurden in den Salons heftig diskutiert. Smith lernte die führenden Vertreter der französischen Aufklärung kennen, wie die Physiokraten Turgot, Quesnay und Mirabeau, die mit allem Nachdruck betonten, daß die Landwirtschaft die Quelle allen Reichtums sei. Mirabeau trat weiter durch seine Forderung nach einer konstitutionellen Monarchie anstelle von einer absoluten hervor.

1766 verließ Smith diese anregende Gesellschaft und widmete zu Hause seine ganze Arbeitskraft seinem Hauptwerk "An Inquiry into the Nature and Causes of the Wealth of Nations", das 1776 erschien. Das Buch fand rasche Anerkennung und lieferte schon ein Jahr später bei einer Budgetdebatte im Parlament Argumente.

Wieder veränderte eine Veröffentlichung Smiths Leben: Er wurde zum Zollkontrolleur von Schottland ernannt, d. h. er wurde Oberaufseher über den schottischen Zoll. Dieses Amt führte er so gewissenhaft aus, daß die Zeit für wissenschaftliche Arbeit knapp wurde. Er erlebte aber, daß seine Ideen sich immer stärker durchsetzten; Minister William Pitt suchte wiederholt Smiths Rat und legte die Idee der Handelsfreiheit Gesetzen zugrunde. Auch der Eden- Vertrag von 1786 zwischen England und Frankreich, der den Handel zwischen diesen Ländern auf eine liberale Basis stellt, ist geprägt von Smiths Ideen.

Gegen Ende seines Lebens, 1787, ehrte man Smith noch, indem man ihn zum Rektor der Universität Glasgow ernannte. Er starb 1790, nachdem er bis auf wenige veröffentlichungsreife Papiere seine Manuskripte verbrannt hatte.

Worin besteht nun die herausragende Leistung von Adam Smith? A. Smith gelang es, den Merkantilismus theoretisch zu überwinden. Anstelle von zentraler Lenkung, Wirtschaftsplanung und Handelsbeschränkungen des Merkantilismus forderte er ein Wirtschaftssystem, das vom Eigeninteresse des Einzelnen ausging. Er versprach eine harmonische natürliche Ordnung, wenn möglichst viele Beschränkungen und Vorschriften beseitigt würden und das Individuum sich frei entfalten könne. Staat und Wirtschaft sollten fast ganz getrennt werden. Diese revolutionären Forderungen, die auf den Gedanken der Aufklärung beruhten, beschleunigten die Auflösung der alten wirtschaftlichen Ordnung und unterstützten die industrielle Revolution.

1.4 Theorie: Die sichtbare und die unsichtbare Hand

1.4.1 Produktionsablauf in einer arbeitsteiligen Wirtschaft

In Abbildung 1.1 ist von uns graphisch dargestellt, was gemäß Adam
Smith (W.o.N., I,1) * "dazu erfordert wird, jene höchst einfache Maschine,
die Schafschere, mit welcher der Schäfer die Wolle abschert, zu verfertigen". Diese Darstellung könnte noch wesentlich stärker aufgegliedert werden. Beispielsweise hätte man statt Werkzeug zum Holzfällen Säge, Beil,
Keile aufführen können. Die Graphik ist auch nicht vollständig: Es ist z. B.
nicht aufgeführt, woher das Werkzeug des Holzfällers kommt. Der Köhler
benötigt auch neben Holz noch andere Vorprodukte wie z. B. Zunder und
Zündsteine. Außerdem fallen bei der Produktion meistens auch andere Produkte an; beim Bergbau produziert man neben Eisenerz noch andere Erze
und in aller Regel riesige Abraumhalden.

Trotz oder gerade wegen dieser notwendigen Vereinfachungen liefert dieses Schema einige Einsichten in den Ablauf arbeitsteiliger Produktion. Ein
vollständiges und gänzlich aufgegliedertes Diagramm wäre kaum zu zeichnen
und würde eher verwirren als Strukturen zeigen.

a. Die Rechtecke in der Zeichnung stellen Produktionsstätten dar, die hin-
einlaufenden Pfeile zeigen die für die Produktion benötigten "Produktionsfaktoren" und die herauslaufenden Pfeile das Produktionsergebnis
auf. Die Produktionsfaktoren werden gewöhnlich in drei Gruppen einge-
teilt: menschliche Arbeit, natürliche Ressourcen (Wald, Erzlagerstätten,
landwirtschaftlicher Boden) und produzierte Vorprodukte oder "Kapitalgüter". Zu den Kapitalgütern gehören bei uns die Werkzeuge, der
Schmelzofen, aber auch die Ziegel und das geförderte Eisenerz. In den
Produktionsstätten, in unserem Schema also innerhalb der Rechtecke,
laufen zum Teil recht komplizierte Prozesse ab; auch schon zu Zeiten
von Smith gehörten zum Metallverhütten viele physikalische, chemische
und technische Kenntnisse. Die Ökonomen gehen in der Regel davon
aus, daß diese Kenntnisse in den Produktionsstätten vorhanden sind
und daß zum Verständnis des Produktionsablaufs nur bekannt sein muß,
mit welchen Faktoren welche Produkte produzierbar sind. Produktion
wird also wie eine "black box" betrachtet; es interessiert, was hinein
geht und was heraus kommt, nicht aber, was innerhalb der Box passiert. Die Pfeile deuten an, daß die Güter von einer Produktionsstätte
zur anderen transportiert werden müssen. Transport ist zwar auch erforderlich, wenn es nicht zur Arbeitsteilung zwischen einzelnen Personen
kommt; auch Robinson Crusoe mußte die erzeugten Produkte zu seiner Höhle bringen. Je stärker jedoch die Arbeit zwischen verschiedenen
Produktionsstätten geteilt wird, um so wichtiger werden Transportwege.
Man kann sich z. B. vorstellen, daß ursprünglich das geförderte Erz an

---

* Hier (und im folgenden entsprechend) abgekürzt für Adam Smith,
Wealth of Nations, Buch I, Kapitel 1.

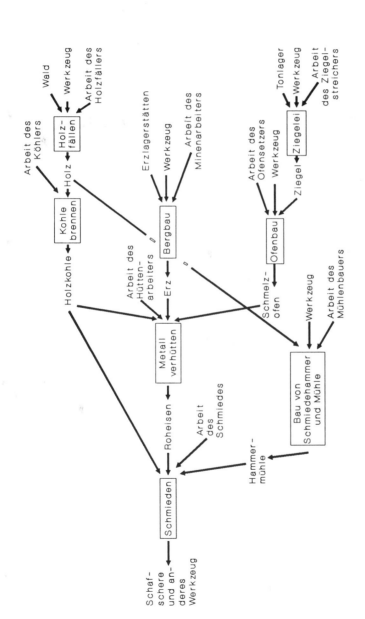

Abbildung 1.1   Arbeitsteilige Produktion – nach Adam Smith

Ort und Stelle mit dort produzierter Holzkohle verhüttet und geschmiedet wurde; nur das Endprodukt mußte transportiert werden. Smith erläutert die Bedeutung der Verkehrswege durch Vergleich des Landtransportes und der Wasserfracht. Zu seiner Zeit wurden viele Güter selbst über weite Strecken getragen (z. B. Glas, Uhren) oder mit Pferdefuhren transportiert. In England waren damals die Flüsse schiffbar gemacht, ein dichtes Kanalnetz wurde angelegt; andere Verkehrswege wie Eisenbahn, Kraftfahrzeuge oder gar Luftverkehr kannte Smith noch nicht. Durch Vergleich von Gebieten, bei denen Wasserfracht möglich bzw. nicht möglich ist, zeigt Smith, daß günstige Verkehrswege für das Entstehen von ausgedehnten Märkten und damit für die Ausbildung der Arbeitsteilung förderlich sind.

Je besser die Verkehrswege, um so stärker kann sich die Arbeitsteilung entfalten, um so größer ist also die durch Arbeitsteilung bewirkte Vervollkommnung der Produktivkräfte.
Smith geht nicht explizit darauf ein, daß der Wirkungszusammenhang auch umgekehrt sein kann: Da die Arbeitsteilung zur Steigerung der Produktivkräfte führt, haben die Marktteilnehmer ein Interesse daran, die Verkehrswege zu vervollkommnen und auszudehnen. Fehlen schiffbare Flüsse, so wird ein Kanalnetz gebaut. Dieses wird später abgelöst durch Eisenbahn und Straßen. Der lokale Markt weitet sich aus zu einem nationalen und internationalen Markt. Zur Zeit von Smith wurden mit den transportierten Gütern in der Regel auch Informationen geliefert. Vielleicht deswegen geht Smith nicht auf die Bedeutung von Informationskanälen für eine arbeitsteilige Wirtschaft ein. In der heutigen Zeit sind für ein arbeitsteiliges Wirtschaftssystem neben einem Brief-Post-System (das es auch zur Zeit von Adam Smith gab) weitere Übertragungskanäle wie Telefon, Fernschreiber und Datennetze erforderlich.
Wir sollten zusammenfassen:
Für das Funktionieren eines arbeitsteiligen Wirtschaftssystems ist eine Infrastruktur erforderlich. Größe des Marktes und Ausbau dieser Infrastruktur bedingen sich gegenseitig.

b. Die Teilung der Arbeit muß in irgendeiner Weise organisiert sein. Der Holzfäller muß wissen, daß Holz benötigt wird, sonst kann der Köhler nicht Kohle brennen und der Schmied hat keine Kohle, um zu schmieden. Schon die bewußte Organisation der Produktion einer Schafschere in unserem vereinfachten Schema verlangt einige Planung. Die einzelnen Individuen müssen die "Plandaten" irgendwie erfahren und berücksichtigen, d. h. Informationen müssen zu den einzelnen Akteuren fließen und diese motivieren, aufgrund der Informationen entsprechend zu handeln. Im nächsten Abschnitt werden Organisationsbeispiele näher behandelt.
Für eine arbeitsteilige Wirtschaft ist ein Organisationsmechanismus erforderlich.

c. Bei der Arbeitsteilung stellen die meisten Individuen etwas her, mit dem sie direkt nichts anfangen können oder sie produzieren mehr als sie selber verbrauchen können. Der Köhler, der Kohlen brennt, will vielleicht einen Teil der Wolle, die mit der Schafschere gewonnen wird. Die Holzkohle interessiert ihn allenfalls soweit, als sie mithilft, etwas Erwünschtes, z.B. Wolle, zu produzieren. Wir erkennen, daß bei Arbeitsteilung eine Gruppe von Menschen zusammenwirken muß, um irgendein erwünschtes Produkt zu erstellen. Fällt einer der Mitwirkenden aus oder verweigert er seine Mitwirkung, so kann das Endprodukt in der Regel nicht produziert werden, es sei denn, die entsprechende Tätigkeit wird von irgendeinem anderen übernommen. All die Mitwirkenden, die nichts produzieren, was sie selbst wünschen oder benötigen, müssen mit dem versorgt werden, was sie wünschen bzw. benötigen. Es ergibt sich sofort ein grundlegendes Problem: Was benötigt ein Individuum, welche Wünsche sollten erfüllt werden? Kann seine Mitwirkung am erwünschten Endprodukt quantifiziert werden und steht ihm dieser Anteil zu? Es ergibt sich ein **Verteilungsproblem:**

Welchen Anteil an den erwünschten produzierten Gütern sollte jeder einzelne für seine Mitarbeit erhalten?

Das Verteilungsproblem kann noch von verschiedenen Positionen aus betrachtet werden.

1. Motivationsproblem

   Hängt die Mitwirkung eines Individuums ganz oder teilweise davon ab, wie es am Ergebnis der Produktion beteiligt wird? Welchen Anteil an den erwünschten produzierten Gütern sollte der einzelne erhalten, damit seine Mitarbeit bei der Produktion gefördert wird?

2. Gerechtigkeitsproblem

   Hat das einzelne Individuum einen moralischen Anspruch auf eine bestimmte Güterversorgung? Welches ist der gerechte Anteil an den produzierten Gütern? Hängt der gerechte Anteil von seiner Leistung und/oder von seinen Bedürfnissen ab?

   Da bei arbeitsteiliger Wirtschaft notwendigerweise viele Individuen an der Produktion beteiligt sind, dem einzelnen also nicht unmittelbar ein Teil des Endproduktes zugeordnet werden kann, stellt sich ein Verteilungsproblem.

1.4.2 Die sichtbare Hand - Beispiele

Die mit der Arbeitsteilung aufgeworfenen Probleme wurden und werden in verschiedener Weise angegangen. Zwei Organisationsmechanismen werden dabei von Wirtschaftswissenschaftlern immer wieder untersucht. Diese werden häufig unter dem von Adam Smith geprägten Begriff "unsichtbare Hand" und dem daran angelehnten Begriff der "sichtbare Hand" behandelt. Diese verschiedenen Mechanismen werden wir im folgenden kurz untersuchen. Wir müssen sehr stark vereinfachen, wenn wir anschließend an einigen Beispielen zuerst die "sichtbare" und dann die "unsichtbare Hand" veranschaulichen.

SICHTBARE HAND

1.4.2.1 Der Patriarch - Der Fürst

Wir stellen uns einen patriarchalischen Besitzer eines von Wirtschaft und Gesellschaft der Umgebung unabhängigen größeren Gutes mit Erzvorräten, Holz und Landwirtschaft vor. Dieses Gut wird von der Familie des Besitzers einschließlich der abhängigen Bediensteten arbeitsteilig bewirtschaftet. Alle für die Produktion erforderlichen Geräte, also z. B. auch die Schafschere, müssen auf dem Gut hergestellt werden; dafür gibt es einen Meiler, eine Ziegelbrennerei etc.. Der Besitzer leitet den Betrieb unabhängig und selbständig. Dazu übt er folgende Funktionen aus:

1. Der Patriarch kennt alle Produktionsabläufe auf seinem Gut. Er weiß also z. B., mit wieviel Holz und in welcher Zeit welche Mengen von Holzkohle erzeugt werden können. Die von uns in Abbildung 1 skizzierten Arbeitsabläufe sind ihm im Prinzip bewußt.
   Er kennt die Produktionsbedingungen.

2. Der Patriarch weiß, welche Güter und in welchen Mengen diese erzeugt werden können und er bestimmt, welche tatsächlich erzeugt werden sollen. Durch Anweisungen an die Schmiede, Geräte für den Gartenbau herzustellen, durch Anweisungen an die Arbeiter, die Beete intensiv zu pflegen, wird die Gemüseproduktion z. B. gesteigert, die Produktion an Wolle geht dann aber zurück, da es an Geräten und an der Zeit für die Schafpflege fehlt. Der Patriarch legt also fest, wieviel Brot, Gemüse, Kleidung, Wohnung etc. in jedem Jahr optimal hergestellt werden.
   Er bestimmt das Ziel und den Zweck der Produktion (gesellschaftliche Zielfunktion).

3. Der Patriarch bestimmt, wer in der Großfamilie (und im Gesinde) welche Tätigkeit ausführt. Sein Wort ist Befehl, und diese Befehle werden eventuell mit Strafen oder Belohnungen untermauert.
   Er organisiert die Produktion und motiviert die Produzierenden.

4. Der Patriarch überwacht den Betrieb und läßt sich laufend über den Produktionsablauf informieren. Auf jede endogene Störung (innerhalb des Systems auftretende Störung, z.B. bei der Planung nicht beachtete Koordinationsprobleme) und vor allem auf jede exogene Störung (Störung von außen wie z. B. Unwetter) wird vom Patriarchen sofort durch Gegenmaßnahmen reagiert, die den Schaden begrenzen und das Betriebsergebnis möglichst sichern sollen.
   Er löst das Informations-, Anpassungs- und Überwachungsproblem.

5. Der Patriarch sorgt dafür, daß jeder im Rahmen der vorhandenen Güter gemäß seiner Stellung im Gut ernährt wird, Unterkunft findet und eventuell an den Luxusgütern beteiligt wird. Der Patriarch teilt also jedem in Naturalien zu, was diesem (nach Meinung des Patriarchen) zusteht.
   Er löst das Verteilungsproblem.

Bei dem hier skizzierten wirtschaftlichen Ablauf wurden die für uns bei jeder wirtschaftlichen Überlegung so wichtigen Begriffe wie "Geld" und "Preise" nicht einmal verwandt. Sie sind in der Tat überflüssig. Es wird auf unserem Modellgut produziert, knappe Güter werden zugeordnet, es findet aber kein Handel zu festgelegten oder ausgehandelten Preisen statt. Marktpreise würden erst dann eine Rolle spielen, wenn der Hof mit der Außenwelt in Verbindung treten und z. B. auf dem Markt einer naheliegenden Stadt Güter gegen andere Güter tauschen würde. In diesem Fall könnte auch Geld eine Rolle spielen, es ist aber auch dann noch möglich, daß solcher Tausch ohne Geld durchgeführt würde.

In jeder arbeitsteiligen Wirtschaft müssen die fünf gerade vorgestellten Aufgaben angegangen und in irgendeiner Weise möglichst optimal gelöst werden. Hier haben wir an einem einfachen Beispiel demonstriert, wie eine Wirtschaft durch die "sichtbare Hand" des Patriarchen organisiert werden kann.

Man kann diese Organisationsform auf das Selbstverständnis des absoluten Fürsten (wie z. B. Ludwig XIV von Frankreich oder Friedrich II von Preußen) übertragen:

Der Fürst bestimmt, was für den Staat gut ist. Er bestimmt mit bis ins einzelne gehenden Vorschriften, was die Untertanen zu produzieren haben. Er kontrolliert (mit Hilfe seines Verwaltungsapparates), wie und ob die Vorschriften durchgeführt werden und er bestimmt, welcher Anteil den "Landeskindern" zusteht.

In keinem absoluten Staat jedoch wurde dieses System so durchgeführt, wie wir es für den Patriarchen skizziert haben. Neben der direkten Wirtschaftslenkung durch den Fürsten gab es immer auch Tausch, es wurden Waren gegen Geld zu bestimmten Preisen gehandelt.

1.4.2.2 Manufaktur und Unternehmung

Ein weiteres Beispiel für die bewußte planmäßige Organisation des Arbeitsablaufes bei arbeitsteiliger Produktion stellt eine Unternehmung als Teil einer Volkswirtschaft dar. Wir können uns vorstellen, daß eine Unternehmung zur Produktion von Schafscheren gegründet wird, die alle Vorprodukte selbst herstellen will oder muß. Der Unternehmensleiter muß dann die obigen fünf Funktionen des Patriarchen übernehmen. Bei zwei Funktionen gibt es aber deutliche Abweichungen. Ziel der Unternehmung sollte es sein, eine bestimmte Menge von Schafscheren einer bestimmten Qualität zu produzieren. Diese Schafscheren an sich sind kein erwünschtes Gut, sie bekommen ihren Wert erst dadurch, daß sie in einem weiteren Produktionsprozeß, der Schafschur, eingesetzt werden. Wir erkennen also:

Selbst wenn die Organisation der Arbeit in der einzelnen Unternehmung gelöst ist, bleibt ein weiteres Koordinationsproblem: Welche Unternehmung soll welche Güter in welchen Mengen produzieren?

Ein weiteres Problem ergibt sich bei der Verteilungsfunktion. Zum einen wird der Unternehmer in vielen Fällen die Entlohnung nicht einfach nach sei-

nem Belieben zuteilen können: Die Mitarbeiter könnten abwandern (kündi-
gen), wenn sie andere Alternativen haben, oder sie könnten ihre Mitarbeit
ganz oder teilweise verweigern (bummeln, streiken). Außerdem werden sie
kaum bereit sein, sich durch die End- oder Zwischenprodukte der Firma
entlohnen zu lassen. Sie sind in der Regel weder am Zwischenprodukt Zie-
gelstein noch am Endprodukt Schafschere interessiert. Es ergibt sich also,
daß auch das Verteilungsproblem nicht in der einzelnen Firma gelöst werden
kann, wenn die hierarchisch strukturierte Unternehmung nur ein Teil einer
Volkswirtschaft ist.

1.4.2.3 Zentrale Planung

Im vorigen Abschnitt haben wir erkannt, daß es nicht ausreicht, die
Arbeitsteilung in einzelnen Betrieben zu koordinieren. Die Tätigkeit der einzelnen Betriebe und der darin Beschäftigten muß für die gesamte Gesellschaft
koordiniert werden. Dazu könnte man eine zentrale Behörde einführen. Diese
zentrale Behörde übernimmt für eine komplexe Gesellschaft all die Funktionen, die wir dem Patriarchen zugewiesen haben.

1. Sie **kennt** sämtliche Produktionsbetriebe und deren **Produktionsmöglichkeiten**.
2. Sie hat eine Vorstellung davon, **was** produziert werden soll **und für
   wen** produziert werden soll und stellt einen entsprechenden Plan auf.
3. Sie **gibt Anweisungen** an die einzelnen Produzenten, was zu produzieren ist, welche Rohstoffe eingesetzt und welche Arbeiter beschäftigt
   werden.
4. **Sie überwacht** die einzelnen Produzenten und sorgt dafür, daß die
   geplanten Mengen tatsächlich produziert werden. Diese Mengen stehen
   der zentralen Planungsstelle zur Verfügung.
5. Sie teilt den einzelnen Individuen die Konsummengen und den Firmen
   Vorprodukte und Maschinen für die Zukunft zu.

Wir sehen, daß auch bei dieser Wirtschaftsorganisation keine Marktpreise für
Güter bestimmt werden und Geld überflüssig ist.

Aufgabe 1.13

*Stellen Sie sich vor, Sie sollten für die Bundesrepublik eine Wirtschaft
mit zentraler Planung einführen, wie sie gerade skizziert wurde, in der es also
z. B. kein Geld gibt und in der kein Handel stattfindet.*

   *a. Gehen Sie die einzelnen Funktionen durch, die die zentrale Planung über-
   nehmen muß und überlegen Sie, wie diese erfüllt werden könnten.*
   b. Welche Probleme könnten bei den einzelnen Funktionen auftauchen?

Aufgabe 1.14

*Aus den verschiedensten Gründen gibt es für Teilbereiche in vielen Wirt-
schaftssystemen eine zentrale Planung. Wir betrachten hier ein wichtiges Beispiel in einer extremen Situation: Die Versorgung mit Lebensmitteln, wenn
nicht für alle genügend vorhanden sind (so z. B. im Kriegsfall).*

a. *Nach welchen Kriterien sollte die Zuteilung erfolgen? Denken Sie an bestimmte Bevölkerungsgruppen*
  aa. *die in der Produktion Beschäftigten*
  ab. *die für die Produktion mindestens kurzfristig unwichtigen Bevölkerungsgruppen (Kinder, Kranke, Alte)*
  ac. *die Soldaten*
  ad. *die Kriegsgefangenen*
  ae. *die in der zentralen Planung Beschäftigten (also z. B. den Regierungschef, den Planungsminister und seinen Mitarbeiterstab)*
b. *Welche Interessengegensätze ergeben sich bei den in a. untersuchten Prinzipien in der Bevölkerung? Wie können diese Interessen artikuliert werden? Wie erfährt die Planungsbehörde davon, und wie wird sie davon beeinflußt?*
c. *Untersuchen Sie, wie sich in konkreten Wirtschaftssystemen mit starken zentralen Planungsbereichen (also z. B. in der absoluten Monarchie) die Versorgung der Planungsbehörde verglichen mit der übrigen Bevölkerung gestaltete. Gelten diese Beobachtungen auch für andere Systeme mit zentraler Planung?*

1.4.3 Die unsichtbare Hand

Adam Smith stellt seine Ausführungen deutlich auf einen Koordinationsmechanismus ab, der nach ihm unter dem Schlagwort "unsichtbare Hand" bekannt ist. Wir wollen im folgenden skizzieren, wie dieser Mechanismus abläuft oder ablaufen könnte. Diese Darstellung kann nur vorläufig sein. Im Laufe dieser Lehrveranstaltung werden wir uns noch häufiger mit den Vorteilen und den Problemen dieses Mechanismus beschäftigen. Hatten wir mit der "sichtbaren Hand" jeweils ein Wirtschaftssystem beschrieben, in dem eine zentrale Instanz - die sichtbare Hand - den Wirtschaftsablauf koordiniert, so charakterisiert man seit Adam Smith mit der "unsichtbaren Hand" ein System, in dem es einen zentralen Koordinationsmechanismus nicht gibt. Das Wirtschaftssystem koordiniert sich vielmehr selbst, und alles erscheint wie von einer unsichtbaren Hand gelenkt.

1.4.3.1 Ziel des Wirtschaftens

In den bisher vorgestellten Wirtschaftssystemen wurde zentral festgelegt, was produziert und auf welche Bedürfnisse hin die Wirtschaft ausgerichtet wird. Wer soll beim Fehlen einer solchen Instanz bestimmen, wieviel von den einzelnen Gütern produziert werden soll? Wer legt das Gemeinwohl fest? Wie wird das Gemeinwohl am besten gefördert? Die Antwort von Adam Smith haben wir gelesen. Immer wieder hat er uns auf den Eigennutz und die Eigenliebe hingewiesen. Sehr deutlich beschreibt er seine Ideen in Buch 4, Kapitel 2: "Jeder Mensch ist stets darauf bedacht, die ersprießlichste Anwendung alles Kapitals, über das er zu verfügen hat, ausfindig zu machen. Tatsächlich hat er nur seinen eigenen Vorteil und nicht den der Gesellschaft im Auge; aber natürlich, oder vielmehr notwendigerweise, führt ihn die Erwägung seines eigenen Vorteils gerade dahin, daß er diejenige Kapitalbenutzung vorsieht, die zugleich für die Gesellschaft ersprießlich ist." Und etwas später: "Allerdings strebt er in der Regel nicht danach, das allgemeine Wohl zu fördern, und weiß auch nicht, um wieviel er es fördert ... und indem er diese Erwerbstätigkeit so leitet, daß ihr Produkt den größten Wert erhalte, verfolgt er lediglich seinen eigenen Gewinn und wird in diesen wie in vielen anderen Fällen von einer unsichtbaren Hand geleitet, einen Zweck zu fördern, den er in keiner Weise beabsichtigt hatte."

Diese Ausführungen von Adam Smith enthalten eine kühne Behauptung:

a. Wir benötigen keine zentrale Instanz, die das allgemeine Wohl festlegt.

b. Wir können zulassen, daß die einzelnen Individuen ihre eigenen selbstsüchtigen Interessen verfolgen - selbst dann, wenn diese Interessen konträr zueinander sind.

c. Eine "unsichtbare Hand" sorgt notwendigerweise dafür, daß die Erwägung des eigenen Vorteils zugleich für die Gesellschaft ersprießlich ist.

Wie kommt es nun nach Adam Smith zu diesem notwendigen Zusammenfallen der Verfolgung selbstsüchtiger Ziele und der Förderung des öffentlichen Interesses? "Sie ist die notwendige, wiewohl sehr langsame und allmähliche Folge eines gewissen Hanges der menschlichen Natur ... des Hanges zu tauschen, zu handeln und eine Sache gegen eine andere auszuwechseln." (W.o.N., I,2)

"Bei den Menschen aber sind ... die unähnlichsten Anlagen einander von Nutzen, indem die verschiedenen Produkte ihrer respektiven Talente durch den allgemeinen Hang zum Tauschen, Handeln und Auswechseln sozusagen zu einem Gesamtvermögen werden, woraus ein jeder den Teil des Produktes von anderer Menschen Talenten kaufen kann, den er benötigt." (W.o.N., I,2) Tausch, Handel, Kauf - diese Begriffe kamen in der Beschreibung des patriarchalischen Gutes, des inneren Ablaufes des Unternehmens und der Planwirtschaft nicht vor.

Das von Adam Smith beschriebene System basiert auf der Überlegung, daß freiwilliger Tausch zur Befriedigung persönlicher Interessen zu einem gesellschaftlichen Optimum führt.

Freiwilliger Tausch bedeutet, daß ein Tauschpartner bereit ist, eine gewisse Menge von einem Gut abzugeben und dafür eine bestimmte Menge von einem anderen Gut zu bekommen. Diese Tauschrate nennt man einen relativen Preis. Diese von den Tauschpartnern akzeptierten oder wechselseitig vereinbarten Tauschraten oder Preise können nach der Vorstellung von Adam Smith ein Wirtschaftssystem koordinieren. Wir können die Behauptung von Adam Smith also verkürzt so wiedergeben:

Ein System von Preisen steuert eine (Markt-)Wirtschaft wie eine unsichtbare Hand.

Eine Aufgabe, vor die sich die Mikroökonomische Theorie gestellt sieht, ist die Untersuchung, ob und wie ein Preissystem als Koordinationsmechanismus funktioniert.

1.4.3.2 Institutionen und Infrastruktur

Ein System, das darauf aufgebaut ist, daß die Individuen Güter tauschen, um jeweils ihre eigenen Interessen zu verfolgen, benötigt ganz spezielle Institutionen und eine spezielle Infrastruktur.

a. Das System braucht wie jede arbeitsteilige Wirtschaft Verkehrswege, auf denen Rohstoffe und produzierte Güter transportiert werden können.

b. Das System benötigt Informationskanäle. Jeder, der eine Ware A gegen eine Ware B tauschen will, muß einen Tauschpartner finden, der 1. Ware B gegen Ware A tauscht und 2. sich mit ihm auf eine Tauschrate einigt. Müssen in einer zentral geleiteten Wirtschaft Informationen (nur) von und zur Zentrale fließen, so müssen in einer dezentralen Wirtschaft Informationen im Prinzip zwischen beliebigen Individuen ausgetauscht werden.

c. Das System benötigt Institutionen, die den Tausch ermöglichen, fördern und in geregelte Bahnen lenken.

    α. Zu diesen Institutionen gehören die Märkte. Ein Markt kann der Marktplatz einer Stadt, ein Supermarkt, ein Kaufhaus oder die Börse sein.

    β. Zu den Institutionen gehört aber auch die Rechtsordnung, die entweder von allen akzeptiert wird oder die von einem Staatsapparat durchgesetzt werden muß. Dabei ist von besonderer Wichtigkeit, daß durch die Rechtsordnung eine Eigentumsordnung definiert wird: "Dies ist mein, jenes dein; ich bin willens, dieses für jenes zu geben." Mit dem Zitieren einer solchen Tauschbereitschaftserklärung gibt auch Adam Smith (W.o.N., I, 2) zu erkennen, daß die Definition von Eigentum notwendige Voraussetzung zur Bestimmung von Austauschraten, also von Preisen ist.

1.4.3.3 Geld

Adam Smith schildert anschaulich, daß eine Wirtschaft, die auf Tausch ausgerichtet ist, ein Tauschmittel benötigt. Da in der Regel derjenige, der eine bestimmte Ware produziert, nicht gerade das benötigt, was sein potentieller Tauschpartner produziert, "wird jeder kluge Mensch ... bemüht gewesen sein, ... daß er ... jederzeit noch irgendeine Menge von einer anderen Ware in Bereitschaft hatte, von der er voraussetzen konnte, daß sie wahrscheinlich wenig Menschen beim Tausche gegen das Erzeugnis ihres Gewerbes zurückweisen würden." (W.o.N., I,4)

Eine solche **Ware, die allgemein als Tauschmittel akzeptiert wird, nennen wir (Waren-)Geld.** Damit eine Ware als Tauschmittel akzeptiert wird, muß sie möglichst folgende Eigenschaften besitzen:

a. **Haltbarkeit.** Die Ware darf im Laufe der Zeit nicht oder kaum an Wert verlieren. Tomaten beispielsweise sind nicht als Tauschmittel geeignet.

b. **Seltenheit.** Eine Ware, die selten ist und nicht in fast beliebiger Menge produziert werden kann, hat je Gewichtseinheit einen hohen Wert und ist leicht zu transportieren. Sand beispielsweise eignet sich nicht als Tauschmittel.

c. **Teilbarkeit.** Das Tauschmittel sollte möglichst teilbar sein, um bestimmte Geschäfte tätigen zu können. Ein Pferd ist kaum als Tauschmittel zu verwenden, wenn man auf einem Markt mehrere kleine Tauschoperationen vornehmen will.

d. **Homogenität.** Verschiedene Teile der Waren sollten sich gegenseitig vertreten können und miteinander vergleichbar sein. Kleidungsstücke z. B. sind nicht recht verwendbar, es sei denn, sie unterscheiden sich kaum in Größe, Form und Gestaltung (man denke an die "Nylon-Strumpf-Währung" vor der Währungsreform).

Jede Ware, die die vier genannten Eigenschaften ganz oder weitgehend besitzt, kann als Geld benutzt werden, und tatsächlich gibt es viele Beispiele für ein solches Warengeld (Salz, Getreide, Viehhäute, Muscheln, **Zigaretten**). Smith zeigt detailliert auf, daß Edelmetalle wie Gold, Silber und eventuell Kupfer die obigen Eigenschaften besitzen. Sie sind darum als Geld geeignet und wurden seit Jahrtausenden auch so benutzt.

Ein Wirtschaftssystem, das auf Tausch basiert, benötigt Geld als Tauschmittel. Gold und Silber waren lange die wichtigsten Tauschmittel.

Aufgabe 1.15

Ein Staat möge vor der Entscheidung stehen, (Waren-)Geld entweder auf der Basis von Gold oder auf der Basis von Kupfer einzuführen. Was spricht für Gold, was spricht für Kupfer? Gehen Sie dabei von den Eigenschaften b. und c. aus.

Aufgabe 1.16

Das Geld, das wir täglich benutzen, hat keinen oder nur sehr geringen Warenwert. Wie werden bei unserem Geld die Eigenschaften a. bis d. sichergestellt?

1.4.4 Wirtschaftsorganisation und Spieltheorie

Ein Gesellschaftsspiel wie Schach, Skat, Poker, Bridge oder Roulette besteht aus einer Reihe von Situationen, bei denen die Mitspieler bestimmte Entscheidungen treffen müssen. Mit jeder Entscheidung beeinflußt jeder Mitspieler nicht nur sein Spielergebnis, sondern in der Regel auch das all seiner Mitspieler. Die Analyse solcher Situationen war der Ausgangspunkt der Spieltheorie, und Überlegungen aus der Spieltheorie werden in den letzten Jahren in immer stärkerem Maße in den Gesellschaftswissenschaften (aber auch von Militärwissenschaftlern) benutzt. Spieltheorie ist eine Entwicklung dieses Jahrhunderts, initiiert und stark beeinflußt von dem Mathematiker John von Neumann und dem Ökonomen Oskar Morgenstern; Adam Smith kannte ihre Konzepte natürlich nicht. Wir werden im folgenden aber vom Text von Adam Smith ausgehen und drei "Spiele" kennenlernen, die bei der Analyse ökonomischer Systeme zum Verständnis der Zusammenhänge dienen können. Durch Darstellung als Spiel wird in den Wirtschaftswissenschaften ein bestimmtes Problem der Realität extrem vereinfacht. Man will tatsächlich das Verhalten von Millionen von Menschen in komplexen Situationen untersuchen und betrachtet dafür in der Regel dann zwei Spieler, die jeweils zwei Entscheidungsalternativen haben. Im Gegensatz zu den Gesellschaftsspielen wie z. B. Schach, bei denen die Mitspieler eine Reihe von Zügen - also Entscheidungen durchführen müssen, hat bei den von uns betrachteten Spielen jedes Individuum nur eine Entscheidung zu treffen (ohne, daß es zum Zeitpunkt der Entscheidung weiß, wofür sich die Mitspieler entschließen) und sieht sich dann mit dem Ergebnis konfrontiert; das Ergebnis hängt dabei von seiner Entscheidung und den Entscheidungen der Mitspieler ab. Eine solche Vorgehensweise kann die Realität wohl kaum beschreiben, sie kann aber wichtige Strukturen aufdecken.

1.4.4.1 Marktspiel

"In einer Horde von Jägern oder Hirten macht z. B. irgendeiner Bogen und Pfeile mit größerer Geschwindigkeit und Geschicklichkeit als ein anderer... er wird eine Art Waffenschmied. Ein anderer zeichnet sich im Bau und in der Bedachung ihrer kleinen Hütten oder beweglichen Häuser aus bis er es zuletzt in seinem Interesse findet, ... eine Art Bauzimmermann zu werden. ... Und so sporn die Gewißheit ... austauschen zu können, einen jeden an, sich einer bestimmten Beschäftigung zu widmen und seine eigentümliche Befähigung für diese Geschäftsart auszubilden und zur Vollkommenheit zu bringen."

Adam Smith (W.o.N., II,2) beschreibt hier, wie seiner Meinung nach mit der Möglichkeit des Tauschens Spezialisierung und Märkte entstanden sind. Versuchen wir seine Schilderung noch weiter zu schematisieren und zu vereinfachen: Wir betrachten aus einer urzeitlichen Horde zwei Mitglieder Adam und Bertold, die Hirsche jagen, indem sie diese in eine Fallgrube treiben. Bei dieser mühseligen Jagdart fangen beide zusammen nur zwei Tiere in der Woche; jeder einzelne erhält also ein Tier.

Beide Jäger erkennen nun die Möglichkeit, sich auf die Herstellung von Jagdwaffen zu spezialisieren. Der eine könnte z. B. Pfeil und Bogen anfertigen, damit wäre es möglich, entferntes Wild zu treffen. Die Jagdbeute würde sich auf beispielsweise fünf Tiere erhöhen. Derjenige, der die Waffen hergestellt hat, beansprucht davon als Beute drei Tiere, der andere erhält zwei Tiere, verbessert sich also auch. Eine andere Möglichkeit, die Jagdstrecke im gleichen Maße zu erhöhen, könnte in der Anfertigung von Speeren bestehen, mit deren Hilfe man Tiere im Unterholz erlegen könnte.

	B spezialisiert sich	
A	auf Speer	nicht
spezialisiert sich auf Bogen	4 \ 4 (I)	2 \ 3 (II)
spezialisiert sich nicht	(III) 3 \ 2	(IV) 1 \ 1

Abbildung 1.2   Marktspiel

Auch in diesem Fall soll derjenige den größeren Anteil von drei Tieren erhalten, der die Speere verfertigt hat. Werden aber von einem Jäger Speere, vom anderen Pfeil und Bogen hergestellt, so ist die Jagd besonders erfolgreich. Die Jagdstrecke steigt auf acht, für jeden einzelnen ergibt das einen gleichmäßigen Anteil von 4 Tieren. Für die vier möglichen Situationen können wir eine "Ergebnis-Matrix" (Abb. 1.2) aufstellen. Dabei steht A für Adam und B für Bertold. Die möglichen Alternativen von A sind links der Matrix und die Alternativen von B oberhalb der Matrix angegeben. Entsprechend sind in den Feldern der Matrix jeweils das Ergebnis für A links unten und das Ergebnis für B rechts oben eingetragen. Das Feld (III) beschreibt also die Alternative, daß sich B spezialisiert und deshalb 3 Hirsche bekommt, während A sich nicht spezialisiert und mit 2 Tieren zufrieden sein muß. Wir wollen jetzt untersuchen, welche Alternative gewählt wird, wenn sich beide Individuen individuell rational verhalten. Dabei verstehen wir unter individuell rationalem Verhalten:

"Jeder Mensch ... hat ... nur seinen eigenen Vorteil und nicht den der Gesellschaft im Auge" (W.o.N., II,1).

Ein solches Verhalten nennen wir

1. rational, weil sich das Individuum nicht von sachfremden Gründen leiten läßt, sondern das (voraussichtliche) Ergebnis sein Handeln bestimmt,

2. individuell rational, da es nur sein eigenes individuelles Wohl im Auge hat.

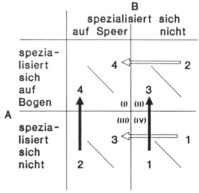

Abbildung 1.3 strukturiertes Marktspiel

Bei individuell rationalem Verhalten kooperiert das Individuum also nicht mit den anderen Individuen und spricht sein Verhalten nicht mit anderen ab.

Diese beiden Definitionsteile für rationales Verhalten benutzen wir jetzt, um die obige Ergebnismatrix (siehe Abb. 1.3) zu strukturieren. Wir betrachten dazu zuerst nur Adam. Adam verhalte sich individuell rational. Er wird also ohne Absprache mit B in jeder Situation sein Maximum suchen. Wenn sich B nicht spezialisiert, kann A durch seine Wahl entweder das Feld IV oder das Feld II der Matrix bestimmen. Feld II ist für ihn besser (3 Tiere) als Feld IV (1 Tier); das wird durch den senkrechten Pfeil von der linken 1 in Feld IV zur linken 3 in Feld II symbolisiert. (Adam ist dabei nicht daran interessiert, daß durch seine Wahl auch B sich verbessert.) Wenn sich B spezialisiert, wählt A zwischen den Feldern III und I natürlich die 4 in Feld I; das wird wieder durch einen senkrechten Pfeil veranschaulicht. Durch entsprechende Überlegungen für Bertold ergeben sich die Doppelpfeile in der Auszahlungsmatrix. Diese Doppelpfeile verbinden jeweils die Auszahlungen an B gemäß des für B unterstellten individuell rationalen Verhaltens.

In den folgenden Matrizen und Abbildungen kennzeichnen einfache Pfeile immer die Alternativenwahl von A und doppelte Pfeile die Alternativenwahl von B bei jeweils individuell rationalem Verhalten. Feld I zeichnet sich von allen anderen Feldern dadurch aus, daß nur Pfeile hinein, aber keiner hinausläuft. Von der Konstruktion her bedeutet das, daß unter der unterstellten Verhaltensannahme kein Individuum in dieser Situation eine andere Alternative wählen will; einen solchen Zustand nennen wir Gleichgewicht.

> **Ein Gleichgewicht ist ein Zustand, den kein Individuum unter den unterstellten Verhaltensannahmen verlassen möchte.**

Dieser Gleichgewichtsbegriff ist von sehr allgemeiner Art, er ist in der Spieltheorie wie allgemein in der Wirtschaftstheorie anwendbar. Dadurch, daß man verschiedene Verhaltensannahmen spezifiziert, kann man zu unterschiedlichen Gleichgewichtskonzepten kommen.

Fassen wir unsere Überlegungen zusammen:
Der ursprüngliche Zustand ist durch das Feld IV beschrieben. Beide haben mit der Beute von einem Tier ein schlechtes Ergebnis. Jeder kann in diesem Zustand überlegen, ob eine Spezialisierung sich lohnt. Es ergibt sich, daß sich eine Spezialisierung für jeden immer lohnt, gleich was der andere entscheidet. Steht nämlich A vor der Entscheidung "Spezialisieren ja oder nein", so ergibt sich das Feld II, wenn er sich allein spezialisiert. Es ergibt sich das Feld I, wenn B sich auch spezialisiert. In beiden Fällen verbessert sich A. Rational für A ist es also in beiden Fällen, sich zu spezialisieren. Genauso ist es für B rational, sich zu spezialisieren.

Handeln beide rational, so ergibt sich das Feld I, jeder erhält das optimale Ergebnis; keiner kann sich noch weiter verbessern, dieser Punkt ist für jeden Mitspieler besser als irgendeine der anderen Alternativen. Es ist also nicht problematisch, diese Alternative ein "gesellschaftliches Optimum" zu nennen.

Dieses Beispiel hat also folgende Eigenschaften:

1. Jedes Individuum kann seine eigenen Entscheidungen seinem eigennützigen Interesse gemäß durchführen, ohne zu wissen, was der andere tut. Unabhängig von der Entscheidung des anderen ist es für jeden optimal, sich zu spezialisieren. (Spezialisieren ist dominante Strategie).

2. Wenn ein Individuum versuchen sollte, das andere zu schädigen, so schädigt es sich selbst am meisten, das andere nur geringfügig.

3. Verhält sich jedes Individuum individuell rational, d. h. versucht jedes seinen individuellen Nutzen zu maximieren, so ergibt sich ein optimaler Zustand für jeden, also ein gesellschaftliches Optimum.

4. Das gesellschaftliche Optimum ist ein Gleichgewicht.

Die Begriffe "dominante Strategie" und "gesellschaftliches Optimum" werden im folgenden noch behandelt.

Dieses Spiel beschreibt offensichtlich eine Situation, wie sie Adam Smith bei seinen Überlegungen zugrunde gelegt hat. Wir werden dieses Spiel darum "Markt-Spiel" oder auch "Konvergenz-Spiel" nennen. Tragen wir die möglichen Alternativen in ein Koordinatensystem ein, bei dem die Achsen mit den Gütermengen skaliert sind, so erkennen wir, wieso es zum Namen "Konvergenzspiel" kommt. Tragen wir die im Schema eingetragenen Alternativen in gleicher Weise ein wie in obiger Matrix, so zielen diese Pfeile in Richtung von Alternative I, der für beide Spieler günstigsten Alternative. (siehe Abb. 1.4)

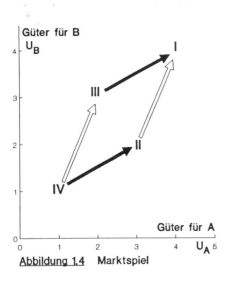

Abbildung 1.4   Marktspiel

Wir sollten noch auf einen weiteren Aspekt eingehen: Bei vielen Gesellschaftsspielen, bei denen um Geld gespielt wird, ergibt sich der Gewinn des Siegers (der Sieger) aus den Einzahlungen, also dem Verlust des Verlierers (der Verlierer). Begreift man die Verluste als negative Gewinne, so ergibt die Summe aller Gewinne Null. Man spricht darum von "Null-Summen-Spielen". Etwas ähnliches liegt auch dann vor, wenn z. B. bei einem Tennis-Turnier um die ausgesetzten Preisgelder gespielt wird: Die Summe der ausgezahlten Gewinne ist gleich dem Preisgeld, unabhängig von den einzelnen Entscheidungen. Solche Spiele heißen darum "Konstant-Summen-Spiele".

Null-Summen-Spiele sind natürlich Konstant-Summen-Spiele mit der konstanten Summe Null.

Bei dem von uns betrachteten Spiel handelt es sich jedoch nicht um ein Konstant-Summen-Spiel (und damit schon gar nicht um ein Null-Summen-Spiel). Je nach Entscheidung haben beide Spieler zusammen eine Beute von 8 Tieren (bei Alternative I) oder von 5 Tieren (bei II bzw. III) oder auch von nur 2 Tieren (bei IV). Viele in der Ökonomie betrachteten Spiele haben diese Eigenschaft, daß je nach Kooperation und Koordination der Entscheidungen alle wenig oder viel profitieren können. Unserer Liste von Eigenschaften fügen wir noch hinzu

5. **Das Marktspiel ist kein Konstant-Summen-Spiel. Beim Marktspiel gibt es nur Gewinner** (wenn man individuell rationales Verhalten unterstellt).

Man könnte allerdings einwenden, daß beide Spielteilnehmer Gewinner auf Kosten der Natur sind; im dargestellten Spiel entsteht der zusätzliche Gewinn durch die Vergrößerung der Beute, also der Ausbeutung der jagdbaren Tiere. Dies ist sicherlich ein wichtiger Aspekt: Arbeitsteilung und Spezialisierung ermöglichen es, eine gegebene Ressource besser ausbeuten zu können.

Ein weiterer Aspekt darf jedoch nicht vernachlässigt werden: Arbeitsteilung und Spezialisierung ermöglichen es, die gewünschte Produktion mit weniger Einsatz von Arbeit oder anderen Produktionsmitteln zu erreichen. Es könnte z. B. sein, daß die Jäger jeweils mit einem Tier zufrieden sind. Erlegen sie aber dank der Spezialisierung 4 Tiere, so können sie eine Zeitlang ruhen bzw. sich mit anderen Dingen beschäftigen.

1.4.4.2 Koordinationsspiel

"Die Verschiedenheit ... zwischen einem Philosophen und einem gemeinen Lastträger scheint nicht so sehr von der Natur als von Gewohnheit, Übung und Erziehung herzustammen" (W.o.N., I,2). Abgesehen von der Zeit und der Mühe, die für die Spezialisierung erforderlich sind, können sich also von zwei Personen beide für den Beruf "Philosoph" bzw. "Lastträger" entscheiden.

Wir gehen also von zwei Spielern, Adam und Bertold, aus. Beide haben als Alternativen den Beruf des "Lastträgers" und "Philosophen" einzuschlagen. Werden beide Denker, bleibt die lebensnotwendige Arbeit ungetan, beide können nicht existieren. Werden beide Arbeiter, so wird die notwendige Arbeit getan, es fehlt aber die Tätigkeit der "Theoretiker ..., deren Aufgabe es ist, nicht etwas zu machen, sondern alles zu beobachten; sie sind deswegen oft imstande, die Kräfte der entferntesten und unähnlichsten Dinge miteinander zu kombinieren" (W.o.N., I,1).

In unserem Beispiel steht der Begriff "Lastträger" für all die Personen, die durch vorwiegend körperliche Tätigkeit als Bauern, Handwerker etc. arbeiten, "Philosoph" umschreibt die mehr planerischen, organisatorischen und entwickelnden Berufe. Ohne die Lastträger geht die Gesellschaft unter, ohne die entwickelnden und planenden Philosophen wird nur wenig erwirtschaftet.

Es muß also einen Koordinationsmechanismus geben, der dafür sorgt, daß ein Individuum Philosoph wird und ein anderes Arbeiter. Dieses Spiel heißt darum Koordinationsspiel.

Wie aber soll dieser Koordinationsmechanismus ablaufen und nach welchen Prinzipien? Unterschiede in den Fähigkeiten (die von Adam Smith nicht ganz ausgeschlossen werden), Stellung und Vermögen der Eltern, Rasse, Klasse, Nationalität und Religion, all diese Charakteristika spielten und spielen bei der Koordination eine Rolle.

Gehen wir einmal von folgenden Gegebenheiten aus: Werden beide Individuen Philosoph, so werden überhaupt keine Güter produziert, werden aber sowohl A wie B Arbeiter, so können zwar beide existieren, jeder produziert aber z. B. nur eine Gütereinheit.

Spezialisieren sich beide in verschiedenen Bereichen, so profitieren beide. Der Theoretiker erfindet neue Arbeitsmethoden, der Arbeiter führt sie kraftvoll aus. Die Produktivität steigt enorm, mit Hilfe des Theoretikers gelingt es dem Arbeiter, 6 Einheiten zu produzieren. Sofort stellt sich ein Verteilungsproblem. Wer bekommt wieviel? Diese Frage wird uns noch häufig beschäftigen. Man könnte realistischerweise davon ausgehen, daß der Philosoph, der die produktiven Methoden ersinnt, einen Großteil der zusätzlichen Früchte beansprucht und nur wenig dem anderen überläßt.

Aber selbst dann, wenn die Ergebnisse gleichmäßig aufgeteilt würden, ist das Verteilungsproblem nicht gelöst, da in aller Regel die Arbeitsbedingungen unterschiedlich gestaltet sind und die Tätigkeiten unterschiedliches Image besitzen. Der Arbeiter hat meistens die Tätigkeiten zu verrichten, die unangenehm und häufig auch gesundheitsschädlich sind. Der Organisator hat die angenehmere Arbeitsumgebung, seine Arbeit gleichzeitig ein höheres Sozialprestige. Wir machen es uns im folgenden einfach und vernachlässigen Arbeitsumgebung und soziales Image und die zugehörigen Meßprobleme und beschränken uns auf unterschiedliche Güterversorgung.

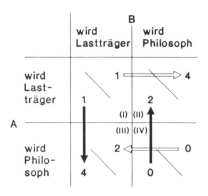

Abbildung 1.5   Koordinationsspiel

Wir nehmen somit zur Vereinfachung an, daß der Philosoph 4 Gütereinheiten, der Arbeiter 2 Gütereinheiten bekommt. Wird also beispielsweise A Philosoph und B Lastträger, so ergibt sich das mit III gekennzeichnete Feld; die in diesem Feld rechts oben angegebene 2 ist die Güterversorgung für B, die links unten notierte 4 die von A (vgl. Abb. 1.5).

Tragen wir die möglichen Alternativen in ein Koordinatensystem ein, bei dem die Achsen mit den Gütermengen der Individuen skaliert sind, so bekommen wir das folgende Diagramm (Abb. 1.6): Stellen wir uns jetzt vor, die Entscheidung ist irgendwie für A = Philosoph und B = Arbeiter gefallen. Diese Entscheidung ist kaum rückgängig zu machen: Einmal würde es hohe Spezialisierungs- und Ausbildungskosten erfordern, um einen Zustand herzustellen, der nur das (genauso ungleiche) Spiegelbild des Ausgangszustands darstellt. Außerdem wird der Philosoph, der bei seiner Spezialisierung das Argumentieren gelernt hat, dem Lastträger folgendes vor Augen führen:

a. Wenn Du jetzt auch Philosoph wirst, so schadest Du Dir nur selber, Dir bleibt nur das sichere Verhungern.

b. Ich selber werde auf keinen Fall meine Entscheidung ändern, selbst dann wenn ich hungern muß (Es ist dabei unerheblich, wie er das begründet. Mögliche Gründe könnten sein: Angestammter Platz in der Gesellschaft, besondere Begabung, Ausbildungskosten etc.. Wichtig ist, daß er seine Entscheidung als unabänderlich darstellt).

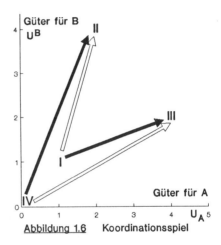

Abbildung 1.6   Koordinationsspiel

Hat der Philosoph seine Entscheidung hinreichend untermauert, so bleibt dem Arbeiter aus Angst vor dem Verhungern nichts übrig, als weiter Arbeiter zu sein. Die einzige andere Möglichkeit ist, durch einen Kampf auf Leben und Tod den Philosophen umzustimmen. Wir wollen jetzt die wesentlichen Unterschiede zum Marktspiel herausarbeiten. Dazu betrachten wir, inwieweit die 5 Eigenschaften des Marktspiels beim Koordinationsspiel gültig sind.

1. Es gibt keine dominante Strategie. Die Wahl der eigenen optimalen Strategie hängt von der Entscheidung des anderen ab. Hat der andere sich für "Arbeiter" entschieden, ist die Wahl "Philosoph" optimal, ist der andere aber "Philosoph", so ist "Arbeiter" die bessere der zwei Alternativen.

2. Das schlechteste Ergebnis ist, wenn beide Philosoph werden: Beiden bleibt das Verhungern. Hat man Angst vor solchen Ergebnissen, sollte man das "beste aller schlechten Ergebnisse", die sogenannte Maximin-Strategie, bestimmen: Jeder Spieler geht seine möglichen Strategien durch; wird er Philosoph, so ist das schlechteste mögliche Ergebnis der Wert 0 (nämlich wenn der andere auch Philosoph wird), wird er aber Arbeiter, so ist das schlechteste mögliche Ergebnis 1 (wenn der andere auch Arbeiter wird). Der bessere der beiden schlechtesten Werte ist die Eins. Lastträger werden ist also die Maximin-Strategie. Wählt man

die Maximin-Strategie, so hat man die Gewißheit, daß man von allen möglichen schlechten Ergebnissen das beste erhält.

3. Die Matrix des Spiels hat zwei Felder, in die nur Pfeile hineinlaufen. Das Spiel hat also zwei Zustände, die beide Individuen unter den Verhaltensannahmen nicht verlassen möchten, wir haben zwei Gleichgewichte. Inwieweit sind diese Gleichgewichte gesellschaftliche Optima? Diese etwas schwierige Frage untersuchen wir unter Punkt 4.

4. Beim Marktspiel gab es eine Situation, bezüglich der sich kein Individuum verbessern konnte; innerhalb des vom Spiel gesteckten Rahmens sind sicherlich beide Spieler mit dieser Situation zufriedengestellt, wir sprachen deshalb von einem gesellschaftlichen Optimum. Beim Koordinationsspiel ist die Situation etwas schwieriger, einen Punkt allseitiger Zufriedenheit gibt es nämlich nicht. Im Punkt II ist A nicht zufrieden, er könnte sich verbessern, wenn er mit B die Rollen tauschen könnte; A kann sich also verbessern, B würde sich dann aber verschlechtern, und man würde den Punkt III erhalten, für den - abgesehen von den vertauschten Rollen - das gleiche gelten würde wie für Punkt II. Das von uns hier betrachtete Spiel liefert tatsächlich keinerlei Hinweis, welcher der Zustände II oder III von der Gesellschaft vorzuziehen ist. Der Begriff "gesellschaftliches Optimum" ist hier nicht ohne weiteres zu gebrauchen; Zustände II und III werden von den Ökonomen jeweils Pareto-Optimum genannt.

> **Ein Zustand X heißt Pareto-Optimum, wenn es keinen anderen Zustand gibt, der für mindestens ein Individuum besser als X und für kein Individuum schlechter als X ist.**

5. Das Koordinationsspiel ist (ebenso wie das Marktspiel) kein Null-Summen-Spiel. In den beiden Gleichgewichten gewinnen beide Spieler verglichen mit den beiden anderen Zuständen.

Aufgabe 1.17

  a. Untersuchen Sie, welche der Punkte I, II, III und IV Pareto-Optima sind. Begründen Sie Ihre Antwort.

  b. Wie kann man in einem Güterdiagramm einfach feststellen, ob eine Alternative pareto-optimal ist oder nicht?

1.4.4.3 Gefangenen-Dilemma-Spiel

Adam Smith schreibt (W.o.N., V,1): "Die ... Pflicht des Herrschers oder Staates ist die, solche Anstalten zu treffen und solche Werke herzustellen und zu unterhalten, die, wenn sie auch für eine große Gesellschaft höchst vorteilhaft sind, doch niemals einen solchen Profit abwerfen, daß sie einem einzelnen ... die Kosten ersetzen, und deren Einrichtung und Unterhaltung daher von keinem einzelnen ... erwartet werden darf." Diese Aussage wollen wir uns an einem einfachen Beispiel veranschaulichen:

Die beiden einzigen Anwohner A und B einer privaten Straße stehen vor der Entscheidung, eine Straßenlaterne zu installieren. Die Lampe zu betreiben kostet insgesamt 6 Geldeinheiten. Jeder einzelne bewertet den Vorteil, den er durch die Straßenbeleuchtung hat, auf 4 Geldeinheiten. Betreiben beide Anwohner die Lampe gemeinsam, so muß jeder 3 Geldeinheiten beitragen. Beteiligt sich nur einer, so muß dieser allein die Kosten tragen; der andere hat keine Kosten, kann aber vom Nutzen der beleuchteten Straße nicht ausgeschlossen werden. Beteiligt sich keiner an den Kosten, so kommt es nicht zur Beleuchtung; es fallen keine Kosten an und keiner hat einen Nutzen.

Fassen wir die Angaben wieder zu einer Matrix zusammen, so erhalten wir die Abb. 1.7. Wir wollen untersuchen, was geschieht, wenn jeder Anwohner allein seinen Eigennutz im Auge hat und dabei nicht beachtet, was für Auswirkungen die Entscheidungen auf den Mitbewohner und welche Auswirkungen die Entscheidungen des Mitbewohners auf ihn haben. Gehen wir dabei vom Zustand I aus, bei dem beide sich an den Kosten beteiligen. Für A ist es dann von Vorteil, seine Beteiligung einzustellen. Sein Nutzen steigt dadurch auf 4 Geldeinheiten, da B die Kosten allein tragen muß.

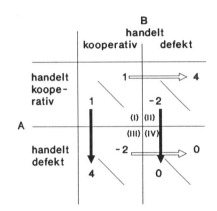

Abbildung 1.7 Gefangenen-Dilemma

In dieser Situation sind für B die Kosten höher als der Nutzen, er stellt die Betreibung der Lampe ein; beide sitzen im Dunkeln.

Wir haben hier in einfachster Form ein Beispiel, wie es Adam Smith beschrieben hat: eine "Anstalt", die für die Gesellschaft vorteilhaft ist, deren Kosten aber für den einzelnen den Profit übersteigt. In einer solchen Situation kommt es, wie im Beispiel demonstriert, leicht dazu, daß die Gesellschaft bestimmte Güter zur Verfügung stellen muß. Auch dieses Spiel wollen wir im U_A-U_B-Diagramm darstellen (Abb. 1.8):

Das beschriebene Spiel ist ein sogenanntes "prisoner's dilemma"-Spiel; der Name rührt her von dem Beispiel, mit dem es ursprünglich in

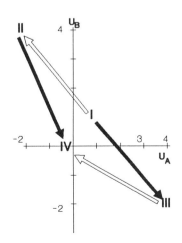

Abbildung 1.8 Gefangenen Dilemma

die Spieltheorie eingeführt wurde (vgl. Aufgabe 1.21).

Wir wollen noch einige Eigenschaften des Spiels zusammenstellen. Wir gehen dabei davon aus, daß beide Spieler allein ihren Vorteil im Auge haben, also individuell rational handeln.

Individuum A (und entsprechend Individuum B) wird dann folgende Überlegungen anstellen: Wenn B kooperativ handelt, also die Lampe betreibt, ist es für mich am besten, "defekt" zu handeln; ich habe den Nutzen, aber nicht die Kosten. Handelt B defekt, dann muß ich in jedem Fall defekt handeln, andernfalls trage ich ja die ganzen Kosten. Es ist also in jedem Fall besser für mich, defekt zu handeln, wenn ich allein meinen individuellen Vorteil im Auge habe.

Das Gefangenen-Dilemma-Spiel hat also folgende Eigenschaften:

1. Defekt spielen ist dominante Strategie.
2. Handelt A kooperativ, so kann ihn ein Verlust von -2 treffen, handelt er defekt, so ist das schlechteste Ergebnis 0. Defekt handeln ist Maximin-Strategie.
3. Feld IV ist das einzige Feld, in das nur Pfeile hineinlaufen. Gleichgewicht ist also dann gegeben, wenn beide defekt spielen.
4. Dieser Punkt ist aber kaum als gesellschaftliches Optimum zu bezeichnen. Würden beide Individuen kooperativ handeln, so würden sich beide verbessern.
5. Das Gefangenen-Dilemma-Spiel ist (wie das Marktspiel und das Koordinationsspiel) kein Konstant-Summen-Spiel. Beim Gefangenen-Dilemma gibt es (sofern die Individuen individuell rational handeln) nur Verlierer.

Aufgabe 1.18

Untersuchen Sie das Gefangenen-Dilemma.
  a. Ist Zustand I ein Pareto-Optimum?
  b. Gibt es mehrere Pareto-Optima?

1.4.4.4 Spiele als Modelle für Wirtschaftssysteme

Spiele sollen ein extrem vereinfachtes Abbild der Realität darstellen, man will sich nur auf einige wesentliche Strukturen beschränken, unwesentliche Erscheinungen vernachlässigen und zeigen, daß die ausgewählten Strukturen wesentliche Aspekte des Wirtschaftsablaufs erklären können. Der Wissenschaftler spricht von einem Modell. Unter einem Modell versteht der Wissenschaftler ein durch eine Reihe von vereinfachenden Annahmen strukturiertes Abbild der Realität.

Ein Modell sollte drei Bedingungen erfüllen: 1. Für die Struktur eines Problems unwichtige Einzelheiten sollten unberücksichtigt bleiben. 2. Die für das Problem entscheidenden Aspekte sollten erfaßt sein. 3. Das Modell sollte mit den zur Verfügung stehenden wissenschaftlichen Methoden (z.B. Experimenten, statistischen Untersuchungen, mathematischen Schlußfolgerungen, graphischen Darstellungen) behandelbar sein.

Wir können hier nicht ausführlich auf die Probleme und Gefahren bei Modellbildungen eingehen (die ebenfalls wichtigen Probleme der logischen Konsistenz und der empirischen Überprüfbarkeit werden wir hier gar nicht berücksichtigen); man sieht aber schnell bei der Betrachtung unserer Spielmodelle die Schwierigkeiten: Die graphische Darstellung eines Spiels mit Hilfe einer Matrix beschränkt die Anzahl der Mitspieler auf zwei. Allenfalls bei drei Spielern ist eine dreidimensionale Darstellung noch möglich, mehr als drei Spieler machen die graphische Darstellung unmöglich. Das Gefangenen-Dilemma aber z. B. ist erst bei mehreren Spielern richtig plausibel. Bei vielen Mitspielern ist der Anreiz besonders groß, sich auf Kosten anderer zu drücken. Handeln aber alle so, dann "sitzen alle gemeinsam in der Patsche". Das Modell des Gefangenen-Dilemma-Spiels ist also besonders geeignet, defektes Verhalten in großen, unübersichtlichen Gesellschaften zu analysieren, eine einfache Darstellung beschränkt die Anzahl der Spieler aber auf zwei. Wir sehen, daß Relevanz eines Modells und formale Darstellung bzw. Bearbeitung manchmal nur schwer zu vereinbaren sind. Mit mathematischen Methoden ist zwar eine Verallgemeinerung auf viele Mitspieler möglich, aber auch diese Methoden haben ihre Grenzen. Auch das Erfüllen von Bedingungen 1 und 2 bringt Probleme mit sich. Die Haarfarbe der Wirtschaftssubjekte wird wohl immer als unwichtige Einzelheit für ein ökonomisches Modell betrachtet werden, aber z. B. die Hautfarbe ist bei Koordinationsmechanismen in der Realität (leider) von großer Bedeutung. Es ist häufig nicht sofort erkennbar, was eine unwichtige Einzelheit, was ein entscheidender Aspekt ist.

Wir können zusammenfassen: Der Wissenschaftler versucht in der Regel, die Realität durch Modelle darzustellen. Die Spieltheorie liefert eine Reihe von wichtigen Modellen für den Sozialwissenschaftler. Die Forderung, daß ein Modell alle relevanten Aspekte (und nur diese) berücksichtigt, ist allenfalls eingeschränkt zu verwirklichen.

1.4.4.5 Spiele und die Analyse der unsichtbaren Hand

Aus den mit Hilfe der Spieltheorie modellierten Strukturen wollen wir abschließend einige Aussagen über Wirtschaftssysteme gewinnen. Es wurde schon dargelegt, daß das Marktspiel eine Situation beschreibt, wie sie Adam Smith seinen Überlegungen zugrundelegt: Folgt jedes Individuum seinen von Eigenliebe geprägten Zielen, so fördert es nicht nur sein eigenes Wohlergehen, sondern auch das Wohlergehen seiner Mitmenschen; insgesamt ergibt sich ein optimaler gesellschaftlicher Zustand. Anders verhält es sich beim Koordinationsspiel: Wählen die Individuen unabhängig voneinander, so ist ein schlechtes Ergebnis nicht auszuschließen. Um brauchbare oder gute Ergebnisse sicherzustellen, ist ein "Koordinationsmechanismus" erforderlich. Ein solcher Koordinationsmechanismus kann z. B. in staatlichen Verordnungen und Gesetzen bestehen. Jedoch bilden auch Normensysteme, Traditionen und Besitzstrukturen wichtige Koordinationsmechanismen. Das Gefangenen-Dilemma demonstriert, daß unkoordiniertes einzelwirtschaftliches Optimieren unter Umständen in eine höchst unerwünschte Situation führt. Es scheint

Situationen zu geben, in denen eine zum Optimum führende unsichtbare Hand nicht vorhanden ist, nicht wirkt oder am Wirken gehindert wird. Mit Erstaunen haben die Wirtschaftswissenschaftler in den letzten Jahren festgestellt, daß viele in der Realität beobachtete unerwünschte Vorgänge mit Hilfe eines Gefangenen-Dilemmas strukturiert werden können; in dieser Ausarbeitung werden wir an verschiedenen Stellen darauf zurückkommen.

1.5 Aufgaben zur Theorie

Aufgabe 1.19

Welche 5 Aufgaben muß ein Organisationsmechanismus in einer arbeitsteiligen Wirtschaft erfüllen?

Aufgabe 1.20 Fabel vom Bauch und den Gliedern

"Einst begannen alle Glieder des Körpers einen Streit mit dem Bauch, und sie erklärten, daß sie selbst ohne Essen und Trinken arbeiteten und dem Bauch auf Wink und Ton gehorchten, während dieser nichts täte und allein die Nahrung bekäme. Und schließlich beschlossen sie, daß die Hände in Zukunft den Mund nicht mehr versorgen sollten und dieser nichts mehr zu erhalten hätte, damit der Bauch möglichst kein Essen und Trinken erhielte und so zugrunde ginge. Nachdem diese Entscheidung gefallen und durchgeführt war, wurde der ganze Körper schwach und sank dann zusammen. Darum erkannten die Glieder durch ihren eigenen elenden Zustand, daß im Bauch ihre eigene Rettung lag und sie versorgten ihn wieder mit Nahrung." (Dio's Roman History, S. 121, Übersetzung von uns)

    a. Zeigen Sie, daß diese Parabel ein Koordinationsspiel beschreibt. Gehen dabei Sie in diesem Aufgabenteil davon aus, daß die Glieder des Körpers nicht spezialisiert sind, sondern beliebige Körperfunktionen erfüllen können.

    b. Diese Erzählung spielte in der politischen Auseinandersetzung zwischen Plebejern und Patriziern im antiken Rom eine Rolle. Wissen Sie oder können Sie sich vorstellen, in welcher Situation von welcher Partei diese Geschichte benutzt wurde?

    c. Beim Koordinationsspiel muß die profitierende Partei ihre Entscheidung als unabänderlich darstellen. Wie wird dies in der Fabel in sehr geschickter Weise erreicht?

Aufgabe 1.21 Prisoner's-Dilemma

Ein Staatsanwalt in Amerika weiß von zwei verhafteten Männern, daß sie zusammen eine Bank überfallen und die Beute versteckt haben; nachweisen kann er ihnen jedoch nur unerlaubten Waffenbesitz; dafür gibt es in Amerika allenfalls eine kurze Gefängnisstrafe. Beide Männer werden in Einzelhaft genommen und haben keine Kontaktmöglichkeiten. Dann schlägt der Beamte jedem der beiden folgendes nach amerikanischem Recht mögliche Geschäft vor: *"Seid ihr beide geständig, so wird das bei der Strafzumessung deutlich berücksichtigt. Wenn dein Kumpel aber nicht gesteht und ich ihn durch deine Aussage überführen kann, gehst du als Kronzeuge straffrei aus und die 'volle Strenge des Gesetzes' trifft deinen Kumpel. Gestehst du nicht, wirst du mindestens wegen Waffenbesitzes verurteilt; ich wette aber, ich bekomme deinen Kumpel zum Reden."*

a. *Zeigen Sie, daß dieses Beispiel ein Gefangenen-Dilemma beschreibt. (Dieses Beispiel hat tatsächlich dem Spiel den Namen gegeben.)*

b. *Nehmen Sie an, die beiden Verhafteten gehören einer Verbrecherorganisation an. Welche Möglichkeiten gibt es für die Organisation, die beiden Verhafteten zu (im Sinne des Syndikats) kooperativem Verhalten zu bringen?*

c. *Begeben Sie sich sowohl in die Position des Staatsanwalts wie in die des Verbrecherchefs und zeigen Sie, daß kooperatives Verhalten kein Wert an sich ist, sondern, daß die Bewertung von der Position des Betrachters abhängt.*

d. *Versuchen Sie, weitere Beispiele für ein Gefangenen-Dilemma zu finden. (Hinweis: Fast jede Situation, in der jemand die Betroffenen beschwörend zur Einigkeit aufruft, kann als Gefangenen-Dilemma gedeutet werden.)*

e. *Gehen Sie vom Gefangenen-Dilemma aus und untersuchen Sie, wie Gesetze und Normen entstanden sein könnten.*

Aufgabe 1.22

"Fast bei jeder anderen Tiergattung ist das Individuum, wenn es reif geworden ist, ganz unabhängig und hat in seinem Naturzustand den Beistand keines anderen lebenden Wesens nötig." (W.o.N., Buch 1, S. 18)

a. *Zeigen Sie, daß die moderne Biologie recht viele Beispiele für Kooperation zwischen erwachsenen Tieren unterschiedlicher Gattung aufgezeigt hat (von denen Adam Smith natürlich nicht wissen konnte).*

b. *Die moderne Biologie benutzt Spieltheorie um Kooperation im Tierreich zu begründen. Erklären Sie Symbiose mit Hilfe der Spieltheorie.*

Aufgabe 1.23

Stellen Sie Karteikarten her, mit den Stichwörtern:

a. *Adam Smith*

b. *Arbeitsteilung*

c. *Sichtbare und Unsichtbare Hand*

d. *Geldeigenschaften*

e. *Koordinationsspiel*

f. *Marktspiel*

g. *Gefangenen-Dilemma-Spiel*
   Beispiele für solche Karteikarten gibt die folgende Zusammenfassung.

1.6 Zusammenfassung

Im folgenden geben wir eine Zusammenfassung des Kapitels 1 in Form von Karteikarteneintragungen. Wir empfehlen dringend, während des Studiums in allen Fächern solche Karten anzulegen. Dies hat zwei Vorteile: Erstens schafft man sich ein Nachschlagewerk, das auf die persönlichen Studienschwerpunkte zugeschnitten ist. Zum zweiten aber, und das ist viel entscheidender, zwingt man sich selbst, bestimmte Sachverhalte komprimiert zu formulieren. Dazu aber ist ein geistiges Durchdringen des Sachverhaltes notwendig.

 Adam Smith

1723-1790 Begründer der klassischen Nationalökonomie

Wichtige Werke:

"The Theory of Moral Sentiments", 1759

"Inquiry Into the Nature and Causes of the Wealth of Nations", 1776

Adam Smith untersucht, was den Reichtum oder die Wohlfahrt eines Landes ausmacht. Reichtum eines Landes besteht für ihn nicht in Geld, sondern in den produzierten Gütern. Durch Arbeitsteilung kann die Produktion gesteigert werden. Arbeitsteilung bedingt Tausch und dieser Tausch wird durch den Preismechanismus, die unsichtbare Hand, koordiniert.

 Arbeitsteilung

Aufteilung eines Produktionsprozesses in eine Reihe von Einzelprozessen, die in der Regel von verschiedenen Produzierenden in verschiedenen Produktionsstätten durchgeführt werden.

Nach Adam Smith führt die Arbeitsteilung zur Vervollkommnung der Produktivkräfte und "bewirkt in einer wohlregierten Gesellschaft jene allgemeine Wohlhabenheit, die sich bis in die untersten Klassen des Volkes erstreckt". Smith führt 3 Gründe für die Steigerung der Produktion durch Arbeitsteilung an:

1. Größere Geschicklichkeit
2. Weniger Umrüstzeiten
3. Neue Erfindungen.

Arbeitsteilung benötigt einen Koordinationsmechanismus und je nach Koordinationsmechanismus bestimmte Institutionen und Infrastrukturen.

Unsichtbare Hand

Ein System von Austauschraten - also relativen Preisen - zusammen mit dem Hang zu tauschen, koordiniert ein Wirtschaftssystem so, daß die Handlungen der Individuen wie von einer unsichtbaren Hand gelenkt ineinandergreifen und zusammenpassen. Obwohl die einzelnen Individuen nur ihre eigennützigen Ziele verfolgen - individuell rational handeln -, bewirkt die unsichtbare Hand ein kollektiv rationales Ergebnis.

Durch Beispiele kann man jedoch zeigen, daß der Preismechanismus - die unsichtbare Hand - für bestimmte Güter bzw. in bestimmten Situationen nicht greift oder sogar versagt.

1.7 Literatur

Originalliteratur
Als Vorlage für die Auszüge aus Adam Smith wurde benutzt: Smith (1923)
Eine neuere deutsche Übersetzung ist: Smith (1974)

Literaturhinweise zu 1.3

Eine Sammlung interessanter Aufsätze über Leben und Werk bekannter Ökonomen von Quesnay und Smith bis Keynes und Eucken enthält: Recktenwald (1971) Als Unterlage für die Wirtschaftsgeschichte wurde insbesondere Treue (1973) benutzt.

Literatur zu Abschnitt 1.5
Die Geschichte vom Bauch und den Gliedern taucht in mehreren römischen Geschichtswerken auf. Hier wurde benutzt: Dio's Roman History, (1970)

Das Gefangenen-Dilemma geht wohl auf A. W. Tucker zurück. Siehe: R. D. Luce und H. Raiffa (1957)

Kapitel 2: Verteilungstheorie
D. Ricardo, Th. Malthus und J. H. von Thünen

2.0 Lernziele

In diesem Kapitel sollen vorgestellt werden:

1. a. David Ricardo, sein Leben, seine Zeit und sein Wirken
    b. Robert Malthus und seine Ideen
    c. Johann Heinrich von Thünen und sein Werk
2. Die klassische Theorie des Lohnes, der Rente und des Profites in der Darstellung von Ricardo und Malthus sowie die Weiterentwicklung durch Thünen.

Weiterhin soll folgendes erlernt und bekannt werden:

3. Konzept und grundlegende Eigenschaft der Produktion, der Produktionsprozesse und der Produktionsfunktionen.
4. Arbeitswerte und das Bestimmen von Arbeitswerten in einfachen Beispielen.
5. Das Konzept der Alternativkosten, der Transformationskurve und der Transformationsrate.
6. Die Grundzüge der Marginalanalyse.

2.1 Lektüre

2.1.1 David Ricardo:
Grundsätze der Volkswirtschaft und Besteuerung (1821)

Vorwort

6* |Der Ertrag der Erde, – alles, was von ihrer Oberfläche durch die vereinte Anwendung von Arbeit, Maschinerie und Kapital gewonnen wird, verteilt sich unter drei Klassen des Gemeinwesens, nämlich den Eigentümer des Bodens, den Besitzer des Vermögensstammes oder Kapitals, das zu seinem Anbau erforderlich ist, und die Arbeiter, durch deren Fleiß er bebaut wird.

Doch werden auf verschiedenen gesellschaftlichen Entwicklungsstufen die jeder dieser Klassen aus dem Gesamtertrage der Erde als Rente, Profit und Lohn zufallenden Anteile wesentlich verschieden sein, insofern sie hauptsächlich von der jeweiligen Fruchtbarkeit des Bodens, von der Ansammlung von Kapital und Bevölkerung, sowie von der im Ackerbau angewandten Geschicklichkeit, Erfindungsgabe und Technik abhängen.

Die Gesetze aufzufinden, welche diese Verteilung bestimmen, ist das Hauptproblem der Volkswirtschaftslehre. Wie sehr die Wissenschaft auch durch die Schriften von Turgot, Stuart, Smith, Say, Sismondi und anderen bereichert worden ist, so bieten diese in bezug auf die natürliche Bewegung von Rente, Profit und Lohn sehr wenig befriedigende Aufklärung.

Kapitel I.

Über den Wert.

Abschnitt 1.

9 |*Der Wert eines Gutes oder die Menge irgend eines anderen, für welches es sich austauschen läßt, hängt von der verhältnismäßigen Menge der zu seiner Produktion erforderlichen Arbeit ab und nicht von der größeren oder geringeren Vergütung, die für diese Arbeit bezahlt wird.*

Es ist von Adam Smith bemerkt worden, daß "das Wort Wert zwei verschiedene Bedeutungen hat und bald die Nützlichkeit eines bestimmten Gegenstandes bezeichnet, bald die Macht, andere Waren zu erstehen, welche der Besitz jenes Gegenstandes verleiht. Die eine möge Gebrauchswert genannt werden; die andere Tauschwert. Die Dinge", fährt er fort, "welche den größten Gebrauchswert haben, haben häufig geringen oder keinen Tauschwert; und umgekehrt haben jene, die den größten Tauschwert haben, geringen oder keinen Gebrauchswert." Wasser und Luft sind ungemein nützlich; sie sind für unsere Existenz in der Tat unentbehrlich; dennoch kann man unter normalen Umständen nichts im Austausch für sie erlangen. Gold umgekehrt, obwohl es im Vergleich mit Luft oder Wasser nur wenig Nutzen hat, wird sich gegen eine große Menge anderer Waren austauschen.

---

* Die Zahlen am linken Rand verweisen auf die Seitenzahlen der benutzten Vorlage

Nützlichkeit ist demnach nicht der Maßstab des Tauschwertes, obgleich sie für ihn unbedingt wesentlich ist. Wenn ein Gut in keiner Weise nützlich wäre, - mit anderen Worten, wenn es in keiner Weise zu unserem Wohlbefinden beitragen könnte, - so würde es jedes Tauschwertes bar sein, wie groß auch seine Seltenheit, oder eine wie große Menge von Arbeit auch nötig wäre, um es zu beschaffen.

Sind Güter nützlich, so leiten sie ihren Tauschwert von zwei Quellen her: von ihrer Seltenheit und von der Arbeitsmenge, welche man zu ihrer Erlangung benötigt.

Es gibt einige Güter, deren Wert ausschließlich durch ihre Seltenheit bestimmt wird. Keine Arbeit kann die Quantität solcher Güter vermehren, und darum kann ihr Wert nicht durch eine vermehrte Zufuhr herabgesetzt werden. Einige auserlesene Bildsäulen und Gemälde, seltene Bücher und Münzen, eigenartige Weine, die nur von einer auf besonders geeignetem und an Größe sehr beschränktem Boden gedeihenden Traubenart gewonnen werden können, gehören sämtlich zu dieser Gattung. Ihr Wert ist von der ursprünglich zu ihrer Erzeugung erforderlichen Arbeitsmenge völlig unabhängig und wechselt mit der Veränderlichkeit des Wohlstandes und der Neigungen derjenigen, welche sie zu besitzen begehren.

Doch bilden diese Güter einen sehr kleinen Teil der Gütermassen, die täglich auf dem Markte ausgetauscht werden. Den bei weitem größten Teil jener Waren, die Gegenstände des Begehrens sind, verschafft man sich durch Arbeit; und sie können nicht nur in einem einzigen Lande, sondern in vielen, fast ohne irgendeine nachweisbare Grenze vermehrt werden, wenn wir bereit sind, die Arbeit aufzuwenden, die nötig ist, um sie zu erlangen.

Wenn wir also von Gütern, von ihrem Tauschwert und von den ihre verhältnismäßigen Preise regelnden Gesetzen sprechen, so verstehen wir 11 darunter immer nur Güter, deren Menge durch menschliche Arbeitsleistung beliebig vermehrt werden kann, und auf deren Produktion die Konkurrenz ohne Beschränkung einwirkt.

David Ricardo

Auf den frühen Stufen der gesellschaftlichen Entwicklung ist der Tauschwert dieser Güter, oder die Regel, welche bestimmt, wieviel von einem im Tausche für ein anderes hingegeben werden soll, fast ausschließlich von der verhältnismäßigen Arbeitsmenge abhängig, die auf jedes verwandt worden ist.

"Der wirkliche Preis eines jeden Dinges", bemerkt Adam Smith, "nämlich das, was jedes Ding den Menschen, der es zu erwerben wünscht, tatsächlich kostet, ist die Beschwerde und Mühe, es zu erwerben. Was ein jedes Ding für denjenigen wirklich wert ist, der es erworben hat, und der es veräußern oder gegen etwas anderes austauschen will, ist die Mühe und Beschwerde, welche es ihm ersparen, und die es auf andere Leute abwälzen kann." "Arbeit war der erste Preis - das ursprüngliche Kaufgeld, welches für alle Dinge bezahlt wurde." Ferner, "in jenem frühen und rohen Zustande der Gesellschaft, welcher sowohl der Bildung eines Vermögensstammes als auch der Aneignung von Grund und Boden vorausgeht, scheint das Verhältnis zwischen den zur Erlangung verschiedener Gegenstände erforderlichen Arbeitsmengen der einzige Umstand zu sein, der irgendeine Regel für ihren gegenseitigen Austausch abgeben kann. Wenn in einem Jägervolke z. B. die Erlegung eines Bibers gewöhnlich doppelt soviel Arbeit kostete als die Erlegung eines Hirsches, so mußte natürlich ein Biber für zwei Hirsche ausgetauscht werden, oder soviel wert sein. Es ist natürlich, daß das Erzeugnis zweitägiger oder zweistündiger Arbeit doppelt soviel wert sein sollte, als was gewöhnlich das Erzeugnis eintägiger oder einstündiger Arbeit wert ist." (Buch I, Kapitel 5)

12 |Daß dies wirklich die Grundlage des Tauschwertes aller Dinge ist, mit Ausnahme von solchen, die durch menschlichen Fleiß nicht beliebig vermehrt werden können, ist eine Lehre von größter Wichtigkeit in der Volkswirtschaftslehre; denn aus keiner Quelle rühren so viele Irrtümer und Meinungsverschiedenheiten in jener Wissenschaft her, als aus den unbestimmten Ideen, die an das Wort Wert geknüpft werden.

Abschnitt 2.

Verschieden qualifizierte Arbeit wird verschieden vergütet, was jedoch keine Ursache der Veränderung im verhältnismäßigen Wert von Gütern ist.
Wenn ich jedoch von der Arbeit als der Grundlage allen Wertes spreche und von der relativen Arbeitsmenge als des fast ausschließlichen Bestimmungsgrundes für den relativen Wert von Gütern, so muß man mir nicht unterstellen, ich bemerkte nicht die verschiedenen Qualitäten von Arbeit und die Schwierigkeit, eine einstündige oder eintägige Arbeit in einer Beschäftigung mit derselben Dauer von Arbeit in einer anderen zu vergleichen. Die Wertschätzung, in der verschiedene Qualitäten von Arbeit stehen, wird auf dem Markte bald mit genügender Genauigkeit für alle praktischen Zwecke bestimmt und hängt viel ab von der verhältnismäßigen Geschicklichkeit des Arbeiters und der Intensität der geleisteten Arbeit. Ist die Skala einmal gebildet, so unterliegt sie nur geringer Veränderung. Wenn das Tagewerk eines arbeitenden Goldschmiedes wertvoller ist, als das eines gewöhnlichen Arbeiters, so ist es schon seit langem so geschätzt worden und ist in die ihm gehörige Stellung der Wertskala eingestellt worden.

Abschnitt 3.

22 |*Nicht bloß die unmittelbar auf die Güter verwendete Arbeit beeinflußt deren Wert, sondern auch die in den Geräten, Werkzeugen und Gebäuden, welche dieser Arbeit dienen, enthaltene.*

Selbst in jenem frühen Zustande, auf den sich Adam Smith bezieht, würde für den Jäger etwas Kapital, mag er es sich auch selbst beschafft und angesammelt haben, erforderlich sein, damit er sein Wild erlegen kann. Ohne eine Waffe könnte weder der Biber noch der Hirsch getötet werden, weshalb der Wert dieser Tiere nicht allein durch die Zeit und Arbeit, welche zu ihrer Erlegung notwendig ist, bestimmt werden würde, sondern auch durch die Zeit und Arbeit, welche zur Beschaffung des Kapitals des Jägers notwendig war, d. h. der Waffen, mit deren Hilfe ihre Erlegung ausgeführt wurde.

Nehmen wir an, die zur Tötung des Bibers notwendige Waffe sei mit viel mehr Arbeit hergestellt worden als jene, die nötig ist, um den Hirsch zu töten, wegen der größeren Schwierigkeit, dem genannten Tiere nahe zu kommen, und wegen der daraus folgenden Notwendigkeit, genauer zu treffen; alsdann würde natürlich ein Biber mehr wert sein als zwei Hirsche, und gerade aus dem Grunde, weil zu seiner Erlegung im ganzen mehr Arbeit nötig wäre. Oder nehmen wir an, dieselbe Arbeitsmenge sei zur Anfertigung beider Waffen erforderlich gewesen, aber ihre Haltbarkeit sei sehr ungleich; von dem dauerhafteren Gerät würde nur ein kleiner Teil seines Wertes auf das betreffende Gut übergehen, während ein viel größerer Teil des Wertes des weniger haltbaren Gerätes in dem Gute, zu dessen Produktion es beitrug, verkörpert werden würde.

Alle zur Erlegung des Bibers und Hirsches erforderlichen Geräte könn-
23 ten einer einzigen Klasse von Menschen zugehören, und die zu ihrer Erlegung benötigte Arbeit könnte von einer anderen geliefert werden; dennoch würden ihre relativen Preise immer noch im Verhältnis zu der in Wirklichkeit sowohl auf die Kapitalbildung als auch auf die Erlegung verwendeten Arbeit stehen. Unter verschiedenen Umständen von Überfluß oder Mangel an Kapital im Vergleich mit der Arbeit, unter verschiedenen Umständen von Fülle oder Knappheit der für den menschlichen Unterhalt wesentlichen Nahrung und Bedarfsartikel, könnten diejenigen, welche für die eine oder andere Beschäftigung einen gleichen Kapitalwert lieferten, die Hälfte, ein Viertel oder ein Achtel von dem erzielten Ertrage erhalten, während der Rest als Lohn an jene bezahlt werden würde, welche die Arbeit verrichtet hätten; trotzdem könnte diese Verteilung den relativen Wert dieser Güter nicht beeinflussen; denn, ob auch der Kapitalprofit größer oder geringer wäre, ob er 50, 20 oder 10 Prozent betrüge, oder ob sich der Arbeitslohn hoch oder niedrig stellte, so würden sie doch gleichmäßig auf beide Beschäftigungen einwirken.

Wenn man sich nun die gesellschaftlichen Beschäftigungen ausgedehnter vorstellt, daß etliche Kähne und Takelwerk, das zum Fischen notwendig ist, andere das Saatgut und jene rohen Geräte lieferten, wie man sie anfänglich beim Ackerbau benutzte, so würde sich doch noch immer derselbe Grundsatz bewahrheiten, daß der Tauschwert der erzeugten Güter im Verhältnis zu der auf ihre Produktion verwandten Arbeit stände; und zwar nicht nur auf ihre unmittelbare Erzeugung, sondern auf alle jene Geräte oder Maschinen, die erforderlich sind, der speziellen Arbeit, für welche sie gebraucht wurden, Erfolg zu verleihen.

Kapitel II.

Über die Rente.

52   Es bleibt uns indessen zu betrachten übrig, ob die Aneignung von Grund und Boden, sowie die daraus folgende Entstehung der Rente, in dem relativen Werte der Güter irgendeine Veränderung erzeugen wird, die von der zu ihrer Produktion erforderlichen Arbeitsmenge unabhängig ist. Um diese Seite des Gegenstandes zu verstehen, müssen wir die Natur der Rente und die Gesetze untersuchen, welche ihr Steigen oder Sinken bestimmen.

Die Rente ist der Teil vom Ertrage der Erde, welcher dem Grundbesitzer für die Benutzung der ursprünglichen und unzerstörbaren Kräfte des Bodens bezahlt wird.

54   Bei der ersten Besiedlung eines Landes, wo es eine Fülle von reichem und fruchtbarem Boden gibt, von dem nur ein sehr geringer Teil für den Unterhalt der vorhandenen Bevölkerung bebaut zu werden braucht, oder mit dem der Bevölkerung zur Verfügung stehendem Kapitale tatsächlich bebaut werden kann, wird es keine Rente geben. Denn niemand würde etwas für die Benutzung des Bodens bezahlen, wenn eine große Fülle noch nicht angeeignet, und infolgedessen zur Verfügung eines jeden wäre, der ihn bebauen möchte.

Nach den gewöhnlichen Grundsätzen von Angebot und Nachfrage könnte
55 man für solchen Boden keine Rente bezahlen, aus dem festgestellten Grunde, weil nichts gegeben wird für die Benutzung von Luft und Wasser oder für eine andere der Gaben der Natur, die in grenzenloser Menge vorhanden sind. Maschinen können mit einer gegebenen Menge von Materialien und mit Hilfe des Atmosphärendruckes und der Spannkraft des Dampfes Arbeit leisten und menschliche Arbeit in sehr erheblichem Maße abkürzen; aber durch die Benutzung dieser natürlichen Hilfsmittel entstehen keine Kosten, weil sie unerschöpflich sind und zu jedermanns Verfügung stehen. Auf dieselbe Weise gebraucht der Brauer, Brenner oder Färber unausgesetzt Luft und Wasser für die Erzeugung seiner Güter. Da aber der Vorrat davon unbegrenzt ist, haben sie keinen Preis.[1] Wenn jeder Boden dieselben Eigenschaften besäße, wenn er an Menge unbegrenzt und an Güte gleich wäre, dann könnte für seine Benutzung nichts gefordert werden, außer, wo er besondere Vorteile der Lage besäße. Also nur weil der Boden an Menge nicht unbegrenzt und an

---

[1] "Wie wir bereits gesehen haben, ist die Erde nicht die einzige Naturkraft, welche eine produktive Kraft hat. Wohl aber ist sie die einzige, oder nahezu die einzige, welche sich eine bestimmte Klasse von Menschen mit Ausschluß aller anderen aneignet, und deren Nutzen sie infolgedessen sich aneignen können. Das Wasser der Flüsse und Seen hat auch eine produktive Kraft durch die Fähigkeit, die sie besitzen, Bewegung unseren Maschinen zu verleihen, unsere Boote zu treiben, unsere Fische zu ernähren; der Wind, der unsere Mühlen in Bewegung setzt, und selbst die Sonnenwärme arbeitet für uns. Aber glücklicherweise konnte bisher noch niemand sagen, 'der Wind und die Sonne gehören mir, und der Dienst, den sie leisten, muß bezahlt werden.'" - J. B. Say, Économie Politique, Bd. II, S. 124.

Qualität nicht gleich ist, und weil bei der Zunahme der Bevölkerung Boden von geringerer Qualität oder weniger vorteilhafter Lage in Anbau genommen 56 wird, wird für seine Benutzung jemals eine Rente bezahlt. Wenn bei dem Fortschritt der Gesellschaft Boden von Fruchtbarkeit zweiten Grades bebaut wird, entsteht auf dem erstklassigen sofort eine Rente, deren Betrag von der Differenz der Qualität dieser beiden Bodenarten abhängen wird.

Wird Boden der dritten Qualität in Anbau genommen, so beginnt Rente sofort auf dem zweiten, und wird wie vorher reguliert durch die Differenz in ihren produktiven Kräften. Gleichzeitig wird auch die Rente der ersten Qualität steigen, denn sie muß infolge des Unterschiedes des Ertrages, den sie mit einem bestimmten Quantum an Kapital und Arbeit liefern, stets mehr als die der zweiten ausmachen. Bei jeder weiteren Bevölkerungszunahme, welche ein Land zwingen muß, zu Boden von schlechterer Qualität seine Zuflucht zu nehmen, um es in den Stand zu setzen, seinen Bedarf an Nahrungsmitteln zu decken, wird die Rente auf all dem fruchtbareren Boden steigen. Nehmen wir also an, Boden Nr. 1, 2 und 3 bringe bei gleicher Verwendung von Kapital und Arbeit einen Reinertrag von 100, 90 und 80 Quarter Getreide. Dann wird in einem jungen Lande, wo fruchtbarer Boden im Vergleich zur Bevölkerung reichlich vorhanden ist, und wo infolgedessen nur Nr. 1 bebaut zu werden braucht, der ganze Reinertrag dem Landwirte gehören und wird der Profit des Kapitals sein, das er anlegt. Sobald aber die Bevölkerung derartig zugenommen hatte, daß auch Boden Nr. 2, von dem Abzug des Unterhaltes für die Arbeiter nur 90 Quarter geerntet werden können, bebaut werden muß, würde auf Nr. 1 eine Rente entstehen. Denn entweder muß es jetzt zwei Profitraten vom landwirtschaftlichen Kapitale geben, oder es müssen 10 Quarter, oder deren Wert, für irgendeinen anderen Zweck von dem auf Nr. 1 erzielten Ertrage in Abzug gebracht werden. Mag der Grundeigentümer oder irgend 57 jemand anders Nr. 1 bebauen, jene 10 Quarter würden doch immer eine Rente bilden; denn der Landwirt von Nr. 2 würde mit seinem Kapitale dasselbe Resultat erzielen, ob er nun Nr. 1 bebaute und 10 Quarter Rente zahlte, oder ob er Nr. 2 noch weiter bebaute, ohne Rente zu entrichten. In gleicher Weise ließe sich zeigen, daß, wenn Nr. 3 in Anbau gebracht wird, die Rente von Nr. 2 10 Quarter oder deren Wert betragen müßte, während die Rente von Nr. 1 auf 20 Quarter steigen würde. Denn der Landwirt von Nr. 3 würde denselben Profit beziehen, gleichgültig, ob er nun 20 Quarter Rente von Nr. 1, oder 10 Quarter von Nr. 2 zahlte, oder aber ob er Nr. 3 frei von aller Rente bebaute.

Quelle: D. Ricardo, Grundsätze der Volkswirtschaft und Besteuerung, (3. Auflage, 1821), Jena 1921

2.1.2 Aufgaben zum Text von Ricardo

Beantworten Sie die Fragen im Sinne von Ricardo.

Aufgabe 2.1

Nennen Sie die drei Klassen, unter denen der Ertrag der Erde verteilt wird! Wie heißen die Anteile, die den Klassen zufallen?

Aufgabe 2.2

Welches ist das Hauptproblem der Volkswirtschaftslehre?

Aufgabe 2.3

Suchen Sie Beispiele für das sogenannte Wertparadox: "Die Dinge welche den größten Tauschwert haben, haben häufig geringen oder keinen Gebrauchswert; und umgekehrt ...". Wie erklärt Ricardo diese Tatsache?

Aufgabe 2.4

Warum beschränkt sich Ricardo auf Güter, deren Menge durch menschliche Arbeitsleistung beliebig vermehrt werden kann? Nennen Sie Güter, deren Menge durch Arbeit und nur durch Arbeit beliebig vermehrt werden kann.

Aufgabe 2.5

Welches ist nach Adam Smith der wirkliche Preis eines jeden Dinges? Erläutern Sie das Beispiel vom Biber und Hirsch gemäß der Darstellung von Adam Smith.

Aufgabe 2.6

"Selbst in jenem frühen Zustand ... würde für den Jäger etwas Kapital ... erforderlich sein, damit er sein Wild erlegen kann." Was versteht Ricardo hier unter Kapital? Welche Probleme ergeben sich durch die Existenz von Kapital für die Bestimmung des Preises eines Gutes? Erläutern Sie in diesem Zusammenhang das Beispiel von Hirsch und Biber nach Ricardo.

Aufgabe 2.7

Wie definiert Ricardo "Rente"? Wie wird die Höhe der Rente bestimmt?

2.1.3 Malthus: Das Bevölkerungsgesetz (1798)

13   Die großen, unvorhergesehenen Entdeckungen, die in jüngster Zeit in der Naturwissenschaft gemacht worden sind; die zunehmende Verbreitung des allgemeinen Wissens aufgrund der Ausbreitung des Buchdrucks; die glühende und doch stetige Wißbegier, die nicht nur die gebildete, sondern auch die ungebildete Welt erfüllt; das neuartige, ganz ungewohnte Licht, in dem politische Zustände sich zeigen und das Verwirrung auslöst, da ihr Verständnis schwierig ist; und insbesondere jene überwältigende Erscheinung am politischen Horizont, die Französische Revolution, die wie ein flammender Komet dazu bestimmt scheint, entweder frisches Leben und neue Kraft hervorzurufen oder die verschreckten Erdbewohner zu versengen, zu verderben: all dies hat zusammengewirkt, um viele urteilsfähige Köpfe zu der Ansicht kommen zu lassen, daß wir am Beginn eines Zeitalters stehen, das Veränderungen von weitreichender Bedeutung mit sich bringen wird - Veränderungen, die für das zukünftige Schicksal der Menschheit bis zu einem gewissen Grad entscheidend sein werden.

Es ist die Meinung vertreten worden, daß es nun darauf ankomme, ob der Mensch weiterhin mit beschleunigter Geschwindigkeit auf das Unbegrenzte, die bisher unvorstellbare Vervollkommnung zustreben wird, oder ob er zu einem unablässigen Auf und Ab von Glück und Elend verurteilt ist und trotz aller Anstrengung dem ersehnten Ziel nicht näher kommt.

Angesichts der Sorge jedoch, mit der jeder, der es mit der Menschheit wohlmeint, das Ende dieser qualvollen Ungewißheit erwarten muß, und in Anbetracht der Neugier, mit der der forschende Geist jeglichen Lichtstrahl begrüßen würde, der einen Blick in die Zukunft ermöglicht, kann es nicht genug beklagt werden, daß die Autoren, die sich über jede Seite dieser wichtigen 14 Frage auslassen, ihre weit auseinanderstrebenden Wege gehen. Ihre Folgerungen treffen sich nicht auf der Grundlage einer objektiven Untersuchung. Das Problem ist nicht auf einige wenige Fragestellungen zugespitzt worden, so daß selbst im Bereich der Theorie kaum ein Ansatz zur Entscheidung sichtbar wird.

Der Verfechter der gegenwärtigen Ordnung der Dinge neigt entweder dazu, die Sekte der spekulativen Philosophen als einen Haufen raffinierter, schönfärberischer Schurken zu behandeln, die feurigen Idealismus vortäuschen und faszinierende Bilder eines glücklicheren Zustandes der Gesellschaft ausmalen, einzig und allein, um die gegenwärtigen Ordnungsmächte leichter zerstören und ihre eigenen, hintergründigen Ambitionen fördern zu können, oder er betrachtet sie als tollgewordene, wahnwitzige Enthusiasten, deren törichte Hirngespinste und absurde Widersprüche der Aufmerksamkeit eines vernünftigen Mannes nicht wert sind.

Der Verfechter der Vervollkommnungsfähigkeit des Menschen und der Gesellschaft vergilt das dem Verfechter der bestehenden Ordnung mit einer mindestens ebenso deutlichen Verachtung. Er beschimpft ihn als einen Sklaven der erbärmlichsten und engstirnigsten Vorurteile oder unterstellt ihm, die Mißbräuche der bürgerlichen Gesellschaft allein deswegen zu befürworten, weil er daraus Nutzen ziehe. Er zeichnet ihn entweder als einen Charakter, der seinen Verstand zugunsten seines Vorteils preisgibt, oder als jemanden, dessen Geisteskräfte nicht ausreichen, um einen großen und edlen Gegenstand zu erfassen, und der nicht weiter sehen kann, als seine Nase reicht, weshalb er letztlich unfähig sein muß, einen Einblick in die Ansichten des aufgeklärten Wohltäters der Menschheit zu gewinnen. [...]

15   Ich habe manche der Spekulationen über die Vervollkommnungsfähigkeit von Mensch und Gesellschaft mit großem Vergnügen gelesen. Die faszinierenden Bilder, die sie entwarfen, haben mich angeregt und mir gefallen. Ich wünsche mir sehnlichst einen dermaßen beglückenden Fortschritt. Zu meinem Leidwesen sehe ich aber große und - nach meiner Ansicht - unüberwindliche Hindernisse, die den Weg zu seiner Verwirklichung versperren. Eben diese Hindernisse nachzuweisen, ist meine Absicht; doch möchte ich zugleich erklären, daß ich weit entfernt davon bin, mich über die Hindernisse zu freuen, nur um einen Grund zum Triumph über die Befürworter von Neuerungen zu haben. Nichts würde mir besser gefallen, als wenn sämtliche Barrieren beseitigt werden könnten. [...]

17   Meiner Ansicht nach kann ich mit Recht zwei Postulate aufstellen. Erstens: Die Nahrung ist für die Existenz des Menschen notwendig. Zweitens: Die Leidenschaft zwischen den Geschlechtern ist notwendig und wird in etwa in ihrem gegenwärtigen Zustand bleiben.

Diese beiden Gesetze scheinen, seit wir überhaupt etwas über die Menschheit wissen, festgefügte Bestandteile unserer Natur zu sein. Da wir bisher keinerlei Veränderung an ihnen wahrnehmen konnten, haben wir keinen Anlaß zu der Folgerung, daß sie jemals aufhören, das zu sein, was sie jetzt sind, ohne einen direkten Machterweis jenes Wesens, das das System des Universums erschuf und es gemäß festgefügten Gesetzen zum Vorteil seiner Geschöpfe in seinem vielfältigen Geschehen erhält. [...]

18   Indem ich meine Postulate als gesichert voraussetze, behaupte ich, daß die Vermehrungskraft der Bevölkerung unbegrenzt größer ist als die Kraft der Erde, Unterhaltsmittel für den Menschen hervorzubringen.

Die Bevölkerung wächst, wenn keine Hemmnisse auftreten, in geometrischer Reihe an. Die Unterhaltsmittel nehmen nur in arithmetischer Reihe zu. Schon einige wenige Zahlen werden ausreichen, um die Übermächtigkeit der ersten Kraft im Vergleich zu der zweiten vor Augen zu führen.

Aufgrund jenes Gesetzes unserer Natur, wonach die Nahrung für den Menschen lebensnotwendig ist, müssen die

Thomas Malthus

nach Richard Wilson

Auswirkungen dieser beiden ungleichen Kräfte im Gleichgewicht gehalten werden.

Dies bedeutet ein ständiges, energisch wirkendes Hemmnis für die Bevölkerungszunahme aufgrund von Unterhaltsschwierigkeiten, die unweigerlich irgendwo auftreten und notwendigerweise von einem beachtlichen Teil der Menschheit empfindlich verspürt werden.

Im Tier- und Pflanzenreich hat die Natur den Lebenssamen mit der verschwenderischen und freigibigsten Hand weit umhergestreut. Dafür hat sie an Lebensraum und an Unterhaltsmitteln, die zur Ernährung nötig sind, gespart. Die Lebenskeime auf unserem Fleckchen Erde würden, falls sie ausreichend Nahrung und Platz zur Ausbreitung hätten, im Lauf einiger Jahrtausende Millionen von Welten anfüllen. Die Not als das übermächtige, alles durchdringende Naturgesetz hält sie aber innerhalb der vorgegebenen Schranken zurück. Die Pflanzen- und Tierarten schrumpfen unter diesem großen, einschränkenden Gesetz zusammen. Auch das Menschengeschlecht vermag ihm durch keinerlei Bestrebungen der Vernunft zu entkommen. Bei Pflanzen und Tieren bestehen seine Auswirkungen in der Vertilgung des Samens, in Krankheit und vorzeitigem Tod, bei den Menschen in Elend und Laster. Das Elend ist eine absolut unausweichliche Folge. Das Laster ist eine sehr wahrscheinliche Folge, und wir konstatieren deshalb sein weitverbreitetes Vorkommen, aber es sollte vielleicht nicht als eine absolut notwendige Folge angesehen werden. Die Tugend fordert von uns, aller Versuchung zum Bösen zu widerstehen.

Die natürliche Ungleichheit, die zwischen den beiden Kräften - der Bevölkerungsvermehrung und der Nahrungserzeugung der Erde - besteht, und das große Gesetz unserer Natur, das die Auswirkungen dieser beiden Kräfte im Gleichgewicht halten muß, bilden die gewaltige, mir unüberwindlich erscheinende Schwierigkeit auf dem Weg zur Vervollkommnungsfähigkeit der Gesellschaft. Alle anderen Gesichtspunkte sind im Vergleich dazu von geringer und untergeordneter Bedeutung. Ich sehe keine Möglichkeit, dem Gewicht dieses Gesetzes, das die gesamte belebte Natur durchdringt, auszuweichen. Weder eine erträumte Gleichheit noch landwirtschaftliche Maßnahmen von äußerster Reichweite könnten seinen Druck auch nur für ein einziges Jahrhundert zurückdrängen. Deshalb scheint dieses Gesetz auch entschieden gegen die mögliche Existenz einer Gesellschaft zu sprechen, deren sämtliche Mitglieder in Wohlstand, Glück und verhältnismäßiger Muße leben und sich nicht um die Beschaffung von Unterhaltsmitteln für sich und ihre Familien zu sorgen brauchen.

Folglich ist unter der Voraussetzung, daß die Prämissen stimmen, die These wider die Vervollkommnungsfähigkeit des überwiegenden Teils der Menschheit schlüssig.

Insoweit habe ich die These in ihren Grundzügen skizziert; nun will ich sie im einzelnen darlegen. Meiner Meinung nach wird sich herausstellen, daß die Erfahrung - die eigentliche Quelle und Grundlage allen Wissens - die absolute Richtigkeit der These bestätigen wird. [...]

20   Wir wollen überprüfen, ob diese Behauptung richtig ist. Vermutlich wird jeder zugeben, daß bisher kein Staat existierte - zumindest, daß uns nichts darüber überliefert ist -, wo die Sitten so rein und schlicht und die Unterhaltsmittel so reichlich waren, daß es keinerlei Hindernisse für frühe Heiraten gab - weder bei den unteren Klassen aus Furcht davor, die Familie nicht versorgen zu können, noch bei den oberen Klassen aus Furcht vor einer Minderung der Lebensbedingungen. Infolgedessen hat in keinem Staat, den wir kennen, die Bevölkerung die Möglichkeit gehabt, ihre Vermehrungskraft in völliger Freiheit zu entfalten. [...]

21   Ich habe behauptet, daß die Bevölkerung bei ungehindertem Wachstum in einer geometrischen Reihe zugenommen hat, der Unterhalt aber in einer arithmetischen Reihe.

In den Vereinigten Staaten von Amerika, wo die Unterhaltsmittel bis heute in weit größerer Menge zur Verfügung stehen, die Sitten des Volkes reiner und demzufolge die Hindernisse für frühe Heiraten geringer sind als in einem der modernen Staaten Europas, hat es sich erwiesen, daß sich die Bevölkerungszahl in 25 Jahren verdoppelt.

Diese Wachstumsquote wollen wir - obschon sie beinahe die äußerste Vermehrungsmöglichkeit darstellt, nichtsdestoweniger aber der tatsächlichen Erfahrung entspricht - als unsere Richtschnur annehmen und demnach behaupten, daß die Bevölkerung, falls keine Hindernisse auftreten, jeweils im Zeitraum von 25 Jahren auf die doppelte Zahl von Köpfen anwächst, somit also in einer geometrischen Reihe zunimmt.

Nun wollen wir irgendeinen Teil der Erde herausgreifen, unsere Insel zum Beispiel, und nachprüfen, in welchem Verhältnis die von ihr aufgebrachten Nahrungsmittel vermutlich zunehmen können. Dabei wollen wir zunächst von dem gegenwärtigen Stand der Bodennutzung ausgehen.

Wenn ich voraussetze, daß durch die bestmögliche Politik, durch die Bebauung von mehr Boden und durch erhebliche Förderung der Landwirtschaft die Erträge unseres Inselreiches in den ersten 25 Jahren auf das Doppelte gesteigert würden, so ist damit gewiß soviel zugestanden, wie man eben noch mit Fug und Recht erwarten kann.

Unmöglich aber wäre es, wollte man hoffen, daß in den darauffolgenden Jahren der Ertrag vervierfacht werden könnte. Das würde allen unseren Kenntnissen von den Eigenschaften des Bodens widersprechen. Das Höchste, was wir uns vorstellen können, liefe darauf hinaus, daß die Zunahme im zweiten Zeitraum von 25 Jahren dem gegenwärtigen Ertrag entsprechen würde. Wir wollen diese Annahme, obschon sie gewiß weit von der Wahrheit entfernt ist, als unsere Regelquote aufstellen und behaupten, daß aufgrund gewaltiger Anstrengungen der Gesamtertrag der Insel in jeweils 25 Jahren um eine ebensogroße Menge an Unterhaltsmitteln wachse, wie sie gegenwärtig hervorgebracht wird. Der überschwenglichste Spekulant kann kein größeres Wachstum erhoffen als dieses. In wenigen Jahrhunderten würde dabei jeder Morgen Land auf unserer Insel zu einem Garten geworden sein.

Quelle: Th. Malthus, Das Bevölkerungsgesetz, (1. Auflage, 1798), München 1977

2.1.4 Aufgaben zum Text von Malthus

Aufgabe 2.8

"... all dies hat zusammengewirkt um viele urteilsfähige Köpfe zu der Ansicht kommen zu lassen, daß wir am Beginn eines Zeitalters stehen, das Veränderungen von weitreichender Bedeutung mit sich bringen wird, Veränderung, die für das zukünftige Schicksal der Menschheit bis zu einem gewissen Grad entscheidend sein werden."

a. Was bewirkte nach Malthus diese 'Ansicht urteilsfähiger Köpfe'?

b. Versuchen Sie, den ersten hier wiedergegebenen Abschnitt von Malthus mit wenigen Worten so umzuformen, daß er auf die heutige Zeit paßt.

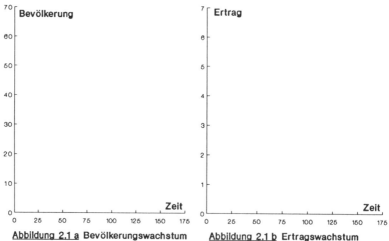

Abbildung 2.1 a Bevölkerungswachstum   Abbildung 2.1 b Ertragswachstum

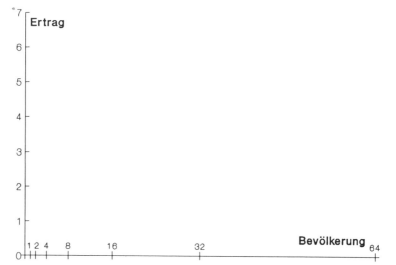

Abbildung 2.1c   Bevölkerung und Ertrag

c. *Erläutern Sie die Ansichten der "Verfechter der gegenwärtigen Ordnung"
und der "Verfechter der Vervollkommnungsfähigkeit des Menschen".*
d. *Wie stellt sich Malthus zu den in Teil c. angesprochenen Gruppen?*

Aufgabe 2.9

a. *Was versteht man unter einer geometrischen Reihe, was unter einer
arithmetischen Reihe?*
b. *Wo im Text formuliert Malthus das (dort nicht so genannte) Bevölkerungsgesetz? Wie begründet er es?*

Aufgabe 2.10

*In der zweiten Auflage des "Gesetz der Bevölkerungslehre" schreibt Mal-
thus: "Sprechen wir ... von der ganzen Erde ..., so würde sich die Menschheit
in jeweils 25 Jahren wie die Zahlen von 1, 2, 4, 8, 16, 32, 64, 128, 256 vermehren und die Nahrungsmittel wie 1, 2, 3, 4, 5, 6, 7, 8, 9." (Malthus,
(1826), 1920, S. 58)*

a. *Tragen Sie - soweit möglich - die angegebenen Werte in die nachstehenden Achsenkreuze ein (Abb. 2.1 a und Abb. 2.1 b).*
b. *Konstruieren Sie aus Abb. 2.1 a und Abb. 2.1 b einen Zusammenhang
zwischen Bevölkerungsgröße und produzierten Nahrungsmitteln und tragen Sie diesen in Abb. 2.1 c ein.*
c. *Versuchen Sie den Funktionsverlauf in Abb. 2.1 c plausibel zu begründen.*

Aufgabe 2.11

*"Im Oktober 1838 ... las ich zum Vergnügen die Ausführungen von Mal-
thus zum Bevölkerungsgesetz und da ich durch lang andauernde Beobachtungen des Verhaltens von Pflanzen und Tieren gut darauf vorbereitet war, den
überall stattfindenden Existenzkampf zu begreifen, erkannte ich sofort, daß
unter solchen Umständen gut geeignete Arten tendenziell erhalten und unge-
eignete Arten zerstört werden. Als Ergebnis würde sich daraus eine neue Art
ergeben." Mit diesen Worten führt Darwin (Autobiography, zitiert nach R.
Keynes, S. 360, unsere Übersetzung) seine Theorie von der Entstehung der
Arten auf die Theorie von Malthus zurück.*

a. *Vergegenwärtigen Sie sich Ihre Kenntnisse der Darwinschen Theorie.*
b. *Vergleichen Sie die Theorie von Malthus und die von Darwin.*

2.1.5 J.H. von Thünen: Der Arbeitslohn ist gleich dem Mehrerzeugnis, was durch den, in einem großen Betrieb, zuletzt angestellten Arbeiter hervorgebracht wird. (1850)

569   Denken wir uns einen Güterkomplex, auf welchem mehr als hundert Arbeiter angestellt sind.

Das Maß von Arbeit, das die Bewirtschaftung dieser Güter erfordert, ist keineswegs eine bestimmte Größe.

Der Acker kann mehr oder minder sorgfältig bestellt, der Ausdrusch des Korns, das Auflesen der Kartoffel mehr oder minder rein beschafft werden - und damit ändert sich das erforderliche Quantum Arbeit.

Wählen wir hier das Aufnehmen der Kartoffel als Beispiel.

570   Werden bloß die nach dem Ausgraben oder Aushacken oben auf liegenden Kartoffeln gesammelt, so kann eine Person täglich mehr als 30 Berliner Scheffel auflesen. Verlangt man aber, daß die Erde mit der Handhacke aufgekratzt wird, um noch mehrere mit Erde bedeckte Kartoffeln zu sammeln, so sinkt das Arbeitsprodukt, und wenn man auch den letzten in einer Ackerfläche von 100 Quadratruten enthaltenen Scheffel ernten will, so erfordert dieser letzte Scheffel so viele Arbeit, daß der zu diesem Zweck angestellte Mensch sich von seinem Arbeitsprodukt nicht einmal sättigen, viel weniger seine anderen Bedürfnisse befriedigen kann.

Gesetzt, das ganze auf einem Ackerstück von 100 Quadratruten gewachsene Quantum Kartoffeln betrage 100 Berliner Scheffel. Gesetzt ferner, es werden davon geerntet:

Wenn zum Auflesen angestellt werden:			Alsdann ist der Mehrertrag durch die zuletzt angestellte Person:
4	Personen	80 *bushel* Scheffel ?	
5	"	86,6	. . . . . . 6,6 Scheffel
6	"	91	 4,4
7	"	94	 3,0
8	"	96	 2,0
9	"	97,3	 1,3
10	"	98,2	 0,9
11	"	98,8	 0,6
12	"	99,2	 0,4

Bis zu welchem Grade der Reinheit muß nun der Landwirt beim konsequenten Verfahren das Aufnehmen der Kartoffel betreiben lassen?

Unstreitig bis zu dem Punkt, wo der Wert des mehr erlangten Ertrags durch die Kosten der darauf verwandten Arbeit kompensiert wird.

571   Beträgt z. B. der Wert der zum Schaffutter verwandten Kartoffel irgendwo 5 ßl. pr. * Scheffel und ist der Tagelohn 8 ßl. pr. Person: so bringt

---

*   1 (Berliner) Scheffel = 55 Liter, 1 ßl = 1 Groschen (=1/30 Taler)

die Anstellung der 9. Person einen Mehrertrag von 1,3 Scheffeln à 5 ßl. = 6,5 ßl., kostet dagegen 8 ßl. und bringt einen Verlust von 1,5 ßl. Dagegen wird durch die 8. angestellte Person mit einem Kostenaufwand von 8 ßl. ein Mehrertrag von 2 Scheffeln à 5 ßl. = 10 ßl., also ein Überschuß von 2 ßl. gewonnen. Man wird demnach, um den höchsten Reinertrag zu erlangen, ca. 8,6 Tagearbeiten einer Person auf das Aufnehmen der Kartoffeln verwenden, und sich mit einem Ertrag von ca. 96,8 Scheffeln begnügen müssen.

Unter Verhältnissen aber, wo der Tagelohn auf 15 ßl. steigt - wie dies bei einem sehr ausgedehnten Kartoffelbau, wo Leute aus der Ferne zugezogen werden müssen, leicht der Fall sein kann - bezahlt der Mehrertrag durch die Anstellung der 7. Person nur noch gerade den Tagelohn, und von den 100 Scheffeln, welche überhaupt gewachsen sind, werden dann konsequenterweise nur 94 Scheffel geerntet.

Können dagegen die Kartoffeln durch Verwendung zum Pferdefutter, zum Brantweinbrennen oder andern Fabrikationen zu 16 ßl. pr. Scheffel genutzt werden, so ist bei einem Tagelohn von 8 ßl. die Verwendung von 11 Tagearbeiten einer Person noch zweckmäßig und von den in der Erde befindlichen 100 Scheffel Kartoffeln werden dann 98,8 Scheffel geerntet. Bei einem Tagelohn von 15 ßl. und dem Wert der Kartoffeln von 16 ßl. pr. Scheffel bezahlt sich dagegen die Anstellung einer 11. Person nicht völlig mehr.

Der Grad der Reinheit, bis zu welchem der Ausdrusch des Korns aus dem Stroh stattfinden muß, ist ähnlichen Regeln unterworfen wie das Auflesen der Kartoffeln.

Der bei der Einerntung des Getreides oft sehr beträchtliche Körnerverlust kann durch Anstellung mehrerer Arbeiter bedeutend vermindert werden, indem dann einesteils der richtige Zeitpunkt zum Mähen, Binden und 572 Einfahren besser eingehalten, und die Ernte schneller beschafft, anderenteils aber statt des Mähens mit der Sense das Hauen mit dem Siget oder das Schneiden mit der Sichel eingeführt werden kann. Auch hier wird man konsequenterweise die Zahl der Arbeiter so weit steigern, als der Wert des durch sie Ersparten noch die Ausgabe an Tagelohn deckt oder um eine Kleinigkeit überwiegt.

Es folgt hieraus nun:

1. daß eine Steigerung des Arbeitslohns bei gleichbleibendem Wert der Produkte eine Verminderung der anzustellenden Arbeiter und gleichzeitig eine Verringerung des Ertrags der einzusammelnden und auszudreschenden Früchte bewirkt;
2. daß eine Steigerung des Werts der Produkte bei gleichbleibendem Arbeitslohn gerade die entgegengesetzte Wirkung hat, indem alsdann mehr

Arbeiter mit Vorteil angestellt, und die Früchte sorgfältiger eingesammelt und reiner ausgedroschen werden können, also einen größeren Ertrag liefern;

3. da es im Interesse der Unternehmer liegt - diese mögen Landwirte oder Fabrikanten sein - die Zahl ihrer Arbeiter so weit zu steigern, als aus deren Vermehrung noch ein Vorteil für sie erwächst, so ist die Grenze dieser Steigerung da, wo das Mehrerzeugnis des letzten Arbeiters durch den Lohn, den derselbe erhält, absorbiert wird; umgekehrt ist also auch der Arbeitslohn gleich dem Mehrerzeugnis des letzten Arbeiters.

Da die Zahl der Arbeiter sich nicht um einen Bruchteil vermehren oder vermindern läßt, so kann auch bei einem Betrieb im Kleinen der Punkt, wo sich Erwerb und Kosten kompensieren, nicht genau getroffen werden; diese 573 Ungleichheit im einzelnen gleicht sich aber im großen Ganzen wieder aus, indem in dem einen Fall mehr, in dem anderen Fall weniger Arbeiter angestellt werden, als das Maximum des Reinertrages erheischt.

Da sich dieser Übelstand des kleinen Betriebs nicht bloß auf die Zahl der Arbeiter, sondern auch auf die Zahl des zu haltenden Zugviehs und der zu verwendenden Instrumente und Maschinen erstreckt, so ist dies, beiläufig gesagt, eins der Momente, die den Betrieb im Großen begünstigen.

In dem vorstehenden Beispiel ist zwar nur von der vollständigen Gewinnung dessen, was der Boden hervorgebracht hat, die Rede gewesen; aber die daraus gezogenen Folgerungen haben ihre volle Gültigkeit auch für die auf Erhöhung der Produktivität des Bodens und Hervorbringung größerer Ernten gerichteten Arbeiten.

Durch Vermehrung der Arbeitskräfte kann der Boden sorgfältiger geackert, gereinigt und entwässert, der richtige Zeitpunkt zur Saatbestellung besser eingehalten, und dadurch der gleichmäßige Ertrag der Früchte mehr gesichert, und deren Durchschnittsertrag wesentlich erhöht werden. Andererseits kann in den meisten Verhältnissen die Produktionskraft des Bodens durch Auffahren von Moder, Mergel und den Erdarten, die der Acker nicht in genügender Menge besitzt, gar sehr gesteigert werden. Alle solche Verbesserungen haben aber das Gemeinschaftliche, daß mit ihrer quantitativen Steigerung die Wirkung nicht im direkten, sondern in abnehmendem Verhältnis wächst und zuletzt sogar gleich Null werden kann. ...

576 **"Der Wert der Arbeit des zuletzt angestellten Arbeiters ist auch der Lohn derselben."**

Dieser aus den vorliegenden Betrachtungen hervorgehende Satz gestattet eine so vielfache Anwendung auf das gesellschaftliche Leben, daß es wohl 577 erlaubt sein mag, den systematischen Gang unserer Untersuchung zu unterbrechen, den isolierten Staat mit seiner kulturfähigen Wildnis und der Voraussetzung des beharrenden Zustandes seiner Bevölkerung auf eine kurze Zeit zu verlassen und uns der Wirklichkeit zuzuwenden.

Wie in dem als Beispiel aufgeführten großen Güterkomplex, so ist auch in der Wirklichkeit das Streben der Unternehmer ganz allgemein, die Zahl ihrer Arbeiter so weit zu vermehren, bis aus der ferneren Vermehrung kein Vorteil für sie erwächst, d. i. bis der Lohn der Arbeit den Wert der Arbeit erreicht - weil dies in der Natur der Sache und im Interesse der Unternehmer begründet ist.

Der Lohn aber, den der zuletzt angestellte Arbeiter erhält, muß normierend für alle Arbeiter von gleicher Geschicklichkeit und Tüchtigkeit sein; **denn für gleiche Leistungen kann nicht ungleicher Lohn gezahlt werden.**

Wenn aber schon jetzt in der Wirklichkeit der Arbeitslohn den Wert der Arbeit erreicht, und das Volk sich dennoch in einer gedrückten, armseligen Lage befindet, wie ist dann eine Abhilfe möglich?

Proudhon (in seiner Philosophie der politischen Ökonomie) ist unwillig darüber, daß der Notar für ein Dokument, welches er in einer Stunde entwirft, so viel erhält, als der Tagelöhner für eine zwölfstündige, schwere Arbeit. Derselbe Schriftsteller findet es ferner unrecht, daß der Fabrikaufseher eine höhere Besoldung erhält als der Packträger.

Fragen wir aber was bewegt den Fabrikherrn zur höheren Besoldung des Aufsehers. Es ist nicht Gunst, nicht Menschenliebe, nicht Freundschaft; er würde ihn augenblicklich abschaffen, wenn er ihn entbehren könnte, wenn der Nutzen, den ihm der Aufseher bringt, nicht mindestens seinem Gehalt gleich käme. Es ist also auch hier der Wert der Leistung Maßstab für die Besoldung.

578   Statt des Werts der Arbeit die Länge der Arbeitszeit zum Maßstab für den Lohn einführen zu wollen, ist eine Chimäre.

Erhält nun aber der Arbeiter in seinem Lohn den Wert seiner Arbeit, so ergibt sich, daß die gedrückte Lage der Arbeiter nicht aus der Hab- und Gewinnsucht der Grund- und Fabrikherrn hervorgeht, indem diese - da hier von einer Almosenverteilung nicht die Rede ist - für die Arbeit nicht mehr zahlen können, als was sie ihnen wert ist, daß also die Quelle des Elends der arbeitenden Klasse anderswo und tiefer liegend gesucht werden muß. ...

579   Betrachten wir jetzt, um uns diesen Gegenstand noch klarer zu machen, die notwendigsten Wirkungen des Steigens und Fallens des Arbeitslohns.

Gesetzt, es finde eine Erhöhung des Lohns statt, ohne daß die Zahl der Arbeiter abnimmt. Alsdann kosten die zuletzt angestellten Arbeiter den Grund- und Fabrikherrn mehr, als sie ihnen einbringen. Diese werden dann, ihrem Interesse folgend - und dies ist kein Unrecht, sondern liegt in ihrem Beruf - Arbeiter entlassen und damit so lange fortfahren, bis das Produkt des letzten bleibenden Arbeiters im Wert dem erhöhten Arbeitslohn gleich wird. Dadurch werden aber eine Menge Arbeiter brotlos, und um nicht zu verhungern, werden diese sich entschließen müssen, wieder für den früheren Lohn zu arbeiten, d. h. eine Erhöhung des Lohns ist unter diesen Verhältnissen nicht möglich.

Wenn andererseits die Bevölkerung in den arbeitenden Klassen zunimmt, während der kultivierte Boden und das Kapital dieselbe Größe behalten: so können die hinzukommenden Arbeiter bei dem bisherigen Lohn keine Anstellung mehr erhalten. Denn da dieser Lohn schon das ganze Produkt des letzt angestellten Arbeiters hinwegnimmt, und jeder weiter angestellte Arbeiter ein immer geringeres Produkt liefert, so würde die Aufnahme der hinzukommenden Arbeiter bei dem bisherigen Lohnsatz für die Unternehmer geradezu mit Verlust verbunden sein. Nur dann, wenn diese Arbeiter mit einem geringeren Lohn vorlieb nehmen, können die Unternehmer sie anstellen und neue Arbeiten vollführen lassen, deren Wert dem erniedrigten Lohn entspricht.

Vermehren sich nun aber die Arbeiter, trotz des sinkenden Lohns, fort und fort, so muß auch der Lohn immer tiefer sinken, weil die Arbeit, die ihnen gegeben werden kann, immer weniger produktiv wird.

Diese Grenze findet sich erst dann, wenn die Arbeit so wenig produktiv wird, daß das Arbeitsprodukt gleich a, d. i. gleich den notwendigen Subsistenzmitteln wird; denn für einen geringeren Lohn als den, der zu seinem Lebensunterhalt erforderlich ist, kann der Mensch nicht arbeiten.

Nun sind aber die Individuen in der Wirklichkeit nicht ... von gleicher Kraft, Gesundheit und Geschicklichkeit, sondern in allen diesen Beziehungen sehr ungleich. Es kommt also zur Frage, für welche dieser Arbeiter der Lohn auf a herabsinken soll. Dies hängt wiederum von der Zahl der sich anbietenden Arbeiter ab. Sind diese in Überzahl vorhanden, so werden nur die gesundesten und kräftigsten Anstellung finden; die anderen bleiben brotlos. Da aber die Kraft des Menschen in den verschiedenen Lebensepochen nicht gleich bleibt, sondern im Alter abnimmt, so kann es dahin kommen, daß auch die tüchtigsten Arbeiter nur in der Blüte der Jugend und der männlichen Kraft Anstellung finden im Alter aber darben müssen.

Da aber Religion und Menschlichkeit gebieten, und es auch von allen Regierungen als Pflicht erkannt ist, keinen Menschen aus Mangel umkommen zu lassen: so fallen alle die, deren Arbeitserzeugnis nicht zur Deckung ihrer notwendigen Subsistenzmittel ausreicht, der Versorgung durch die Armenkasse anheim. Die Zahl der Hilfsbedürftigen kann sich aber zuletzt so vermehren, daß die Last der Unterhaltung für die Wohlhabenden überwältigend wird.

Dies ist gegenwärtig schon in Irland der Fall, wo trotz der ungeheuren Unterstützung von 50 bis 60 Millionen Taler, welche die englische Nation edelmütig dem Brudervolk reicht, dennoch Tausende vor Hunger sterben.

Die gegenwärtige * Not in Irland ist hervorgegangen aus dem gleichzeitigen Mißraten der Kartoffeln und des Getreides. Es ist aber mit Bestimmtheit vorauszusehen, daß bei der Fortdauer einer rücksichtslosen Volksvermehrung dieselbe Not, nach einigen Dezennien, auch bei guten Ernten eintreten wird und dann völlig unheilbar ist.

Diesen Betrachtungen liegt die Voraussetzung zugrunde, daß während die Volksmenge steigt, Kapital und kultivierte Bodenfläche dieselbe Größe behalten. Es läßt sich aber leicht nachweisen, daß wenn auch letztere wachsen, aber in einem geringeren Grade als die Volksmenge, dennoch dieselben Resultate, nur später, zum Vorschein kommen müssen.

Friede erzeugt Wohlstand, Wohlstand Übervölkerung, Übervölkerung Elend.

---

*   Geschrieben im Jahr 1846.

2.1.6 Aufgaben zum Text von Thünen

Aufgabe 2.12

a. *Tragen Sie in Abb. 2.2 a die Menge an Kartoffeln ein, die nach den von Thünen tabellarisch angegebenen Werten von 4, 5, ... , 12 Arbeitern auf einem Ackerstück aufgelesen werden. Verbinden Sie jeweils die Punkte.*

b. *Tragen Sie entsprechend in Abb. 2.2 b die Mengen ein, die von der zuletzt angestellten Person aufgelesen werden. Verbinden Sie jeweils die Punkte.*

c. *Interpretieren Sie die in Abb. 2.2 a und b dargestellten Kurven. Was könnte man unter dem "Gesetz vom abnehmenden Ertragszuwachs" verstehen?*

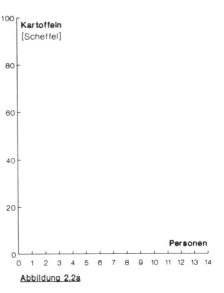

Abbildung 2.2a

Aufgabe 2.13

a. *Vergleichen Sie die wiedergegebenen Auffassungen von Malthus und von Thünen. Gehen Sie dabei auch auf die in Aufgabe 2.10 b, c und Aufgabe 2.12 b, c gewonnenen Erkenntnisse ein.*

b. *Was will von Thünen mit der irischen Hungersnot demonstrieren?*

c. *Welche Voraussetzungen liegen Thünens Betrachtungen zugrunde? Wie können diese Voraussetzungen so abgeändert werden, daß*

    ca. *Thünens Aussagen weiterhin zutreffen*

    cb. *Thünens Aussagen nicht mehr gültig sind.*

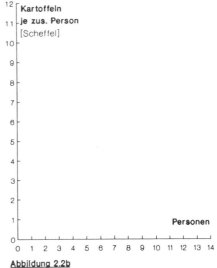

Abbildung 2.2b

d. *Übertragen Sie Ihre Überlegungen zu dieser Aufgabe auf die Gegenwart. Berücksichtigen Sie dabei auch die in Aufgabenteil c. gewonnenen Ergebnisse*

2.2 Geschichtlicher Hintergrund

2.2.1 Der dritte Stand in Frankreich

Im absolutistischen Frankreich gab es eine strenge hierarchische Gliederung der Bevölkerung. An der Spitze stand der König, gefolgt von Adel und hoher Geistlichkeit. Diese Schichten waren die Besitzer der großen Ländereien, hatten zahlreiche Privilegien, wie z. B. das alleinige Jagdrecht, Anspruch auf viele Ämter und Pfründe, und als wichtigste Vergünstigung die Befreiung von direkten Steuern.

Der Hauptteil der Bevölkerung, der 3. Stand, also Bürger, Bauern, Handwerker, niederer Klerus, hatte die ständig steigende Steuerlast zu tragen, war Zwängen wie Zunftordnung oder Frondiensten unterworfen, hatte aber keinerlei politische Rechte.

Innerhalb des 3. Standes drängten die reichen Unternehmer, Fabrikanten, Reeder, Großkaufleute, die Intellektuellen wie Schriftsteller, Ärzte und Juristen aufgrund ihrer wirtschaftlichen Verantwortung oder aufgrund ihres Glaubens an die Ideen der Aufklärung auf Mitsprache bei politischen Entscheidungen. Die aufstrebenden Bürger wurden die Träger der revolutionären Förderungen "liberté, égalité, fraternité"; Auf der Basis von Freiheit, Gleichheit, Brüderlichkeit wollte man das ständische Feudalsystem überwinden.

Die Revolution von 1789 gab den Angehörigen des 3. Standes auch die gewünschte Freiheit. Die Bauern wurden von Frondiensten befreit, die Handwerker wurden nicht mehr durch Zunftordnungen eingeengt, die Kaufleute profitierten zunächst von der Abschaffung aller Binnen- und Wegezölle, Markt- und Messeabgaben. Die Wirren der Revolution unterbrachen aber bald die Rohstoffversorgung, ließen die Maschinen stillstehen und gefährdeten den Verkehr auf Straßen und Kanälen, so daß die Wirtschaft fast zusammenbrach. Die Kaufkraft schwand; viele Menschen, die bisher von der ständischen Fürsorge abhängig gewesen waren, standen vor dem Nichts. Innerhalb des 3. Standes setzte eine Polarisierung zwischen einer ganz verarmten Bevölkerungsgruppe und einem flexiblen, wohlhabenden Bürgertum ein. Dieses Bürgertum, die Bourgeoisie, war der eigentliche Gewinner der Revolution.

2.2.2 Die Kontinentalsperre

Unter Napoleon eroberte Frankreich fast ganz Europa bis auf England, seinen alten Konkurrenten. Da Napoleon England wegen der Schwäche der eigenen Flotte militärisch nicht besiegen konnte, versuchte er, es wirtschaftlich zu vernichten. So verhängte er 1806 die "Kontinentalsperre" und verbot jeden Handel und Briefwechsel mit den britischen Inseln. Alle Waren aus England und seinen Kolonien sollte konfisziert und vernichtet werden.

Diese Sperre konnte aufgrund der langen europäischen Küsten nicht streng durchgehalten werden; der Schmuggel blühte. Wie wirkte sich die Kontinentalsperre aus?

Die Länder, die Napoleon unterworfen hatte, litten um so stärker, je mehr sie auf Handel und Schiffahrt angewiesen waren; so verloren die Niederlande ihre Stellung als führende Seefahrernation; Amsterdam war nicht mehr vor allem Hafen-, sondern wurde vorwiegend Börsen- und Bankenstadt. Die Kontinentalsperre erschwerte die Situation der besetzten Länder noch mehr, da mit der Handelsbarriere ein neuer französischer Merkantilismus verordnet wurde. Italien beispielsweise durfte überhaupt keine Maschinen einführen und wurde gezwungen, ausschließlich französische Waren zu importieren. Die französische Wirtschaft blühte zunächst auf, da die eroberten Länder nach der Beeinträchtigung der englischen Konkurrenz auf die französischen Waren angewiesen waren. Neben der Eisenindustrie, die durch die Kriege sowieso Hochkonjunktur hatte, entwickelte sich besonders die Textilindustrie. Dennoch trug dieser neue Merkantilismus mit zum Zerbrechen des Napoleonischen Reiches bei. Die ausgeplünderten und verarmten Länder kamen auf die Dauer nicht als Käufer für die französischen Luxuswaren in Frage, so daß es Absatzschwierigkeiten gab. 1810/11 führte dieses zu einer schweren Wirtschaftskrise in Frankreich, da der französische Überseehandel fast völlig gelähmt war und die Rohstoffversorgung aus den Kolonien fast ausblieb. Das Vertrauen der Bourgeoisie in Napoleon schwand.

Der eigentliche Gewinner der Kontinentalsperre war England. England war als Seemacht ungeschlagen und konnte seine Flotte während der Napoleonischen Zeit von 20 800 auf 24 800 Schiffe vergrößern. Diese Flotte ermöglichte es England, sein Kolonialreich auszudehnen und zu festigen. Neben dem Kapland und wichtigen Inseln im Indischen Ozean geriet ganz Indien unter britischen Einfluß. Schwierigkeiten gab es im Mutterland. Die Fabriken hatten Absatzsorgen, da nur über Schmuggelwege Ware auf dem Kontinent unterzubringen war. Das bedeutete unregelmäßige Produktion, Probleme für die Fabrikanten und Armut und Hunger für viele englische Arbeiter. Seitdem aus Rentabilitätsgründen in der Landwirtschaft vor allem Viehzucht betrieben wurde, war England von Getreideimporten abhängig. Die Eigenproduktion reichte nur für gut zehn Monate im Jahr, der Rest mußte importiert werden. Durch die gestörten Einfuhren aus Osteuropa verdreifachten sich die Weizenpreise. Die englische Regierung mußte eingreifen und den Getreideanbau subventionieren.

2.2.3 David Ricardo (1772-1823)

David Ricardo war der Sohn eines erfolgreichen und geachteten jüdischen Börsenmaklers. David zeigte früh Begabung für das Börsengeschäft; da er viel Verantwortungsgefühl zeigte, durfte er schon mit 14 Jahren seinem Vater assistieren. Als er mit 21 Jahren eine Christin heiratete, mußte er sich von seinem strenggläubigen Vater trennen und selbständig an der Börse spekulieren. Er tat das so erfolgreich, daß er in kurzer Zeit ein großes Vermögen erwerben konnte. Der Reichtum gab ihm die Möglichkeit, sich etwas zurückzuziehen und sich mit Mathematik, Geologie, Chemie zu beschäftigen, mit Dingen, die wegen seiner frühen Berufstätigkeit zu kurz gekommen waren.

Er hatte nun auch Muße, das, was er während seiner Börsenmaklerzeit gesehen und erfahren hatte, zu durchdenken. Ab 1809 begann er, zu aktuellen Fragen der Volkswirtschaft Schriften zu veröffentlichen. Ein zentrales Thema für ihn war die durch die napoleonischen Kriege in eine Krise geratene englische Währung. Er forderte eine Gesundung der Währung durch Golddeckung, d. h. die Einlösbarkeit des Papiergeldes in Gold. Weiterhin entwarf er eine neue Bankordnung und entwickelte Grundsätze zur Besteuerung. Immer wieder diskutiert wurden die Korngesetze, die den Getreideanbau zur Zeit der Kontinentalsperre und darüber hinaus subventionierten. 1815 veröffentlichte Ricardo seinen Aufsatz "Essay on the Influence of a Low Price of Corn on the Profits of Stock". Er untersucht also den Einfluß eines niedrigen Getreidepreises auf den Kapitalprofit und erklärt zunächst, daß bei einer ungehinderten Entwicklung die Getreidepreise immer höher steigen müßten, da die Bevölkerung wüchse und deshalb immer schlechtere, weniger ergiebige Böden bebaut werden müßten. Hieraus ziehen die Großgrundbesitzer, die die Preise hoch halten können, ihren Nutzen. Die Verlierer sind die Arbeiter, die auf das teure Getreide angewiesen sind, und gleichzeitig die Fabrikanten, die den Arbeitern höhere Löhne zahlen müssen, um sie vor dem Verhungern zu bewahren. Die einzige Möglichkeit, dieser schädlichen Entwicklung vorzubeugen, sieht Ricardo in der Einfuhr von billigem Getreide aus dem Ausland. Ricardo fordert einen ungehinderten Handel, frei von Beschränkungen, die nur einer Gruppe, hier den Großgrundbesitzern, nützen.

Ricardos großes Thema ist nicht wie bei Smith das Entstehen des Wohlstandes, sondern die Verteilung des Reichtums. "Die Gesetze aufzufinden, welche diese Verteilung bestimmen, ist das Hauptproblem der Volkswirtschaftslehre" (Ricardo, Grundsätze, S.6). Beim Aufspüren dieser Gesetze werden Erscheinungen wie abnehmende Grenzerträge, Profite und Renten erörtert. Darüber hinaus liegt Ricardos Verdienst darin, daß er ein großes logisches System aufbaut, das zur Analyse wirtschaftlicher Vorgänge befähigt.

Er war von der Richtigkeit seiner Analysen so überzeugt, daß er sich nicht scheute, Dinge zu fordern, die ihm selber zunächst geschadet hätten. Er war selber Großgrundbesitzer und profitierte von der bis dahin geltenden Korngesetzgebung, weiterhin trat er für eine Parlamentsreform ein, der sein eigener Wahlkreis zum Opfer gefallen wäre. Diese intellektuelle Redlichkeit brachte ihm allgemein großen Respekt ein. So verband ihn eine enge Freundschaft mit einem Kontrahenten auf dem Gebiet der Wissenschaft, mit Malthus.

2.2.4 Thomas Robert Malthus (1766 - 1834)

Thomas Robert Malthus wurde als Sohn eines Juristen und Gutsbesitzers 1766 in der Nähe von London geboren, übernahm nach einem Studium in Cambridge zunächst eine Pfarrei und wurde später Hochschullehrer. Während der Vater Anhänger der französischen Aufklärung war, mit Rousseau gut bekannt war und ein goldenes Zeitalter erwartete, sahen die Prophezeihungen des jungen Malthus viel düsterer aus. Er beschäftigte sich viel mit historischen und ökonomischen Fragen und veröffentlichte 1798 als Ergebnis seiner Studien folgende These: Die Zahl der Menschen wächst in geometrischer Reihe, verdoppelt sich alle 25 Jahre, während die Menge der Nahrungsmittel höchstens arithmetisch d.h. mit gleichbleibenden Zuwächsen ansteigt. Dieses bedeutet Hunger und Elend. Nur die Natur und die Lebensverhältnisse können das Äußerste verhindern; "alle ungesunden Beschäftigungen, harte Arbeiten und die Unbilden von Wind und Wetter, äußerste Armut, schlechte Kinderpflege, große Städte, Ausschreitungen aller Art, die ganze Schar gewöhnlicher Krankheiten und Epidemien, Kriege, Pest und Hungersnot" reduzieren den Bevölkerungszuwachs (Malthus, (1803)1905, S. 22). Diese Vorstellung von wachsendem Elend aufgrund der Vermehrung der Bevölkerung widersprach allen bisherigen Ansichten. Man war davon ausgegangen, daß mit Vergrößerung der Bevölkerung der Wohlstand wüchse. Im 18. Jahrhundert hatte es immer wieder planmäßige Ansiedlungen gegeben, um die Einwohnerzahlen zu heben. Diese Überzeugung schlug sich auch noch im englischen Armengesetz von 1795 nieder (vgl. Treue, S. 442). Nach diesem Gesetz stand jedem, dessen Einkommen unter einer gewissen Grenze lag, Unterstützung zu; damit förderte man die Geburten in der allerärmsten Bevölkerungsgruppe. Malthus' Schriften erregten Aufsehen und wurden heftig diskutiert; es schien, als habe man jetzt die Ursache des Elends gefunden. Ernährungs- und Wirtschaftskrisen während der Napoleonischen Kriege schienen Malthus zu bestätigen. Die spätere Armengesetzgebung lehnt die Unterstützung ab und geht von der Selbstverantwortung der Armen aus.

2.2.5 Johann Heinrich von Thünen (1783-1850)

Johann Heinrich von Thünen war ein friesischer Adliger, der eine standesgemäße Ausbildung als Landwirt erhielt. Dazu besuchte er die landwirtschaftlichen Lehranstalten in Flottbeck bei Hamburg und in Celle, die nach den neuesten wissenschaftlichen Erkenntnissen unterrichteten. Schon als Student beschäftigte er sich mit der Ursache und Höhe der Landrente. Diese Frage wurde der Ausgangspunkt für seine wissenschaftliche Arbeit. Nachdem er sich in Mecklenburg ein eigenes Gut gekauft hatte, begann er, akribisch genau die Bücher zu führen, um statistisches Material zu sammeln. Die gewonnenen Zahlen dienten dazu, den Getreidepreis in seiner Abhängigkeit von der Bewirtschaftungsart des Bodens zu untersuchen. Auf der Grundlage dieser Daten schrieb er sein Buch "Der isolierte Staat in Beziehung auf Landwirtschaft und Nationalökonomie" (Rostock, 1. Band 1842, 2. Band 1850). Dieses Buch beginnt: "Man denke sich eine sehr große Stadt in der Mitte einer fruchtbaren Ebene gelegen, die von keinem schiffbaren Flusse oder Kanale durchströmt wird. Die Ebene selbst bestehe aus einem durchaus gleichen Boden, der überall der Kultur fähig ist. In großer Entfernung von der Stadt endige sich die Ebene in eine unkultivierte Wildnis, wodurch dieser Staat von der übrigen Welt gänzlich getrennt wird. " (Bd. 1, S. 11) Nach Thünen " ... bilden sich in der Ebene des isolierten Staates ... regelmäßige konzentrische Kreise um die Stadt, in welchen absteigend freie Wirtschaft,

Forstwirtschaft, Fruchtwechsel-, Koppel- und Dreifelderwirtschaft betrieben wird "(Bd. 2, S. 405). Thünen konstruiert hier also bewußt ein Wirtschaftsmodell. Für dieses Modell leitet er eine Reihe von Ergebnissen ab. Die dabei beschriebenen "Thünenschen Kreise" sind unter Ökonomen zu einem festen Begriff geworden. Bei dieser Betrachtung entwickelt Thünen die Marginalanalyse, eines der wichtigsten Konzepte der modernen Wirtschaftstheorie; dieses Konzept fand aber erst nach 1870 allgemeine Anerkennung, nachdem es von Jevons, Walras und Menger neu entwickelt wurde (vgl. das Kapitel 4).

Als nächstes beschäftigte er sich mit der gerechten Verteilung des Gewinnes. Er fragt: "Welches ist das Gesetz, wonach die Verteilung des Arbeitserzeugnisses zwischen Arbeiter, Kapitalisten und Grundbesitzer naturgemäß geschehen soll?" Bis ins hohe Alter befaßte er sich mit dem Verteilungsproblem, und zwar nicht nur in abstrakten wissenschaftlichen Erörterungen, sondern auch durch Engagement in seiner Umgebung: Der Ausdruck "naturgemäße" Verteilung gibt einen wichtigen Hinweis auf Thünens Denkweise. Er glaubte an eine Evolution, eine langsame Veränderung zum Besseren. Seine Aufgabe sah er darin, seine Landarbeiter besser zu unterrichten und so gut zu bezahlen, wie es die Erträge seines Mustergutes zuließen. Er hatte deshalb ein System entwickelt, die Arbeiter am Gewinn zu beteiligen. Seine Gutsnachbarn hielten ihn aus diesem Grund für einen gefährlichen Revolutionär. Wegen seiner Erkrankung konnte er 1848 nicht an den Sitzungen in der Paulskirche teilnehmen. Als er 1850 starb, hinterließ er ein geschlossenes Lebenswerk: Aufgrund von exakten Daten, die er in seinem Gut gesammelt hatte, hatte er wesentliche Gesetze der Nationalökonomie formulieren können; gleichzeitig war er bereit, seine Vorstellungen von Gerechtigkeit und sozialer Verantwortung in seinem Bereich selber zu verwirklichen.

2.3 Arbeitsteilung, Produktion und Verteilung

2.3.1 Die Transformationskurve

"Sind Güter nützlich, so leiten sie ihren Tauschwert von zwei Quellen her: von ihrer Seltenheit und von der Arbeitsmenge, welche man zu ihrer Erlangung benötigt." Von diesem Satz Ricardos kann man ausgehen, um die Grundlagen für eine Erklärung der Preisbildung zu geben.

  a. Nach Ricardo hängt der Tauschwert seltener Güter vom Wohlstand und den Neigungen derjenigen ab, welche sie zu besitzen begehren. Diese Überlegungen verfolgt Ricardo jedoch nicht weiter; seiner Ansicht nach bilden diese Güter nur einen sehr kleinen Teil der Gütermassen, die täglich auf dem Markte ausgetauscht werden. Erst lange nach Ricardo wird die Seltenheit der Güter und die Neigung sie zu besitzen von der sogenannten marginalistischen Theorie zu einer Grundlage der Preistheorie gemacht (vgl. dazu die Kapitel 4 und 5).

  b. Die Arbeitsmenge ist nach Ricardo die zweite Quelle des Tauschwertes. Dieser Gedanke soll im folgenden weiter verfolgt werden.

2.3.1.1 Direkte und indirekte Arbeit

Ricardo geht vom bekannten Biber-Hirsch-Beispiel von Adam Smith aus, macht aber darauf aufmerksam, daß der Einsatz der 'Produktionsmittel' bei der Bestimmung von Preisen berücksichtigt werden muß. Das Beispiel von Ricardo (Grundsätze, S.22) übernehmen wir wortgetreu, konkretisieren es nur, wie in den eckigen Klammern angegeben:

"Nehmen wir an, die zur Tötung des Bibers notwendige Waffe ein Wurfholz sei mit viel mehr Arbeit [4 Stunden] hergestellt worden als jene ein Speer, [Herstellungszeit 3 Stunden] , die nötig ist, um den Hirsch zu töten, wegen der größeren Schwierigkeit, dem genannten Tiere nahe zu kommen, und wegen der daraus folgenden Notwendigkeit, genauer zu treffen" (Grundsätze, S. 22).

Zur Vereinfachung nehmen wir außerdem an, daß mit Speer und Wurfholz jeweils nur ein Tier erlegt werden kann. Außerdem nehmen wir wie Adam Smith an, daß "die Erlegung eines Bibers gewöhnlich doppelt soviel Arbeit [2 Stunden] kostete als die Erlegung eines Hirsches [1 Stunde] " (Grundsätze, S. 22). Wir erhalten dann :

$$1 \text{ Biber} \longleftarrow 2 \text{ h Arbeit}$$
$$\searrow 1 \text{ Wurfholz} \longleftarrow 4 \text{ h Arbeit}$$

$$1 \text{ Hirsch} \longleftarrow 1 \text{ h Arbeit}$$
$$\searrow 1 \text{ Speer} \longleftarrow 3 \text{ h Arbeit}$$

Für jeden erlegten Biber ist direkte Arbeit in Höhe von 2 h und **indirekte Arbeit** in Höhe von 4 h, also eine gesamte Arbeitszeit von 6 h notwendig. Für die Jagd eines Hirsches müssen direkt 1 h und indirekt 3 h, insgesamt also 4 h Arbeit aufgewendet werden.

Wir haben hiermit die Werte der produzierten Güter vollständig auf die eingesetzten Mengen an Arbeit zurückgeführt; Ricardo geht davon aus, daß der natürliche Preis der Güter sich gemäß dieser Arbeitswerte bestimmt.

2.3.1.2 Transformationskurve und Alternativkosten

Wir bleiben bei dem von uns konkretisierten Beispiel Ricardos und nehmen jetzt noch zusätzlich an, daß in dem betrachteten Jägervolk in einer Jagdperiode 120 Arbeitsstunden zur Verfügung stehen. Wir können uns dann überlegen, welche Jagdstrecken überhaupt möglich sind. Man könnte sich z. B. entscheiden, nur Biber zu jagen, 80 Arbeitsstunden zur Produktion von 20 Wurfhölzern einsetzen und mit diesen Wurfhölzern und 40 h Jagdzeit 20 Biber erlegen.

Würde man sich andererseits allein auf die Jagd von Hirschen verlegen, so müßte man 90 Stunden Arbeit zur Produktion von 30 Speeren aufwenden; mit diesen Speeren und den verbleibenden 30 Arbeitsstunden könnte man 30 Hirsche erlegen.

Neben diesen Extremlösungen gibt es viele Möglichkeiten, einen Teil der Arbeitszeit für die "Produktion" von Bibern und einen Teil für die "Produktion" von Hirschen zu verwenden. Folgende Tabelle gibt Auskunft:

Biberproduktion					Hirschproduktion				
ind. Arb.	Höl- zer	dir. Arb.	Bi- ber	ges. Arb.	ind. Arb.	Spee- re	dir. Arb.	Hir- sche	ges. Arb.
0	0	0	0	0	90	30	30	30	120
8	2	4	2	12	81	27	27	27	108
16	4	8	4	24	72	24	24	24	96
24	6	12	6	36	63	21	21	21	84
32	8	16	8	48	54	18	18	18	72
40	10	20	10	60	45	15	15	15	60
48	12	24	12	72	36	12	12	12	48
56	14	28	14	84	27	9	9	9	36
64	16	32	16	96	18	6	6	6	24
72	18	36	18	108	9	3	3	3	12
80	20	40	20	120	0	0	0	0	0

Jede Zeile entspricht einer möglichen Aufteilung der insgesamt zur Verfügung stehenden Arbeitszeit von 120 h in Gesamtarbeitszeit zur Biberproduktion und Gesamtarbeitszeit zur Hirschproduktion. Jede Zeile entspricht somit auch einer möglichen Produktionskombination von Bibern und Hirschen. Diese möglichen Kombinationen zeichnen wir in ein Diagramm ein (vgl. Abbbildung 2.3).

Bei einer gegebenen Arbeitsmenge von 120 Arbeitsstunden sind die durch Kreuze gekennzeichneten Punkte mögliche Produktionskombinationen. Beim Punkt A werden nur Biber aber keine Hirsche produziert, beim Punkt B wendet man die Gesamtarbeitszeit für das Erlegen von Hirschen auf. Der

Punkt D, dem 18 Hirsche und 16 Biber entsprechen, ist nicht erreichbar, da man dafür $18 \cdot 4 + 16 \cdot 6 = 168h$ Arbeit benötigen würde. Der Punkt C [10 Hirsche, 6 Biber] ist zwar erreichbar, man hätte aber auch mehr an Hirschen und an Bibern produzieren können. Wir nennen eine solche Produktion ineffizient.

Man beachte, daß im betrachteten Beispiel wie auch in der Definition die Menge an Inputs (also der Arbeit) vorgegeben ist. C ist ineffizient, weil bei soviel eingesetzter Arbeitszeit mehr produziert werden könnte. Man kann in äquivalenter Weise aber auch folgendermaßen argumentieren: C ist ineffizient, weil es möglich ist, die Menge von 10 Hirschen und 6 Bibern mit $40 + 36$ Stunden Arbeit zu produzieren; der Stamm hätte für diese Produktion nur 76 statt 120 Stunden aufwenden müssen und hätte 44 Stunden für andere Tätigkeiten (einschließlich des Nichtstuns) zur Verfügung gehabt.

Eine Produktion heißt effizient, wenn es bei gegebenen Inputs (z. B. an Arbeit) nicht möglich ist, von einem Gut mehr herzustellen, ohne von einem anderen weniger zu produzieren.

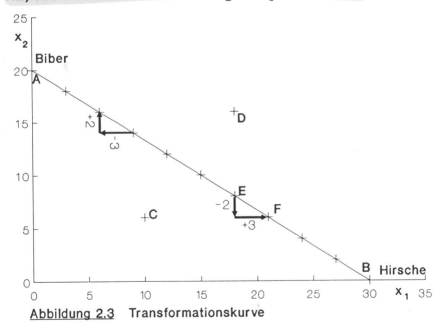

Abbildung 2.3   Transformationskurve

Der Punkt E [18 Hirsche, 8 Biber] kennzeichnet beispielsweise eine effiziente Produktion. Es ist zwar möglich, mehr Hirsche zu produzieren, dann muß aber auf Biber verzichtet werden. Geht man z. B. zum Punkt F über, so verzichtet man auf 2 Biber und bekommt dafür 3 Hirsche. Man könnte auch sagen: "3 Hirsche sind soviel wert wie 2 Biber", oder auch: 3 Hirsche "kosten" 2 Biber. Hier wird ein Kostenbegriff benutzt, der sich deutlich von dem Kostenbegriff unterscheidet, der in der Alltagssprache benutzt wird:

Eine effiziente Alternative (also z. B. E) wird mit einer anderen effizienten Alternative (F) verglichen.

Die Kosten einer effizienten Alternative 1 verglichen mit einer effizienten Alternative 2 bestehen in dem, was man aufgeben muß, um von Alternative 2 zu Alternative 1 zu kommen.

Die Alternativkosten eines Hirsches betragen also 2/3 Biber. Die Alternativkosten eines Bibers betragen 3/2 Hirsche. Vergleichen wir diese Werte mit den von uns bestimmten Arbeitsmengen 4 und 6, so sehen wir, daß die Gesamtarbeitsmengen die Alternativkosten bestimmen.

Die durch die effizienten Produktionsmöglichkeiten bestimmte Kurve heißt **Transformationskurve** oder **Produktionsmöglichkeitskurve.**

In unserem Beispiel ist die Transformationskurve eine Gerade. Die Transformationskurve beschreibt die Transformation von einer effizienten Produktionsmöglichkeit zu einer anderen. Die Steigung der Transformationskurve heißt **Transformationsrate.** Die Transformationsrate in unserem Beispiel ist, von der Abszisse aus gesehen - 2/3, von der Ordinaten aus gesehen - 3/2. Die Transformationsrate besagt ökonomisch, daß ich drei Hirsche aufgeben muß, wenn ich 2 Biber zusätzlich bekommen will, bzw., daß ich 2 Biber aufgeben muß, wenn ich 3 Hirsche zusätzlich haben will.

Die Transformationsrate kann also als eine graphische Veranschaulichung der Alternativkosten interpretiert werden.

2.3.1.3 Ganzzahligkeit und beliebige Teilbarkeit

Unter den Bedingungen unseres Beispieles sind nur die durch Kreuze gekennzeichneten Punkte der Transformationskurve tatsächlich auch produzierbar. Das liegt an einer Ganzzahligkeitsbedingung: Es sind keine halben oder drittel Waffen produzierbar; auch die Tiere sind nur ganz oder gar nicht zu erlegen. Bei der Formulierung einer Transformationskurve geht man aber von beliebiger Teilbarkeit der Faktoren und der Produkte aus; auch wir hatten oben bei den Alternativkosten schon von 2/3 Bibern und 3/2 Hirschen gesprochen. Die Annahme der beliebigen Teilbarkeit vereinfacht häufig die Analysen. Der Ökonom will mit der Transformationskurve in der Regel eine ganze Volkswirtschaft oder mindestens einen großen Bereich einer Volkswirtschaft darstellen. Die möglichen Punkte auf der Transformationskurve liegen dann sehr nah beieinander. Ist unser Jägervolk z.B. groß, dann stehen nicht 120 Stunden, sondern mindestens einige tausend Stunden zur Verfügung. Schon bei 1200 Stunden wäre aber die Transformationskurve mit 100 möglichen Punkten eng belegt. Unterstellen wir beliebige Teilbarkeit, so können wir die Transformationskurve einfach bestimmen. Ist nämlich x_1 die Menge der zu produzierenden Hirsche, so muß dafür eine Arbeitszeit von $4 \cdot x_1$ aufgebracht werden; für die Menge x_2 der zu produzierenden Biber muß die Arbeitszeit $6 \cdot x_2$ veranschlagt werden. Bei insgesamt 120 verfügbaren Arbeitsstunden muß also folgendes gelten:

$$4x_1 + 6x_2 \leq 120$$

Diese Beziehung beschreibt eine **zulässige Kombination** von x_1 und x_2. Die zulässigen Kombinationen liegen in Abbildung 2.3 in dem Dreieck 0AB. Die Menge der effizienten Kombinationen ist dadurch gegeben, daß die zur Verfügung stehende Arbeit vollständig aufgebraucht wird, also

$$4x_1 + 6x_2 = 120$$

oder äquivalent

$c = mx + y$ $\qquad x_2 = -\frac{2}{3}x_1 + 20$ $\quad y = mx + c \ (?)$

Diese beiden äquivalenten Gleichungen sind Geradengleichungen und stellen die Transformationskurve in Abbildung 2.3 dar.

2.3.1.4 Die Transformationskurve bei mehreren begrenzenden Faktoren

In unserem bisherigen Beispiel müßte man eigentlich von einer Transformationsgeraden sprechen. Unterstellen wir jedoch ein größeres Volk, das auf begrenztem Raum mit begrenzten Ressourcen lebt, so können wir uns eine Transformationskurve verdeutlichen, die nicht aus einer durchgehenden Geraden besteht. Dazu gehen wir von folgenden Gegebenheiten aus: Das auf begrenztem Raum lebende Volk stellt bald fest, das es nicht beliebig viel geeignetes Holz zur Herstellung von Jagdwaffen hat und daß außerdem das Land nicht beliebig viele Tiere ernähren kann. Auf zwei Hektar (ha) Land können z. B. entweder zwei Biber oder aber 1 Hirsch leben und das Volk sei in der Lage, durch Bewässerung oder Trockenlegung die Population der Biber und Hirsche zu steuern. Außerdem brauche man 1 Einheit Holz zur Anfertigung eines Speers und 3 Einheiten zur Anfertigung eines Wurfholzes. Wir erhalten somit:

1 Biber ⟵ 2 h Arbeit
   ↖ 1 Wurfholz ⟵ 4 h Arbeit
   ↖ 1 ha Land ↖ 3 Einheiten Holz

1 Hirsch ⟵ 1 h Arbeit
   ↖ 1 Speer ⟵ 3 h Arbeit
   ↖ 2 ha Land ↖ 1 Einheit Holz

Gehen wir also von einem Volk aus, das 1200 h Arbeitszeit zur Verfügung hat, auf einem Raum von 440 ha Land lebt und 510 Einheiten Holz besitzt, das zur Jagdwaffenherstellung taugt. Dann bekommen wir drei Beschränkungen für die Produktion, eine schon bekannte durch die begrenzte Menge an Arbeit und zwei zusätzliche durch den begrenzten Boden und das begrenzte Holz.

I. Beschränkung durch Arbeit

$$4x_1 + 6x_2 \leq 1200$$

also

$$x_2 \leq -\frac{2}{3}x_1 + 200 \qquad (I)$$

II. Beschränkung durch Boden

$$2x_1 + 1x_2 \leq 440$$

also

$$x_2 \leq -2x_1 + 440 \qquad (II)$$

III. Beschränkung durch Holz

$$1x_1 + 3x_2 \leq 510$$

also

$$x_2 \leq -\frac{1}{3}x_1 + 170 \qquad (III)$$

Abgesehen davon, daß jetzt 1200 h Arbeit zur Verfügung stehen, kennen wir die Beziehung (I) schon. Alle Kombinationen links unterhalb der Geraden $x_2 = -2/3x_1 + 200$ sind mit der zur Verfügung stehenden Arbeit produzierbar (siehe Gerade I in Abbildung 2.4).

Entsprechendes gilt bezüglich der Beziehungen (II) und (III):

Alle Kombinationen links unter der Geraden $x_2 = -2x_1 + 440$ stellen Kombinationen dar, die mit dem zur Verfügung stehenden Boden produzierbar sind. Ebenso wird die Menge der mit dem Holz produzierbaren Kombinationen durch die Gerade $x_2 = -1/3x_1 + 170$ nach oben begrenzt.

Da die möglichen Produktionen sowohl durch die Arbeit wie auch durch den Boden und durch das Holz begrenzt werden, liegen die möglichen Kombinationen sowohl unterhalb der Geraden I wie auch unterhalb der Geraden II und unterhalb der Geraden III. Die Transformationskurve besteht also aus den Geradenstücken $\overline{AB}$ und $\overline{BC}$ und $\overline{CD}$. Im Bereich $\overline{AB}$ ist Holz der begrenzende Faktor, im Bereich $\overline{BC}$ ist es die Arbeit und im Bereich $\overline{CD}$ der Boden. Es ergibt sich eine Transformations"kurve", die aus mehreren Geradenabschnitten besteht. Geht man von vielen begrenzenden Faktoren aus, dann entsteht aus den vielen Geradenabschnitten ein tatsächlicher kurvenförmiger Verlauf.

Wir wollen schließlich die Alternativkosten auf den einzelnen Abschnitten bestimmen und interpretieren. Auf dem Abschnitt $\overline{BC}$ hat ein Biber die Alternativkosten von 3/2 Hirsche; das entspricht dem Verhältnis der benötigten Arbeitsmengen. Die Alternativkosten auf der Strecke $\overline{AB}$ betragen 3 Hirsche je Biber; vergleichen wir das damit, daß 1 Biber 3 Einheiten Holz erfordert, 1 Hirsch aber nur eine Einheit Holz erfordert, so sehen wir unmittelbar den Zusammenhang.

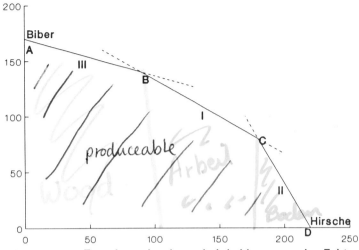

<u>Abbildung 2.4</u> Transformationskurve bei drei begrenzenden Faktoren

Entsprechend sind auf $\overline{CD}$ die Alternativkosten 1/2 Hirsch je Biber, das entspricht der Tatsache, daß doppelt soviel Land für einen Hirsch erforderlich ist wie für einen Biber. Damit ergibt sich:

Der jeweils knappe Faktor bestimmt die Alternativkosten der Produkte.

Das Konzept der Transformationskurve zeigt damit auf, daß Arbeitswerte nur dann die Preise bestimmen, wenn Arbeit der einzige knappe Faktor ist. Ricardo war sich dieses Problemes bewußt; er schreibt: "Wenn wir also von Gütern, von ihrem Tauschwert und von den ihre verhältnismäßigen Preise regelnden Gesetzen sprechen, so verstehen wir darunter immer nur Güter, deren Menge durch menschliche Arbeitsleistung beliebig vermehrt werden kann..." (Grundsätze, S. 10 f).

Betrachten wir als letztes noch die Eckpunkte B und C. In diesen Punkten sind die Transformationsraten nicht eindeutig definiert. Will man im Punkte B mit 90 Hirschen und 140 Bibern mehr an Hirschen auf Kosten von Bibern, so greift Beschränkung I mit der Transformationsrate - 2/3, akzeptiert man jedoch weniger Hirsche um mehr Biber zu haben, so greift Beschränkung III mit der Transformationsrate - 1/3. Im Punkte B selbst springt die Transformationsrate von - 1/3 auf - 2/3. Zur Vereinfachung der Argumentation gehen wir im folgenden immer davon aus, daß die Transformationsrate im Eckpunkt nicht eindeutig, sondern irgendein Wert zwischen der Transformationsrate links vom Eckpunkt und der Transformationsrate rechts vom Eckpunkt ist.

2.3.2 Produktion mit Faktoren

2.3.2.1 Klassen und Faktoren

In einer arbeitsteiligen Wirtschaft besteht ein Verteilungsproblem. "Die Gesetze aufzufinden, welche diese Verteilung bestimmen, ist das Hauptproblem der Volkswirtschaftslehre"; betont Ricardo schon im Vorwort (S. 6) seines bekanntesten Werkes "Grundsätze der Volkswirtschaftslehre". Ricardo unterscheidet für diese Untersuchung "drei Klassen des Gemeinwesens, nämlich den Eigentümer des Bodens, den Besitzer des Vermögensstammes oder Kapitals, das zu seinem Anbau erforderlich ist und die Arbeiter, durch deren Fleiß er bebaut wird" (S. 6, Unterstreichungen von uns). Ricardo (wie vor ihm auch Adam Smith) bezeichnet die Anteile, die jeder dieser Klassen zufallen, als Rente, Profit und Lohn. Zur Erklärung der Einkommensverteilung führt Ricardo Klassen ein: Klassen werden unterschieden nach dem, was sie besitzen und in die Produktion einbringen, den Produktionsfaktoren. Wir werden uns im folgenden mit der Produktion mit Hilfe von Produktionsfaktoren beschäftigen.

2.3.2.2 Produktion mit Faktoren

Einen Ausschnitt aus dem Diagramm des ersten Kapitels können wir in folgender Weise etwas präzisieren:

Die meisten Güter, die der Mensch benötigt, müssen "produziert" werden. Dabei werden bestimmte Mengen von "Faktoren", wie z.B. Erz, Maschinen, Arbeit usw. eingesetzt und daraus unter Benutzung von biologischen, physikalischen und technischen Vorgängen andere erwünschte "Produkte", also z. B. Eisen, Nickel, Blei etc. gewonnen. Den Wirtschaftswissenschaftler interessiert in der Regel nicht der genaue Ablauf der Produktion, für ihn ist wichtig, was er einsetzen muß, welche Kombination gewählt werden sollte und welche Ergebnisse er dann erhält. Diese Zuordnung von einer Liste von Inputs zu einer Liste von Outputs nennt er "Produktion". Bei der Produktion des Bergwerks bekäme man dann folgende Zuordnung:

$$
\begin{array}{cc}
\text{Produkte} & \text{Faktoren} \\[4pt]
\left[\begin{array}{c}
\text{Eisennickelerz} \\
\text{Mineralien} \\
\text{Abraum} \\
\text{abgepumtes Grundwasser} \\
\text{Eisennickelerz}
\end{array}\right]
\xleftarrow{\;Produktion\;}
\left[\begin{array}{c}
\text{Arbeit des Arbeiters} \\
\text{Arbeit des Steigers} \\
\text{Arbeit des Ingenieurs} \\
\text{Grubenholz} \\
\text{Werkzeuge} \\
\text{Land mit Erzvorkommen}
\end{array}\right]
\end{array}
$$

Aus Beispielen wie diesen können wir folgende wichtige Schlüsse ziehen:

1. Praktisch alles, was der Mensch benötigt, muß produziert werden. Da bei den benötigten Gütern auch Zeitpunkt und Ort, an dem sie zur Verfügung stehen, von großer Bedeutung sind, gehört zur Produktion dabei auch der Handel, der Transport und die Lagerhaltung.

2. Bei der Produktion entstehen fast immer mehrere Produkte; einige davon sind in der Regel unerwünscht. Da unerwünscht, tauchen diese häufig in der Liste der Produkte nicht auf. Im Bergwerk werden Abraum und Grundwasser kaum als Produkte angesehen. Interessant ist nur das Eisenerz und eventuell noch andere Mineralien.

3. Zu den eingesetzten Faktoren gehört auch in einer hochtechnisierten Welt immer menschliche Arbeit verschiedener Qualität und Ausbildung.

4. Viele der eingesetzten Faktoren sind "Vorprodukte", sie müssen also vorher produziert werden.

5. Bei sehr vielen Produktionen müssen die gleichen Güter, die man produzieren will, vorher in geringerer Menge als Vorprodukte eingesetzt werden: Man braucht Korn als Saatgut, um Korn zu produzieren; man braucht Dieselöl als Energieträger, um Dieselöl zu produzieren. Diese Beobachtung führt nicht unbedingt zu einem Henne-Ei-Problem: Das erste Saatgut konnte z. B. wild vom Feld gesammelt werden. Solch archaische Methoden der Produktion sind in der Regel heute so uninteressant geworden, daß sie als mögliche Produktionsmethoden nicht mehr betrachtet werden.

6. Produktion benötigt Zeit. Diese Aussage gilt sowohl für die Produktion insgesamt wie für das Einbringen der Faktoren oder die Entnahme der Produkte. Bei der Kornproduktion benötigt man für das Aussäen der Saat Stunden, eine eventuell notwendige Bewässerung erstreckt sich über Monate. Bezogen auf die gesamte Produktionszeit vom Frühling bis zum Herbst erscheint das Säen als (fast) punktförmiger, das Bewässern als kontinuierlicher Vorgang.

7. Manche Inputfaktoren wie Maschinen stehen nach der Produktion mehr oder weniger stark abgenutzt weiter zur Verfügung und können bei weiterer Produktion wieder eingesetzt werden.

2.3.2.3 Kapital

Im landläufigen Sprachgebrauch bezeichnet "Kapital" eine Summe Geld, mit der man z. B. eine Firma gründet. Ricardo benutzt den Begriff anders, wenn er schreibt: "Selbst in jenem frühen Zustande ... würde für den Jäger etwas Kapital ... erforderlich sein, damit er sein Wild erlegen kann. Ohne eine Waffe könnte weder der Biber noch der Hirsch getötet werden, weshalb der Wert dieser Tiere nicht allein durch die Zeit und Arbeit, welche zu ihrer Erlegung notwendig ist, bestimmt werden würde, sondern auch durch die Zeit und Arbeit, welche zur Beschaffung des Kapitals des Jägers notwendig war, d. h. der Waffen, mit deren Hilfe ihre Erlegung ausgeführt wurde" (Grundsätze, S. 22). Kapital ist offensichtlich ein Sammelbegriff für "Geräte, Werkzeuge, Gebäude", welche der Produktion dienen.

Unter Kapital(gütern) verstehen wir alle produzierten Güter, die zur Produktion benötigt werden.

2.3.2.4 Natürliche Produktionsfaktoren und Ressourcen

Viele Produktionsfaktoren werden direkt der Natur entnommen. Dazu gehört z. B. auch der zum Ackerbau benötigte Boden, den Ricardo immer wieder betrachtet, aber auch die natürlichen Ressourcen wie Erzlagerstätten, Kohle und Erdölvorkommen.

Die Abgrenzung zwischen Ressourcen und Kapitalgütern ist nicht unproblematisch: Das Land und die Bodenschätze gab es lange bevor der Mensch existierte. Sie sind also sicherlich "Gaben der Natur". Die erschlossene Ölquelle in der Nordsee, das explorierte Erzlager, der kultivierte Acker des Landwirts können aber als produzierte Güter angesehen werden. So gesehen sind praktisch alle Produktionsfaktoren das Ergebnis menschlicher Produktion, einer Produktion jedoch, die ohne die den Menschen vorgegebene Umwelt nicht denkbar ist.

Für Ricardo war der Ackerboden die einzige begrenzte natürliche Ressource. Durch die Erschließung der Kohlevorräte war zu seiner Zeit ein Ersatz für Brennholz, dem einzigen wesentlichen Energieträger des Mittelalters und der Neuzeit, gefunden worden und die Energieknappheit für unabsehbare Zeit überwunden; Umweltverschmutzung war allenfalls ein lokales Problem. Die Knappheit des bebaubaren Bodens jedoch wurde drückend empfunden. Hungersnöte rafften immer wieder auch in Europa Millionen von Menschen hinweg, Wirtschaftskrisen wurden häufig von Erntekrisen ausgelöst.

2.3.2.5 Arbeit

"Der wirkliche Preis eines jeden Dinges, nämlich das, was jedes Ding den Menschen ... kostet, ist die Beschwerde und Mühe, es zu erwerben ... Arbeit war der erste Preis - das ursprüngliche Kaufgeld, welches für alle Dinge bezahlt wurde." So zitiert Ricardo (Grundsätze S. 11) Adam Smith. Wie für Smith ist auch für Ricardo Arbeit stets Mühsal und Leid, je weniger Arbeit eingesetzt wird, um so besser. Arbeit, genauer Arbeitsleid, kann also als Maß für die Kosten der Produktion angesehen werden.

Arbeit ist gleichzeitig der Produktionsfaktor, den diejenigen einsetzen müssen, die nichts anderes besitzen.

Es gibt verschiedene Arten und Qualitäten von Arbeit. Ein Hüttenwerk wird nicht Arbeitskräfte suchen, sondern Chemiker, Ingenieure, Lagerarbeiter, Schreibkräfte etc.. In all diesen Gruppen gibt es "träge und ungeschickte Arbeiter". Wir begegnen hier einem "Aggregationsproblem": Gibt es eine befriedigende Methode, unterschiedliche Größen zu einem Aggregat zusammenzufassen?

Ricardo ist sich dieses Problems bewußt, wenn er schreibt: "... so muß man mir nicht unterstellen, ich bemerkte nicht die verschiedenen Qualitäten von Arbeit" (Grundsätze, S. 19). Seine Lösung ist einfach, aber nicht befriedigend: "Die Wertschätzung, in der verschiedene Qualitäten von Arbeit stehen, wird auf dem Markte bald mit genügender Genauigkeit für alle praktischen Zwecke bestimmt" (Grundsätze, S. 19). Bei der Erklärung der Preise geht Ricardo also von gegebenen Preisen aus und aggregiert verschiedene Arten von Arbeit mit Hilfe ihrer Marktpreise, die er letztlich doch erklären will. Ein solcher Zirkelschluß ist sicher problematisch.

Im nächsten Kapitel werden wir eine andere von Marx entwickelte Aggregationsmethode kennenlernen. Verschiedene Arbeitsintensitäten werden von Marx durch Durchschnittsbildung zusammengefaßt, verschiedene Arbeitsqualitäten werden nach Marx durch Ausbildung und Training aus einfacher Arbeit gewonnen. Auch Adam Smith hatte die Unterschiede zwischen dem Philosophen und dem Wasserträger auf unterschiedliche Ausbildung zurückgeführt.

2.3.2.6 Produktion, verbundene Produktion und Produktionsfunktion

Wie wir gesehen haben, wird bei der Produktion in der Regel ein ganzes Bündel von Produkten produziert: ein oder mehrere erwünschte Produkte (Benzin, Dieselöl etc.), einige Nebenprodukte (Teer etc.), die zwar nicht das Ziel der Produktion sind, aber gut verwendet werden können, und Abfallprodukte. Da diese Produkte im Verbund anfallen, spricht man von "verbundener Produktion".

Häufig ist das Ziel der Produktion ein einziges Gut; den Bauern z. B. interessiert das Korn, das produzierte Stroh und die Spreu sind für ihn (fast) nicht von Interesse. Die Kalkulation des Bauern vereinfacht sich sehr, wenn er seine Berechnungen auf das produzierte Korn abstellt. Aus eben diesem Grund wird darum sehr häufig der Fall unterstellt, daß nur ein einziges Gut produziert wird. Wir werden auf den folgenden Seiten davon ausgehen. Es kann hier nicht dargestellt werden, wie die abgeleiteten Ergebnisse bei verbundener Produktion zu ändern sind.

Wir gehen zuerst also davon aus, daß nur ein einziges Gut mit mehreren Faktoren produziert wird. Die Menge des produzierten Gutes (z. B. des Korns) bezeichnen wir mit y, die Menge des ersten Faktors (z. B. Arbeit) mit x_1, die des zweiten (z. B. Land) mit x_2 usw.. Die Funktion, die den

Zusammenhang der Mengen der Faktoren mit der maximal produzierbaren
Menge des Gutes beschreibt, heißt Produktionsfunktion

$$y = f(x_1, x_2, ...)$$

> **Die Produktionsfunktion beschreibt den Zusammenhang zwi-
> schen einem Bündel von Inputs x_1 , x_2 , ... und dem zugehöri-
> gen Output y.**

Das Konzept der Produktionsfunktion ist für die Wirtschaftswissenschaftler (in der BWL und in der VWL) von großer Bedeutung. Dabei steht
bei der Untersuchung der Struktur ein Klassifikationsmerkmal im Vordergrund, nämlich der Begriff der Skalenerträge. Dieser Begriff erfaßt weitgehend das, was in der klassischen Theorie durch das 'Ertragsgesetz' bzw. etwas
spezieller durch das 'Gesetz vom abnehmenden Ertrag' beschrieben wurde.
Diese Begriffe werden wir jetzt behandeln.

2.3.3 Das Verteilungsmodell Ricardos

Nach Ricardo ist es das Hauptproblem der Volkswirtschaftslehre, die Gesetze aufzufinden, welche die Verteilung des Gesamtertrags der Erde bestimmen. Ricardos Überlegungen dazu haben zusammen mit Überlegungen von
seinen Vorgängern wie A. Smith und Zeitgenossen wie Malthus und Thünen
die Entwicklung sowohl der bürgerlichen wie der marxistischen Theorie bis
heute deutlich mitbestimmt. Darum müssen wir uns die Grundlagen dieser
Theorien im folgenden vergegenwärtigen. Dabei werden wir auch auf Gedanken von Malthus (die Ricardo kannte und berücksichtigte) wie auf Vorstellungen von Thünen (die Ricardo nicht bekannt sein konnten) zurückgreifen.

2.3.3.1 Das Ertragsgesetz

Johann Heinrich von Thünen hat auf seinem Gut in Mecklenburg statistisches Material gesammelt, um daraus Schlüsse über die vernünftige Leitung
eines landwirtschaftlichen Gutes zu ziehen. Dabei ist er auf einen Zusammenhang gestoßen, den auch andere vor ihm und nach ihm beobachtet haben (z. B. Turgot und Malthus): Es liegt "in der Natur des Landbaues - und
dies ist ein sehr beachtungswerter Umstand - daß das Mehrerzeugnis nicht
in geradem Verhältnis mit der Zahl der mehr angestellten Arbeiter steigt,
sondern jeder später angestellte Arbeiter liefert ein geringeres Erzeugnis als
der vorhergehende ..." (Thünen, 1850, S. 416). Dieser von verschiedenen Autoren beobachtete Zusammenhang ist als Gesetz vom abnehmenden Ertrag
bekannt. Dieses Gesetz vom abnehmenden Ertragszuwachses bzw. (mit etwas breiterem Bedeutungsinhalt) das Ertragsgesetz wollen wir jetzt genauer
betrachten.

Stellen wir uns vor, ein Landwirt wie z. B. Thünen hätte den nebenstehenden Zusammenhang zwischen Beschäftigten x und Ertrag f(x) beobachtet.

Arbeiter	Ertrag	Durchschnittsertrag	Mehrertrag je Arbeiter	Lohn	Lohnkosten	Reinertrag
x	$f(x)$	$\frac{f(x)}{x}$	$df(x)$	w	wx	p
0	0		0	6	0	0
1	2	2	2	6	6	-4
2	6	3	4	6	12	-6
3	12	4	6	6	18	-6
4	20	5	8	6	24	-4
5	29	5.8	9	6	30	-1
6	39	6.5	10	6	36	3
7	49	7.	10	6	42	7
8	59	7.38	10	6	48	11
9	68	7.55	9	6	54	14
10	76	7.6	8	6	60	16
11	82	7.45	6	6	66	16
12	86	7.17	4	6	72	14
13	88	6.77	2	6	78	10
14	88	6.29	0	6	84	4
15	86	5.73	-2	6	90	-4
16	82	5.13	-4	6	96	⁻14
17	76	4.47	-6	6	102	⁻26

Tabelle 2.1

Dabei gehen wir davon aus, daß er auf seinem Hof fester Größe während der Beobachtungszeit die Produktionsmethode und auch die Menge an Dünger, Saatgut etc. nicht änderte. Auch das Wetter möge in den betrachteten Jahren immer in gleicher Weise auf die Ernte gewirkt haben. (Die hier wiedergegebenen Zahlen sind rein fiktiv und entsprechen auch nicht - wie wir sehen werden - vollständig der Behauptung von Thünens.) Der Zusammenhang zwischen Anzahl der Beschäftigten und Ertrag ist im oberen Teil der Abb. 2.5 graphisch dargestellt. Der aufsteigende Bereich von 0 bis A beschreibt, daß auf dem Gut nur produziert werden kann, wenn gearbeitet wird und daß in der Regel um so mehr produziert wird, je mehr Arbeit aufgewandt wird. Von einem gewissen Punkt an behindern sich die Arbeiter gegenseitig, und der Ertrag fällt wieder. Dieser Punkt ist in der Graphik durch C gegeben. Ein Landwirt, der an einem hohen Ertrag interessiert ist, wird vernüftigerweise den Bereich der Produktionsfunktion rechts von C bei seiner Entscheidung nicht berücksichtigen.

Der Bereich zwischen 0 und C kann in drei Teilbereiche zerlegt werden: Zwischen 0 und A wird der Kurvenverlauf steiler, zwischen A und B bleibt die Steigung gleich, zwischen B und C verringert sich die Steigung. Der graphische Begriff der Steigung soll jetzt ökonomisch interpretiert werden.

Im Bereich OA liefert jeder zusätzliche Arbeiter ein höheres Erzeugnis als die vorhergehenden Arbeiter: Während der erste Arbeiter - alleingestellt - gerade 2 t produziert, steigert der zweite den Output um 4 t, der dritte um 6 t und der vierte um 8 t. Ein solcher Zusammenhang ist durchaus plausibel. Ein einziger kann viele Tätigkeiten nur mit großen Schwierigkeiten durchführen. Beim Mähen kann z. B. einer die Sense führen, der andere die Garben zusammennehmen. Somit ist der Ertrag der gemeinsamen Arbeit von zwei Arbeitern höher als der doppelte Ertrag eines einzelnen Arbeiters.

Ähnliche Effekte können auch auftreten, wenn drei oder vier Beschäftigte zusammenwirken. Beim Beladen des Erntewagens führt z. B. einer die Pferde, zwei reichen die Garben hoch und ein vierter Arbeiter verstaut die Garben auf dem Wagen.

Solche Vorteile der 'Teamproduktion' können also dazu führen, daß jeder zusätzliche Arbeiter zu einer immer größeren Steigerung des Ertrages führt. Diese 'Effizienzsteigerung' wird in Abbildung 2.5a durch den Bereich 0A und in 2.5b durch den Bereich oa dargestellt. Es ist auch plausibel, daß dieser Bereich der Effizienzsteigerung durch Teamproduktion begrenzt ist. Von einem bestimmten Punkt bringt jede zusätzliche Arbeitskraft allenfalls die gleiche Ertragssteigerung wie die vorher dazugekommenen. (Bereich AB in Abb. 2.5a bzw. ab in Abb. 2.5b) Von einem bestimmten Bereich an können zusätzliche Arbeitskräfte den Produktionsablauf stören. Ihre zusätzliche Arbeitskraft steigert zwar noch die Produktion, aber von Arbeitskraft zu Arbeitskraft in immer geringerem Maße (Bereich BC bzw. bc) bis schließlich - wie schon beschrieben - im Bereich rechts von C zusätzliche Arbeitskräfte nur zu einer Behinderung der Produktion und somit zur Verringerung des Ertrags führen.

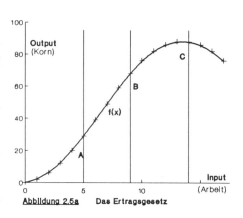

Abbildung 2.5a   Das Ertragsgesetz

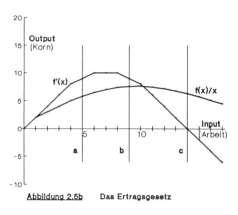

Abbildung 2.5b   Das Ertragsgesetz

Beobachtet man bei einer bestimmten Produktion, daß der Ertrag in Abhängigkeit vom Einsatz eines Faktors (z. B. Arbeit) den in Abbildung 2.5 aufgezeigten Verlauf besitzt, so sagt man, daß die Produktion dem Ertragsgesetz genügt.

2.3.3.2 Das Gesetz vom abnehmenden Ertragszuwachs

Wir haben Thünen mit den Worten zitiert: "... jeder später angestellte Arbeiter liefert ein geringeres Erzeugnis als der vorhergehende." Nach Thünens Aussage hat der Ertrag in Abhängigkeit von der eingesetzten Arbeit also den in Abb. 2.6 skizzierten Verlauf. (Diese Abbildung und die nachstehenden Ausführungen stellen somit einen Teil der Lösung der Aufgabe 2.11 dar.) Die von uns beschriebene Effizienzsteigerung ist also nach Thünens Aussage nicht vorhanden, von ihm nicht beobachtet worden oder von vornherein aus der Überlegung ausgeschlossen worden, da ihm wahrscheinlich bewußt war, daß man mit einem oder zwei Arbeitern ein Gut nicht sinnvoll führen kann. Der in Abbildung 2.6 skizzierte Verlauf wird auch häufig als Ertragsgesetz bezeichnet, besser jedoch ist der Name 'Gesetz vom abnehmenden Ertragszuwachs'.

Beobachtet man bei einer bestimmten Produktion, daß der Ertrag in Abhängigkeit vom Einsatz des Faktors (z. B. der Arbeit) den in Abbildung 2.6 gezeigten Verlauf besitzt, so sagt man, daß die Produktion dem Gesetz vom abnehmenden Ertragszuwachs genügt.

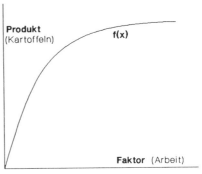

Abbildung 2.6 Abnehmender Ertragszuwachs

Die Klassiker wie Ricardo, Malthus, von Thünen und andere nahmen generell für die Landwirtschaft die Gültigkeit des Gesetzes vom abnehmenden Ertragzuwachs an und machten es, wie wir sehen werden, zu einem Grundstein ihrer Analyse. Ricardo schreibt: "Bei dem Fortschreiten der Gesellschaft und des Reichtums wird die erforderliche Zusatzmenge an Nahrungsmitteln durch das Opfer von immer mehr Arbeit erlangt. Diese Tendenz ... wird glücklicherweise in sich wiederholenden Zwischenräumen durch die Verbesserung der Maschinerie, wie sie mit der Produktion von Bedarfsartikeln verbunden ist, gehemmt, sowie durch die Entdeckungen in der Agrikulturwissenschaft." (Grundsätze, S. 110) Gerade mit dem letzten Gedanken spricht Ricardo eine wichtige Ergänzung zum Ertragsgesetz an. Dieser Ergänzung ist die folgende Aufgabe gewidmet.

Aufgabe 2.14

"Es gibt einen abnehmenden Ertragszuwachs beim Gebrauch des Pfluges, bis der Traktor erfunden wird. Es gibt einen abnehmenden Ertragszuwachs beim Boden, bis Phosphat und Pottasche verwendet werden." (Weise, 1979, S. 170)

a. *Erklären Sie die Aussage.*

b. *Stellen Sie in einem Diagramm den Verlauf der Produktion in Abhängigkeit vom Arbeitssatz dar zur Zeit*

   ba. *vor der Einführung von Kunstdünger*

   bb. *mit Kunstdünger aber ohne Traktor*

   bc. *mit Kunstdünger und Traktor.*

c. *'Das Ertragsgesetz erklärt die geringe Höhe des Lebensstandards in dichtbevölkerten Ländern wie Indien oder China.' Untersuchen Sie diese Behauptung.*

2.3.3.3 Die Bevölkerungslehre von Malthus

In seiner 'Geschichte des Siebenjährigen Krieges' schreibt Friedrich der Große, daß "es nun eine feststehende Tatsache ist, daß die Zahl der Bevölkerung den Reichtum der Staaten bildet." (1918, (1773), S. 226)

Dies ist eine weitgehend akzeptierte Vorstellung im Merkantilismus: Eine große Bevölkerung liefert dem Fürsten zum einen die nötigen Soldaten für "das Heer, das Werkzeug seines Ruhmes und der Erhaltung des Staates". (S. 126) Zum anderen ist die Größe der Bevölkerung die Basis für die Staatseinkünfte und damit auch von unmittelbarer Bedeutung für die Stellung des Staates bzw. des Fürsten. Die Herrscher im Absolutismus hatten darum in aller Regel detaillierte Vorschriften erlassen, um die Einwohnerzahl zu steigern.

Diese machtpolitisch motivierte Einstellung zum Bevölkerungswachstum wurde zur Zeit der französischen Revolution noch ergänzt durch optimitische Überlegungen aus der französischen Aufklärung, z. B. von Rousseau und Condorcet. An deren Auffassungen schließt in England W. Godwin an. 1793 schreibt dieser: "Stünde jedem, der Land bebauen wollte, solches in genügender Menge zur Verfügung, so ist sicher anzunehmen, daß der Ackerbau den Bedürfnissen aller Menschen entsprechend an Ausdehnung gewinnen würde; und aus dem gleichen Grunde würde auch dem Wachstum der Bevölkerung kein besonderes Hindernis mehr im Wege stehen." (Godwin, 1793, zitiert nach Hofmann, 1971, S. 67) "Drei Viertel der bewohnten Erde liegen heute noch ungenutzt da. Die schon besiedelten Teile sind imstande, noch ungezählte Menschen aufzunehmen. Myriaden von Jahrhunderten mit stetig wachsender Bevölkerung können noch hingehen, und die Erde wird noch immer imstande sein, ihre Bewohner zu ernähren." (ebenda)

Diesen Überlegungen tritt Malthus entgegen. "Es kann ruhig ausgesprochen werden, daß sich die Bevölkerung stets innerhalb 25 Jahren verdoppelt oder in einem geometrischen Verhältnis zunimmt, falls sich ihr keine Hemmung entgegenstellt."

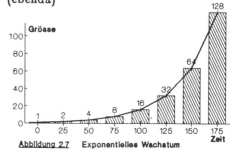

Abbildung 2.7   Exponentielles Wachstum

Das Verhältnis dagegen, in welchem die Vermehrung der Bodenerzeugnisse stattfindet, ist weniger leicht zu bestimmen. "Wenn wir zugeben, daß bei der bestmöglichen Politik und der größten Förderung der Landwirtschaft die durchschnittliche Produktion unserer Insel sich in den ersten 25 Jahren verdoppeln könnte, dann hieße das wahrscheinlich eine größere Vermehrung annehmen, als wir vernünftigerweise erwarten dürfen. Es ist ganz ausgeschlossen, daß die Erzeugnisse in den folgenden 25 Jahren vervierfacht werden könnten. Dies würde allem widersprechen, was wir von den Kräften des Bodens wissen. Die Verbesserung unfruchtbarer Strecken wäre eine Zeit und Arbeit erfordernde Tätigkeit und es muß jedem mit landwirtschaftlichen Dingen auch nur einigermaßen Vertrauten einleuchten, daß im Verhältnis zur Ausdehnung der Landwirtschaft der Zuwachs, um den sich die bisherige Durchschnittsproduktion jährlich vermehrt, allmählich und regelmäßig abnehmen muß."

Malthus kommt als Abschätzung zu dem Ergebnis, daß "sich die Menschheit wie die Zahlen 1, 2, 4, 8, 16, 32, 64, 128, 256 vermehren und die Nahrungsmittel wie 1, 2, 3, 4, 5, 6, 7, 8, 9 zunehmen würden". Indem er das Ertragsgesetz mit einer Wachstumsfunktion für die Bevölkerung kombiniert, kommt Malthus als ein "schwarzes schreckliches Genie, das bereit ist, jede Hoffnung des menschlichen Geschlechts auszulöschen" (Godwin), zu Ergebnissen, die den bisherigen Ergebnissen genau gegenüberstehen:

a. Sie verwirft die bisherige Bevölkerungspolitik der Regierungen. In der Folge gehen viele Regierungen dazu über, durch Umgestaltung der Ehegesetzgebung das Bevölkerungswachstum zu behindern.

b. Er fordert und bewirkt eine Änderung der bestehenden Armengesetze, da diese Gesetze die Vermehrung der Armen begünstigten. "Wer in einer bereits in Besitz genommenen Welt geboren wird, hat, wenn er die Mittel zur Existenz weder von seinen ... Verwandten noch durch Arbeit finden kann, durchaus kein Recht auf Ernährung; tatsächlich ist er überflüssig auf dieser Welt. An der großen Tafel der Natur ist kein Gedeck für ihn aufgelegt. Die Natur befiehlt ihm, zu gehen und säumt auch nicht, ihren Befehl zu vollziehen." (Malthus, 1803, S. 338; in der nächsten Auflage von Malthus gestrichen)

c. Er widerspricht den optimistischen Zukunftsprojektionen der französischen Aufklärung. Ökonomische Theorie wird zu einer 'dismal science'.

d. Er legt die Grundlage für die Theorie des Arbeitslohns, wie sie von fast allen Theoretikern der ersten Hälfte des 19. Jahrhunderts benutzt wurde. Diese ist als Subsistenztheorie bekannt geworden und später von Ferdinand Lasalle als 'Ehernes Lohngesetz' apostrophiert worden:

"Das eherne ökonomische Gesetz, welches unter den heutigen Verhältnissen, unter der Herrschaft von Angebot und Nachfrage nach Arbeit, den Arbeitslohn bestimmt, ist dieses: Daß der durchschnittliche Arbeitslohn immer auf den notwendigen Lebensunterhalt reduziert bleibt, der in einem Volke gewohnheitsmäßig zur Fristung der Existenz und zur Fortpflanzung erforderlich ist. Dies ist der Punkt, um welchen der wirkliche Tageslohn in Pendelschwingungen jederzeit herum gravitiert, ohne sich jemals lange weder über denselben erheben, noch unter denselben hinunterfallen zu können" (Lassalle, (1863) 1919, S. 58). "... es gibt ... in der liberalen Schule nicht einen namhaften Nationalökonomen, der dasselbe leugnete. Adam Smith wie Say, Ricardo wie Malthus, Bastiat wie John Stuart Mill sind einstimmig darin, es anzuerkennen" (Lassalle, (1863) 1919, S. 60). Ricardo schreibt: "... die Zahl der Arbeiter wird durch den Antrieb, welchen ein hoher Lohn für die Bevölkerungszunahme bildet, vermehrt, ..." (Grundsätze, S. 82) Durch die Vermehrung der Arbeit kommt es wegen der abnehmenden Ertragszuwächse dazu, daß im Durchschnitt immer weniger Nahrung zur Verfügung steht. Ist schließlich nicht mehr genug für alle vorhanden, "... so gestaltet sich die Lage der Arbeiter am elendsten: dann raubt ihnen die Armut selbst noch jene Genüsse, welche die Gewohnheit zu absoluten Notwendigkeiten macht." (Grundsätze, S. 82 f.) Der langfristige Lohn bzw. bei Ricardo der 'natürliche Lohn' ist bestimmt durch die zum Leben notwendigen Subsistenzmittel. Ricardo erklärt damit sein Konzept vom 'natürlichen Preis der Arbeit' und den Mechanismus, der den Marktpreis immer wieder zu diesem natürlichen Preis hinführt: Ein hoher Preis führt zur Bevölkerungsvermehrung und dadurch zum Sinken des Lohnes, da z.B. der Ackerboden zur Ernährung knapp wird. Umgekehrt führt ein geringer Lohn durch z.B. Hungersnöte zu einer Verringerung der Bevölkerung. Dieser Zusammenhang von Bevölkerungswachstum und Lohnsatz wurde durch Beobachtungen der Wirtschaftsgeschichte immer wieder bestätigt und daher von den ökonomischen Klassikern fast durchgängig akzeptiert. Es ist selbstverständlich, daß eine solche Anpassung des Lohnes an das Subsistenzniveau, wenn überhaupt, nur langfristig ablaufen kann. Darum ergänzt es Ricardo um eine Lohnfondstheorie. Darauf wollen wir hier aber nicht eingehen.

Aufgabe 2.15

Verschiedene Einwände sind gegen die Behauptung aufgestellt worden, die Menschen vermehrten sich exponentiell, bis sie an die durch das Ertragsgesetz gezogene Grenze stießen; einige der Einwände stammen von Malthus selbst.

a. *"Durch einen ebenso machtvollen Instinkt zur Vermehrung seiner Art gedrängt, legt ihm die Vernunft Beschränkung auf und stellt ihm die Frage, ob er das Recht habe, Geschöpfe in die Welt zu setzen, für deren Lebensunterhalt er nicht zu sorgen imstande ist." (Malthus, (1826), 1920, S. 52) Erläutern Sie diese Auffassung und diskutieren Sie die Wirksamkeit von Beschränkungen, die durch die Vernunft des einzelnen bzw. durch die Vernunft von Instanzen beim Erlassen von Normen und Gesetzen zustandekommen. Gehen Sie bei Ihren Überlegungen auch auf Maßnahmen der Geburtenkontrolle im heutigen China und im heutigen Indien ein.*

b. *"Weit wirksamer in der Minderung der Geburtenziffer war es, wo die Entwicklung der wirtschaftlichen Verhältnisse die Menschen vor die Wahl stellte, entweder rücksichtslos Kinder zu erzeugen, dann aber auf andere*

*Genüsse zu verzichten, oder unter Verzicht auf ersteres sich die Befrie-
digung neu entstandener Bedürfnisse zu ermöglichen."* (Brentano, 1924,
S. 299)
*Erläutern Sie diese Auffassung und untersuchen Sie sie vor dem Hinter-
grund der Bevölkerungsentwicklung sowohl in den modernen Industriestaaten wie in Entwicklungsländern wie Indien und China.*

c. *"Dampfkraft, Elektrizität und Arbeitsmaschine haben die Wirksamkeit
der menschlichen Tätigkeit um das Tausendfache gesteigert, und wo die
Beschränktheit der bisher gebrauchten Rohstoffe der weiteren Ausdehnung der Produktion Schranken zog, hat die Chemie es ermöglicht, aus
den bisher verachtetsten Rohstoffen Produkte zu gewinnen, die bisher nur
aus immer kostbarer werdenden hergestellt wurden."* (Brentano, 1924,
S. 304) *Diskutieren Sie an Hand des Zitats die Bedeutung des Gesetzes
vom abnehmenden Ertragszuwachs in der Malthusschen Theorie.*

d. *"Das Kausalverhältnis zwischen Besserung der Lebensbedingung und
Größe der Geburtenziffer ist das umgekehrte des von Malthus gelehr-
ten... . Nicht die Verbreitung der Enthaltsamkeit vom Kinderzeugen ist
die letzte Vorbedingung der Besserung der unteren Klasse, sondern diese
Besserung ist die Vorbedingung für die Abnahme der Geburtenziffer."*
(Brentano, 1924, S. 320)
*Diskutieren Sie diese Aussage. Gehen Sie dabei auf die gegenwärtige
Bevölkerungsentwicklung in verschiedenen Ländern ein.*

2.3.3.4 Bestimmung der Rente

Nachdem wir die Überlegungen von Malthus zur Höhe des Lohns kennengelernt haben, beschäftigen wir uns als nächstes damit, wie sich der Preis
des Bodens, also die Rente, nach den Vorstellungen von Ricardo bildet.

Wir wollen das Beispiel Ricardos (Grundsätze S. 57) graphisch darstellen:

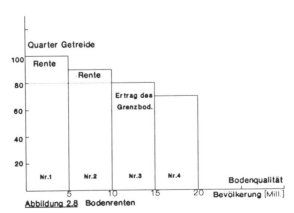

Abbildung 2.8 Bodenrenten

Wir gehen davon aus, daß der Boden im Besitz von Grundbesitzern ist,
die ihn an Pächter gegen Rente verpachten. Wie hoch kann diese Rente sein?

Argument 1:
Jeder Pächter wird versuchen, das Stück Land zu pachten, das ihm unter
Berücksichtigung der Rente den höchsten Ertrag bringt.

Argument 2:
Land steht in verschiedenen Qualitätsstufen zur Verfügung. Die besten Qualitäten werden zuerst bebaut, danach das Land der nächsten Qualität und so
weiter.

Argument 3:
Das Land ist (mit z. B. 15 Millionen Einwohnern) gerade so stark bevölkert,
daß eine bestimmte Qualitätsstufe gerade noch bebaut wird (z.B. Nr.3), aber
nicht mehr das Land mit noch geringerer Qualität (also Nr.4). Der gerade
noch bebaute Boden wird häufig "Grenzboden" genannt.

Argument 4:
Der Grenzboden erhält keine Rente, andernfalls wäre es günstiger, brachlie-
genden Boden der nächsten Qualitätsstufe zu bebauen. (Dabei wird davon
ausgegangen, daß die Qualitätsstufen sehr klein sind.)

Argument 5:
Auf den besseren Böden wird mehr produziert als auf dem Grenzboden. Jeder
Pächter möchte daher Boden pachten, der besser ist als der Grenzboden;
dafür ist er bereit, dem Besitzer etwas von dem Mehrertrag abzugeben. Gibt
es genügend viele Pächter, so werden sie solange um die besseren Böden
konkurrieren, bis die Pacht, also die Rente, für diese Böden gerade gleich
dem Mehrertrag ist. Damit ist die Rente bestimmt.

Im Beispiel von Ricardo erhalten Besitzer des Bodens Nr. 1 eine Rente
von 20 Quartern, die des Bodens Nr. 2 eine von 10 Quartern. Steigt die
Bevölkerung und werden Böden geringerer Qualität bebaut, so steigt die
Rente. Wird z. B. der Boden Nr. 4 Grenzboden, weil die Bevölkerung auf
über 13 Millionen steigt, so erhalten die Böden 3, 2, 1 eine Rente von 10, 20,
30 Quartern.

Ricardo hat die Theorie der Rente von Vorgängern wie Adam Smith
übernommen und weiter ausgebaut. Die Rententheorie wurde später noch
verfeinert, indem verschiedenartige Renten betrachtet wurden. Allen diesen
Rentenbegriffen ist aber eines gemeinsam: Es gibt Faktoren, die (in bestimmter Qualitätsstufe oder Lage) nicht vermehrbar sind. Diese Faktoren beziehen eine Rente. Die Rente ist ein Knappheitspreis. Auch der Rententheorie
von Ricardo liegt das Gesetz vom abnehmenden Ertragszuwachs zugrunde.
Gehen wir z. B. realistischerweise davon aus, daß es sehr viele verschiedene
Bodenqualitäten gibt, die sich jeweils nur gering unterscheiden, so ergibt sich
statt Abbildung 2.8 die Abbildung 2.9b. In Abbildung 2.9a ist dargestellt,
was insgesamt produziert wird, wenn für eine bestimmte Bevölkerungsgröße
alle Böden bis zum 'Grenzboden' bebaut werden. Aus der Abbildung 2.9 ergibt sich unmittelbar die Annahme der abnehmenden Ertragszuwächse. Sind
knappe Faktoren nur langfristig vermehrbar, so spricht man von Quasirenten.
Werden im Augenblick z. B. sehr viele Informatiker gebraucht und dauert die

Ausbildung Jahre, so ist ein Teil des Einkommens der Informatiker eine Quasirente. Ein Berufsstand, der eine solche Quasirente bezieht, ist häufig daran interessiert, dieses Zusatzeinkommen zu erhalten. Eine Möglichkeit dazu ist es, Zugangsbeschränkungen zu errichten (z. B. numerus clausus).

2.3.3.5 Bestimmung des Profites

In den letzten beiden Abschnitten wurde die Bestimmung des Lohnsatzes und die Bestimmung der Rente vorgestellt: Langfristig hat sich die Bevölkerungszahl so ausgebildet, daß der Lohnsatz gerade für das Subsistenzniveau ausreicht. Dieser Bevölkerungszahl entsprechend gibt es eine Bodenqualität, die gerade noch bebaut wird. Dieser Grenzboden bestimmt die Rente der besseren Böden. Wenn vom Ertrag des Bodens der Lohnsatz und die Rente abgezogen werden, bleibt ein Rest, ein Residuum, der Profit für die Pächter bzw. die Kapitalisten. Dieser Ansatz zur Erklärung des Profites wird darum Residualtheorie genannt.

2.3.3.6 Marginalanalyse

Thünen schreibt: "Fragen wir nun, wo ist die Grenze, bis zu welcher die Sorgfalt der Arbeit und die Bereicherung des Bodens getrieben werden darf, so lautet die Antwort:

1. Die Sorgfalt der Arbeit, z. B. beim Auflesen der Kartoffeln, darf nicht weiter gehen, als bis die zuletzt darauf gewandte Arbeit noch durch das Plus des Ertrags vergütet wird. 2. Die Bereicherung des Bodens muß konsequenterweise bis zu dem Punkt getrieben werden, aber auch da aufhören, wo die Zinsen der Kosten des Dungankaufs, oder statt dessen der Dungerzeugung, mit dem dadurch erlangten Mehrertrag ins Gleichgewicht treten.

Immer wird der auf diese Weise erlangte Mehrertrag durch einen Aufwand von Kapital und Arbeit erkauft, und es muß einen Punkt geben, wo der Wert des Mehrertrags dem Mehraufwand gleich wird - und dies ist zugleich der Punkt, bei welchem das Maximum des Reinertrags stattfindet." (Der isolierte Staat Bd.II, S. 411) Etwas später schreibt er: "Die Vermehrung der Arbeiterfamilien muß konsequenterweise so lange fortgesetzt werden, bis der durch den zuletzt angestellten Arbeiter erlangte Mehrertrag im Wert gleich dem Lohn ist, den der Arbeiter erhält." (ebenda S. 415)

Wie kann Thünen zu dieser Aussage gelangt sein? Dazu stellen wir uns vor, Thünen habe zusätzlich zu Angaben über den Ertrag auch Angaben über Lohnzahlungen in seiner Tabelle (Tab. 2.1) aufgenommen. Wir nehmen an, daß alle Arbeiter gleich bezahlt werden, und daß die Bezahlung in Korn erfolgt. Jeder Arbeiter möge $w = 6$ t Korn als Lohn je Jahr erhalten. Dieser Wert ist jeweils in der fünften Spalte eingetragen. Werden x Arbeiter beschäftigt, so erhalten sie insgesamt einen Lohn $L(x)$ von

$$L(x) = w \cdot x$$

Die entsprechenden Werte sind in der sechsten Spalte eingetragen. Der Profit des Landwirts ergibt sich aus dem Ertrag minus den Lohnkosten, also aus den Werten der Spalte 2 minus den Werten der Spalte 6. Die so bestimmten Werte sind in Spalte 7 aufgeführt.

Gehen wir zuerst einmal davon aus, daß auf dem Hof 8 Arbeiter beschäftigt sind. Diese erwirtschaften einen Ertrag von 59 t und erfordern Lohnkosten von insgesamt 48 t. Es ergibt sich ein Profit von 59 t - 48 t = 11 t. Ein zusätzlicher neunter Arbeiter würde den Ertrag um 9 t steigern, aber nur 6 t Lohn erfordern und damit 3 t zusätzlichen Profit bewirken. Ebenso würde ein zehnter Arbeiter durch einen zusätzlichen Ertrag von 8 t bei einem Lohn von 6 t zwei Tonnen zusätzlichen Profit für den Landwirt erwirtschaften. Durch Einstellen des neunten und zehnten Arbeiters wird also der Profit gesteigert; der Profit war damit also ursprünglich nicht maximal. Der elfte Arbeiter hingegen bringt lediglich soviel zusätzlichen Ertrag, wie er an Lohn kostet und trägt somit nicht zum Profit bei.

Für jeden weiteren Arbeiter muß mehr an Lohn bezahlt werden als an zusätzlichem Ertrag erwirtschaftet wird. Sind z. B. 12 Arbeiter beschäftigt, so erbringt der zwölfte Arbeiter einen zusätzlichen Ertrag von 4 t (in Spalte 4 zwischen x = 11 und x = 12 eingetragen), kostet aber 6 t Lohn. Der profitmaximierende Landwirt muß sich von diesem Mitarbeiter trennen, andernfalls würde er auf einen Teil seines Profits verzichten.

Abbildung 2.9a   Maximierung des Reinertrags

Die gerade angestellten Überlegungen hängen, wie man sofort sieht, nicht von den konkreten Zahlen ab, vielmehr gilt:

Solange der zusätzliche Ertrag eines Arbeiters höher ist als der Lohn, kann der Profit durch Ausdehnung der Beschäftigung gesteigert werden, das Profitmaximum war also noch nicht erreicht.

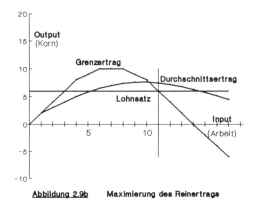

Abbildung 2.9b   Maximierung des Reinertrags

Wenn der zusätzliche Ertrag des zuletzt eingestellten Arbeiters niedriger ist als der Lohn, kann der Profit durch Verkleinerung der Beschäftigtenzahl gesteigert werden, das Profitmaximum war also nicht gegeben.

Daraus ergibt sich:

> **Im Gewinnmaximum ist der Ertrag eines zusätzlichen Arbeiters gleich dem Lohnsatz.**

In Abbildung 2.9 können die gerade durchgeführten Überlegungen und Ergebnisse graphisch nachvollzogen werden. In Teil a dieser Abbildung sind der Ertrag und der Lohn in Abhängigkeit vom Arbeitseinsatz aufgezeichnet (Spalte 2 und 5 der Tabelle). Da der Profit die Differenz dieser beiden Größen ist, ist der Profit graphisch durch den Abstand der Erlöskurve von der Lohngeraden gegeben. Dieser Abstand - also die Spalte 7 der Tabelle - ist als Kurve auch eingezeichnet. Diese Profitkurve hat genau dort ein Maximum, wo der Zuwachs des Ertrags gleich dem Lohnsatz, also die Steigung der Ertragskurve gleich der Steigung der Lohngeraden ist. Mit dieser auf Thünen zurückgehenden Analyse haben wir eine Methode kennengelernt, die sehr stark die moderne Wirtschaftstheorie prägt, nämlich die Marginalanalyse (Margin = Rand, Grenze). Wir wollen die Marginalanalyse hier im Bereich der Produktionstheorie darstellen; im Prinzip jedoch genauso wird die Marginalanalyse auch in anderen Bereichen angewandt.

> **Bei der Marginalanalyse wird unterstellt, daß der Unternehmer seinen Gewinn maximieren will. Es wird gezeigt, daß der Preis der Produktionsmittel (also z. B. der Arbeitslohn) gleich dem Ertrag der letzten eingesetzten Einheit, der sogenannten marginalen Einheit ist.**

Die hier vorgestellte Methode hat für die moderne Theorie eine so große Bedeutung gewonnen, daß auf einige Probleme hingewiesen werden muß:

a. Problem der Erreichbarkeit des Optimums
   Die oben gefundene Charakterisierung des Gewinnmaximums ist nur richtig, wenn dieses Gewinnmaximum auch erreicht werden kann. Findet der Landwirt z. B. nur 8 geeignete Arbeiter, so kann er nur einen Profit von 12 t machen. Die Beschränkung durch die vorhandene Menge an Arbeit führt dazu, daß er seine Produktion nicht soweit ausdehnen kann, daß der Ertrag des letzten Arbeiters gleich dem Lohnsatz ist. Sind in einem anderen Fall zwar genügend Arbeiter vorhanden, der Landwirt durch langfristige Verträge oder gesetzliche Bestimmungen verpflichtet, 13 Arbeiter zu beschäftigen, so gilt wiederum nicht die von Thünen angegebene Bedingung für das Gewinnmaximum. In beiden Fällen verhindern bestimmte Beschränkungen das Erreichen des Optimums. Um den Profit so weit wie möglich zu maximieren, muß der Landwirt so nahe an das Profitmaximum herangehen, wie die Beschränkung es zuläßt. Er befindet sich dann auf dem Rand des z. B.

durch gesetzliche Bedingungen zulässigen Bereichs und realisiert damit
eine sogenannte Randlösung. Die Thünensche Bedingung für ein Gewinnmaximum ist bei einer Randlösung nicht erfüllt.

b. Problem der Ganzzahligkeit

Gehen wir, wie im Zitat von Thünen und bei den unterstellten Werten
der Tabelle, davon aus, daß ein zusätzlicher Arbeiter nur ganz oder gar
nicht beschäftigt werden kann, dann ist es möglich, daß die Profitmaximierungsbedingung von Thünen nirgendwo genau erfüllt ist. Dies läßt
sich beispielsweise bei einem Arbeitslohn von 5 t beobachten: Der elfte
Arbeiter erzeugt einen zusätzlichen Ertrag von 6 t, der zwölfte von 4 t,
die Bedingung von Thünen ist also nicht genau erfüllbar.

c. Lokales versus globales Maximierungsverhalten

Bei der Herleitung der Thünenschen Profitmaximierungsbedingung waren wir von einem gegebenen Zustand ausgegangen und hatten argumentiert: Wenn ein zusätzlicher Arbeiter mehr erbringt als er kostet,
so muß er eingestellt werden, wenn jedoch der zuletzt eingestellte Arbeiter mehr kostet als er einbringt, so muß er entlassen werden; diese
Maßnahmen vergrößern den Profit. Diese Überlegung ist im Prinzip
richtig, kann jedoch erstaunlicherweise vom eigentlichen Ziel, dem Profitmaximum, wegführen. Gehen wir z. B. davon aus, der Landwirt würde
zwei Arbeiter beschäftigen. Damit macht er (entsprechend der Tabelle
bzw. der Abbildung 2.9) einen Gewinn von -6 (also einen Verlust). Der
Landwirt stellt nun fest, daß der zweite Arbeiter mehr kostet (6 t) als er
zusätzlichen Ertrag (4 t) erbringt und entläßt ihn. Sein Gewinn steigt
tatsächlich von -6 auf -4 (d. h. sein Verlust wird kleiner). Eine weitere
Überprüfung zeigt, daß auch der Zusatzertrag des ersten Arbeiters geringer als sein Lohn ist, die Entlassung dieses Arbeiters, also die Einstellung der Produktion überhaupt, läßt seinen Gewinn von -4 auf 0 steigen.
Es ergibt sich also, daß die Befolgung der Regel dem Produzenten eine
Steigerung des Profits ermöglicht hat; besser wäre jedoch gewesen, die
Produktion auszudehnen, dabei anfänglich Verluste in Kauf zu nehmen,
bis schließlich die Gewinnzone erreicht ist. Diese Überlegungen könnten
schnell als lächerlich abgetan werden: Warum schaut der Unternehmer
nicht einfach in die Spalte 7 seiner Tabelle und stellt dort fest, daß das
Profitmaximum bei 10 oder 11 Arbeitern liegt? Warum stellt er komplizierte Überlegungen an, die ihn eventuell sogar in die falsche Richtung
führen? Wir sind jedoch hier auf ein ökonomisches Prinzip von großer
Tragweite gestoßen, das in engem Zusammenhang mit den Überlegungen
von Smith über die unsichtbare Hand steht: Das einzelne Wirtschaftssubjekt überschaut in der Regel nicht die gesamten Zusammenhänge, ja
nicht einmal die für ihn relevanten Zusammenhänge. Der Ertragsverlauf
auf einem Gut ist noch ein vergleichsweise einfacher Zusammenhang in
der Produktion. Trotzdem gehören Jahre des Beobachtens dazu, auch
nur ungefähre Vorstellungen davon zu gewinnen. Thünen wird ja ge-

rade auch deswegen gerühmt, daß er neben seiner Tätigkeit als prakti-
scher Landwirt noch Zeit für penible Datenerfassung und Analyse fand.
Immer dann aber, wenn der Gesamtüberblick nicht vorhanden ist, die
globale Sicht fehlt, muß überlegt werden, welche Auswirkungen kleinere
Veränderungen bestimmter Größen auf den gewünschten Erfolg haben.
Mit Hilfe des Ertragsgesetzes haben wir gesehen, daß eine solche Vorgehensweise nicht immer zum globalen Optimum führt. Die Thünenschen Entscheidungsregeln versagen offensichtlich in dem Bereich, der
durch überproportionale Ertragszuwächse gekennzeichnet ist. Thünen
geht vom Gesetz des abnehmenden Ertragszuwachses aus, für ihn war
ein Bereich zunehmender Ertragszuwächse gar nicht vorhanden. Da jedoch, wie wir gesehen haben, ein solcher Bereich wesentlich dafür ist,
ob die Steuerung durch die unsichtbare Hand zu unerwünschten Folgen
führt, müssen wir uns damit im folgenden noch intensiver beschäftigen.

2.3.4 Skalenerträge

Beim Ertragsgesetz wurde untersucht, wie sich der Output ändert, wenn
ein Input variiert wird. Eine ähnliche Problemstellung wird auch beim Konzept der 'Skalenerträge' behandelt. Skalenerträge beschreiben, wie sich der
Output ändert, wenn alle Inputs im gleichen Verhältnis variiert werden, also
z. B. alle Inputs verdoppelt bzw. alle halbiert werden. Dieser Begriff ist für
die moderne Wirtschaftstheorie so wichtig, daß wir seine Definitionen sowohl
graphisch veranschaulichen wie auch analytisch streng definieren wollen. Bei
der graphischen Veranschaulichung wird auf der Abszisse die Anzahl eines in
der Produktion eingesetzten Inputbündels abgetragen.

2.3.4.1 Konstante Skalenerträge

In einer Graphik tragen wir auf der Abszisse das Inputbündel x und
auf der Ordinate den Output y ab. Nehmen wir an, wir erhalten folgenden
Verlauf: Wird der Input x verdoppelt (verdreifacht), so wird auch der Output
y verdoppelt (verdreifacht). Die Beziehung zwischen Input und Output wird
durch eine Gerade durch den Nullpunkt repräsentiert.

Aus der Abbildung kann man folgenden Zusammenhang entnehmen

$$y = f(x)$$
$$2y = f(2x)$$
$$3y = f(3x)$$

und allgemein

$$\lambda y = f(\lambda x)$$

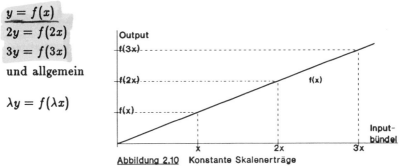

Abbildung 2.10 Konstante Skalenerträge

> **Man sagt, die Produktionsfunktion besitzt konstante Skalen-erträge, wenn die Verdoppelung (bzw. Verdreifachung, bzw. Vervielfachung) aller Inputs zu einer Verdoppelung (bzw. Verdreifachung, bzw. Vervielfachung) des Outputs führt.**
>
> **Formal: Gilt bei der Produktionsfunktion $y = f(x_1, x_2, ...)$ für alle λ**
>
> $$\lambda y = f(\lambda x_1, \lambda x_2, ...),$$
>
> **so sprechen wir von konstanten Skalenerträgen.**

2.3.4.2 Zunehmende Skalenerträge $\left(ZSE\right) <$

(handschriftlich: increasing)

Wir betrachten einen Funktionsverlauf, der für zunehmende Inputs immer steiler verläuft. An dieser Zeichnung wollen wir jetzt untersuchen, wie sich der Output ändert, wenn der Input verdoppelt bzw. verdreifacht wird. Dabei dienen die konkreten Zahlen links bzw. unterhalb der Achsen nur zur Veranschaulichung; die allgemeinen Größenverhältnisse (rechts bzw. oberhalb der Achse) sind entscheidend.

Nach dargestelltem Kurvenverlauf $y = f(x)$ gelten folgenden Beziehungen:

Bei einem Input von x=2 Inputbündeln wird ein Output y=1 produziert.

$$f(x) = f(2) = 1 = y$$

Verdoppelt man den Input auf 2x = 4 Bündel, so wird ein Output von 2,5 ermittelt. Dieser Output ist höher als wenn man den ursprünglichen Output von 1 verdoppelt hätte. Es gilt also

$$2,5 = f(2x) > 2y = 2$$

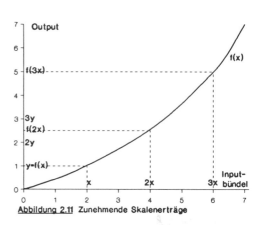

Abbildung 2.11 Zunehmende Skalenerträge

Produktion mit dem doppelten Input ergibt mehr als die Verdoppelung des ursprünglichen Outputs.

Verdreifacht man den Input auf 3x = 6 Bündel, so wird ein Output von 5 erzielt. Das ist wiederum mehr, als wenn man den ursprünglichen Output von 1 verdreifacht hätte. Es ist einleuchtend, daß bei dem dargestellten Kurvenverlauf generell für $\lambda > 1$ gilt

$$f(\lambda x) > \lambda y$$

also, da $y = f(x)$

$$f(\lambda x) > \lambda f(x)$$

Diese Beziehung, die graphisch veranschaulicht wurde, benutzt man, um zunehmende Skalenerträge auch für Produktionen mit mehreren Inputs zu definieren.

Eine Produktionsfunktion besitzt zunehmende Skalenerträge, wenn die Verdoppelung, Verdreifachung bzw. Ver-λ-fachung aller Inputs zu mehr als der Verdoppelung, Verdreifachung, Ver-λ-fachung des ursprünglichen Outputs führt.

Formal: Gilt bei der Produktionsfunktion $y = f(x_1, x_2, ...)$ für alle $\lambda > 1$

$$\lambda y < f(\lambda x_1, \lambda x_2, ...),$$

so sprechen wir von zunehmenden Skalenerträgen.

2.3.4.3 Abnehmende Skalenerträge (ASE)

Wir gehen von einer immer flacher verlaufenden Produktionsfunktion aus:

Die Abschnitte auf der Ordinate ergeben sich dabei folgendermaßen: f(x), f(2x), f(3x) sind die Funktionswerte von x, 2x, 3x . Die Werte 2f(x), 3f(x) haben den doppelten bzw. dreifachen Abstand vom Ursprung wie y=f(x). Aus der Abbildung erkennen wir, daß bei dem eingezeichneten Funktionsverlauf tatsächlich gilt:

$$f(2x) < 2f(x) = 2y$$

$$f(3x) < 3f(x) = 3y$$

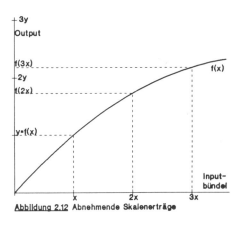

Abbildung 2.12 Abnehmende Skalenerträge

Die Beziehung zwischen x und y in dieser Zeichnung ist eine Kurve, die nach rechts immer flacher verläuft. Eine solche Produktionsfunktion besitzt abnehmende Skalenerträge.

Eine Produktionsfunktion besitzt abnehmende Skalenerträge, wenn die Verdoppelung, Verdreifachung bzw. Ver-λ-fachung aller Inputs zu weniger als der Verdoppelung, Verdreifachung, Ver-λ-fachung des ursprünglichen Outputs führt.

Formal: Gilt bei der Produktionsfunktion $y = f(x_1, x_2, ...)$ für alle $\lambda > 1$

$$\lambda y > f(\lambda x_1, \lambda x_2, ...),$$

so sprechen wir von abnehmenden Skalenerträgen.

2.3.4.4 Aktivitäten

Zum Abschluß sollen die Strukturen untersucht werden, die hinter dem Konzept der Skalenerträge stehen. Die Darstellung benutzt das mathematische Konzept der Vektoren. Wir geben jetzt die Annahme auf, daß bei der Produktion nur ein Output entsteht; produziert wird also ein Bündel von Outputs durch Einsatz eines Bündels von Produktionsfaktoren. Ein Bündel der Faktoren bezeichnen wir im folgenden mit $\underline{x}$, ein Bündel der Produkte mit $\underline{y}$. Formal ist Produktion dann eine Zuordnung eines Produktbündels $\underline{y}$ zu einem Faktorbündel $\underline{x}$.

$$\underline{y} \xleftarrow{\ Produktion\ } \underline{x}$$

Das Beispiel der Produktion des Bergwerks in 2.3.2.2 könnte noch stärker vereinfacht lauten:

$$\begin{pmatrix} 1 \text{ t Erz} \\ 5 \text{ t Abraum} \end{pmatrix} \xleftarrow{\ Produktion\ } \begin{pmatrix} 4 \text{ Arbeiter} \\ 1 \text{ Fördermaschine} \\ 100 \text{ l Dieselöl} \end{pmatrix}$$

Solche Bündel können wie Vektoren in der Mathematik addiert und mit reellen Zahlen multipliziert werden. Die formale Sprache der Mathematik wird uns im folgenden helfen, ökonomische Aussagen zu machen. Bündel von Gütern bzw. Vektoren werden wir mit Fettdruck kennzeichnen und zur Verdeutlichung zusätzlich unterstreichen. Zunächst wollen wir untersuchen, wie eine Änderung aller eingesetzten Faktoren die Menge der Produkte ändert. Führen wir ein zweites Mal die gleiche Produktion mit genau den gleichen Mengen an Inputfaktoren durch, also insbesondere genauso geeigneten Arbeitskräften, einer gleichwertigen Anlage und gleich geeignetem Gelände, so muß die gleiche Liste von Produkten erzeugt werden. Wir können uns z. B. neben dem existierenden Flöz des Bergwerks das genaue Ebenbild des Flözes vorstellen. Wird dieser mit denselben Faktoren beschickt, so muß auch das gleiche Bündel produziert werden. Beim obigen Beispiel der Bergwerksproduktion würde sich also durch Verdoppelung sowohl der Inputs wie der Outputs folgende Produktion ergeben:

$$\begin{pmatrix} 2 \text{ t Erz} \\ 10 \text{ t Abraum} \end{pmatrix} \xleftarrow{Produktion} \begin{pmatrix} 8 \text{ Arbeiter} \\ 2 \text{ Fördermaschine} \\ 200 \text{ l Dieselöl} \end{pmatrix}$$

Unter Benutzung der (skalaren) Multiplikation von Vektoren kann das auch folgendermaßen geschrieben werden:

$$2 \cdot \begin{pmatrix} 1 \text{ t Erz} \\ 5 \text{ t Abraum} \end{pmatrix} \xleftarrow{Produktion} 2 \cdot \begin{pmatrix} 4 \text{ Arbeiter} \\ 1 \text{ Fördermaschine} \\ 100 \text{ l Dieselöl} \end{pmatrix}$$

Da wir diese Überlegung mehrfach durchführen können, bekommen wir als Ergebnis:

Additivität der Produktion

Werden sämtliche Inputs verdoppelt, verdreifacht bzw. ganzzahlig vervielfacht, so wird der Output entsprechend verdoppelt, verdreifacht bzw. ganzzahlig vervielfacht.

Formal: Ist folgende Produktion möglich,

$$\underline{y} \xleftarrow{Produktion} \underline{x}$$

dann ist auch folgende Produktion möglich,

$$n \cdot \underline{y} \xleftarrow{Produktion} n \cdot \underline{x}$$

wobei der "Vervielfachungs"-Faktor n eine natürliche Zahl ist.

Von dieser fast selbstverständlichen Tatsache werden wir im folgenden ausgehen, wir müssen aber auf zwei Probleme hinweisen:

a. Manche Faktoren stehen in bestimmter Qualität nur beschränkt zur Verfügung. Für ein Bergwerk gibt es in einem Land oder sogar auf der Welt nur einen idealen Standpunkt; Flöze in Bergwerken sind von unterschiedlicher Qualität. Eine zweite Anlage kann dann nicht so günstig produzieren. Die Forderung, daß alle Faktoren verdoppelt werden, ist also häufig nicht erfüllbar; man muß sich eventuell mit "zweiter Wahl" an Land, Lagerstätten, Maschinen und Arbeitskräften begnügen. In einem solchen Fall wird auch die Produktion der zweiten Anlage geringer sein; man spricht dann von "abnehmenden Ertragszuwächsen bei der Produktion". Produktion in einem Bergwerk ist eines von vielen Beispielen, bei dem nicht alle Faktoren in gleichem Maße zu vervielfältigen sind. Da sehr häufig bestimmte Produktionsfaktoren fest vorgegeben sind, werden diese in der Regel gar nicht explizit angeführt.

Für einen Bauern ist z. B. die Ackerfläche kaum zu variieren, für seine Über-
legungen spielen als Produktionsfaktoren nur Arbeit, Saatgut, Maschinen
und Dünger eine Rolle; der Ackerboden taucht in der Liste der Inputs nicht
auf. In einem solchen Fall sprechen wir von unvollständiger Spezifikation der
Inputfaktoren. Man sieht schnell, daß bei unvollständiger Spezifikation der
Faktoren die Additivität der Produktion nicht gegeben ist. Verdoppelt der
Bauer bei konstanter Ackerfläche die eingesetzten Faktoren (Arbeit, Saatgut,
Maschinen und Dünger), so wird in der Regel der Ernteertrag nicht verdop-
pelt.

b. Andererseits gibt es bestimmte Faktoren, die bei der Produktion benötigt, aber nicht voll ausgenutzt werden. Die zentrale Rechenanlage, die
die Produktion einer modernen Raffinerie steuert, kann vielleicht ohne Erweiterung auch die zweite Anlage steuern; die Werksfeuerwehr für eine Anlage kann mit geringfügiger Verstärkung an Personal und Material auch den
Schutz der zweiten Anlage übernehmen. Für die zweite Anlage braucht man
für den gleichen Output also weniger Input, es kommt zu "zunehmenden Ertragszuwächsen bei der Produktion". Solche Effekte treten immer auf, wenn
bestimmte Faktoren bei der Produktion nicht sinnvoll teilbar sind: Ein halber Computer ist ein sinnloses Ding, ein Feuerwehrteam muß eine bestimmte
Mindestgröße und Mindestausstattung haben.

Betrachten wir das obige Beispiel, bei dem vier Arbeiter mit Hilfe einer
Maschine und 100 l Dieselöl Erz fördern: Da in der Regel die Maschine nicht
teilbar ist, ist folgende Produktion

$$\frac{1}{2} \cdot \begin{pmatrix} 1 \text{ t Erz} \\ 5 \text{ t Abraum} \end{pmatrix} \xleftarrow{Produktion} \frac{1}{2} \cdot \begin{pmatrix} 4 \text{ Arbeiter} \\ 1 \text{ Fördermaschine} \\ 100 \text{ l Dieselöl} \end{pmatrix}$$

nicht durchführbar. Gehen wir aber vereinfachend davon aus, daß alle Faktoren sinnvoll teilbar sind, so kommen wir zur folgenden Aussage:

Teilbarkeitseigenschaft der Produktion

**Werden bei der Produktion sämtliche Inputs im gleichen
Maße verringert, so wird auch der Output in diesem Maße
verringert.**

Formal:

Ist $\underline{y} \longleftarrow \underline{x}$ eine mögliche Produktion und λ eine Zahl zwischen 0 und 1, dann ist auch $\lambda \underline{y} \longleftarrow \lambda \underline{x}$ eine mögliche Produktion.

Aus beiden Eigenschaften - Additivität und Teilbarkeit - können wir folgende wichtige Eigenschaft der Produktion ableiten:

Konstante Ertragszuwächse bei der Produktion

Eine gleichmäßige Änderung aller Inputs führt zu einer ebensolchen Änderung aller Outputs.

Formal:

Ist $\underline{y} \longleftarrow \underline{x}$ eine mögliche Produktion, so ist auch $\lambda\underline{y} \longleftarrow \lambda\underline{x}$ eine Produktion, wobei λ irgendeine positive Zahl ist.

Diese Eigenschaft folgt aus der Eigenschaft der Additivität und der Teilbarkeit, setzt also voraus, daß jeder Faktoreinsatz tatsächlich erhöht werden kann und daß alle Faktoren beliebig teilbar sind.

2.4 Aufgaben zur Theorie

Aufgabe 2.16

Erläutern Sie (evt. auf Karteikarten) stichwortartig die Begriffe:
  a. *Produktion,*
  b. *Produktionsfaktoren und ihre Entlohnung,*
  c. *Skalenerträge,*
  d. *Produktionsfunktion,*
  e. *Ertragsgesetz,*
  f. *Transformationskurve,*
  g. *Effizienz,*
  h. *Alternativkosten,*
  i. *Marginalanalyse.*

Aufgabe 2.17   (Theorie der komparativen Vorteile)

Gehen Sie vom Hirsch-Biber-Speer-Wurfholz-Beispiel des Textes aus und bezeichnen Sie das betrachtete Jägervolk als Volk Nr. 1. Nehmen Sie an, es existiert in der Nähe ein weiteres Volk Nr. 2, das vorläufig keinen Kontakt zu Volk 1 hat. Wegen der etwas anderen Umgebung gelten für die Hirsch-Biber-Produktion von Volk 2 andere Werte: 6 h Arbeit und 1 Speer werden für die Erlegung eines Hirsches und 3 h Arbeit und 1 Wurfholz für die eines Bibers benötigt. Die Produktion von Kapital unterscheidet sich nicht zwischen Volk 1 und Volk 2. Volk 2 habe insgesamt 189 h Arbeitszeit für die Jagd zur Verfügung.

  a. *Vergleichen Sie: Welches Volk hat bei welchen Gütern die günstigeren Produktionsmöglichkeiten?*
  b. *Bestimmen Sie für Volk 2 die Transformationskurve, die Transformationsrate und die Alternativkosten. (Vernachlässigen Sie hier und im folgenden Ganzzahligkeitsbedingungen.)*
  c. *Gehen Sie nun davon aus, daß die beiden Völker Kontakt aufnehmen und Güter, aber keine Arbeitskräfte austauschen können. Bestimmen Sie die gemeinsame Transformationskurve für Volk 1 und Volk 2, indem Sie folgende Schritte durchführen:*
     ca. *Zeigen Sie, daß folgende Produktionsmöglichkeiten alternativ existieren: (1) 47 Biber und 0 Hirsche (2) 0 Biber und 51 Hirsche (3) 27 Biber und 30 Hirsche*
     cb. *Zeichnen Sie diese Punkte in ein Biber-Hirsch-Koordinatensystem und verbinden Sie die Punkte (1) und (3) und die Punkte (2) und (3) durch Geraden.*
     cc. *Zeigen Sie, daß die Geraden mögliche effiziente Produktionen sind. Damit ist die Transformationskurve bestimmt.*
  d. *Auf der in c. bestimmten Transformationskurve gibt es einen Knick. Wie kommt es zu diesem Knick? Was produzieren dort jeweils die einzelnen Völker?*
  e. *Die Güterproduktion, die dem Knick entspricht, beträgt 30 Hirsche und 27 Biber. Diese Menge könnte man aufteilen auf z. B. 15 Hirsche und 14*

*Biber für Volk 1 und 15 Hirsche und 13 Biber für Volk 2. Untersuchen
Sie, ob jedes Volk für sich diese Mengen hätte produzieren können.*

f. *"Beide Völker können gewinnen, wenn sie sich jeweils auf die Produktion
spezialisieren, bei der sie Kostenvorteile haben." Begründen Sie diesen
Satz, indem Sie Aufgabe e. heranziehen. Beachten Sie dabei die Definition der Alternativkosten. Wie verträgt sich die Aussage mit der Antwort
aus Aufgabe a.?*

*Hinweis: Die Aussage in Aufgabenteil f. geht im wesentlichen auf Kap. VIII
der 'Grundsätze' von Ricardo zurück. Ricardo betrachtet dabei Tuch- und
Weinproduktion in England und Portugal. Die Analyse ist als "Theorie der
komparativen Vorteile" bekanntgeworden.*

Aufgabe 2.18

*Nehmen Sie an, die Jägervölker haben eine Währung eingeführt und zwar so,
daß 1 Hirsch 2 Währungseinheiten kostet.*

a. *Bestimmen Sie (z. B. aus Abb. 2.3) den unter den in Abschnitt 2.3.1.1
genannten Produktionsbedingungen geltenden Preis eines Bibers.*

b. *Versuchen Sie eine solche Preisbestimmung auch für*

   ba. *die in 2.3.1.4 angenommenen Produktionsbedingungen (benutzen Sie
   z. B. Abb. 2.4),*

   bb. *die Situation, daß die in Aufgabe 2.18 genannten Völker in Kontakt
   getreten sind und Güter tauschen (benutzen Sie also die in Aufgabe
   2.18 c bestimmte Transformationskurve). Welche Schwierigkeit tritt
   jetzt bei der Preisbestimmung auf? Welche Angabe benötigen Sie,
   um den Preis des Bibers bestimmen zu können?*

c. *Begründen Sie die Aussage, daß nur in Sonderfällen die Produktionsbedingungen ausreichen, um Preise bestimmen zu können. Charakterisieren Sie diese Sonderfälle.*

2.5 Ökonomie und Geschichte

Das vorliegende Buch unterscheidet sich von anderen Einführungen in
die ökonomische Theorie dadurch, daß hier die Entwicklung der Nationalökonomie in enger Verknüpfung mit der politischen, sozialen, der Geistes- und
Kulturgeschichte dargestellt wird. Welchen Sinn hat dieses Vorgehen?

Das wirtschaftliche Verhalten von Individuen, Organisationen und Gesellschaften beeinflußt in positiver und negativer Weise deutlich die soziale,
kulturelle und politische Entwicklung der Welt, während der soziale, kulturelle und politische Zustand die ökonomischen Entscheidungen prägt. So
ermöglichten im 18. Jahrhundert in England die Freisetzung von Arbeitskräften durch effektive landwirtschaftliche Methoden und die Erfindung von
Dampfmaschine und mechanischem Webstuhl die industrielle Revolution.
Die industrielle Revolution brachte ihre Philosophie, den Liberalismus, hervor
und veränderte die englische Gesellschaft, die nun mitgeprägt wurde durch
die Schicht der reichen Unternehmer und die Schicht der besitzlosen Industriearbeiter. Wenn wir uns bemühen, ein möglichst breites Spektrum von

Lebensbedingungen zu erfassen, verstehen wir auch die ökonomischen Fragen der Zeit besser; die neuen Gedanken und Theorien zur Lösung der besonders drängenden Probleme einer Zeit werden viel plausibler, wenn wir anhand von Originaltexten gleichsam bei ihrer Entstehung dabeisein können.

Schon im frühen 19. Jahrhundert erwachte das Interesse von National-ökonomen an historischen Daten: man begann beispielsweise, Preise von Weizen über Jahrhunderte zu sammeln und mit Hilfe dieses Materials wirt-schaftliche und politische Vorgänge zu illustrieren. Weitergehende Absichten verfolgte Malthus mit seiner Arbeit über die Bevölkerungszahlen; er wollte nicht so sehr die Vergangenheit erklären, sondern warnende Prognosen für die Zukunft stellen, wenn die Zahl der Einwohner im selben Maße wie bisher stiege. Seine Warnungen und Ängste beeinflußten die englische Armengesetz-gebung ganz wesentlich. Noch viel enger wurde die Verbindung von Ökono-mie und Geschichte von Karl Marx gesehen. Für ihn war die Geschichte der Menschheit die Geschichte ihrer Ökonomie, die wirtschaftliche Situation der Menschen die Triebfeder für Veränderungen. Dabei sind die Veränderungen nicht willkürlich, sondern gehorchen einem festen Schema vom Kampf der wirtschaftlich Schwachen und Ausgebeuteten gegen die wirtschaftlich star-ken Ausbeuter. Somit erklärt die ökonomische Situation der Menschen ihre Vergangenheit und Gegenwart und kann auch die Zukunft vorhersagen, da Verlauf und Ziel der Geschichte fest vorgegeben sind.

Wenn wir uns der extremen Sicht von Marx nicht anschließen können oder wollen, hilft uns vielleicht dieses Zitat von Schumpeter, um unsere Beschäftigung mit der Geschichte zu begründen.

"Wir erkennen die Nichtigkeit, aber auch die Fruchtbarkeit von Kontro-versen; wir erfahren von Umwegen, von Kraftvergeudung, von Sackgassen; von Perioden gehemmten Wachstums; wir erkennen unsere Abhängigkeit vom Zufall; wir lernen, wie man nicht vorgehen darf; von versäumten Dingen, die nachgeholt werden müssen. Wir beginnen zu verstehen, warum wir den Stand erreicht haben, auf dem wir uns jetzt befinden, und auch, warum wir nicht schon weiter sind" (Schumpeter, 1965, S. 33 f.).

2.6 Literatur

Benutzte Originalliteratur

Als Vorlage für die Auszüge wuren benutzt:

David Ricardo (1921), Johann Heinrich von Thünen (1850) und Thomas Robert Malthus (1985)

Literatur zu Abschnitt 2.3 :

Recktenwald (1971) enthält verschiedene Biographien über Ricardo, Malthus und von Thünen (geschrieben z.B. von J.M.Keynes, Edgar Salin und Erich Schneider)

weiterhin wurden benutzt:

Adolf Damaschke (1913), Schumpeter (1965), Treue (1973)

Kapitel 3: Krise, Ausbeutung, Klassenkampf
Karl Marx und Friedrich Engels

Motto

"Es ist skandalös, daß man bis vor kurzem selbst die
Studenten mit Hauptfach VWL nichts anderes über
Karl Marx lehrte, als daß er ein unzurechnungsfähi-
ger Geselle sei. Dies kam nicht von der Einschüch-
terung durch kapitalistische Interessen, sondern war
vielmehr die Folge dessen, daß solche unabhängigen
und leidenschaftlichen Lehrer der letzten Generation
wie John Maynard Keynes Marx für dumm und un-
ergiebig hielten. In dieser Auflage habe ich versucht,
Marx weder als Gott noch als Teufel zu behandeln -
sondern als säkularen Forscher, den die halbe Weltbevölkerung für wichtig hält"

(Samuelson, 1973, p. IX, unsere Übersetzung).

3.0 Lernziele

1. Marx als bedeutenden ökonomischen Theoretiker kennenlernen und verstehen, daß Marx auf Überlegungen von Adam Smith und Ricardo aufbaut.

2. Die historische Denkweise und philosophische Methode von Marx in den
Grundzügen kennenlernen.

3. Die Gemeinsamkeiten und die Unterschiede der Darstellungen von Smith
und Marx erkennen.

4. Erkennen, daß Gerechtigkeit, gerechter Preis, gerechter Tausch wichtige,
aber problematische mikroökonomische Konzepte sind und daß im Zusam-
memhang mit gerechtem und ungerechtem Preis das Konzept der Ausbeutung auftaucht.

5. Die Begriffe "Wert", "Preis", "Mehrwert" und "Ausbeutung" in der Marxschen Theorie erkennen.

6. Arbeitswerte in einem sehr einfachen linearen Modell bestimmen.

7. Die Struktur eines linearen Produktionsmodells kennenlernen.

3.1 Lektüre
3.1.1 K. Marx und F. Engels, "Das kommunistische Manifest"

461   Ein* Gespenst geht um in Europa - das Gespenst des Kommunismus. Alle Mächte des alten Europa haben sich zu einer heiligen Hetzjagd gegen dies Gespenst verbündet, der Papst und der Zar, Metternich und Guizot, französische Radikale und deutsche Polizisten.

Wo ist die Oppositionspartei, die nicht von ihren regierenden Gegnern als kommunistisch verschrieen worden wäre, wo die Oppositionspartei, die den fortgeschritteneren Oppositionsleuten sowohl wie ihren reaktionären Gegnern den brandmarkenden Vorwurf des Kommunismus nicht zurückgeschleudert hätte?

Zweierlei geht aus dieser Tatsache hervor.

Der Kommunismus wird bereits von allen europäischen Mächten als eine Macht anerkannt.

Es ist hohe Zeit, daß die Kommunisten ihre Anschauungsweise, ihre Zwecke, ihre Tendenzen vor der ganzen Welt offen darlegen und dem Märchen vom Gespenst des Kommunismus ein Manifest der Partei selbst entgegenstellen.

Zu diesem Zweck haben sich Kommunisten der verschiedensten Nationalität in London versammelt und das folgende Manifest entworfen, das in englischer, französischer, italienischer, flämischer und dänischer Sprache veröffentlicht wird.

462   I. Bourgeois und Proletarier[1]
Die Geschichte aller bisherigen Gesellschaft[2] ist die Geschichte von Klassenkämpfen.

---

* Die Zahlen am linken Rand verweisen auf die Seiten der MEW, Bd. 4

[1] Unter Bourgeoisie wird die Klasse der modernen Kapitalisten verstanden, die Besitzer der gesellschaftlichen Produktionsmittel sind und Lohnarbeit ausnutzen. Unter Proletariat die Klasse der modernen Lohnarbeiter, die, da sie keine eigenen Produktionsmittel besitzen, darauf angewiesen sind, ihre Arbeitskraft zu verkaufen, um leben zu können. (Anmerkung zur englischen Ausgabe von 1888.)

[2] Das heißt, genau gesprochen, die schriftlich überlieferte Geschichte. 1847 war die Vorgeschichte der Gesellschaft, die gesellschaftliche Organisation, die aller niedergeschriebenen Geschichte vorausging, noch so gut wie unbekannt. Seitdem hat Haxthausen das Gemeineigentum am Boden in Rußland entdeckt, Maurer hat es nachgewiesen als die gesellschaftliche Grundlage, wovon alle deutschen Stämme geschichtlich ausgingen, und allmählich fand man, daß Dorfgemeinden mit gemeinsamem Bodenbesitz die Urform der Gesellschaft waren von Indien bis Irland. Schließlich wurde die innere Organisation dieser urwüchsigen kommunistischen Gesellschaft in ihrer typischen Form bloßgelegt durch Morgans krönende Entdeckung der wahren Natur der Gens und ihrer Stellung im Stamm. Mit der Auflösung dieser ursprünglichen Gemeinwesen beginnt die Spaltung der Gesellschaft in besondre und schließlich einander entgegengesetzte Klassen. (Anmerkung zur englischen Ausgabe von 1890.) Ich habe versucht, diesen Auflösungsprozeß in Der Ursprung der Familie, des Privateigenthums und des Staats zu verfolgen; zweite Auflage, Stuttgart 1886. (Anmerkung zur englischen Ausgabe von 1888.)

Freier und Sklave, Patrizier und Plebejer, Baron und Leibeigener, Zunft-
bürger und Gesell, kurz, Unterdrücker und Unterdrückte standen in stetem
Gegensatz zu einander, führten einen ununterbrochenen, bald versteckten,
bald offenen Kampf, einen Kampf, der jedesmal mit einer revolutionären
Umgestaltung der ganzen Gesellschaft endete oder mit dem gemeinsamen
Untergang der (kämpfenden) Klassen.

In den früheren Epochen der Geschichte finden wir fast überall eine
vollständige Gliederung der Gesellschaft in verschiedene Stände, eine mannigfaltige Abstufung der gesellschaftlichen Stellungen. Im alten Rom haben
463 wir Patrizier, Ritter, Plebejer, Sklaven; im Mittelalter Feudalherren, Vasal-
len, Zunftbürger, Gesellen, Leibeigene, und noch dazu in fast jeder dieser
Klassen wieder besondere Abstufungen.

Die aus dem Untergang der feudalen Gesellschaft hervorgegangene moderne bürgerliche Gesellschaft hat die Klassengegensätze nicht aufgehoben.
Sie hat nur neue Klassen, neue Bedingungen der Unterdrückung, neue Ge-
staltungen des Kampfes an die Stelle der alten gesetzt.

Unsere Epoche, die Epoche der Bourgeoisie, zeichnet sich jedoch dadurch
aus, daß sie die Klassengegensätze vereinfacht hat. Die ganze Gesellschaft
spaltet sich mehr und mehr in zwei große feindliche Lager, in zwei große,
einander direkt gegenüberstehende Klassen: Bourgeoisie und Proletariat.

Aus den Leibeigenen des Mittelalters gingen die Pfahlbürger der ersten
Städte hervor; aus dieser Pfahlbürgerschaft entwickelten sich die ersten Elemente der Bourgeoisie.

Die Entdeckung Amerika's, die Umschiffung Afrika's schufen der auf-
kommenden Bourgeoisie ein neues Terrain. Der ostindische und chinesische
Markt, die Kolonisirung von Amerika, der Austausch mit den Kolonien, die
Vermehrung der Tauschmittel und der Waaren überhaupt gaben dem Handel,
der Schifffahrt, der Industrie einen nie gekannten Aufschwung und damit dem
revolutionären Element in der zerfallenden feudalen Gesellschaft eine rasche
Entwicklung.

Die bisherige feudale oder zünftige Betriebsweise der Industrie reichte
nicht mehr aus für den mit neuen Märkten anwachsenden Bedarf. Die Manufaktur trat an ihre Stelle. Die Zunftmeister wurden verdrängt durch den
industriellen Mittelstand; die Theilung der Arbeit zwischen den verschiedenen Korporationen verschwand vor der Theilung der Arbeit in der einzelnen
Werkstatt selbst.

Aber immer wuchsen die Märkte, immer stieg der Bedarf. Auch die
Manufaktur reichte nicht mehr aus. Da revolutionirte der Dampf und die
Maschinerie die industrielle Produktion. An die Stelle der Manufaktur trat
die moderne große Industrie, an die Stelle des industriellen Mittelstandes
traten die industriellen Millionäre, die Chefs ganzer industrieller Armeen,
die modernen Bourgeois.

Die große Industrie hat den Weltmarkt hergestellt, den die Entdeckung
Amerikas vorbereitete. Der Weltmarkt hat dem Handel, der Schifffahrt, den
464 Land-Kommunikationen eine unermeßliche Entwicklung gegeben. Diese hat

wieder auf die Ausdehnung der Industrie zurückgewirkt, und in demselben
Maße, worin Industrie, Handel, und Schiffahrt, Eisenbahnen sich ausdehn-
ten, in demselben Maße entwickelte sich die Bourgeoisie, vermehrte sie ihre
Kapitalien, drängte sie alle vom Mittelalter her überlieferten Klassen in den
Hintergrund.

Wir sehen also, wie die moderne Bourgoisie selbst das Produkt eines langen Entwicklungsganges, einer Reihe von Umwälzungen in der Produktions-
und Verkehrsweise ist.

Jede dieser Entwicklungsstufen der Bourgeoisie war begleitet von einem
entsprechenden politischen Fortschritt. Unterdrückter Stand unter der Herrschaft der Feudalherren, bewaffnete und sich selbst verwaltende Assoziation
in der Kommune, hier unabhängige städtische Republik, dort dritter steuer-
pflichtiger Stand der Monarchie, dann zur Zeit der Manufaktur Gegengewicht
gegen den Adel in der ständischen oder in der absoluten Monarchie, Haupt-
grundlage der großen Monarchien überhaupt, erkämpfte sie sich endlich seit
der Herstellung der großen Industrie und des Weltmarktes im modernen
Repräsentativstaat die ausschließliche politische Herrschaft. Die moderne
Staatsgewalt ist nur ein Ausschuß, der die gemeinschaftlichen Geschäfte der
ganzen Bourgeoisklasse verwaltet.

Die Bourgeoisie hat in der Geschichte eine höchst revolutionäre Rolle
gespielt.

Die Bourgeoisie, wo sie zur Herrschaft gekommen, hat alle feudalen, patriarchalischen, idyllischen Verhältnisse zerstört. Sie hat die buntscheckigen
Feudalbande, die den Menschen an seinen natürlichen Vorgesetzten knüpften, unbarmherzig zerrissen und kein anderes Band zwischen Mensch und
Mensch übrig gelassen, als das nackte Interesse, als die gefühllose ″baare
465 Zahlung″. Sie hat die heiligen Schauer der frommen Schwärmerei, der ritter-
lichen Begeisterung, der spießbürgerlichen Wehmuth in dem eiskalten Wasser egoistischer Berechnung ertränkt. Sie hat die persönliche Würde in den
Tauschwerth aufgelöst und an die Stelle der zahllosen verbrieften und wohl-
erworbenen Freiheiten die Eine gewissenlose Handelsfreiheit gesetzt. Sie hat,
mit einem Wort, an die Stelle der mit religiösen und politischen Illusionen
verhüllten Ausbeutung die offene, unverschämte, direkte, dürre Ausbeutung
gesetzt.

Die Bourgeoisie hat alle bisher ehrwürdigen und mit frommer Scheu
betrachteten Thätigkeiten ihres Heiligenscheins entkleidet. Sie hat den Arzt,
den Juristen, den Pfaffen, den Poeten, den Mann der Wissenschaft in ihre
bezahlten Lohnarbeiter verwandelt.

Die Bourgeoisie hat dem Familienverhältniß seinen rührend-sentimenta-
len Schleier abgerissen und es auf ein reines Geldverhältniß zurückgeführt.

Die Bourgeoisie hat enthüllt, wie die brutale Kraftäußerung, die die Reaktion so sehr am Mittelalter bewundert, in der trägsten Bärenhäuterei ihre
passende Ergänzung fand. Erst sie hat bewiesen, was die Thätigkeit der
Menschen zu Stande bringen kann. Sie hat ganz andere Wunderwerke vollbracht als egyptische Pyramiden, römische Wasserleitungen und gothische

Kathedralen, sie hat ganz andere Züge ausgeführt als Völkerwanderungen und Kreuzzüge.

Die Bourgeoisie kann nicht existieren, ohne die Produktionsinstrumente, also die Produktionsverhältnisse, also sämmtliche gesellschaftlichen Verhältnisse fortwährend zu revolutioniren. Unveränderte Beibehaltung der alten Produktionsweise war dagegen die erste Existenzbedingung aller früheren industriellen Klassen. Die fortwährende Umwälzung der Produktion, die ununterbrochene Erschütterung aller gesellschaftlichen Zustände, die ewige Unsicherheit und Bewegung zeichnet die Bourgeoisepoche vor allen anderen aus. Alle festen, eingerosteten Verhältnisse mit ihrem Gefolge von altehrwürdigen Vorstellungen und Anschauungen werden aufgelöst, alle neugebildeten veralten, ehe sie verknöchern können. Alles Ständische und Stehende verdampft, alles Heilige wird entweiht, und die Menschen sind endlich gezwungen, ihre Lebensstellung, ihre gegenseitigen Beziehungen mit nüchternen Augen anzusehn.

Das Bedürfniß nach einem stets ausgedehnteren Absatz für ihre Produkte jagt die Bourgeoisie über die ganze Erdkugel. Ueberall muß sie sich 466 einnisten, überall anbauen, überall Verbindungen herstellen. Die Bourgeoisie hat durch ihre Exploitation des Weltmarkts die Produktion und Konsumtion aller Länder kosmopolitisch gestaltet. Sie hat zum großen Bedauern der Reaktionäre den nationalen Boden der Industrie unter den Füßen weggezogen. Die uralten nationalen Industrien sind vernichtet worden und werden noch täglich vernichtet. Sie werden verdrängt durch neue Industrien, deren Einführung eine Lebensfrage für alle zivilisirten Nationen wird, durch Industrien, die nicht mehr einheimische Rohstoffe, sondern den entlegensten Zonen angehörige Rohstoffe verarbeiten und deren Fabrikate nicht nur im Lande selbst, sondern in allen Welttheilen zugleich verbraucht werden. An die Stelle der alten, durch Landeserzeugnisse befriedigten Bedürfnisse treten neue, welche die Produkte der entferntesten Länder und Klimate zu ihrer Befriedigung erheischen. An die Stelle der alten lokalen und nationalen Selbstgenügsamkeit und Abgeschlossenheit tritt ein allseitiger Verkehr, eine allseitige Abhängigkeit der Nationen voneinander. Und wie in der materiellen, so auch in der geistigen Produktion. Die geistigen Erzeugnisse der einzelnen Nationen werden Gemeingut. Die nationale Einseitigkeit und Beschränktheit wird mehr und mehr unmöglich, und aus den vielen nationalen und lokalen Literaturen bildet sich eine Weltliteratur.

Die Bourgeoisie reißt durch die rasche Verbesserung aller Produktionsinstrumente, durch die unendlich erleichterten Kommunikationen alle, auch die barbarischsten Nationen in die Zivilisation. Die wohlfeilen Preise ihrer Waaren sind die schwere Artillerie, mit der sie alle chinesischen Mauern in den Grund schießt, mit der sie den hartnäckigsten Fremdenhaß der Barbaren zur Kapitulation zwingt. Sie zwingt alle Nationen, die Produktionsweise der Bourgeoisie sich anzueignen, wenn sie nicht zu Grunde gehn wollen; sie zwingt sie, die sogenannte Zivilisation bei sich selbst einzuführen, d. h. Bourgeois zu werden. Mit einem Wort, sie schafft sich eine Welt nach ihrem eigenen

Bilde.

Die Bourgeoisie hat das Land der Herrschaft der Stadt unterworfen. Sie hat enorme Städte geschaffen, sie hat die Zahl der städtischen Bevölkerung gegenüber der ländlichen in hohem Grade vermehrt und so einen bedeutenden Theil der Bevölkerung dem Idiotismus des Landlebens entrissen. Wie sie das Land von der Stadt, hat sie die barbarischen und halb barbarischen Länder von den zivilisirten, die Bauernvölker von den Bourgeoisvölkern, den Orient vom Occident abhängig gemacht.

467 Die Bourgeoisie hebt mehr und mehr die Zersplitterung der Produktionsmittel, des Besitzes und der Bevölkerung auf. Sie hat die Bevölkerung agglomerirt, die Produktionsmittel zentralisirt und das Eigenthum in wenigen Händen konzentrirt. Die nothwendige Folge hiervon war die politische Zentralisation. Unabhängige, fast nur verbündete Provinzen mit verschiedenen Interessen, Gesetzen, Regierungen und Zöllen wurden zusammengedrängt in Eine Nation, Eine Regierung, Ein Gesetz, Ein nationales Klasseninteresse, Eine Douanenlinie.

Die Bourgeoisie hat in ihrer kaum hundertjährigen Klassenherrschaft massenhaftere und kolossalere Produktionskräfte geschaffen, als alle vergangnen Generationen zusammen. Unterjochung der Naturkräfte, Maschinerie, Anwendung der Chemie auf Industrie und Ackerbau, Dampfschifffahrt, Eisenbahnen, elektrische Telegrafen, Urbarmachung ganzer Welttheile, Schiffbarmachung der Flüsse, ganze aus dem Boden hervorgestampfte Bevölkerungen - welches frühere Jahrhundert ahnte, daß solche Produktionskräfte im Schooße der gesellschaftlichen Arbeit schlummerten.

Wir haben also gesehn: Die Produktions- und Verkehrsmittel, auf deren Grundlage sich die Bourgeoisie heranbildete, wurden in der feudalen Gesellschaft erzeugt. Auf einer gewissen Stufe der Entwicklung dieser Produktions- und Verkehrsmittel entsprachen die Verhältnisse, worin die feudale Gesellschaft produzierte und austauschte, die feudale Organisation der Agrikultur und Manufaktur, mit einem Wort die feudalen Eigenthumsverhältnisse den schon entwickelten Produktivkräften nicht mehr. Sie hemmten die Produktion, statt sie zu fördern. Sie verwandelten sich in ebenso viele Fesseln. Sie mußten gesprengt werden, sie wurden gesprengt.

An ihre Stelle trat die freie Konkurrenz mit der ihr angemessenen gesellschaftlichen und politischen Konstitution, mit der ökonomischen und politischen Herrschaft der Bourgeoisklasse.

Unter unsern Augen geht eine ähnliche Bewegung vor. Die bürgerlichen Produktions- und Verkehrsverhältnisse, die bürgerlichen Eigenthumsverhältnisse, die moderne bürgerliche Gesellschaft, die so gewaltige Produktions- und Verkehrsmittel hervorgezaubert hat, gleicht dem Hexenmeister, der die unterirdischen Gewalten nicht mehr zu beherrschen vermag, die er heraufbeschwor. Seit Dezennien ist die Geschichte der Industrie und des Handels nur die Geschichte der Empörung der modernen Produktivkräfte gegen die modernen Produktionsverhältnisse, gegen die Eigenthumsverhältnisse, welche die Lebensbedingungen der Bourgeoisie und ihrer Herrschaft sind. Es genügt, die Handelskrisen zu nennen, welche in ihrer periodischen Wiederkehr immer drohender die Existenz der ganzen bürgerlichen Gesellschaft in Frage stellen. In den Handelskrisen wird ein großer Theil nicht nur der erzeugten Produkte, sondern der bereits geschaffenen Produktionskräfte regelmäßig vernichtet. In den Krisen bricht eine gesellschaftliche Epidemie aus, welche allen früheren Epochen als ein Widersinn erschienen wäre - die Epidemie der Ueberproduktion. Die Gesellschaft findet sich plötzlich in einen Zustand momentaner Barbarei zurückversetzt; eine Hungersnoth, ein allgemeiner Vernichtungskrieg scheinen ihr alle Lebensmittel abgeschnitten zu haben; die Industrie, der Handel scheinen vernichtet, und warum? Weil sie zuviel Zivilisation, zuviel Lebensmittel, zuviel Industrie, zuviel Handel besitzt. Die Produktionskräfte, die ihr zur Verfügung stehn, dienen nicht mehr zur Beförderung der bürgerlichen Eigenthumsverhältnisse; im Gegentheil, sie sind zu gewaltig für diese Verhältnisse geworden, sie werden von ihnen gehemmt; und sobald sie dies Hemmniß überwinden, bringen sie die ganze bürgerliche Gesellschaft in Unordnung, gefährden sie die Existenz des bürgerlichen Eigenthums. Die bürgerlichen Verhältnisse sind zu eng geworden, um den von ihnen erzeugten Reichthum zu fassen. - Wodurch überwindet die Bourgeoisie die Krisen? Einerseits durch die erzwungene Vernichtung einer Masse von Produktivkräften; anderseits durch die Eroberung neuer Märkte, und die gründlichere Ausbeutung alter Märkte. Wodurch also? Dadurch, daß sie allseitigere und gewaltigere Krisen vorbereitet und die Mittel, den Krisen vorzubeugen, vermindert.

Die Waffen, womit die Bourgeoisie den Feudalismus zu Boden geschlagen hat, richten sich jetzt gegen die Bourgeoisie selbst.

Aber die Bourgeoisie hat nicht nur die Waffen geschmiedet, die ihr Tod bringen; sie hat auch die Männer erzeugt, die diese Waffen führen werden - die modernen Arbeiter, die Proletarier.

In demselben Maße, worin sich die Bourgeoisie, d. h. das Kapital, entwickelt, in demselben Maße entwickelt sich das Proletariat, die Klasse der modernen Arbeiter, die nur solange leben, als sie Arbeit finden, und die nur so lange Arbeit finden, als ihre Arbeit das Kapital vermehrt. Diese Arbeiter, die sich stückweise verkaufen müssen, sind eine Waare, wie jeder andere Handelsartikel, und daher gleichmäßig allen Wechselfällen der Konkurrenz, allen Schwankungen des Marktes ausgesetzt.

Die Arbeit der Proletarier hat durch die Ausdehnung der Maschinerie und die Theilung der Arbeit allen selbstständigen Charakter und damit allen Reiz für die Arbeiter verloren. Er wird in bloßes Zubehör der Maschine, von dem nur der einfachste, eintönigste, am leichtesten erlernbare Handgriff verlangt wird. Die Kosten, die der Arbeiter verursacht, beschränken sich daher fast nur auf die Lebensmittel, die er zu seinem Unterhalt und zur Fortpflanzung seiner Rasse bedarf. Der Preis einer Waare, also auch der Arbeit, ist aber gleich ihren Produktionskosten. In demselben Maße, in dem die Widerwärtigkeit der Arbeit wächst, nimmt daher der Lohn ab. Noch mehr in demselben Maße, wie Maschinerie und Theilung der Arbeit zunehmen, in

demselben Maße nimmt auch die Masse der Arbeit zu, sei es durch Vermehrung der Arbeitsstunden, sei es durch Vermehrung der in einer gegebenen
Zeit geforderten Arbeit, beschleunigten Lauf der Maschinen u. s. w.

Die moderne Industrie hat die kleine Werkstube des patriarchalischen
Meisters in die große Fabrik des industriellen Kapitalisten verwandelt. Arbei-
termassen, in der Fabrik zusammengedrängt, werden soldatisch organisiert.
Sie werden als gemeine Industriesoldaten unter die Aufsicht einer vollständigen Hierarchie von Unteroffizieren und Offizieren gestellt. Sie sind nicht
nur Knechte der Bourgeoisklasse, des Bourgeoisstaates, sie sind täglich und
stündlich geknechtet von der Maschine, von dem Aufseher, und vor Allem
von den einzelnen fabrizierenden Bourgeois selbst. Diese Despotie ist um so
kleinlicher, gehässiger, erbitternder, je offener sie den Erwerb als ihren Zweck
proklamiert.

Je weniger die Handarbeit Geschicklichkeit und Kraftäußerung erheischt,
d. h. je mehr die moderne Industrie sich entwickelt, desto mehr wird die Arbeit der Männer durch die der Weiber verdrängt. Geschlechts- und Alters-
Unterschiede haben keine gesellschaftliche Geltung mehr für die Arbeiterklasse. Es gibt nur noch Arbeitsinstrumente, die je nach Alter und Geschlecht
verschiedene Kosten machen.

Ist die Ausbeutung des Arbeiters durch den Fabrikanten so weit been-
digt, daß er seinen Arbeitslohn baar ausgezahlt erhält, so fallen die anderen Theile der Bourgeoisie über ihn her, der Hausbesitzer, der Krämer, der
Pfandleiher usw.

Die bisherigen kleinen Mittelstände, die kleinen Industriellen, Kaufleute
und Rentiers, die Handwerker und Bauern, alle diese Klassen fallen ins Proletariat hinab, theils dadurch, daß ihr kleines Kapital für den Betrieb der
großen Industrie nicht ausreicht und der Konkurrenz mit den größeren Kapitalisten erliegt, theils dadurch, daß ihre Geschicklichkeit von neuen Pro-
duktionsweisen entwerthet wird. So rekrutiert sich das Proletariat aus allen
Klassen der Bevölkerung.

470   Das Proletariat macht verschiedene Entwicklungsstufen durch. Sein
Kampf gegen die Bourgeoisie beginnt mit seiner Existenz.

Im Anfang kämpfen die einzelnen Arbeiter, dann die Arbeiter in einer
Fabrik, dann die Arbeiter eines Arbeitszweiges an einem Ort gegen den einzelnen Bourgeois, der sie direkt ausbeutet. Sie richten ihre Angriffe nicht
nur gegen die bürgerlichen Produktionsverhältnisse, sie richten sie gegen die
Produktions-Instrumente selbst; sie vernichten die fremden konkurrierenden
Waaren, sie zerschlagen die Maschinen, sie stecken die Fabriken in Brand, sie
suchen die untergegangene Stellung des mittelalterlichen Arbeiters wieder zu
erringen.

Auf dieser Stufe bilden die Arbeiter eine über das ganze Land zerstreute
und durch die Konkurrenz zersplitterte Masse. Massenhaftes Zusammenhal-
ten der Arbeiter ist noch nicht die Folge ihrer eigenen Vereinigung, sondern
die Folge der Vereinigung der Bourgeoisie, die zur Erreichung ihrer eigenen politischen Zwecke das ganze Proletariat in Bewegung setzen muß und
es einstweilen noch kann. Auf dieser Stufe bekämpfen die Proletarier also

nicht ihre Feinde, sondern die Feinde ihrer Feinde, die Reste der absoluten Monarchie, die Grundeigenthümer, die nichtindustriellen Bourgeois, die Kleinbürger. Die ganze geschichtliche Bewegung ist so in den Händen der Bourgoisie konzentriert; jeder Sieg, der so errungen wird, ist ein Sieg der Bourgeoisie.

Aber mit der Entwicklung der Industrie vermehrt sich nicht nur das Proletariat; es wird in größeren Massen zusammengedrängt, seine Kraft wächst, und es fühlt sie mehr. Die Interessen, die Lebenslagen innerhalb des Proletariats gleichen sich immer mehr aus, indem die Maschinerie mehr und mehr die Unterschiede der Arbeit verwischt und den Lohn fast überall auf ein gleich niedriges Niveau herabdrückt. Die wachsende Konkurrenz der Bourgeois unter sich und die daraus hervorgehenden Handelskrisen machen den Lohn der Arbeiter immer schwankender; die immer rascher sich entwikkelnde, unaufhörliche Verbesserung der Maschinerie macht ihre ganze Lebensstellung immer unsicherer; immer mehr nehmen die Kollisionen zwischen dem einzelnen Arbeiter und dem einzelnen Bourgeois den Charakter von Kollisionen zweier Klassen an. Die Arbeiter beginnen damit, Koalitionen gegen die Bourgeois zu bilden; sie treten zusammen zur Behauptung ihres Arbeitslohns. Sie stiften selbst dauernde Assoziationen, um sich für die gelegentlichen Empörung zu verproviantieren. Stellenweis bricht der Kampf in Emeuten aus.

471   Von Zeit zu Zeit siegen die Arbeiter, aber nur vorübergehend. Das eigentliche Resultat ihrer Kämpfe ist nicht der unmittelbare Erfolg, sondern die immer weiter um sich greifende Vereinigung der Arbeiter. Sie wird befördert durch die wachsenden Kommunikationsmittel, die von der großen Industrie erzeugt werden und die Arbeiter der verschiedenen Lokalitäten mit einander in Verbindung setzen. Es bedarf aber blos der Verbindung, um die vielen Lokalkämpfe von überall gleichem Charakter zu einem nationalen, zu einem Klassenkampf zu zentralisiren. Jeder Klassenkampf ist aber ein politischer Kampf. Und die Vereinigung, zu der die Bürger des Mittelalters mit ihren Vizinalwegen Jahrhunderte bedurften, bringen die modernen Proletarier mit den Eisenbahnen in wenigen Jahren zu Stande.

Diese Organisation der Proletarier zur Klasse, und damit zur politischen Partei, wird jeden Augenblick wieder gesprengt durch die Konkurrenz unter den Arbeitern selbst. Aber sie ersteht immer wieder, stärker, fester, mächtiger. Sie erzwingt die Anerkennung einzelner Interessen der Arbeiter in Gesetzesform, indem sie die Spaltungen der Bourgeoisie unter sich benutzt. So die Zehnstundenbill in England.

Die Kollisionen der alten Gesellschaft überhaupt fördern mannichfach den Entwicklungsgang des Proletariats. Die Bourgeoisie befindet sich im fortwährenden Kampfe: anfangs gegen die Aristokratie; später gegen die Theile der Bourgeoisie selbst, deren Interessen mit dem Fortschritt der Industrie in Widerspruch gerathen; stets gegen die Bourgeoisie aller auswärtigen Länder. In allen diesen Kämpfen sieht sie sich genöthigt, an das Proletariat zu appelliren, seine Hülfe in Anspruch zu nehmen und es so in die politische Bewegung hineinzureißen. Sie selbst führt also dem Proletariat ihre eigenen

Bildungselemente, d. h. Waffen gegen sich selbst zu.

Es wird ferner, wie wir sahen, durch den Fortschritt der Industrie ganze Bestandtheile der herrschenden Klasse in's Proletariat hinabgeworfen oder wenigstens in ihren Lebensbedingungen bedroht. Auch sie führen dem Proletariat eine Masse Bildungselemente zu.

In Zeiten endlich, wo der Klassenkampf sich der Entscheidung nähert, nimmt der Auflösungsprozeß innerhalb der herrschenden Klasse, innerhalb der ganzen alten Gesellschaft, einen so heftigen, so grellen Charakter an, daß ein kleiner Theil der herrschenden Klasse sich von ihr lossagt und sich der revolutionären Klasse anschließt, der Klasse, welche die Zukunft in ihren Händen trägt. Wie daher früher ein Theil des Adels zur Bourgeoisie überging, 472 so geht jetzt ein Theil der Bourgeoisie zum Proletariat über, und namentlich ein Theil der Bourgeois-Ideologen, welche zum theoretischen Verständniß der ganzen geschichtlichen Bewegung sich hinaufgearbeitet haben.

Von allen Klassen, welche heutzutage der Bourgeoisie gegenüberstehen, ist nur das Proletariat eine wirklich revolutionäre Klasse. Die übrigen Klassen verkommen und gehen unter mit der großen Industrie, das Proletariat ist ihr eigenstes Produkt.

Die Mittelstände, der kleine Industrielle, der kleine Kaufmann, der Handwerker, der Bauer, sie Alle bekämpfen die Bourgeoisie, um ihre Existenz als Mittelstände vor dem Untergang zu sichern. Sie sind also nicht revolutionär, sondern konservativ. Noch mehr, sie sind reaktionär, sie suchen das Rad der Geschichte zurückzudrehen. Sind sie revolutionär, so sind sie es im Hinblick auf den ihnen bevorstehenden Uebergang in's Proletariat, so vertheidigen sie nicht ihre gegenwärtigen, sondern ihre zukünftigen Interessen, so verlassen sie ihren eigenen Standpunkt, um sich auf den des Proletariats zu stellen.

Das Lumpenproletariat, diese passive Verfaulung der untersten Schichten der alten Gesellschaft, wird durch eine proletarische Revolution stellenweise in die Bewegung hineingeschleudert, seiner ganzen Lebenslage nach wird es bereitwilliger sein, sich zu reaktionären Umtrieben erkaufen zu lassen.

Die Lebensbedingungen der alten Gesellschaft sind schon vernichtet in den Lebensbedingungen des Proletariats. Der Proletarier ist eigenthumslos; sein Verhältniß zu Weib und Kindern hat nichts mehr gemein mit dem bürgerlichen Familienverhältniß; die moderne industrielle Arbeit, die moderne Unterjochung unter das Kapital, dieselbe in England wie in Frankreich, in Amerika wie in Deutschland, hat ihm allen nationalen Charakter abgestreift. Die Gesetze, die Moral, die Religion sind für ihn eben so viele bürgerliche Vorurtheile, hinter denen sich eben so viele bürgerliche Interessen verstecken.

Alle früheren Klassen, die sich die Herrschaft eroberten, suchten ihre schon erworbene Lebensstellung zu sichern, indem sie die ganze Gesellschaft den Bedingungen ihres Erwerbes unterwarfen. Die Proletarier können sich die gesellschaftliche Produktivkräfte nur erobern, indem sie ihre eigene bisherige Aneignungsweise und damit die ganze bisherige Aneignungsweise abschaffen. Die Proletarier haben nichts von dem Ihrigen zu sichern, sie haben alle bisherigen Privatsicherheiten und Privatversicherungen zu zerstören.

Alle bisherigen Bewegungen waren Bewegungen von Minoritäten oder im Interesse von Minoritäten. Die proletarische Bewegung ist die selbständige Bewegung der ungeheuren Mehrzahl im Interesse der ungeheuren Mehrzahl.

473 Das Proletariat, die unterste Schicht der jetzigen Gesellschaft, kann sich nicht erheben, nicht aufrichten, ohne daß der ganze Ueberbau der Schichten, die die offizielle Gesellschaft bilden, in die Luft gesprengt wird.

Obgleich nicht dem Inhalt, ist der Form nach der Kampf des Proletariats gegen die Bourgeoisie zunächst ein nationaler. Das Proletariat eines jeden Landes muß natürlich zuerst mit seiner eigenen Bourgeoisie fertig werden.

Indem wir die allgemeinsten Phasen der Entwicklung des Proletariats zeichneten, verfolgten wir den mehr oder minder versteckten Bürgerkrieg innerhalb der bestehenden Gesellschaft bis zu dem Punkt, wo er in eine offene Revolution ausbricht, und durch den gewaltsamen Sturz der Bourgeoisie das Proletariat seine Herrschaft begründet.

Alle bisherige Gesellschaft beruhte, wie wir gesehn haben, auf dem Gegensatz unterdrückender und unterdrückter Klassen. Um aber eine Klasse unterdrücken zu können, müssen ihr Bedingungen gesichert sein, innerhalb derer sie wenigstens ihre knechtische Existenz fristen kann. Der Leibeigene hat sich zum Mitglied der Kommune in der Leibeigenschaft herangearbeitet, wie der Kleinbürger zum Bourgeois unter dem Joch des feudalistischen Absolutismus. Der moderne Arbeiter dagegen, statt sich mit dem Fortschritt der Industrie zu heben, sinkt immer tiefer unter die Bedingungen seiner eigenen Klasse herab. Der Arbeiter wird zum Pauper, und der Pauperismus entwickelt sich noch schneller als Bevölkerung und Reichthum. Es tritt hiermit offen hervor, daß die Bourgeoisie unfähig ist, noch länger die herrschende Klasse der Gesellschaft zu bleiben und die Lebensbedingungen ihrer Klasse der Gesellschaft als regelndes Gesetz aufzuzwingen. Sie ist unfähig zu herrschen, weil sie unfähig ist, ihrem Sklaven die Existenz selbst innerhalb seiner Sklaverei zu sichern, weil sie gezwungen ist, ihn in eine Lage herabsinken zu lassen, wo sie ihn ernähren muß, statt von ihm ernährt zu werden. Die Gesellschaft kann nicht mehr unter ihr leben, d. h. ihr Leben ist nicht mehr verträglich mit der Gesellschaft.

Die wesentliche Bedingung für die Existenz und für die Herrschaft der Bourgeoisklasse ist die Anhäufung des Reichthums in den Händen von Privaten, die Bildung und Vermehrung des Kapitals; die Bedingung des Kapitals ist die Lohnarbeit. Die Lohnarbeit beruht ausschließlich auf der Konkurrenz der Arbeiter unter sich. Der Fortschritt der Industrie, dessen willenloser und widerstandsloser Träger die Bourgeoisie ist, setzt an die Stelle der Isolirung

474 der Arbeiter durch die Konkurrenz ihre revolutionäre Vereinigung durch die Assoziation. Mit der Entwicklung der großen Industrie wird also unter den Füßen der Bourgeoisie die Grundlage selbst hinweggezogen, worauf sie produzirt und die Produkte sich aneignet. Sie produzirt vor allem ihren eignen Todtengräber. Ihr Untergang und der Sieg des Proletariats sind gleich unvermeidlich.

3.1.2 Aufgaben und Fragen zum kommunistischen Manifest

Aufgabe 3.1

"Die Geschichte aller bisherigen Gesellschaft ist die Geschichte von Klassenkämpfen."

   a. *Nennen Sie die im Manifest genannten Beispiele für diese Behauptung.*

   b. *Nennen Sie jeweils die oberste und unterste Klasse*
      ba. im alten Rom
      bb. im Mittelalter
      bc. in der Epoche der Bourgeoisie.

   c. *Inwieweit wird die Behauptung von der "Geschichte von Klassenkämpfen" von Marx und Engels für die bisherige und die zukünftige Geschichte eingeschränkt?*

   d. *Versuchen Sie die in b. und c. untersuchten Epochen zu benennen.*

Aufgabe 3.2

   Charakterisieren Sie die Bourgeoisie im Sinne des Manifestes.

   a. *Was ist sie und wie ist sie entstanden?*

   b. *Ist sie rückständig oder gar reaktionär?*

   c. *Gehört der Bourgeoisie als revolutionärer Klasse die Zukunft?*

   d. *Wie wird die Zukunft der Bourgeoisie aussehen?*

Aufgabe 3.3

   a. *Definieren und erklären Sie die Begriffe Proletarier und Proletariat.*

   b. *Welches sind die Entwicklungsstufen des Proletariats?*

   c. *Warum bildet sich das Proletariat aus allen Klassen der Bevölkerung?*

   d. *Zeigen Sie die Entwicklung des Proletariats bis zu einer Klasse auf.*

   e. *Erklären Sie einen der Hauptpunkte der marxistischen Ideologie: Warum ist der Untergang der Bourgeoisie und damit der Sieg des Proletariats eine logische Schlußfolgerung in der Theorie und eine unvermeidliche geschichtliche Entwicklung?*

Aufgabe 3.4

   a. *Vergleichen Sie das Manifest mit den Kapiteln von Smith. In welchen Ansichten stimmen die Autoren überein, wo unterscheiden sie sich? Untersuchen Sie dabei ob und wie folgende Punkte behandelt werden:*
      aa. Arbeitsteilung, Produktivkräfte der Arbeit
      ab. Eigenliebe, egoistische Berechnung
      ac. Markt, Ausdehnung des Marktes
      ad. Wohlstand, allgemeine Wohlhabenheit, Überschuß, Stocken des Tausches, Überproduktion, Krise, Revolution
      ae. Harmonie, Konflikt

   b. *Wie belegen Smith und Marx/Engels ihre Ausführungen? Durch theoretische Ableitungen oder durch geschichtliche Betrachtungen?*

   c. *Stellen Sie die "Botschaft" des "Wealth of Nation" und des "Manifestes" mit wenigen Sätzen dar.*

3.2 Wirtschafts- und geistesgeschichtlicher Hintergrund

3.2.1 Wirtschaftsgeschichtlicher Hintergrund

3.2.1.1 Die Restauration in Europa

Als Napoleon 1815 bei Waterloo endgültig besiegt wurde, hatte Europa ein Vierteljahrhundert der Revolution, Kriege und Umwälzungen hinter sich.

Die europäischen Mächte trafen sich 1815 zum Wiener Kongreß, um den Kontinent neu zu ordnen. Die Ursache für die lange Leidenszeit schien den Staatsmännern, besonders dem Leiter des Kongresses, dem österreichischen Kanzler Metternich, die Ideen der französischen Revolution zu sein. So versuchte er, diese gefährlichen Ideen von Gleichheit, Freiheit, Brüderlichkeit zu verdrängen und den vorrevolutionären Zustand wiederherzustellen. Europa sollte den alten legitimen Herrschern wiedergegeben und somit restauriert werden. Die Monarchen von Preußen, Österreich und Rußland schlossen sich zur "Heiligen Allianz" zusammen und gelobten, ihre Länder nach christlichen Gesichtspunkten zu regieren.

In Deutschland hatte sich während der napoleonischen Besatzungszeit und in den Befreiungskriegen im Bürgertum, und zwar besonders bei den Intellektuellen und der Studentenschaft, ein neues Selbstbewußtsein gebildet, gepaart mit Nationalgefühl und der Sehnsucht nach einem vereinigten Deutschland. Deutschland blieb jedoch in 39 Staaten zerrissen, und die Verfassungsversprechen der Fürsten wurden meistens gar nicht oder sehr spät eingelöst.

Greifbar wurde die Unzufriedenheit in der Allgemeinen Deutschen Burschenschaft, die für Ehre, Freiheit, Vaterland eintrat. Als es auf ihren Festen (Wartburgfest, Hambacher Fest) zu Demonstrationen gegen die Obrigkeit kam, sahen die Regierungen in der Bewegung einen Vorboten für eine mögliche Revolution. 1819 schlug Metternich mit den Karlsbader Beschlüssen zu: Die Universitäten wurden überwacht, aufsässige Studenten und liberale Professoren eingekerkert bzw. ihres Amtes enthoben. Zeitungen, Bücher und Flugblätter wurden zensiert.

Die Wünsche der Bürger nach Wahlrecht und Verfassung, die Verarmung der arbeitenden Schichten (z. B. der schlesischen Weber), verstärkt durch Mißernten und Hungersnöte, führte schließlich zur Revolution von 1848. Metternich mußte abdanken; die Ära der Restauration war beendet.

In Frankreich war der Anteil der Industriearbeiter an der Bevölkerung wesentlich höher als in Deutschland. Die Verfassung beruhte jedoch auf dem Zensuswahlrecht, das nur 200 000 Reichen die Wahlmöglichkeit gab. Als die Royalisten sich unter Guizot gegen eine Reform stemmten, kam es zur Revolution von 1848, die Louis Philipp vertrieb und Napoleons Neffen Louis Napoleon zum Präsidenten machte.

3.2.1.2 Industrialisierung und Arbeiterelend

In der 2. Hälfte des 18. Jahrhunderts wurden die Dampfmaschine und der mechanische Webstuhl entwickelt, die landwirtschaftliche Produktion durch neue Methoden in Saat- und Viehzucht gesteigert, und die Bevölkerung wuchs stark aufgrund besserer Ernährung und medizinischer Versorgung wie des Impfens.

Da die Landwirtschaft nicht mehr soviel Arbeitskräfte benötigte, strömte ein Teil der ländlichen Bevölkerung in die neugegründeten Fabriken, die mit modernen Maschinen und Methoden der Arbeitsteilung Güter in großen Mengen herstellen konnten.

Der Bergbau wurde intensiv betrieben, da die Fabriken einen ungeheuren Bedarf an Kohle wie auch an Metallen hatten. Um die erzeugten Waren transportieren zu können, wurde ein Kanal- und Eisenbahnnetz nötig. England war, wie auch sonst bei der Industrialisierung, auf diesem Gebiet führend.

Die Menschen, die sich als Arbeiter in den Fabriken oder Bergwerken anboten, hatten keinen Besitz außer ihrer Arbeitskraft, sie waren also gezwungen, angesichts der vielen Arbeitsuchenden die Stellen zu jeder Bedingung anzunehmen. Die Bedingungen wurden von den Fabrikbesitzern diktiert, die ihrerseits mit niedrigen Preisen die Konkurrenz unterbieten mußten.

Investitionen, die die Arbeitsplätze weniger gesundheitsschädlich machten und Schutzmaßnahmen, um das Unfallrisiko herabzusetzen, waren angesichts des Konkurrenzkampfes zu teuer. Die Arbeitszeit betrug oft 16 Stunden, der Lohn war meistens so gering, daß ein Arbeiter mit seiner Arbeit allein keine Familie unterhalten konnte. Frauen und Kinder waren gezwungen, zu noch niedrigeren Löhnen mitzuarbeiten. Kinder, mitunter erst 5 oder 6 Jahre alt, wurden wegen ihrer geringen Körpergröße häufig in Tag- und Nachtschichten in Bergwerken, Schächten und Kanälen eingesetzt. Da die Arbeitszeit auch für Kinder 10-15 Stunden betrug, unterblieb ein geregelter Schulbesuch.

Verstärkt wurde das Elend durch die Wohnverhältnisse. Der Wohnungsbau hatte mit der Bevölkerungsentwicklung nicht Schritt gehalten; gute Wohnungen waren zu teuer, und so war es fast die Regel, daß ganze Familien in einem einzigen Zimmer wohnten und die wenigen Betten Tag und Nacht umschichtig benutzten. Arbeits-, Wohn- und Ernährungsverhältnisse führten zu schneller Ausbreitung von Krankheiten wie Tuberkulose und englischer Krankheit.

Krankheit bedeutete Lohnausfall und gesteigertes Elend. Die Städte waren überfordert durch die Armenfürsorge; 1831 war jeder 4. Berliner von städtischer Unterstützung abhängig. Es entstand ein Proletariat.

3.2.1.3 Wirtschaftskrisen von 1800 bis 1857

Große Bedeutung bei der Entwicklung der Theorien von Marx und auch von Engels hat die Untersuchung der von England ausgehenden Wirtschaftskrisen im 19. Jahrhundert gehabt. In ihren Veröffentlichungen und Briefen gehen sie immer wieder detailliert auf dieses Thema ein.

Die Krise von 1815

Die Krise von 1815 war eine Folge der 28jährigen Kriege, die die französische Revolution hervorgerufen hatte. Als Napoleon 1815 endültig besiegt war, hatte England schwierige Jahre hinter sich; es hatte unter der Kontinentalsperre gelitten und lange nur unregelmäßig und unter hohen Risiken Waren auf dem Kontinent absetzen können. Gleichzeitig mußte es große Summen für Heer und Marine aufbringen, um Napoleon zu besiegen. Um so größer waren jetzt die Erwartungen, die man in den wirtschaftlichen Aufschwung setzte. Als sich der Sieg über Napoleon abzeichnete, kauften die Fabrikanten auf Vorrat zu steigenden Preisen Rohstoffe ein und produzierten Waren für den kontinentalen Markt.

Der Kontinent hatte jedoch unter den Kriegswirren noch viel stärker gelitten als England. Hohe Kontributionen an Napoleon wie eine Reihe von Mißernten hatten den Kontinent wirtschaftlich erschöpft; andererseits hatte das Ausbleiben der englischen Waren die einheimischen Industrien gestärkt. Die befreiten Länder konnten und wollten keine englischen Erzeugnisse kaufen; die importierten Waren stapelten sich und mußten mit z. T. 50 % Verlust verschleudert werden.

Auch im Inland stockte die Nachfrage durch den Fortfall der Militäraufträge; stattdessen bemühten sich die entlassenen Soldaten und Matrosen um Arbeit, drückten damit die Löhne und senkten als Folge dessen die Kaufkraft noch weiter.

Die Fehleinschätzung des Marktes, das Warenüberangebot, die geringe Nachfrage und verminderte Kaufkraft führten zu drastischen Preisstürzen bis zu 80 %, Konkursen, Bankzusammenbrüchen, Stillegungen von Fabriken und Arbeitslosigkeit.

Die Krise von 1825

Innerhalb weniger Jahre gelang England die Anpassung an die neuen Verhältnisse; die Wirtschaft blühte, so daß größere Geldbeträge übrig blieben. Da der Zins in England aber nur auf 3,5 - 4 % stand, hatten die Wohlhabenden nur eine geringe Neigung, ihr Geld im Inland anzulegen. Zinsen in doppelter Höhe versprachen die 1823 unabhängig gewordenen südamerikanischen Staaten. Dazu verfügten diese Länder noch über reiche Bodenschätze wie Silber, Kupfer, Zinn und ideale Anbaumöglichkeiten für Kaffee, Kakao und Kautschuk. Die versprochene Verzinsung und die wertvollen Rohstoffe schienen den Engländern einen so schnellen und sicheren Gewinn zu garantieren, daß sie riesige Summen für Anleihen und für Anteile neugegründeter südamerikanischer Aktiengesellschaften ausgaben. Aktien südamerikanischer Bergwerke, die oft nur auf dem Papier existierten, fanden reißenden Absatz und stiegen nicht selten innerhalb von kurzer Zeit um 100 - 400 %, was weitere Gründungen schlecht fundierter Gesellschaften hervorrief und immer größere Teile der Bevölkerung zur Börsenspekulation reizte. Weitere Hoffnungen setzte man auf Südamerika als Absatzmarkt für englische Waren und erweiterte die Kapazitäten der Fabriken. Südamerika nahm zunächst auch die englischen Waren auf, bezahlte sie aber mit dem Geld, das die Engländer selber in diese Länder geschickt hatten. So wurde das Kapital nicht gewinnbringend in Bergwerken oder Plantagen angelegt, sondern konsumiert.

Als die südamerikanischen Anleihen nicht den versprochenen Zins ausschütteten, schwand das Vertrauen in alle südamerikanischen Geschäfte und Panik brach aus. Jeder bemühte sich, Aktien und Schuldscheine ganz schnell zu verkaufen und sein Papiergeld gegen Gold- oder Silbermünzen einzutauschen. Unter diesem Ansturm brachen 70 Provinzialbanken zusammen, und die Bank von England mußte Tag und Nacht Münzen prägen, um das Vertrauen in die Währung nicht zu erschüttern. Die Situation auf dem Währungs- und Kreditmarkt normalisierte sich dadurch sehr schnell. Viele Angehörige der wohlhabenden Schichten hatten bei der Spekulation große Summen verloren, Fabrikanten hatten in der Hoffnung auf den Absatz in Südamerika Fabriken errichten lassen, die sie jetzt stillegen mußten, aber die wirklich Leidtragenden waren die Arbeiter. In der Stadt Blackburn z. B. waren von 22 000 Einwohnern 14 000 arbeitslose Textilarbeiter und ihre Familien, die buchstäblich am Verhungern waren. Die verzweifelte Lage führte nicht nur zur Plünderung von Lebensmittelläden, sondern auch zur Zerstörung sämtlicher Dampfwebstühle der Gegend. Man gab ihnen die Schuld an Überangebot und Arbeitslosigkeit. Die Unruhen breiteten sich über ganz Lancashire aus. Als Folge der Krise sanken die Löhne der Baumwollarbeiter um 35 - 55 %.

Die Krise von 1836

Nach der großen Krise von 1825 entwickelte sich das wirtschaftliche Leben nur sehr zögernd. Überangebot der Textil- und Metallwaren, starke Konkurrenz, geringe Löhne sowie hohe Arbeitslosigkeit bei hohen Getreidepreisen hemmten einen Aufschwung. Einen neuen Impuls brachte der Bau der ersten Eisenbahnlinie von Manchester nach Liverpool, die 1830 fertiggestellt wurde. Gleichzeitig verbesserten gute Ernten die Kaufkraft der Bevölkerung.

Der wirtschaftliche Aufschwung und neue Optimismus zeigte sich schon allein darin, daß die Zahl der Banken auf 670 wuchs, die sehr großzügige Kredite gewährten. Als beste Anlagemöglichkeit wurden Aktiengesellschaften in den USA empfohlen. Die Hoffnungen, die man 1825 auf Südamerika gesetzt hatte, wurden jetzt auf Nordamerika übertragen. Eine Gründungswelle überschwappte Nordamerika. Am beliebtesten waren Aktiengesellschaften für Eisenbahnprojekte, die oft nicht nach Rentabilitätsgesichtspunkten entworfen waren, sondern lediglich dem Zweck dienten, die Aktien schnell und gewinnbringend weiter zu verkaufen. Gleichzeitig exportierte England zu äußerst günstigen Kreditkonditionen in großem Umfang Textilien und Metallwaren in die USA.

Als in den USA aufgrund einer Präsidentenverordnung Staatsländereien nicht mehr auf Kredit, sondern nur noch gegen Metallgeld verkauft werden durften, brach die Spekulation in den USA zusammen; allein 617 nordamerikanische Banken mußten ihre Zahlungen einstellen. Die englische Wirtschaft war durch großzügige Kredite eng mit der der USA verzahnt; Exporthäuser und Banken in England gerieten in Schwierigkeiten oder gingen in Konkurs. Die englischen Waren konnten in den USA nur noch schwer abgesetzt und mußten mit Verlust verkauft werden; insgesamt verringerte sich die Ausfuhr in die USA um 2/3. Die Preise bei den wichtigsten Exportartikeln wie Textilien und Eisen fielen um 40 %.

Die Folgen dieser Krise trafen wieder die Arbeiter am härtesten. Überproduktion und Preisverfall machten die Arbeit der Hausweber vollkommen unrentabel; Mißernten drängten die Landbevölkerung in die Städte auf Suche nach Arbeitsplätzen, wo sie die Löhne weiter drückten. Die Arbeiter reagierten mit Streiks auf die niedrigen Löhne, die Fabrikbesitzer sprachen Massenentlassungen aus. Allein in Staffordshire wurden 40 000 Arbeiter auf einmal entlassen. Angesichts der Massenarbeitslosigkeit wurde die Armengesetzgebung außerordentlich verschärft, so daß den Erwerbslosen oft nur der Eintritt ins Arbeitshaus oder die Auswanderung übrigblieb.

Die Krise von 1847

In den 40er Jahren erschien den Engländern der Bau eines die Insel überspannenden Eisenbahnnetzes als die nationale Aufgabe. Dieses Projekt wirkte sich sehr günstig auf die Lage der Metall verarbeitenden Industrien aus; bald profitierten auch die anderen Zweige von der verminderten Arbeitslosigkeit. Einige gute Ernten hoben die Kaufkraft. Der deutliche Aufschwung regte wieder zur Gründung von Aktiengesellschaften an; diesesmal setzten die Engländer nicht auf ausländische Projekte, sondern vor allem auf Unternehmungen, die mit dem Bau des Eisenbahnnetzes in Verbindung standen. Warenproduktion und Nachfrage stiegen ständig, bis plötzlich Mißernten die positive Entwicklung bremsten und große Getreideeinfuhren nötig machten. Zur selben Zeit rief in Irland die Kartoffelfäule eine katastrophale Hungersnot hervor, während in den USA die Weizen- und Baumwollernte schlecht ausfiel. Diese Ereignisse zwangen die Engländer, einen viel höheren Teil ihres Einkommens als bisher für die Grundnahrungsmittel auszugeben, und die Regierung, viel Geld zur Unterstützung der Hungernden bereit zu stellen. Die Preise für industrielle Waren, die jetzt weniger Käufer fanden, fielen bis zu 37 %. Wegen der geringen Kaufneigung fielen auch die Aktienpreise. Geldknappheit herrschte; das Kapital war zwar nicht wie 1825 und 1836 im Ausland verloren, aber in Eisenbahnprojekten immobil angelegt. Der Zusammenbruch von Bergwerksgesellschaften und Metallfabriken führte wieder zu Arbeitslosigkeit und einer neuen großen Auswanderungswelle.

Die Krise von 1857

In der Mitte der 50er Jahre verbesserte sich die Situation für Industrie und Handel außerordentlich. Eisenbahnen und Dampfschiffe ließen die Entfernungen schrumpfen, Goldfunde in Australien und Kalifornien gaben diesen Ländern die Mittel, englische Waren zu kaufen. Außer mit dem kalifornischen Gold bezahlten die USA mit ihren Weizenexporten die begehrten englischen

Waren, die in immer größeren Mengen zu günstigen Kreditbedingungen nach Nordamerika geschickt wurden. 1857 fiel die englische Getreideernte so gut aus, daß die USA weniger Weizen als erwartet in England absetzen konnten und somit viel weniger Geld hatten, die englischen Waren zu bezahlen. Dieses bewirkte den Zusammenbruch vieler englisch-amerikanischer Handelshäuser, dann Bankrotte in der englischen eisenverarbeitenden Industrie und bei den Bergwerken. Die unverkauften englischen Waren stapelten sich und mußten mit Preisabschlägen von 20 - 30 % verkauft werden.

Diese Situation zwang England, sich neue Absatzmärkte zu suchen, denn die Ausfuhr in die USA war von 19 Mill. Pfund 1857 auf 14 Mill. Pfund 1858 gefallen. Jedoch konnten die Engländer ihre Verluste wettmachen, indem sie verstärkt nach Ostindien exportierten und dort mit dem Bau eines Eisenbahnnetzes begannen. Diese Krise hatte damit weltweite Folgen.

Fassen wir noch einmal die Krisen mit den Worten Friedrich Engels zusammen: "In der Tat, seit 1825, wo die erste allgemeine Krisis ausbrach, geht die ganze industrielle und kommerzielle Welt, die Produktion und der Austausch sämtlicher zivilisierter Völker und ihrer mehr oder weniger barbarischen Anhängsel so ziemlich alle zehn Jahre einmal aus den Fugen. Der Verkehr stockt, die Märkte sind überfüllt, die Produkte liegen da, ebenso massenhaft wie unabsetzbar, das bare Geld wird unsichtbar, der Kredit verschwindet, die Fabriken stehn still, die arbeitenden Massen ermangeln der Lebensmittel, weil sie zuviel Lebensmittel produziert haben, Bankrott folgt auf Bankrott, Zwangsverkauf auf Zwangsverkauf. Jahrelang dauert die Stockung, Produktivkräfte wie Produkte werden massenhaft vergeudet und zerstört, bis die aufgehäuften Warenmassen unter größerer oder geringerer Entwertung endlich abfließen, bis Produktion und Austausch allmählich wieder in Gang kommen. Nach und nach beschleunigt sich die Gangart, fällt in Trab, der industrielle Trab geht über in Galopp, und dieser steigert sich wieder bis zur zügellosen Karriere einer vollständigen industriellen, kommerziellen, kreditlichen und spekulativen Steeple-chase Hindernisrennen, um endlich nach den halsbrecherischen Sprüngen wieder anzulangen - im Graben des Krachs. Und so immer von neuem. Das haben wir nun seit 1825 volle fünfmal erlebt und erleben es in diesem Augenblick (1877) zum sechstenmal. Und der Charakter dieser Krisen ist so scharf ausgeprägt, daß Fourier sie alle traf, als er die erste bezeichnete als: crise pléthorique, Krisis aus Überfluß.

In den Krisen kommt der Widerspruch zwischen gesellschaftlicher Produktion und kapitalistischer Aneignung zum gewaltsamen Ausbruch. Der Warenumlauf ist momentan vernichtet; das Zirkulationsmittel, das Geld, wird Zirkulationshindernis; alle Gesetze der Warenproduktion und Warenzirkulation werden auf den Kopf gestellt. Die ökonomische Kollision hat ihren Höhepunkt erreicht: die Produktionsweise rebelliert gegen die Austauschweise, die Produktivkräfte rebellieren gegen die Produktionsweise, der sie entwachsen sind" (Anti-Dühring, MEW 20, S. 257 f.).

Wir sind hier zu einem wesentlichen Punkt aller marxschen und aller marxistischen Überlegungen gekommen: Alle Systeme sind durch innere

Widersprüche gekennzeichnet, und diese Widersprüche bilden die treibende Kraft für Veränderungen. Diese dialektische Sichtweise werden wir weiter unten noch einmal aufnehmen. Blicken wir jetzt zurück zu Kapitel 1, so erkennen wir einen fundamentalen Unterschied zwischen K. Marx und A. Smith. Beide gehen davon aus, daß Arbeitsteilung zur Steigerung der Produktivkraft führt und daß die wesentliche Triebfeder des Menschen (zumindest in der untersuchten Gesellschaft) der Eigennutz ist. Sie kommen aber zu fast konträren Ergebnissen. Smith entwirft ein Bild von Harmonie: Eine unsichtbare Hand lenkt das eigennützige Treiben der Menschen so, daß zwangsläufig ein gesellschaftliches Optimum erreicht wird. Marx wendet sich heftig und häufig sehr polemisch gegen diese Auffassungen von Smith (den er jedoch als bedeutenden Ökonom akzeptiert). Nach Marx führt das unkoordinierte Nebeneinander divergierender egoistischer Interessen, die gnadenlose Konkurrenz der Kapitalisten untereinander zusammen mit dem Antagonismus der Klassen zu einem immer stärkeren Widerspruch der Gesellschaft in sich, zu sich laufend verstärkenden Krisen. Wir werden im folgenden Abschnitt diesen von Marx aus der "Mehrwertproduktion" abgeleiteten Widerspruch kurz ansprechen. Diese Mehrwertproduktion wird uns nach einer Betrachtung des dialektischen Materialismus als letzter Abschnitt in diesem Kapitel beschäftigen.

3.2.2 Geistesgeschichtlicher Hintergrund

3.2.2.1 Die Entwicklung des Sozialismus

Im letzten Kapitel wurde dargestellt, daß Thünen sich nicht nur wissenschaftlich mit dem Problem der Verteilung beschäftigte, sondern versuchte, auf seinem Gut seine Vorstellungen von Gerechtigkeit zu verwirklichen. Thünen ist nur einer von vielen, die sich am Anfang des 19. Jahrhunderts mit dem Los der Land- und Industriearbeiter beschäftigen und sowohl durch theoretische Überlegungen wie durch direkte Tätigkeit versuchen, die Not zu lindern. Am bekanntesten ist wohl der englische Textilindustrielle **Robert Owen** (1771-1858). Nachdem er schon in jungen Jahren durch Baumwollspinnen reich geworden ist, kauft er 1800 (mit Partnern) die von Arkwright gegründete schottische Textilfabrik New Lanark. Owen sieht die Not der etwa 1500 Arbeiter, insbesondere die der 500 Kinder, die etwa im Alter von fünf Jahren aus Armenhäusern Edinburghs und Glasgows nach New Lanark gebracht wurden.

Owen verbessert die Wohnverhältnisse der Arbeiter und sorgt für ihr Wohl durch Erziehung, Ordnung und Abstinenz vom Alkohol. Er führt ein Schulwesen ein, das bald in ganz Europa als vorbildlich gilt und die Grundlage des englischen Schulwesens wird. New Lanark wird Wallfahrtsort der Sozialreformer aus ganz Europa. Aufbauend auf diese Erfahrungen entwickelt Owen die Überzeugung, daß der Charakter des Menschen durch äußere - nicht durch den Einzelmenschen zu verantwortende - Umstände geprägt ist. Er will das gesamte Wirtschaftssystem mit Hilfe von Genossenschaften reformieren und erwartet, daß durch Abschaffung des Privateigentums an den Produktionsmitteln die Wirtschaftsverhältnisse grundlegend verbessert würden. Praktische Versuche, solche Kooperationen in Schottland und in den USA durchzuführen, scheitern aber vollständig.

Neben solchen Sozialreformern wie Owen treffen wir vor allem in Frankreich auf eine Reihe von stärker theoretisch ausgerichteten Sozialisten, die in der Terminologie von Marx als "Utopische Sozialisten" bezeichnet werden: "Die Lösung der gesellschaftlichen Aufgaben, die in den unentwickelten ökonomischen Verhältnissen noch verborgen lag, sollte aus dem Kopf erzeugt werden. Die Gesellschaft bot nur Mißstände; sie zu beseitigen war Aufgabe der denkenden Vernunft. Es handelte sich darum, ein neues vollkommenes System der gesellschaftlichen Ordnung zu erfinden und dies der Gesellschaft von außen her, durch Propaganda, wo möglich durch das Beispiel von Musterexperimenten aufzuoktroyieren. Diese neuen sozialen Systeme waren von vornherein zur Utopie verdammt; je weiter sie in ihren Einzelheiten ausgearbeitet wurden, desto mehr mußten sie in reine Phantasterei verlaufen" (Anti-Dühring, MEW 20, S. 241).

Im folgenden nennen wir mit Stichworten einige utopische Sozialisten, die in der marxschen und marxistischen Literatur eine große Rolle spielen. **Claude Henri de Renvoy Graf v. Saint-Simon** (1760-1825), Freund von Jean Baptist Say, propagiert Industrialisierung und zentrale ökonomische Planung von Wachstum und Vollbeschäftigung. Er sucht allgemeine Gesetze der geschichtlichen Entwicklung.

Charles Fourier (1772-1837) teilt die geschichtliche Entwicklung in fünf Perioden ein, die Wildheit - eine Zeit des Urkommunismus -, das Patriarchat - Zeit der unmittelbaren Tauschwirtschaft -, die Barbarei - Periode des entwickelten Handels und der mittleren Industrie - und die Zivilisation - die bürgerliche Ordnung zusammen mit der entwickelten Industrie. Diese bestehende Ordnung sollte nach Fourier überführt werden in eine Periode ohne jeden Zwang und der Selbstbestimmung des persönlichen Lebens. Arbeit sollte dann nicht Mühe und Leid, sondern Selbsterfüllung sein. Realisieren wollte Fourier eine solche Gesellschaft durch Kooperationen bzw. Genossenschaften, sogenannte Phalanstères. Damit sollten die gesellschaftlichen Gegensätze, die Anarchie und der Konkurrenzkampf der bürgerlichen Ordnung überwunden werden. Nach Engels zeigt Fourier auf, "daß die Zivilisation sich in einem 'fehlerhaften Kreislauf' bewegt, in Widersprüchen, die sie stets neu erzeugt, ohne sie überwinden zu können, so daß sie stets das Gegenteil erreicht von dem, was sie erlangen will oder erlangen zu wollen vorgibt" (Anti-Dühring, MEW 20, S. 242 f.).

Es wird noch deutlich werden, daß Marx und Engels bei ihrem "Historischen Materialismus" ähnliche Gedankengänge entwickeln. Während Engels im Anti-Dühring (MEW 20, S. 242) bei den bisher vorgestellten Denkern "eine geniale Weite des Blicks" entdeckt bzw. eine "eindringende Kritik der bestehenden Gesellschaftszustände" findet, wird **Jean-Charles-Léonard Simonde de Sismondi** (1773-1842) von ihnen nur gering geschätzt und meist abwertend beurteilt. "Als politischer Ökonom dadurch hervorragend, daß er, von Smith ausgehend, die der kapitalistischen Produktionsweise innewohnenden Widersprüche zuerst nachwies, sich aber zugleich ihre Überwindung in kleinbürgerlich utopischer Weise dachte und insofern der geistige Vater der kleinbürgerlich- und bäuerlich-romantischen Strömung des Sozialismus wurde" (Namensregister zu Marx, 1953).

Pierre Joseph Proudhon (1809-65) ist besonders bekannt geworden durch sein Buch "Qu'est-ce que la propriété?" mit der darin enthaltenen sprichwörtlich gewordenen Antwort: "La propriété, c'est le vol légalisé" ("Was ist das Eigentum?" "Eigentum ist legalisierter Diebstahl."). Proudhon war der erste, der sich selbst Anarchist nannte und einer der Begründer des Anarchismus wurde. Dabei ist Anarchismus eine politische Einstellung, die jede Organisation, jeden Zwang und jede Disziplin ablehnt. Durch Verzicht auf staatliche Zwangsmaßnahmen soll die absolute Freiheit hergestellt, durch "Mutualismus", also durch ein System von Gegenseitigkeit, soll die Ausbeutung des Menschen durch den Menschen beseitigt werden.

Am bekanntesten unter allen Sozialisten des 19. Jahrhunderts ist ohne jeden Zweifel **Karl Marx**, Begründer des "wissenschaftlichen Sozialismus". Er wurde am 5.5.1818 als Sohn eines Juristen in Trier geboren. Nach dem Studium der Rechtswissenschaft und der Philosophie in Berlin promovierte er 1841 mit einer Arbeit über Epikur; den Plan einer Habilitation gab er auf, da aus politischen Gründen eine Hochschullaufbahn unwahrscheinlich war. Marx wurde Mitarbeiter der "Rheinischen Zeitung" in Köln, bis dieses oppositionelle Blatt 1843 verboten wurde. Marx ging mit seiner Frau 1843 nach Paris, arbeitete zeitweilig weiter als Redakteur und fing an, die Politische Ökonomie, die Geschichte Frankreichs und die Lehren der französischen Sozialisten zu studieren. 1844 besuchte ihn Friedrich Engels in Paris, und damit begann eine intensive Zusammenarbeit, die bis zum Tode von Marx andauerte.

Da Marx weiterhin kritische Artikel gegen die Politik Preußens schrieb, wurde er auf Verlangen der Regierung in Berlin 1845 aus Frankreich ausgewiesen und ging nach Brüssel. Im Januar 1848 erarbeitete er hier zusammen mit Engels das "Manifest der kommunistischen Partei". Nach der Februarrevolution 1848 wurde Marx verhaftet und aus Belgien vertrieben; über Paris, Köln und wieder Paris kam Marx schließlich nach London. Hier fand er dann die Zeit, seine Hauptwerke ganz oder weitgehend fertigzustellen. 1864 wurde die "Internationale Arbeiter Assoziation" gegründet, deren Statuten von Marx entworfen wurden. Marx behielt auch immer bestimmenden Einfluß in dieser "1. Internationalen", mußte seine Position aber stets gegen die Anarchisten unter Bakunin verteidigen. Als 1872 der Generalrat der Bewegung nach New York verlegt wurde, zog sich Marx von der direkten politischen Arbeit zurück, um sich seiner wissenschaftlichen Tätigkeit zu widmen. Bevor er aber den zweiten und dritten Band des "Kapitals" fertigstellen konnte, starb Marx 1883.

Friedrich Engels wurde 1820 als Sohn eines Textilfabrikanten in (Wuppertal-) Barmen geboren. Schon in seiner Jugend lernte er das soziale Elend in der Wuppertaler Textilindustrie kennen. Mit 18 Jahren ging Engels zur Kaufmannsausbildung nach Bremen. Hier fing er an, sich mit den philosophischen Schriften Hegels und Feuerbachs zu beschäftigen. Ende 1842 arbeitete Engels in einem Zweiggeschäft seines Vaters in Manchester. Er studierte hier unter anderem die sozialistischen Schriften von Saint-Simon, Fourier, Proudhon und Owen, aber auch die englischen Nationalökonomen Smith, Ricardo und Malthus. Seine Studien und die eigenen Anschauungen der Not der Arbeiterbevölkerung faßte er 1845 in seinem Buch "Die Lage der arbeitenden Klasse in England" zusammen. Auf dem Weg von Manchester nach Barmen blieb 1844 Engels für 10 Tage bei Marx in Paris, es kam zu einer "Übereinstimmung auf allen theoretischen Gebieten". 1849 beteiligte sich Engels am badischen Aufstand, mußte nach England fliehen und arbeitete wieder im Geschäft seines Vaters. Von da an wurde Marx von Engels finanziell unterstützt. 1877/78 erschien im "Vorwärts" "Herrn Eugen Dühring's Umwälzung der Philosophie". In diesem sogenannten "Anti-Dühring" stellt Engels die dialektische Methode und das kommunistische System in vergleichsweise einfacher Weise dar; dadurch wurde dieses Werk fast so etwas wie ein Katechismus der Arbeiterbewegung und half bei der Verbreitung des marxschen Gedankenguts. Nach dem Tod von Marx gab Engels den zweiten und dritten Band des "Kapitals" auf der Grundlage der hinterlassenen Schriften von Marx heraus. 1895 starb Engels in London.

3.2.2.2 Philosophischer Hintergrund

3.2.2.2.1 Dialektischer Materialismus

Wenn man das kommunistische Manifest sorgfältig liest, so fällt schnell auf, daß dieser Text auf zwei wichtigen, zusammenhängenden Prinzipien aufbaut:

a. auf der geschichtlichen Entwicklung

b. auf der Existenz von Gegensätzen.

Die Gegensätze werden nicht nur zwischen Menschen (Freier und Sklave, Unterdrücker und Unterdrückte, Bourgeois und Proletarier) sondern auch zwischen Klassen, zwischen Zuständen und zwischen Ideen konstatiert. Genau gesehen werden im kommunistischen Manifest die geschichtlichen Entwicklungen aus den Gegensätzen erklärt. Aus Gegensätzen heraus kommt es immer wieder zu einem "Kampf, der jedesmal mit einer revolutionären Umgestaltung der ganzen Gesellschaft" endet.

Wir begegnen hier einer von Marx und Engels im Anschluß an den deutschen Philosophen Hegel entwickelten Denkweise, dem **dialektischen Materialismus**. Untersuchen wir erst, was nach Engels unter Materialismus im Gegensatz zum Idealismus zu verstehen ist: "Die große Grundfrage aller, speziell neueren Philosophie ist die nach dem Verhältnis von Denken und Sein." (Ludwig Feuerbach und der Ausgang der klassischen deutschen Philosophie, MEW 21, S. 274)."Je nachdem diese Frage so oder so beantwortet wurde, spalteten sich die Philosophen in zwei große Lager. Diejenigen, die die Ursprünglichkeit des Geistes gegenüber der Natur behaupteten, also in letzter Instanz eine Weltschöpfung irgendeiner Art annahmen - und diese Schöpfung ist oft bei den Philosophen, z. B. bei Hegel, noch weit verzwickter und unmöglicher als im Christentum -, bildeten das Lager des Idealismus. Die andren, die die Natur als das Ursprüngliche ansahen, gehören zu den verschiednen Schulen des **Materialismus**" (ebenda, S. 275, Hervorhebungen von uns). Von Ludwig Feuerbach übernehmen Marx und Engels den Materialismus und verknüpfen ihn mit der von Hegel entwickelten **Dialektik**.

Nach Friedrich Engels ist Dialektik die "... Wissenschaft von den allgemeinen Bewegungs- und Entwicklungsgesetzen der Natur, der Menschengesellschaft und des Denkens" (Anti-Dühring, MEW 20, S. 132). Das 19. Jahrhundert ist eine Zeit großen Fortschritts in den Naturwissenschaften. Dabei wurde die alte Vorstellung der statischen Welt, die einmal von einem universellen Geist geschaffen wurde und seitdem im wesentlichen unverändert existiert, immer mehr in Frage gestellt. Das Universum wurde fortan als etwas sich aus sich selbst Entwickelndes, Dynamisches, Aufsteigendes und Vergehendes begriffen. Exemplarisch ist dies an Darwins Theorie von der Entstehung der Arten abzulesen, aber auch die Physik und die Chemie formulieren prozeßhafte Gesetzmäßigkeiten (z. B. in den thermodynamischen Gesetzen). Friedrich Engels führt in diesem Zusammenhang drei große Entdeckungen auf: "Erstens die Entdeckung der Zelle als Einheit, aus deren Vervielfältigung und Differenzierung der ganze pflanzliche und tierische Körper sich entwickelt, so daß nicht nur die Entwicklung und das Wachstum aller höheren Organismen als nach einem einzigen allgemeinen Gesetz vor sich gehend erkannt, sondern auch in der Veränderungsfähigkeit der Zelle der Weg gezeigt ist, auf dem Organismen ihre Art verändern und damit eine mehr als individuelle Entwicklung durchmachen können. - Zweitens die Verwandlung der Energie, die uns alle zunächst in der anorganischen Natur wirksamen sogenannten Kräfte, die mechanische Kraft und ihre Ergänzung, die sogenannte potentielle Energie, Wärme, Strahlung (Licht, resp. strahlende Wärme), Elektrizität, Magnetismus, chemische Energie, als verschiedene Erscheinungsformen der universellen Bewegung nachgewiesen hat, die in bestimmten Maßverhältnissen die eine in die andere übergehn, so daß für die Menge der einen, die verschwindet, eine bestimmte Menge einer andern wiedererscheint und so daß die ganze Bewegung der Natur sich auf diesen unaufhörlichen Prozeß der Verwandlung aus einer Form in die andre reduziert. - Endlich der zuerst von Darwin im Zusammenhang entwickelte Nachweis, daß der heute uns umgebende Bestand organischer Naturprodukte, die Menschen eingeschlossen, das Erzeugnis eines langen Entwicklungsprozesses aus wenigen ursprünglich einzelligen Keimen ist und diese wieder aus, auf chemischem Weg entstandenem, Protoplasma oder Eiweiß hervorgegangen sind" (Feuerbach, MEW 21, S. 294 f.).

In der Geschichtsphilosophie entwickelt **Georg Wilhelm Friedrich**

Hegel (1770-1831) ein System, "worin zum erstenmal - und das ist sein großes Verdienst - die ganze natürliche, geschichtliche und geistige Welt als ein Prozeß, d. h. als in steter Bewegung, Veränderung, Umbildung und Entwicklung begriffen dargestellt und der Versuch gemacht wurde, den inneren Zusammenhang in dieser Bewegung und Entwicklung nachzuweisen" (F. Engels, Anti-Dühring, MEW 20, S. 22 f.). Für Hegel ist die Entwicklung der Geschichte Selbstentfaltung des Geistes; er geht davon aus, daß er das Entwicklungsgesetz der Geschichte entschleiert hat. Diese Entwicklung besteht in dem Aufstieg und den Kämpfen von Nationen; Kriege sind eine geschichtliche Notwendigkeit. Der preußische Staat bringt nach Hegel die Erfüllung für des Menschen Verlangen nach Freiheit und Gerechtigkeit (vgl. Spiegel, S. 462).

Der Einzelne findet seine Erfüllung in der Einordnung in die Gesellschaft und insbesondere den Staat, der Staat ist eine Persönlichkeit sui generis und mehr als die Summe seiner Teile. Der Weltgeist handelt und benutzt dabei die einzelnen als Werkzeuge. Nicht die Maximierung des Genusses des einzelnen ist Ziel von Staat und Gesellschaft. "Die Weltgeschichte ist nicht der Boden des Glücks. Die Perioden des Glücks sind leere Blätter in ihr" (Hegel (1840), 1961, S. 56). Die Geschichtsphilosophie Hegels wird von Marx übernommen, jedoch mit dem Materialismus Feuerbachs verknüpft, also wie Marx sagt "vom Kopf auf die Füße gestellt".

Die Entwicklung der Welt wird begriffen als prozeßhafter, dynamischer Ablauf von Entwicklungsstufen. Das gilt nicht nur für die Entwicklung der Lebewesen aus einfachen Zellen, nicht nur für die Entwicklung höherer Lebewesen aus niedrigen, sondern auch für die Entwicklung primitiver Gesellschaften zu immer fortschrittlicheren. Bei der Entwicklung ergeben sich gerade durch die Entwicklung Grenzen, es kommt zu Spannungen und Widersprüchen, und aus den Widersprüchen entwickelt sich Neues, Fortschrittliches.

3.2.2.2.2 Historische Gesellschaftsformen

Verfolgen wir diesen Entwicklungsgang der Gesellschaften etwas genauer. Nach Auffassung von Marx und Engels beginnt die Entwicklung mit der Urgesellschaft, der ältesten Form der Gesellschaft, die entstand, als der Mensch durch Arbeit aus dem Tierreich heraustrat. Es gibt keine Klassen und keine Ausbeutung. Erst mit der Entwicklung der Produktivkräfte wird es möglich, mehr zu produzieren als unbedingt zum Leben gebraucht wird: Ausbeutung wird möglich, Sklavenhaltung lohnend. Der Fortschritt führt dazu, daß das System an seine Grenzen stößt, an den Widersprüchen zerbricht; die Urgesellschaft wird überwunden.

An die Stelle der Urgesellschaft tritt die Sklaverei. Sie ist nach Marx die erste Klassengesellschaft und beruht auf dem Eigentum des Sklavenhalters sowohl an den Produktionsmitteln als auch an den Produzenten (den Sklaven). "Sklaverei, wo sie Hauptform der Produktion, macht die Arbeit zu sklavischer Tätigkeit, also entehrend für Freie. Damit ist der Ausweg aus einer solchen Produktionsweise verschlossen, während andrerseits die entwickeltere Produktion an der Sklaverei ihre Schranke findet und zu deren Beseitigung gedrängt wird. An diesem Widerspruch geht jede auf Sklaverei gegründete Produktion und die auf ihr gegründeten Gemeinwesen zugrunde" (Materialien zum "Anti-Dühring", MEW 20, S. 585 f.). Durch Vereinigung der aufständischen Sklaven mit den Völkern der Urgesellschaft wird die Sklaverei gestürzt und durch den Feudalismus abgelöst.

Der **Feudalismus** ist eine Gesellschaftsform, die durch Eigentum der Feudalherren an dem entscheidenden Produktionsmittel des Bodens gekennzeichnet ist. Der Klasse der Feudalherren steht die Klasse der hörigen Bauern gegenüber. Die Bauern sind zu Frondiensten gezwungen und auf diese Weise eignen sich die Feudalherren einen Teil der Arbeit der Bauern an. Mit dem ökonomischen Fortschritt trennt sich von der landwirtschaftlichen Produktion die gewerbliche Produktion. Es kommt zur Entwicklung von Städten und zur Herausbildung einer neuen Klasse, der Klasse der Bürger oder Bourgeois "in demselben Maße, worin Industrie, Handel, Schiffahrt, Eisenbahnen sich ausdehnten, in demselbem Maße entwickelte sich die Bourgeoisie, vermehrte sie ihre Kapitalien, drängte sie alle vom Mittelalter her überlieferten Klassen in den Hintergrund" (Das kommunistische Manifest, MEW 4, S. 464).

Der **Kapitalismus** ist die ökonomische Gesellschaftsform, die den Feudalismus ablöste; Träger der neuen Produktionsweise ist die Bourgeoisie. Im kommunistischen Manifest haben Marx und Engels dargestellt, "wie die moderne Bourgeoisie selbst das Produkt eines langen Entwicklungsganges, einer Reihe von Umwälzungen in der Produktions- und Verkehrsweise ist." Und später: "Die Bourgeoisie hat in der Geschichte eine höchst revolutionäre Rolle gespielt" (Das kommunistische Manifest, MEW 4, S. 464). Aber mit der Entwicklung des Kapitalismus entwickeln sich auch die immanenten Widersprüche im Kapitalismus. "Seit Dezennien ist die Geschichte der Industrie und des Handels nur die Geschichte der Empörung der modernen Produktivkräfte gegen die modernen Produktionsverhältnisse, gegen die Eigentumsverhältnisse, welche die Lebensbedingungen der Bourgeoisie und ihrer Herrschaft sind. Es genügt, die Handelskrisen zu nennen, welche in ihrer periodischen Wiederkehr immer drohender die Existenz der ganzen bürgerlichen Gesellschaft in Frage stellen (ebenda, S. 467 f.). Diese Entwicklung der Widersprüche zwischen Produktionskräften und Produktionsverhältnissen führt zur Bildung, zur Stärkung und schließlich zum Sieg des Proletariats.

"Mit der Entwicklung der großen Industrie wird also unter den Füßen der Bourgeoisie die Grundlage selbst hinweggezogen, worauf sie produziert und die Produkte sich aneignet. Sie produziert vor allem ihren eignen Totengräber. Ihr Untergang und der Sieg des Proletariats sind gleich unvermeidlich" (ebenda, S. 474 f.).

Der "unvermeidliche Sieg des Proletariats" leitet eine neue und endgültige Stufe der Entwicklung ein: den **Kommunismus**. Im Gegensatz zur detaillierten Kritik am Kapitalismus sind die Aussagen von Marx zum Kommunismus vergleichsweise vage und unbestimmt; erst seine Schüler, vor allem

Lenin, haben ein systematisches Konzept des Sozialismus und Kommunismus entwickelt. Beim Übergang zum Kommunismus gilt nach Marx, "daß der erste Schritt in der Arbeiterrevolution die Erhebung des Proletariats zur herrschenden Klasse, die Erkämpfung der Demokratie ist.

Das Proletariat wird seine politische Herrschaft dazu benutzen, der Bourgeoisie nach und nach alles Kapital zu entreißen, alle Produktionsinstrumente in den Händen des Staates, d. h. des als herrschende Klasse organisierten Proletariats, zu zentralisieren und die Masse der Produktionskräfte möglichst rasch zu vermehren" (Das kommunistische Manifest, MEW 4, S. 481).

"Mit der Besitzergreifung der Produktionsmittel durch die Gesellschaft ist die Warenproduktion beseitigt und damit die Herrschaft des Produkts über die Produzenten. Die Anarchie innerhalb der gesellschaftlichen Produktion wird ersetzt durch planmäßige bewußte Organisation. Der Kampf ums Einzeldasein hört auf. Damit erst scheidet der Mensch, in gewissem Sinn, endgültig aus dem Tierreich, tritt aus tierischen Daseinsbedingungen in wirklich menschliche. .... Erst von da an werden die Menschen ihre Geschichte mit vollem Bewußtsein selbst machen, erst von da an werden die von ihnen in Bewegung gesetzten gesellschaftlichen Ursachen vorwiegend und in stets steigendem Maße auch die von ihnen gewollten Wirkungen haben. Es ist der Sprung der Menschheit aus dem Reiche der Notwendigkeit in das Reich der Freiheit.

Diese weltbefreiende Tat durchzuführen, ist der geschichtliche Beruf des modernen Proletariats. Ihre geschichtlichen Bedingungen und damit ihre Natur selbst zu ergründen, und so der zur Aktion berufenen, heute unterdrückten Klasse die Bedingungen und die Natur ihrer eignen Aktion zum Bewußtsein zu bringen, ist die Aufgabe des theoretischen Ausdrucks der proletarischen Bewegung" (Anti-Dühring, MEW 20, S. 264 f.).

Wir sollten hier einige wesentliche Punkte der marxschen Analyse festhalten:

a. Die gesellschaftliche Entwicklung beruht auf objektiven Gesetzmäßigkeiten.

b. Gesellschaftliche Verhältnisse lassen sich auf Produktionsverhältnisse und somit auf den jeweiligen Stand der Produktionskräfte zurückführen.

c. Arbeit ist neben den Naturkräften die entscheidende Bedingung für die Entwicklung des Menschen. "Die Arbeit ist die Quelle alles Reichtums, sagen die politischen Ökonomen. Sie ist dies - neben der Natur, die ihr den Stoff liefert, den sie in Reichtum verwandelt. Aber sie ist noch unendlich mehr als dies. Sie ist die erste Grundbedingung alles menschlichen Lebens, und zwar in einem solchen Grade, daß wir in gewissem Sinn sagen müssen: Sie hat den Menschen selbst geschaffen" (Anteil der Arbeit an der Menschwerdung des Affen, MEW 20, S. 444).

Gerade den letzten Gedankengang von der Arbeit als Quelle allen Reichtums wollen wir im Rest des Kapitels bei der Darstellung der Theorie des Mehrwerts weiter verfolgen.

3.3 Lektüre

3.3.1 Karl Marx, "Lohn, Preis und Profit"

Teil eines Vortrags, gehalten im Generalrat der "Internationale" im Juni 1865 (abgedruckt sind hier die Abschnitte 6. bis 12.)

6. Vom Wert und vom Preis.

92*   Bürger , ich bin nun an einem Punkte angelangt, wo ich auf die wirkliche
(122) Entwicklung der Frage eintreten muß. Ich kann nicht versprechen, dies in ei-
93 ner sehr zufriedenstellenden Weise zu tun, da ich sonst gezwungen wäre, das
ganze Feld der politischen Oekonomie durchzugehen. Ich kann nur, wie die
Franzosen sagen würden, "effleurer la question", d. h. nur die Hauptpunkte
berühren.

Die erste Frage, die wir zu stellen haben, ist die: Was ist der Wert einer
Ware? Wie wird er bestimmt?

Auf den ersten Blick würde es scheinen, daß der Wert einer Ware eine
ganz relative Sache sei, die nicht bestimmt werden kann, ohne daß die eine
Ware in ihren Beziehungen zu anderen Waren betrachtet wird. In der Tat
verstehen wir, wenn wir von dem Wert, dem Tauschwert einer Ware sprechen, die verhältnismäßigen Mengen anderer Waren, für die sie ausgetauscht
werden kann. Nun aber entsteht die Frage: Wie werden die Verhältnisbezie-
hungen, in denen die Waren zu einander stehen reguliert?

Aus der Erfahrung wissen wir, daß diese Beziehungen unendlich verschieden sind. Wenn wir eine einzige Ware, sagen wir Weizen, nehmen, so
werden wir finden, daß ein Quarter Weizen sich in fast unzählig verschiedenen Verhältnisgraden mit anderen Werten austauscht. Und dennoch muß,
da sein Wert immer der gleiche bleibt, dieser Wert, gleichviel ob er sich in
Seide, Gold oder irgend einer anderen Ware ausdrückt, etwas von diesen verschiedenen Proportionen, in denen er sich mit anderen Artikeln austauscht,
Unterschiedenes und von ihnen Unabhängiges sein. Es muß möglich sein,
diese verschiedenen Gleichungsbeziehungen zu verschiedenen Gegenständen
in einer ganz anderen Form zum Ausdruck zu bringen.

Ferner, wenn ich sage, daß ein Quarter Weizen sich in einem bestimmten
Verhältnis mit Eisen austauscht oder daß der Wert eines Quarters Weizen sich
in einer bestimmten Menge Eisen ausdrückt, so sage ich, daß der Wert des
Weizens und sein Gegenwert in Eisen irgend einer dritten Sache gleich sind,
die weder Weizen noch Eisen ist, weil ich dabei unterstelle, daß sie dieselbe
Größe in zwei verschiedenen Formen darstellen. Jedes von ihnen, der Weizen
oder das Eisen, muß sich deshalb unabhängig von dem anderen auf jene dritte
Sache, die ihr gemeinsames Maß ist, zurückführen lassen.

94 Ich will, um diesen Punkt zu erhellen, auf ein sehr einfaches Beispiel aus
der Geometrie zurückgreifen. Wenn wir den Flächeninhalt von Dreiecken
der verschiedenen Formen und Größen, oder Dreiecke mit Rechtecken oder

---

* Die Zahlen am linken Rand verweisen auf die Seitenzahlen der benutz-
ten Vorlage, die eingeklammerten Zahlen auf die auf einer neueren Übersetzung basierenden MEW, Bd. 16.

irgendwelchen anderen gradlinigen Figuren vergleichen, wie verfahren wir alsdann? Wir führen die Fläche jedes Dreiecks auf einen von seiner sichtbaren Natur ganz verschiedenen Ausdruck zurück. Nachdem wir aus der Natur des Dreiecks erkannt haben, daß sein Flächeninhalt dem halben Produkt seiner Grundlinie mit seiner Höhe gleich ist, können wir daraufhin die verschiedenen (123)|Werte aller Arten von Dreiecken und anderer gradlinigen Figuren vergleichen, weil jede dieser letzteren in eine gewisse Anzahl von Dreiecken aufgelöst werden kann.

Dasselbe Verfahren muß bei den Werten der Waren vorgenommen werden können. Wir müssen imstande sein, sie alle auf den einen ihnen gemeinsamen Ausdruck zurückzuführen, indem wir sie nur noch nach dem Verhältnis unterscheiden, in dem sie dasselbe identische Maß enthalten.

Da die Tauschwerte der Waren nur gesellschaftliche Funktionen dieser Gegenstände sind und durchaus nichts mit ihren natürlichen Eigenschaften zu tun haben, müssen wir erst fragen: Welches ist die gemeinsame gesellschaftliche Substanz aller Waren? Es ist die Arbeit. Um eine Ware herzustellen, muß eine bestimmte Summe Arbeit auf sie verwandt oder in sie verarbeitet sein. Und ich sage nicht nur Arbeit, sondern gesellschaftliche Arbeit. Ein Mann, der einen Artikel für seinen eigenen unmittelbaren Gebrauch herstellt, das heißt um ihn selbst zu konsumieren, schafft ein Produkt, aber nicht eine Ware. Als sich selbst erhaltender Produzent hat er nichts mit der Gesellschaft zu tun. Um dagegen eine Ware zu produzieren, muß der Mann nicht nur einen Artikel produzieren, der irgend ein gesellschaftliches Bedürfnis befriedigt, sondern seine Arbeit selbst muß einen Teil und ein Stück der von der Gesellschaft ausgegebenen Gesamtsumme von Arbeit bilden. Sie muß in den Bereich der Teilung der Arbeit innerhalb der Gesellschaft fallen. Sie ist nichts ohne die anderen Abteilungen der Arbeit und muß sie ihrerseits ergänzen.

95 Wenn wir die Waren als Werte betrachten, so betrachten wir sie ausschließlich unter dem alleinigen Gesichtspunkt von vergegenständlicher, |fixierter oder, wenn ihr wollt, kristallisierter gesellschaftlicher Arbeit. In dieser Hinsicht können sie sich nur dadurch unterscheiden, daß sie größere oder kleinere Mengen Arbeit darstellen, wie zum Beispiel eine größere Menge Arbeit in einem seidenen Taschentuch stecken kann, als in einem Backstein. Aber wie mißt man Arbeitsmengen? An der Zeit, welche die Arbeit dauert, indem man die Arbeit nach Stunde, Tag usw. mißt. Natürlich werden, um dieses Maß anzuwenden, alle Arten von Arbeit zur durchschnittlichen oder einfachen Arbeit als ihrer Einheit zurückgeführt.

Wir gelangen deshalb zu diesem Schluß. Die Ware hat einen Wert, weil sie eine Kristallisation gesellschaftlicher Arbeit ist. Die Größe ihres Wertes oder ihr relativer Wert hängt von der größeren oder kleineren Menge der in ihr enthaltenen gesellschaftlichen Substanz ab, das heißt von der zu ihrer Herstellung relativ notwendigen Arbeitsmasse. Die relativen Werte der Waren werden somit bestimmt von den betreffenden Mengen oder Summen von Arbeit, die in diesen Waren verarbeitet, vergegenständlicht, fixiert sind.

Einander entsprechende Mengen von Waren, die in der gleichen Arbeitszeit
(124) produziert werden können, sind im Werte gleich. Oder, der Wert einer Ware
verhält sich zum Wert einer anderen Ware, wie die in der einen fixierten
Arbeitsmenge sich zu der in der anderen fixierten Arbeitsmenge verhält.

Ich vermute, daß viele von euch fragen werden: Existiert also wirklich
solch ein großer oder überhaupt irgend ein Unterschied zwischen der Bestimmung der Warenwerte auf Grund der Löhne und ihrer Bestimmung auf
Grund der zu ihrer Herstellung notwendigen relativen Arbeitsmengen? Ihr
müßt euch jedoch klar machen, daß die Belohnung der Arbeit und die Menge
der Arbeit ganz ungleichartige Dinge sind. Nehmen wir zum Beispiel an, es
seien in einem Quarter Weizen und einer Unze Gold gleiche Menge Arbeit
fixiert. Ich greife auf dieses Beispiel zurück, weil es von Benjamin Franklin in
seiner 1729 veröffentlichten Abhandlung "A Modest Inquiry into the Nature
and Necessity of a Paper Currency" betitelt, gebraucht wurde, in welcher
Schrift er als einer der ersten die wirkliche Natur des Wertes traf. Nun wohl!
Wir nehmen also an, daß ein Quarter Weizen und eine Unze Gold gleiche
96 Werte oder Aequivalente sind, weil sie Kristallisierungen gleicher Mengen
von Durchschnittsarbeit sind, von so vielen Tagen, oder so vielen Wochen in
jeder von ihnen fixierte Arbeit. Beziehen wir uns, indem wir so die relativen
Werte von Gold und Korn bestimmen, in irgend welcher Weise auf die Löhne
der Landarbeiter und der Bergarbeiter? Nicht im geringsten. Wir lassen es
ganz unbestimmt, wie deren Tages- oder Wochenarbeit bezahlt oder selbst
ob überhaupt Lohnarbeit angewandt wurde. Wenn es geschehen, so mögen
die Löhne sehr ungleich gewesen sein. Der Arbeiter, dessen Arbeit in dem
Quarter Weizen steckt, mag nur zwei Bushel, dagegen der in den Bergwerken
beschäftigte Arbeiter eine halbe Unze Gold erhalten. Oder angenommen,
ihre Löhne sind gleich, so können dieselben doch in allen möglichen Gra-
den von den Werten der von ihnen verfertigten Gegenstände abweichen. Sie
können die Hälfte, ein Drittel, ein Viertel, ein Fünftel oder irgend einen anderen Bruchteil des einen Quarters Weizen oder der einen Unze Gold betragen.
Die Löhne dieser Arbeiter können natürlich nicht die Werte der von ihnen
verfertigten Waren übersteigen, nicht höher sein als sie, aber sie können in
jedem möglichen Grade niedriger sein. Ihre Löhne werden in den Werten
der Produkte ihre Grenze finden, aber den Werten ihrer Produkte werden
nicht durch ihre Löhne Grenzen gesetzt. Und vor allem werden die Werte,
wie zum Beispiel die relativen Werte von Korn und Gold, ohne irgend wel-
(125) che Rücksicht auf den Wert der angewandten Arbeit, das will sagen der
Löhne, festgesetzt worden sein. Es ist deshalb etwas ganz anderes, die Werte
von Waren nach den in sie hineingesteckten relativen Mengen von Arbeit zu
bestimmen, als die tautologische Methode, die Werte von Waren nach dem
Werte der Arbeit oder durch die Löhne zu bestimmen. Dieser Punkt wird
jedoch im Verlauf unserer Untersuchung genauer erhellt werden.

Bei der Berechnung des Tauschwertes einer Ware müssen wir zu der
Menge der zuletzt angewandten Arbeit die vorher in dem Rohmaterial der
Ware verarbeitete Menge von Arbeit hinzufügen, ebenso die Arbeit, die auf

die Geräte, Werkzeuge, Maschinen und Häuser verwandt worden, die bei jener Arbeit zu Hilfe genommen wurden. Zum Beispiel ist der Wert einer 97 bestimmten Menge |von Baumwollgarn die kristallisierte Menge Arbeit, die der Baumwolle während des Spinnprozesses hinzugefügt ward, der in der Baumwolle selbst vorher realisierten Arbeitsmenge, der in den Kohlen, dem Oel und anderen zur Anwendung gelangten Hilfsmitteln steckenden Arbeits- menge, der in der Dampfmaschine, den Spindeln, dem Fabrikgebäude und so weiter fixierten Arbeitsmenge. Die eigentlichen Arbeitsmittel, wie Werk- zeuge, Maschinen, Gebäude, werden eine längere oder kürzere Zeit im Ver- laufe wiederholter Produktionsprozesse immer von neuem benutzt. Würden sie, wie das Rohmaterial, auf einmal aufgenützt, so würde ihr ganzer Wert in einem hin auf die Waren übertragen werden, die sie herstellen halfen. Da aber zum Beispiel eine Spindel nur allmählich aufgenutzt wird, so wird eine Durchschnittsberechnung gemacht, bei der die Durchschnittszeit ihrer Dauer und ihrer Durchschnittsabnutzung oder ihr Verschleiß während einer bestimmten Zeit, sagen wir eines Tages, zugrunde gelegt wird. Auf solche Weise berechnen wir, wieviel von dem Wert der Spindel auf das täglich ge- sponnene Garn übergeht und wieviel deshalb von der Totalsumme Arbeit, die zum Beispiel in einem Pfund Garn sich verwirklicht, der vorher in der Spindel vergegenständlichten Menge Arbeit zuzuschreiben ist. Für unseren augenblicklichen Zweck ist es nicht notwendig, länger bei diesem Punkt zu verweilen.

Es könnte scheinen, daß, wenn der Wert jeder Ware von der auf ihre Herstellung verwandten Quantität Arbeit bestimmt wird, sich daraus ergibt, daß, je träger oder ungeschickter ein Arbeiter ist, die von ihm hergestellte Ware um so wertvoller wird, weil die für ihre Fertigstellung erforderte Arbeits- zeit eine entsprechend längere ist. Dies wäre indes ein trauriger Fehlschluß. Ihr werdet euch erinnern, daß ich das Wort "gesellschaftliche Arbeit " ge- braucht habe, und in dieser qualifizierenden Bezeichnung "gesellschaftlich" sind viele Punkte eingeschlossen. Wenn wir sagen, daß der Wert einer Ware von der in ihr verarbeiteten oder kristallisierten Menge von Arbeit bestimmt 126) wird, so verstehen wir darunter die zu ihrer Herstellung in einem gegebenen |Gesellschaftszustand, unter bestimmten gesellschaftlichen Durchschnittsbe- stimmungen der Produktion, einer gesellschaftlichen Durchschnittsdichtig- 98 keit und |Durchschnittsgeschicklichkeit der angewandten Arbeit erforderte Arbeitsmenge. Als in England der Kraftstuhl mit dem Handstuhl in Kon- kurrenz trat, da bedurfte es nur der Hälfte der früheren Arbeitszeit, um eine bestimmte Menge Garn in eine Elle Kattun oder Tuch zu verwandeln. Der arme Handstuhlweber arbeitete nun siebzehn oder achtzehn Stunden täglich statt der neun oder zehn Stunden, die er früher gearbeitet hatte. Aber sein Produkt einer zwanzigstündigen Arbeit repräsentierte jetzt nur noch zehn so- ziale Arbeitsstunden oder zehn für die Umwandlung einer bestimmten Menge Garn in Webstoffe notwendige Stunden gesellschaftlicher Arbeit. Sein in zwanzig Stunden fertiggestelltes Produkt hatte somit keinen höheren Wert als sein früher in zehn Stunden hergestelltes Produkt.

Wenn also die in den Waren verkörperte Menge gesellschaftlich notwendiger Arbeit ihren Tauschwert regelt, so muß jede Vermehrung der für die Herstellung einer Ware notwendigen Arbeitsmenge den Wert derselben erhöhen, wie jede Verringerung ihn vermindern muß.

Wenn die Arbeitsmengen, die zur Herstellung der verschiedenen Arten von Waren erfordert sind, konstant blieben, so würden ihre relativen Werte auch konstant sein. Aber dies ist nicht der Fall. Die für die Herstellung einer Ware notwendige Arbeitsmenge wechselt beständig mit den Veränderungen in den Produktivkräften der angewandten Arbeit. Je größer die Produktivkraft der Arbeit, desto mehr an Produkten wird in einer gegebenen Arbeitszeit fertiggestellt, und je geringer die Produktivkraft der Arbeit, eine um so kleinere Menge Produkte wird in derselben Zeit fertiggestellt. Wenn es z. B. bei zunehmender Bevölkerung notwendig werden sollte, weniger fruchtbaren Boden zu kultivieren, so würde dieselbe Menge von Produkten nur dadurch erzielt werden können, daß eine größere Menge Arbeit verwandt würde, und der Wert der Bodenprodukte würde infolgedessen steigen. Andererseits ist es klar, daß wenn der einzelne Spinner mit Hilfe der modernen Produktionsmittel im Laufe eines Arbeitstages viel tausendmal mehr Baumwolle in Garn verwandelt, als er im gleichen Zeitraume mit dem Spinnrad verspinnen konnte, jedes einzelne Pfund Baumwolle viele tausendmal weniger Spinnarbeit absorbieren wird als vorher und infolgedessen der durch das Spinnen jedem einzelnen Pfund Baumwolle hinzugefügte Wert tausendmal kleiner sein wird als vordem. Der Wert des Garnes wird entsprechend fallen.

Abgesehen von den Unterschieden in der natürlichen Spannkraft und der erworbenen Arbeitsgeschicklichkeit der verschiedenen Völker müssen die Produktivkräfte der Arbeit hauptsächlich abhängen:

Erstens von den Naturbedingungen der Arbeit, wie Ergiebigkeit des Bodens, der Bergwerke usw.

Zweitens von den fortschreitenden Verbesserungen der gesellschaftlichen Arbeitskräfte, wie sie bewirkt werden durch die Produktion auf großem Maßstab, durch die Konzentration des Kapitals und Kombinierung der Arbeit. Teilung der Arbeit, Maschinen, verbesserte Methoden, Anwendung von chemischen und anderen Naturkräften, Verdichtung der Zeit und des Raumes durch Verkehrs- und Transportmittel, sowie durch alle sonstigen Veranstaltungen, vermittels deren die Wissenschaft die Naturkräfte in den Dienst der Arbeit zwingt und der gesellschaftliche oder kooperative Charakter der Arbeit zur Entfaltung gebracht wird. Je größer die Produktionskraft der Arbeit, um so weniger Arbeit wird auf eine bestimmte Menge von Produkten verwandt. Deshalb auch um so kleiner der Wert des Produkts. Je geringer die Produktionskraft der Arbeit, desto mehr Arbeit wird auf die gleiche Produktenmenge verwandt. Um so größer dann ihr Wert.

Wir dürfen demgemäß als allgemeines Gesetz feststellen, daß:

Die Werte der Waren sich direkt wie die Mengen von Arbeitszeit verhalten, die zu ihrer Herstellung angewandt werden und umgekehrt wie die Produktivkräfte der verwandten Arbeit.

Nachdem ich bisher nur vom Wert gesprochen, so werde ich jetzt einige Worte über den Preis hinzufügen, der eine eigentümliche Form ist, die der Wert annimmt.

Für sich allein genommen ist der Preis nichts als der Geldausdruck des Wertes. Die Werte aller Waren dieses Landes sind zum Beispiel alle in Goldpreisen ausgedrückt, während sie auf dem Festland hauptsächlich in Silber-
100 preisen ausgedrückt werden. Der Wert des Goldes oder Silbers wird wie der aller anderen Waren von der Menge Arbeit bestimmt, die zu ihrer Gewinnung notwendig ist. Ihr tauscht eine gewisse Menge eurer nationalen Produkte, in denen eine bestimmte Menge eurer nationalen Arbeit kristallisiert ist, gegen das Produkt von Gold und Silber produzierenden Ländern um, in dem eine gewisse Menge ihrer Arbeit kristallisiert ist. Auf solche Weise, tatsächlich durch das Markten, lernt ihr die Werte aller Waren, das heißt die respektiven Arbeitsmengen, die auf ihre Herstellung verwendet worden, in Gold und Silber ausdrücken. Wenn ihr in den Geldausdruck des Wertes oder, was dasselbe heißt, die Umwandlung des Wertes in Preis etwas genauer eindringt, so werdet ihr finden, daß es ein Prozeß ist, durch den ihr den Werten aller Dinge eine selbständige und gleichartige Form gebt oder durch den ihr sie als Mengen gleicher, gesellschaftlicher Arbeit bezeichnet. Soweit als er nur der Geldausdruck des Wertes ist, ist der Preis von Adam Smith der "natürliche Preis" und von den französischen Physiokraten der "prix necessaire" genannt
(128) worden.

Welches ist nun das Verhältnis zwischen Wert und Marktpreis oder zwischen natürlichen Preisen und Marktpreisen? Ihr alle wißt, daß der Marktpreis derselbe ist für alle Waren gleicher Art, wie verschieden auch immer die Produktionsbedingungen der einzelnen Produzenten sein mögen. Der Marktpreis drückt nur den Durchschnittsbetrag der gesellschaftlichen Arbeit aus, die unter den Durchschnittsbedingungen der Produktion erfordert ist, um den Markt mit einer bestimmten Masse von bestimmten Artikeln zu versorgen. Er wird gemäß der Gesamtmenge von Waren einer bestimmten Art berechnet.

Somit stimmt der Marktpreis einer Ware mit ihrem Werte überein. Andererseits sind die Schwankungen der Marktpreise, da diese bald über, dann wieder unter dem Wert oder den natürlichen Preis steigen und sinken, von den Schwankungen der Zufuhr und der Nachfrage abhängig. Die Abweichungen der Marktpreise von den Werten finden beständig statt, aber, wie Adam Smith sagt: "Der natürliche Preis ist der den Mittelpunkt bildende Preis, um den die Preise der Waren fortwährend gravitieren. Verschiedene Zufälle mögen sie manchmal ein gut Teil darüber halten und sie manchmal selbst dar-
101 unter hinabdrücken. Aber welches auch immer die Hindernisse sein mögen, die sie abhalten, sich in diesem Mittelpunkt von Ruhe und Beharrlichkeit festzusetzen, so streben sie doch beständig nach ihm hin."

Ich kann jetzt darauf nicht genauer eingehen. Es genüge zu sagen, daß wenn Angebot und Nachfrage einander im Gleichgewicht halten, die Marktpreise der Waren mit ihren natürlichen Preisen, das heißt mit ihren Werten übereinstimmen werden, wie diese von den zu ihrer Herstellung erforderten respektiven Arbeitsmengen bestimmt sind. Aber Angebot und Nachfrage müssen beständig darnach streben, sich das Gleichgewicht zu halten, wenn sie dies auch nur in der Weise tun, daß sie jede Schwankung durch eine andere, jedes Steigen durch ein Fallen und umgekehrt ausgleichen. Wenn ihr, statt nur die täglichen Schwankungen zu betrachten, die Bewegungen untersucht, welche die Marktpreise während längerer Perioden aufweisen, wie dies zum Beispiel Mr. Tooke in seiner "Geschichte der Preise" getan hat, so werdet ihr finden, daß die Schwankungen der Marktpreise, ihre Abweichungen von den Werten, ihr Steigen und Fallen einander aufheben und ergänzen, so daß, wenn man von den Wirkungen der Monopole und einigen anderen Einschränkungen absieht, auf die ich jetzt nicht eingehen kann, die Waren jeder Art im Durchschnitt zu ihren entsprechenden oder natürlichen Preisen verkauft werden. Die durchschnittlichen Zeiträume, während denen die Schwankungen der Marktpreise einander ausgleichen, sind für die verschiedenen Arten von Waren verschieden, weil es bei manchen Arten leichter ist, (129) das Angebot der Nachfrage anzupassen, als bei anderen.

Wenn also, um uns an die allgemeine Erscheinung zu halten und etwas längere Zeiträume ins Auge zu fassen, Artikel jeder Art zu ihren entsprechenden Werten verkauft werden, so ist es Unsinn, anzunehmen, daß der Profit - nicht der in einzelnen Fällen erzielte - aber die beständigen und allgemeinen, in den verschiedenen Industrien gemachten Profite, aus den Preisen der Waren oder daraus herrühren, daß diese zu einem Preise verkauft werden, 102 der ihren Wert erheblich übersteigt. Die Ungereimtheit dieser Ansicht tritt klar zutage, wenn man sie verallgemeinert. Das, was jemand als Verkäufer beständig gewänne, würde er als Käufer ebenso beständig verlieren. Es würde nichts helfen, zu sagen, daß es Leute gibt, die Käufer sind ohne Verkäufer, oder die Konsumenten sind, ohne Produzenten zu sein. Was diese Leute den Produzenten zahlen, müssen sie zuerst von ihnen für nichts bekommen. Wenn jemand erst euer Geld nimmt und dieses Geld auch nachher dadurch zurückgibt, daß er eure Waren kauft, so werdet ihr euch niemals dadurch bereichern, daß ihr dieser Person eure Waren zu teuer verkauft. Diese Art von Handel mag einen Verlust verringern, aber sie würde nie dazu beitragen, einen Profit zu erzielen.

Um die allgemeine Natur der Profite zu erklären, müßt ihr somit von dem Lehrsatz ausgehen, daß die Waren durchschnittlich zu ihrem wirklichen Wert verkauft und daß Profite dadurch erlangt werden, daß man die Waren zu ihren Werten verkauft, das heißt im Verhältnis zu der in ihnen verwirklichten Arbeitsmenge. Wenn ihr den Profit nicht unter dieser Voraussetzung erklären könnt, so könnt ihr ihn überhaupt nicht erklären. Dies scheint paradox und im Widerspruch mit der alltäglichen Beobachtung. Es ist aber auch paradox, daß die Erde sich um die Sonne bewegt und das Wasser aus zwei höchst entzündlichen Gasen besteht. Wissenschaftliche Wahrheiten sind stets paradox, wenn sie nach der alltäglichen Erfahrung beurteilt werden, die nur den trügerischen Schein der Dinge erfaßt.

7. Die Arbeitskraft.

Nachdem wir nun, soweit dies in einer so flüchtigen Betrachtung geschehen konnte, die Natur des Wertes, des Wertes aller möglichen Waren untersucht haben, müssen wir unsere Aufmerksamkeit dem besonderen Wert der Arbeit zuwenden. Und hierbei muß ich euch wieder durch ein Paradox überraschen. Jeder von euch ist überzeugt, daß das, was ihr täglich verkauft, eure Arbeit ist, daß somit die Arbeit einen Preis hat, und daß, da der Preis einer Ware der Geldausdruck ihres Wertes ist, ganz sicher so etwas wie ein (130) Wert der Arbeit existieren muß. Es existiert jedoch kein solch Ding wie 103 "Wert der Arbeit" in dem gewöhnlichen Sinne dieses Wortes. Wir haben gesehen, daß die Menge der in einer Ware kristallisierten notwendigen Arbeit ihren Wert bildet. Nun wohl, wie können wir, wenn wir diesen Begriff des Wertes anwenden, den Wert eines, sagen wir, Zehnstundentags bestimmen? Wieviel Arbeit ist in diesem Tage enthalten? Zehn Stunden Arbeit. Es wäre eine tautologische und noch dazu unsinnige Ausdrucksweise, zu sagen, daß der Wert eines zehnstündigen Arbeitstages zehn Arbeitsstunden oder der in ihnen enthaltenen Arbeitsmenge gleich sei. Natürlich, wenn wir erst einmal den wahren, aber versteckten Sinn des Ausdrucks "Wert der Arbeit" herausgefunden, würden wir auch imstande sein, diese irrationelle und scheinbar unmögliche Anwendung des Wertes zu erklären, ebenso wie wir imstande sind, die scheinbaren oder bloß in bestimmter Form wahrgenommenen Bewegungen der Himmelsgestirne zu erklären, wenn wir erst ihre wirklichen Bewegungen begriffen haben.

Was der Arbeiter verkauft, ist nicht direkt seine Arbeit, sondern seine Arbeitskraft, deren Verfügung er zeitweise dem Kapitalisten überläßt. Dies ist so sehr der Fall, daß - ich weiß nicht, ob durch das englische Gesetz, aber jedenfalls durch einige kontinentale Gesetze die Maximalzeitdauer festgesetzt ist, für welche eine Person ihre Arbeitskraft verkaufen darf. Wäre dem Arbeiter letzteres für jedwelche unbegrenzte Zeit gestattet, so würde augenblicklich die Sklaverei wieder hergestellt sein. Wenn zum Beispiel solch Verkauf die Lebenszeit der Person umfaßte, so würde er diese sofort zum lebenslänglichen Sklaven des Arbeitsherrn machen.

Thomas Hobbes, einer der ältesten Oekonomen und der originalsten Philosophen Englands, hat schon in seinem "Leviathan" instinktiv auf diesen Punkt hingewiesen, der von allen seinen Nachfolgern übersehen worden ist. Er sagt: "Der Wert eines Mannes ist, wie bei allen anderen Dingen, sein Preis: das heißt so viel als für den Gebrauch seiner Kraft gegeben wird."

Von dieser Grundlage ausgehend, werden wir imstande sein, den Wert 104 der Arbeit wie den aller anderen Waren zu bestimmen. Aber bevor wir dies tun, dürfen wir fragen: woher kommt diese seltsame Erscheinung, daß wir auf dem Markte eine Reihe Käufer finden, die Boden, Maschinen, Rohmaterial und die Mittel zum Leben besitzen, alles Dinge, die außer dem Boden in (131) seinem ursprünglichen Zustand Produkte der Arbeit sind, und andererseits eine Reihe Verkäufer, die außer ihrer Arbeitskraft, ihren zur Arbeit bereiten Armen und ihrem Hirn nichts zu verkaufen haben? Daß die einen beständig kaufen, um einen Profit zu machen und sich zu bereichern, während die andern beständig verkaufen, um ihren Lebensunterhalt zu gewinnen? Die Untersuchung dieser Frage würde eine Untersuchung sein der "ersten oder ursprünglichen Akkumulation", wie die Oekonomen sie nennen, die aber von Rechts wegen "ursprüngliche Enteignung" heißen sollte. Wir würden sehen, daß die sogenannte "ursprüngliche Akkumulation" nichts anderes bedeutet als eine Reihe historischer Prozesse, deren Resultat eine Zersetzung der ursprünglich zwischen den Arbeitenden und ihren Arbeitsmitteln herrschenden Vereinigung war. Diese Untersuchung liegt jedoch außerhalb des Umkreises meiner vorliegenden Aufgabe. Nachdem die Trennung des Mannes der Arbeit von dem Arbeitsmittel einmal vollzogen worden, muß sich dieser Zustand der Dinge von selbst forterhalten und sich in beständig zunehmendem Maße wieder erzeugen, bis eine neue und gründliche Revolution der Produktionsweise ihn wieder umwirft und die ursprüngliche Vereinigung in einer geschichtlich neuen Form wieder herstellt.

Was also ist der Wert der Arbeitskraft? Wie der jeder anderen Ware wird ihr Wert durch die Arbeitsmenge bestimmt, die zu ihrer Herstellung notwendig ist. Die Arbeitskraft eines Menschen existiert nur in seiner lebenden Persönlichkeit. Eine bestimmte Masse Lebensmittel muß von ihm verbraucht werden, damit er wachsen und sein Dasein erhalten kann. Aber der Mensch nutzt sich ebenso wie die Maschine ab und muß von einem anderen Menschen ersetzt werden. Außer der für seinen eigenen Unterhalt erforderten Menge notwendiger Lebensmittel benötigt er eine weitere Menge Lebensmittel, um eine gewisse Anzahl Kinder aufzuziehen, die ihn auf dem Arbeitsmarkt er-
105 setzen und den Stamm der Arbeiter verewigen. Außerdem muß, um seine Arbeitskraft zu entwickeln und um eine gewisse Geschicklichkeit zu erzielen, eine weitere Summe Wert verausgabt werden. Für unseren Zweck genügt es, nur die Durchschnittsarbeit zu betrachten, deren Erziehungs- und Ausbildungskosten verschwindende Größen sind. Doch muß ich diese Gelegenheit ergreifen, um festzustellen, daß ebenso wie die Kosten der Produktion von Arbeitskräften verschiedener Art von einander abweichen, so auch die Werte der in den verschiedenen Industrien angewandten Arbeitskräfte sich von einander unterscheiden müssen. Der Ruf nach Gleichheit der Löhne beruht deshalb auf einem Irrtum, einem sinnlosen Wunsch, der nie erfüllt werden wird. Er ist ein Erzeugnis jenes falschen und oberflächlichen Radikalismus, der Voraussetzungen hinnimmt und Folgerungen auszuweichen sucht. Auf der Grundlage des
(132) Lohnsystems wird der Wert der Arbeitskraft wie der jeder anderen Ware geregelt, und da die verschiedenen Arten von Arbeitskraft verschiedene Werte haben oder zu ihrer Herstellung verschiedener Arbeitsmengen bedürfen, so müssen sie auch auf dem Arbeitsmarkt verschiedene Preise erlangen. Auf der Grundlage des Lohnsystems nach gleicher oder auch nur gerechter (equitable) Bezahlung rufen ist dasselbe, wie der Ruf nach Freiheit auf Grundlage des Systems der Sklaverei. Was ihr für gerecht oder billig haltet, kommt nicht in Betracht. Die Frage dreht sich vielmehr darum, was bei einem gegebenen Produktionssystem notwendig und unvermeidbar ist.

Nach dem Angeführten wird der Wert der Arbeitskraft bestimmt durch den Wert der notwendigen Lebensmittel, die gebraucht werden, um die Arbeitskraft zu produzieren, zu entwickeln, zu unterhalten und zu verewigen.

8. Die Produktion des Mehrwerts.

Nehmen wir nunmehr an, die Durchschnittsmasse der täglichen Lebensmittel eines Arbeiters erforderte zu ihrer Produktion sechs Stunden durchschnittlicher Arbeit. Laßt uns außerdem annehmen, daß eine sechsstündige Arbeitsleistung sich in einer Geldmenge gleich drei Schilling darstellt. Dann würden drei Schilling der Preis oder der Geldausdruck des täglichen Wer-
106 tes der Arbeitskraft dieses Mannes sein. Er würde, wenn er täglich sechs Stunden arbeitete, täglich einen Wert produzieren, der hinreichte, die Durchschnittsmenge seiner täglich notwendigen Lebensmittel zu kaufen oder seinen Lebensunterhalt als Arbeiter zu bestreiten.

Aber unser Mann ist ein Lohnarbeiter. Er muß deshalb seine Arbeitskraft einem Kapitalisten verkaufen. Wenn er sie für drei Schilling pro Tag oder für achtzehn Schilling wöchentlich verkauft, so verkauft er sie zu ihrem Werte. Nehmen wir an, er sei ein Spinner. Wenn er sechs Stunden täglich arbeitet, so wird er der Baumwolle täglich einen Wert von drei Schilling hinzufügen. Dieser täglich von ihm zugesetzte Wert würde ein genaues Aequivalent sein für die Löhne oder den Preis, den er täglich für seine Arbeitskraft erhielte. Aber in diesem Falle würde dem Kapitalisten keinerlei Mehrwert oder Mehrprodukt zufallen. Hier stoßen wir daher auf die eigentliche Schwierigkeit. Der Kapitalist hat, ebenso wie jeder andere Käufer, damit, daß er die Arbeitskraft des Arbeiters kaufte und ihren Wert bezahlte, das Recht erworben, die gekaufte Ware zu konsumieren oder zu benutzen. Man konsumiert oder benutzt die Arbeitskraft einer Person, indem man sie arbeiten läßt, ebenso wie man eine Maschine konsumiert oder benutzt, indem man sie in Gang setzt. Damit, daß der Kapitalist den täglichen oder wöchentlichen Wert der Arbeitskraft des Arbeiters kaufte, hat er somit das Recht erworben, (133) diese Arbeitskraft während des ganzen Tages oder der ganzen Woche zu benutzen oder sie arbeiten zu lassen. Natürlich haben der Arbeitsvertrag oder die Arbeitswoche gewisse Grenzen, aber diese werden wir später genauer betrachten.

Für den Augenblick muß ich eure Aufmerksamkeit auf einen entscheidenden Punkt lenken.

Der Wert der Arbeitskraft wird durch die Arbeitsmenge bestimmt, die zu ihrer Erhaltung und Reproduzierung erfordert ist; aber der Gebrauch dieser Arbeitskraft findet seine Grenze nur in der Lebensenergie und körperlichen Kraft des Arbeiters. Der tägliche oder wöchentliche Wert der Arbeitskraft ist ganz etwas anderes, wie die tägliche oder wöchentliche Betätigung dieser selben Kraft, ebenso wie das Futter, das ein Pferd braucht, ganz etwas ande-
107 res ist wie die Zeit, die es einen Reiter tragen kann. Die Arbeitsmenge, durch die der Wert der Arbeitskraft des Arbeiters begrenzt wird, bildet durchaus keine Grenze für die Arbeitsmenge, die seine Arbeitskraft zu verrichten fähig

ist. Nehmt unsern Spinner als Beispiel. Wir haben gesehen, daß dieser, um seine Arbeitskraft täglich wieder zu erneuern, täglich einen Wert von drei Schilling schaffen muß, was er erzielt, indem er täglich sechs Stunden arbeitet. Aber dies setzt ihn nicht außerstande, täglich zehn oder zwölf oder noch mehr Stunden zu arbeiten. Der Kapitalist nun, der den Tages- oder Wochenwert der Arbeitskraft des Spinners bezahlt hat, hat damit das Recht erworben, diese Arbeitskraft während des ganzen Tages oder der ganzen Woche zu gebrauchen. Er wird ihn deshalb täglich, sagen wir zwölf Stunden, arbeiten lassen. Ueber die sechs Stunden hinaus, die notwendig sind, um seinen Lohn oder den Wert seiner Arbeitskraft einzubringen, wird der Spinner also sechs weitere Stunden zu arbeiten haben, die ich die Stunden der Mehrarbeit nennen will, und diese Mehrarbeit wird sich in einem Mehrwert und einem Mehrprodukt vergegenständlichen. Wenn zum Beispiel unser Spinner durch seine tägliche Arbeit von sechs Stunden Baumwolle einen Wert von drei Schilling hinzufügte, einen Wert, der ein genaues Aequivalent seines Lohnes bildet, so wird er in zwölf Stunden der Baumwolle einen Wert von sechs Schilling hinzufügen und ein entsprechendes Mehr von Garn schaffen. Da er dem Kapitalisten seine Arbeitskraft verkauft hat, so gehört das ganze von ihm geschaffene Produkt oder dessen Wert dem Kapitalisten als dem zeitweiligen Eigentümer seiner Arbeitskraft. Der Kapitalist wird also dadurch, daß er drei Schilling vorschießt, einen Wert von sechs Schilling erzielen; denn indem er einen Wert vorschießt, in dem sechs Stunden Arbeit kristallisiert sind, erhält er dafür einen Wert, in dem zwölf Stunden Arbeit kristallisiert sind. Der Kapitalist wird bei täglicher Wiederholung dieses Prozesses täglich drei Schilling vorschießen und sechs Schilling einheimsen, von denen eine Hälfte dazu dienen wird, von neuem Löhne zu zahlen, und die andere Hälfte den (134) Mehrwert bildet, für den der Kapitalist kein Aequivalent zahlt. Diese Art des Austausches zwischen Kapital und Arbeit ist es, auf der die kapitalisti-
108 sche Produktion oder das Lohnsystem gegründet ist und die den Arbeiter als Arbeiter und den Kapitalisten als Kapitalisten beständig hervorbringen muß.

Die Rate des Mehrwerts wird, wenn alle anderen Umstände die gleichen bleiben, von dem Verhältnis abhängen zwischen jenem Teil des Arbeitstages, der für die Wiedererzeugung des Wertes der Arbeitskraft erfordert ist, und der für den Kapitalisten geleisteten Ueberzeit oder Mehrarbeit. Sie wird somit von dem Verhältnis abhängen, in dem der Arbeitstag über jenes Stück hinaus verlängert worden ist, während dessen der Arbeiter vermittels seiner Arbeit nur den Wert seiner Arbeitskraft wiedererzeugen oder seinen Lohn ersetzen würde.

9. Vom Wert der Arbeit.

Wir müssen uns nun zu dem Ausdruck: "Wert oder Preis der Arbeit" zurückwenden.

Wir haben gesehen, daß dieser Wert tatsächlich nur der Wert der Arbeitskraft ist, der am Wert der zur Erhaltung derselben notwendigen Waren gemessen wird. Da der Arbeiter aber seinen Lohn erst erhält, nachdem seine Arbeit getan ist, und da er noch dazu weiß, daß das, was er in Wirklichkeit dem Kapitalisten gibt, seine Arbeit ist, so erscheint ihm der Wert oder der Preis seiner Arbeitskraft notwendigerweise als Preis oder Wert seiner Arbeit selbst. Wenn der Preis seiner Arbeitskraft drei Schilling ausmacht, in denen sechs Arbeitsstunden vergegenständlicht sind, und wenn er zwölf Stunden arbeitet, so betrachtet er notwendigerweise diese drei Schilling als den Wert oder Preis von zwölf Stunden Arbeit, obwohl diese zwölf Stunden Arbeit selbst sich in einem Werte von sechs Schilling vergegenständlichen. Ein doppeltes Ergebnis folgt daraus.

Erstens nimmt der Wert oder Preis der Arbeitskraft das Aussehen des Preises oder Wertes der Arbeit selbst an, obgleich Wert und Preis der Arbeit genau genommen sinnlose Ausdrücke sind. Zweitens, obgleich nur ein Teil der täglichen Arbeit des Arbeiters bezahlt wird, während der andere Teil nicht bezahlt wird, und obwohl gerade die unbezahlte oder Mehrarbeit den Fonds bildet, aus dem der Mehrwert oder Profit entsteht, gewinnt es den Anschein,
109 als ob die Gesamtheit bezahlte Arbeit sei.

Dieser falsche Schein unterscheidet die Lohnarbeit von anderen historischen Arbeitsformen. Auf Grundlage des Lohnsystems scheint selbst die unbezahlte Arbeit bezahlte Arbeit zu sein. Im Gegensatz dazu erscheint bei
(135) der Sklaverei selbst der Teil der Arbeit, der bezahlt wird, als unbezahlt. Natürlich muß der Sklave leben, um arbeiten zu können, und ein Teil seines Arbeitstages geht darauf, den Wert seines Unterhalts zu ersetzen. Aber da zwischen ihm und seinem Herrn kein Handel abgeschlossen wird, zwischen diesen beiden Parteien kein Kauf und Verkauf stattfindet, so hat es den Anschein, als ob all seine Arbeit für nichts hingegeben wird.

Nehmt andererseits den hörigen Bauer, wie er, möchte ich sagen, noch gestern im ganzen Osten von Europa existierte. Dieser Bauer arbeitete zum Beispiel drei Tage für sich auf seinem eigenen oder dem ihm zugewiesenen Felde, und die drei folgenden Tage verrichtete er auf dem Gute seines Herrn erzwungene und unbezahlte Arbeit. Hier also waren die bezahlten und unbezahlten Teile der Arbeit merkbar getrennt, getrennt in Zeit und Raum, und unsere Liberalen flossen über von moralischer Entrüstung ob der albernen Idee, einen Menschen für nichts arbeiten zu lassen.

In der Sache selbst jedoch läuft es auf dasselbe hinaus, ob jemand während drei Tagen in der Woche auf seinem eigenen Felde für sich selbst und drei Tage auf dem Gute seines Herrn für nichts arbeitet, oder ob er in der Fabrik oder Werkstatt sechs Stunden täglich für sich und sechs Stunden für seinen Arbeitsherrn arbeitet, wenn auch im letzteren Falle die bezahlten und unbezahlten Teile der Arbeit untrennbar miteinander vermischt werden

und die Natur der ganzen Abmachungen durch das Dazwischentreten eines
Kontrakts und den am Ende der Woche erhaltenen Lohn völlig maskiert wird.
Die unbezahlte Arbeit erscheint in dem einen Falle als freiwillig gegeben und
in dem anderen als erzwungen. Das ist der ganze Unterschied.

Wenn ich im folgenden den Ausdruck "Wert der Arbeit" brauche, so nur
als eine volkstümliche Redensart für "Wert der Arbeitskraft".

110 **10. Wie Profit gemacht wird, wenn Waren zu ihrem Wert
verkauft werden.**

Nehmen wir an, eine Stunde Durchschnittsarbeit stelle sich dar in einem Werte von sechs Pence, oder zwölf Stunden Durchschnittsarbeit stellten,
sechs Schilling dar. Nehmen wir ferner an, der Wert der Arbeit (Arbeitskraft)
sei gleich drei Schilling oder dem Produkt von sechs Stunden Arbeit. Wenn
dann in dem für eine bestimmte Ware verbrauchten Rohmaterial, der Maschi-
nenabnutzung usw. vierundzwanzig Stunden Durchschnittsarbeit verkörpert
waren, so würde der Wert dieser Materialien usw. zwölf Schilling betragen.
Wenn außerdem der von dem Kapitalisten beschäftigte Arbeiter diesen Produktionsmitteln zwölf Stunden Arbeit zufügt, so würden diese zwölf Stunden
136 einen weiteren Wert von sechs Schilling darstellen. Der Totalwert des Produktes würde sich somit auf sechsunddreißig Stunden vergegenständlichte
Arbeit belaufen und gleich achtzehn Schilling sein. Da aber der Wert der
Arbeit oder der dem Arbeiter gezahlte Lohn nur drei Schilling beträgt, so
wäre von dem Kapitalisten kein Aequivalent gezahlt worden für die vom Arbeiter geleisteten und in dem Werte der Ware verkörperten sechs Stunden
Mehrarbeit. Wenn der Kapitalist diese Waren zu ihrem Werte, für achtzehn
Schilling, verkauft, würde er daher einen Wert von drei Schilling realisieren,
für den er kein Aequivalent gezahlt hat. Diese drei Schilling würden den von
ihm eingesackten Mehrwert oder Profit bilden. Der Kapitalist würde folglich
den Profit von drei Schilling nicht dadurch erzielen, daß er seine Waren zu
einem ihren Wert überschreitenden, sondern dadurch, daß er sie zu ihrem
wirklichen Wert verkauft.

Der Wert einer Ware wird bestimmt durch die in ihr enthaltene totale
Arbeitsmenge. Aber ein Teil dieser Arbeitsmenge stellt einen Wert dar, für
den ein Aequivalent gezahlt worden ist in Form von Löhnen, ein anderer
Teil jedoch stellt einen Wert dar, für den kein Aequivalent gezahlt worden
ist. Ein Teil der in der Ware enthaltenen Arbeit ist bezahlte, ein anderer
Teil unbezahlte Arbeit. Wenn also der Kapitalist die Ware zu ihrem Werte,
das heißt als Kristallisation des Ganzen der auf sie verwandten Arbeitsmenge
111 verkauft, so muß er sie notwendiger Weise mit einem Profit verkaufen. Er verkauft nicht nur etwas, wofür er ein Aequivalent gezahlt, sondern er verkauft
auch etwas, was ihn selbst nichts gekostet hat, obwohl es die Arbeit seines
Arbeiters gekostet hat. Was die Ware den Kapitalisten kostet und ihre wirkliche Kostenmenge, sind zwei verschiedene Dinge. Ich wiederhole deshalb, daß
normale und durchschnittliche Profite dadurch gemacht werden, daß man die
Waren nicht über, sondern zu ihrem wirklichen Werte verkauft.

11. Die verschiedenen Teile, in die der Mehrwert sich spaltet.

Den Mehrwert oder jenen Teil des Gesamtwerts der Ware, in dem die Mehrarbeit oder die unbezahlte Arbeit des Arbeiters sich vergegenständlicht, nenne ich Profit. Dieser ganze Profit wird nicht von dem kapitalistischen Arbeitsherrn eingesackt. Das Bodenmonopol macht es dem Grundbesitzer möglich, sich unter dem Namen Grundrente einen Teil dieses Mehrwerts anzueignen, gleichviel ob der Boden für Zwecke der Landwirtschaft, für Bauten oder Eisenbahnen oder irgend welche anderen produktiven Zwecke benutzt wird. Andererseits setzt gerade die Tatsache, daß der Besitz der Arbeitsmittel den kapitalistischen Unternehmer befähigt, einen Mehrwert zu produzieren (137) oder, was auf dasselbe hinausläuft, sich eine gewisse Menge unbezahlter Arbeit anzueignen, den Besitzer von Arbeitsmitteln, der dem kapitalistischen Unternehmer diese ganz oder zu einem Teile leiht, mit einem Worte den Geldkapitalisten, in den Stand, unter dem Namen von Zins einen anderen Teil jenes Mehrwerts für sich zu beanspruchen, so daß dem kapitalistischen Unternehmer als solchem nur das bleibt, was man den gewerblichen oder geschäftlichen Profit nennt.

Nach welchen Gesetzen diese Teilung des Gesamtbetrags des Mehrwerts unter den drei Kategorien von Leuten geregelt wird, ist eine Frage, die unserem Gegenstand völlig fremd ist. Soviel jedoch folgt aus dem, was dargelegt worden ist:

Grundrente, Zins und geschäftlicher Profit sind nur verschiedene Namen für verschiedene Teile des Mehrwerts der Ware oder der in ihr enthaltenen unbezahlten Arbeit, und sie entstammen gleichmäßig dieser Quelle und nur 112 dieser Quelle. Sie entstammen nicht dem Boden als solchem oder dem Kapital als solchem, aber Boden und Kapital befähigen ihre Eigentümer, aus dem von dem kapitalistischen Unternehmer aus dem Arbeiter herausgezogenen Mehrwert ihre bezüglichen Teile zu beziehen. Für den Arbeiter selbst ist es von untergeordneter Wichtigkeit, ob jener Mehrwert, das Resultat seiner Mehrarbeit oder unbezahlten Arbeit, von dem kapitalistischen Unternehmer ganz und gar eingesackt wird, oder ob der letztere gezwungen ist, Teile davon unter dem Namen Rente und Zins an dritte Parteien abzugeben. Angenommen, der kapitalistische Unternehmer benutzte nur sein eigenes Kapital und wäre sein eigener Grundherr, so würde der ganze Mehrwert in seine Tasche gehen.

Es ist zunächst der kapitalistische Unternehmer, der aus dem Arbeiter diesen Mehrwert herauspreßt, gleichviel welchen Teil davon er schließlich für sich zurückzuhalten vermag. An diesem Verhältnis zwischen dem kapitalistischen Unternehmer und dem Lohnarbeiter hängt daher das ganze Lohnsystem und das ganze heutige Produktionssystem. Wenn einige der Bürger, die an unserer Debatte teilgenommen haben, die Sache ins Kleinliche zu ziehen und diese grundlegende Beziehung zwischen dem kapitalistischen Unternehmer und dem Arbeiter als eine untergeordnete Frage zu behandeln suchten, so waren sie daher sehr im Irrtum, wenn sie auch mit ihrer Behauptung Recht hatten, daß unter gegebenen Umständen ein Steigen der Preise den kapitalistischen Unternehmer, den Grundbesitzer, den Geldkapitalisten und, wenn ihr wollt, den Steuereinehmer in sehr ungleicher Weise in Mitleidenschaft ziehen kann.

Noch eine andere Folgerung ergibt sich aus dem Gesagten.

Jener Teil des Wertes der Ware, der nur den Wert des Rohmaterials, der Maschinen, mit einem Worte den Wert der aufgewandten Produktionsmittel repräsentiert, bildet keinerlei Einkommen, sondern ersetzt nur Kapital. Aber (138) abgesehen davon, ist es falsch, daß der andere Teil des Wertes der Ware, der Einkommen bildet oder in Form von Löhnen, als Profit, Rente, Zins verausgabt werden kann, durch den Wert der Löhne, den Wert der Rente, der Profite und so weiter gebildet wird. Wir wollen fürs Erste die Löhne bei Seite lassen 113 und nur gewerblichen Profit, Zins und Rente behandeln. Wir haben soeben gesehen, daß der in der Ware enthaltene Mehrwert oder jener Teil ihres Wertes, in dem die unbezahlte Arbeit vergegenständlicht ist, sich in verschiedene Teile auflöst, die drei verschiedene Namen tragen. Aber es würde durchaus das Gegenteil der Wahrheit sein, zu sagen, daß ihr Wert sich zusammensetzt oder gebildet wird aus der Zusammenrechnung der unabhängigen Werte jener drei Bestandteile.

Wenn eine Arbeitsstunde einen Wert von sechs Pence verkörpert, wenn der Arbeitstag des Arbeiters zwölf Stunden umfaßt und die Hälfte dieser Zeit unbezahlte Arbeit ist, so wird diese Mehrarbeit der Ware einen Mehrwert von drei Schilling hinzufügen, das heißt Wert, für den kein gleicher Gegenwert gezahlt worden ist. Dieser Mehrwert von drei Schilling bildet den ganzen Fonds, den der kapitalistische Unternehmer mit dem Grundbesitzer und Geldverleiher teilen kann, gleichviel in welchem Verhältnis die Teilung geschieht. Der Wert dieser drei Schilling bildet die Schranke des Wertes, den sie untereinander zu verteilen haben. Aber es ist nicht der kaptitalistische Unternehmer, der dem Werte der Ware einen willkürlichen Wert für seinen Profit hinzufügt, welchem ein anderer Wert für den Grundbesitzer und so weiter hinzugefügt wird, so daß die Zusammenrechnung dieser willkürlich festgesetzten Werte den Gesamtwert bilden würde. Ihr seht also, wie trügerisch die volkstümliche Ansicht ist, die die Zerlegung eines gegebenen Wertes in drei Teile mit der Bildung jenes Wertes durch die Zusammenrechnung von drei unabhängigen Werten verwechselt und so den Gesamtwert, aus dem Rente, Profit und Zins hergeleitet werden, zu einer willkürlichen Größe macht.

Wenn der Gesamtprofit, der von einem Kapitalisten gemacht wird, gleich hundert Pfund Sterling ist, so nennen wir diese Summe, als absolute Größe betrachtet, die Masse des Profits. Berechnen wir aber das Verhältnis, in dem diese hundert Pfund zu dem vorgeschossenen Kapital stehen, so nennen wir diese relative Größe die Profitrate. Es ist augenscheinlich, daß diese Profitrate in doppelter Weise ausgedrückt werden kann.

Nehmen wir an, die hundert Pfund seien das in Löhnen vorgeschossene 114 Kapital. Wenn der geschaffene Mehrwert auch hundert Pfund beträgt - und dies würde uns anzeigen, daß der halbe Arbeitstag des Arbeiters aus unbezahlter Arbeit besteht -, so würden wir, wenn wir diesen Profit an dem

in Löhnen vorgestreckten Kapital messen, sagen, die Profitrate hundert Pro-
(139) zent betrage, weil der vorgeschossene Wert hundert und der verkörperte Wert
zweihundert sein würde.

Wenn wir andererseits nicht nur das in Löhnen vorgeschossene Kapital, sondern das gesamte vorgeschossene Kapital in Betracht ziehen würden,
sagen wir zum Beispiel fünfhundert Pfund, von denen vierhundert Pfund
den Wert des Rohmaterials, der Maschinen und so weiter repräsentierten, so
müßten wir sagen, daß die Profitrate nur zwanzig Prozent betrage, weil der
Profit von hundert nur der fünfte Teil des vorgeschossenen Gesamtkapitals
wäre.

Die erste Art, die Profitrate auszudrücken, ist die einzige, die euch das
wirkliche Verhältnis zwischen bezahlter und unbezahlter Arbeit zeigt, den
wirklichen Grad der - gestattet mir das französische Wort - Exploitierung
der Arbeit. Die zweite Ausdrucksweise ist die allgemein gebräuchliche und
für gewisse Zwecke in der Tat angebracht. Jedenfalls ist sie sehr nützlich,
den Grad zu verdecken, in welchem der Kapitalist unentgeltliche Arbeit aus
dem Arbeiter herauszieht.

In den Bemerkungen, die ich noch zu machen habe, werde ich das Wort
Profit für die ganze Masse des von dem Kapitalisten herausgezogenen Mehrwerts anwenden, ohne jede Berücksichtigung der Teilung dieses Mehrwerts
zwischen verschiedenen Parteien, und wenn ich das Wort Profitrate gebrau-
che, werde ich stets die Profite an dem Wert des in Löhnen vorgestreckten
Kapitals messen. (Marx nennt also hier "Profitrate", was er später - im
"Kapital" - als "Mehrwertrate" bezeichnet hat. D. Uebers.)

12. Das allgemeine Verhältnis zwischen Profiten, Löhnen und Preisen.

Wenn wir von dem Werte einer Ware den Wert abziehen, der den Wert
der auf ihn verwandten Rohmaterialien und anderer Produktionsmittel ersetzt, d. h. wenn wir den Wert abziehen, der die in ihm enthaltene vergan-
115 gene Arbeit darstellt, so wird der Rest dieses Wertes sich in die Arbeitsmenge
auflösen, die (der Ware) von dem zuletzt beschäftigten Arbeiter hinzugefügt
wurde. Arbeitet dieser Arbeiter zwölf Stunden Durchschnittsarbeit in einer
Geldmenge von sechs Schilling, so ist dieser hinzugerechnete Wert von sechs
Schilling der einzige Wert, den seine Arbeit geschaffen haben wird. Dieser
von der Zeitdauer seiner geleisteten Arbeit abhängige bestimmte Wert ist der
einzige Fonds, aus dem er sowohl wie der Kapitalist ihre respektiven Anteile
oder Dividenden zu ziehen haben, der einzige Wert, der in Lohn und Profit
aufzuteilen ist. Es ist klar, daß dieser Wert durch die verschiedenen Verhält-
nissätze, nach denen er unter den zwei Parteien verteilt werden mag, selbst
(140) keinerlei Veränderung erfährt. Auch wird sich an der Sache nichts ändern,
wenn ihr an die Stelle des einen Arbeiters die ganze arbeitende Bevölkerung
stellt und statt eines Arbeitstages zum Beispiel zwölf Millionen Arbeitstage
setzt.

Da der Kapitalist und Arbeiter nur diesen begrenzten Wert zu teilen haben, das heißt den nach der Gesamtarbeit des Arbeiters bemessenen Wert, so wird, je mehr der eine erhält, der andere um so weniger erhalten und umgekehrt. Wo immer eine bestimmte Menge gegeben ist, wird ein Teil derselben stets im umgekehrten Verhältnis zunehmen, wie der andere abnimmt. Wenn also die Löhne sich ändern, so werden sich die Profite in entgegengesetzter Richtung ändern. Wenn die Löhne sinken, werden die Profite steigen, und wenn die Löhne steigen werden, so werden die Profite fallen. Wenn nach unserer früheren Annahme der Arbeiter drei Schilling erhält, die der Hälfte des von ihm geschaffenen Wertes entsprechen, oder wenn sein Arbeitstag zur Hälfte aus bezahlter und zur anderen Hälfte aus unbezahlter Arbeit besteht, so wird die Profitrate hundert Prozent betragen, weil der Kapitalist auch drei Schilling erhalten würde. Wenn der Arbeiter nur zwei Schilling erhält oder nur ein Drittel des ganzen Tages für sich arbeitete, so wird der Kapitalist vier Schilling erhalten, und die Profitrate würde zweihundert Prozent betragen. Wenn der Arbeiter vier Schilling erhält, so wird der Kapitalist nur zwei
116 Schilling erhalten, und die Profitrate würde auf fünfzig Prozent sinken, aber all diese Veränderungen werden den Wert der Ware nicht beeinflussen. Ein allgemeines Steigen der Löhne würde somit ein Sinken der allgemeinen Profitrate zur Folge haben, aber die Werte unberührt lassen. Wenn aber auch die Werte der Waren, nach denen ihre Marktpreise sich in letzter Instanz regeln müssen, ausschließlich durch die in diese Waren gesteckten Gesamtmengen von Arbeit bestimmt werden und nicht durch die Teilung jener Menge in bezahlte und unbezahlte Arbeit, so folgt daraus doch keineswegs, daß die Werte der einzelnen Waren oder Mengen von Waren, die etwa während zwölf Stunden produziert werden, konstant bleiben werden. Die in einer bestimmten Arbeitszeit oder mittels einer bestimmten Arbeitsmenge geschaffene Zahl oder Masse von Waren hängt ab von der Produktivkraft der auf ihre Herstellung verwandten Arbeit und nicht von ihrer Ausdehnung oder Länge. So könnten zum Beispiel in einem Arbeitstag von zwölf Stunden mit einem bestimmten Grade der Produktivkraft von Spinnarbeit zwölf Pfund Garn produziert werden und mit einem geringeren Grade von Produktivkraft nur zwei Pfund. Wenn also zwölf Stunden Durchschnittsarbeit sich in einem Werte von sechs Schilling verkörperten, so würden in dem einen Falle die zwölf Pfund Garn sechs Schilling kosten, und in dem anderen Falle würden die zwei Pfund Garn auch sechs Schilling kosten. In dem einen Falle würde daher ein Pfund Garn sechs Pence kosten und in dem anderen drei Schilling. Die Verschiedenheit des Preises wäre eine Folge der Verschiedenheit in den Produktivkräften der angewandten Arbeit. Bei der größeren Produktivkraft würde in einem Pfund Garn eine Stunde Arbeit verkörpert sein, während bei
(141) der geringeren Produktivkraft in einem Pfund Garn sechs Stunden Arbeit verkörpert wären. In dem einen Falle würde der Preis für ein Pfund Garn nur sechs Pence betragen, obgleich die Löhne verhältnismäßig hoch und die Profitrate niedrig wären, und in dem anderen Falle würde er drei Schilling ausmachen, trotzdem die Löhne niedrig und die Profitrate hoch wären. Dies

würde deshalb so sein, weil der Preis des Pfundes Garn durch die gesamte
117 Menge in ihm steckender Arbeit bestimmt wird und nicht durch das Verhältnis der Teilung jener Gesamtmenge in bezahlte und unbezahlte Arbeit. Die
früher von mir erwähnte Tatsache, daß hoch bezahlte Arbeit billige Waren
und niedrig bezahlte Arbeit teuere Waren hervorbringen kann, verliert somit
ihren paradoxen Charakter. Sie ist nur der Ausdruck des allgemeinen Gesetzes, daß der Wert einer Ware durch die in sie verarbeitete Menge von Arbeit
bestimmt ist, daß aber die in sie verarbeitete Arbeitsmenge ganz und gar von
der Produktivkraft der angewandten Arbeit abhängt und deshalb mit jeder
Veränderung in der Produktivkraft der Arbeit wechselt.

3.3.2 Fragen und Aufgaben zu "Lohn, Preis und Profit"

Lesen Sie die Ausführungen und beantworten Sie die folgenden Aufgaben im
Sinne von Marx.

Aufgabe 3.5

*"Ein Mann, der einen Artikel für seinen eigenen unmittelbaren Gebrauch
herstellt, schafft ein Produkt, aber nicht eine Ware." Was versteht Marx in
diesem Zusammenhang unter Ware und was unter Produkt bzw. Gut?*

Aufgabe 3.6

* a. "Welches ist die gemeinsame gesellschaftliche Substanz aller Waren?"*
* b. Was versteht Marx unter "gesellschaftlicher Arbeit"?*

Aufgabe 3.7

*"Die ... Frage, die wir zu stellen haben, ist die: Was ist der Wert einer
Ware? Wie wird er bestimmt?"*

Aufgabe 3.8

*Betrachten Sie Abbildung 1.1 aus Abschnitt 1.4. Woraus bestimmt sich nach
Marx der Wert der Schafschere? Welche Angaben würden benötigt, um den
Wert der Schere berechnen zu können?*

Aufgabe 3.9

*"Welcher Zusammenhang besteht zwischen notwendigen Arbeitsmengen,
Wert einer Ware und den Produktivkräften?"*

Aufgabe 3.10

*"Welches ist nun nach Marx das Verhältnis zwischen Wert und Marktpreis
oder zwischen natürlichen Preisen und Marktpreisen?"*

Aufgabe 3.11

"Was der Arbeiter verkauft, ist nicht direkt seine Arbeit, sondern seine Arbeitskraft." Wie unterscheidet Marx Arbeit und die Ware Arbeitskraft? Was würde sich ergeben, wenn der Arbeiter seine Arbeit verkaufen könnte?

Aufgabe 3.12

"Was also ist der Wert der Arbeitskraft?" Gehen Sie dabei auf das von Marx konstatierte Paradox vom 'besonderen Wert der Arbeit' ein.

Aufgabe 3.13

Was versteht Marx unter Mehrwert und unter Rate des Mehrwerts?

Aufgabe 3.14

"Diese Art des Austausches zwischen Kapital und Arbeit ist es, ... die den Arbeiter als Arbeiter und den Kapitalisten als Kapitalisten beständig hervorbringen muß." Erläutern Sie die Auffassung von Marx!

Aufgabe 3.15

Worin unterscheidet sich nach Marx Lohnarbeit von der Arbeit eines Sklaven oder eines hörigen Bauern im Osten Europas?

Aufgabe 3.16

Erklären Sie: "Wie Profit gemacht wird, wenn Waren zu ihrem Wert verkauft werden."

3.4 Theorie des Mehrwerts

3.4.1 Arbeit als Ursache des Mehrwerts

In "Lohn, Preis und Profit" stellt Marx selbst in einfacher Weise seine Theorie dar, wie er sie vor allem in "Das Kapital, Bd. I" (MEW 23) entwickelt hat. Einige Grundideen sollen jetzt kurz noch einmal aufgegriffen werden.

Marx geht davon aus, daß alle Waren etwas gemeinsam haben. Er führt aus "daß der Wert des Weizens und sein Gegenwert in Eisen irgendeiner dritten Sache gleich sind, die weder Weizen noch Eisen ist, weil ich dabei unterstelle, daß sie dieselbe Größe in zwei verschiedenen Formen darstellen. Jedes von ihnen, der Weizen oder das Eisen, muß sich deshalb unabhängig von dem anderen auf jene dritte Sache, die ihr gemeinsames Maß ist, zurückführen lassen" (Lohn, Preis und Profit, S. 93). In Kapital, Bd. I, S. 51 untersucht Marx der Reihe nach verschiedene Maßstäbe und kommt zu dem Schluß, daß nur die durchschnittliche verausgabte Arbeit als Wertmaßstab in Frage kommt. "Die Ware hat einen Wert, weil sie die Kristallisation gesellschaftlicher Arbeit ist. Die Größe ihres Wertes oder ihr relativer Wert hängt von der größeren oder kleineren Menge der in ihr enthaltenen gesellschaftlichen Substanz ab, das heißt von der zu ihrer Herstellung notwendigen Arbeitsmasse." (Lohn, Preis und Profit, S. 95) Damit hat Marx einen im Prinzip quantifizierbaren, absoluten Wertmaßstab definiert. Die Wahl dieses Maßstabs ist natürlich vor dem Hintergrund der Lage der Arbeiter und im Zusammenhang der sozialistischen Forderung nach dem Anspruch auf den vollen Arbeitsertrag zu sehen. Für Marx aber ist dieser Maßstab nicht ethische Forderung oder Appell an das Gewissen des Menschen, sondern eine Größe, deren Untersuchung geeignet ist, die Bewegung der kapitalistischen Gesellschaft zu beschreiben.

Nach Marx muß man "von dem Lehrsatz ausgehen, daß die Waren durchschnittlich zu ihrem wirklichen Wert verkauft und daß Profite dadurch erlangt werden, daß man die Waren zu ihrem Wert verkauft, das heißt im Verhältnis zu der in ihnen verwirklichten Arbeitsmenge" (Lohn, Preis und Profit, S. 102). Um die Entstehung von Profit zu verstehen, muß man nach Marx vom Konzept der Mehrarbeit ausgehen. Mehrarbeit entsteht dadurch, daß "der Wert der Arbeitskraft bestimmt wird durch den Wert der notwendigen Lebensmittel, die gebraucht werden, um die Arbeitskraft zu produzieren, zu entwickeln, zu unterhalten und zu verewigen" (Lohn, Preis und Profit, S. 105).

Bezahlt der Kapitalist die Ware Arbeitskraft nach ihrem Wert, so bezahlt er also nur die zur Reproduktion notwendige Zeit, er hat aber das Recht erworben, auch die über die notwendige Arbeitszeit hinausgehende Mehrarbeit zu gebrauchen. Dies ist nach Marx die Quelle des Profits.

3.4.2 Die Analyse von Sraffa

Das 1960 erschienene Buch von Piero Sraffa "Warenproduktion mittels Waren" trug den programmatischen Untertitel "Einleitung zu einer Kritik der ökonomischen Theorie"; dieser Untertitel soll wohl an den Untertitel "Kritik der politischen Ökonomie" erinnern, den Karl Marx seinem Werk "Das Kapital" gegeben hat. Die ökonomische Theorie, deren Kritik mit dem Buch von Sraffa vorbereitet werden sollte, war die sogenannte neoklassische Theorie, also die Theorie, die wir erst in den nächsten Kapiteln kennenlernen werden. Sraffas Buch hat tatsächlich dazu beigetragen, bestimmte Ansätze der modernen Wirtschaftstheorie zu problematisieren und manche Aussagen zu widerlegen. In den letzten Jahren wurden seine Methoden von den modernen Theoretikern aber besonders als "Anleitung zu einer Kritik der marxschen ökonomischen Theorie" benutzt.

Diese Vorgehensweise ist eigentlich naheliegend: Auf Anregung von J. M. Keynes gibt Sraffa seit 1930 die Gesamtausgabe von Ricardo neu heraus. Bei dieser Aufgabe hat er sich als überaus findig und ideenreich beim Aufspüren verlorengegangener Manuskripte gezeigt und als sorgfältiger Herausgeber und Kommentator der Werke von Ricardo erwiesen. Da die intensive Beschäftigung mit Ricardo stark Sraffas Überlegungen beeinflußt hat, sind Verbindungen zu Marx eigentlich naheliegend; auch Marx ist stark von Ricardo beeinflußt und sieht sich selbst häufig als Vollender ricardianischer Gedankengänge.

Wir werden im folgenden Ansätze von Sraffa zur Untersuchung der marxschen Werttheorie benutzen.

3.4.3 Arbeitswertbestimmung

Wenn wir eine moderne arbeitsteilige Ökonomie betrachten, so stellen wir fest, daß es eigentlich kein Gut gibt, das allein mit Arbeit produziert wird; zur Produktion aller Güter werden Vorprodukte benötigt, und zu diesen Vorprodukten gehört häufig sogar das produzierte Gut selbst.

Können in einem System, in dem die Produktion eines Gutes mit fast allen anderen Produktionen zusammenhängt, eindeutig Arbeitsmengen bestimmt werden? Unter gewissen Annahmen ist dies tatsächlich möglich.

Diese Annahmen sind:

a. Bei jeder Produktion wird nur ein Output produziert; verbundene Produktion ist ausgeschlossen.

b. Es gibt letztlich nur einen nicht produzierbaren Faktor, nämlich die Arbeit.

c. Die Produktion ist linear, d. h. kann mit gewissen Inputs ein bestimmter Output produziert werden und werden sämtliche Inputs in gleicher Relation geändert, so wird auch der Output in dieser Relation geändert.

Es gibt zwei Methoden, Arbeitswerte zu berechnen:

Einmal kann man, vom Endprodukt ausgehend, in einer unendlichen Folge alle Vorprodukte und die darin steckende direkte Arbeit erfassen. Die Summe all dieser direkten Arbeitsmengen ist dann die Gesamtarbeitsmenge. Diese Methode ist nur für extrem vereinfachte Beispiele durchführbar, wenn man Matrizenrechnung vermeiden will.

Die zweite Methode geht von einer Reihe von Bilanzgleichungen aus, die zu einem linearen Gleichungssystem zusammengefaßt werden können. Dieses

Verfahren ist nicht so anschaulich wie das erste, kann dafür aber bei beliebiger (linearer) Produktionsstruktur verwendet werden. Wir werden hier nur die erste Methode kurz vorstellen.

Bei dieser Vorgehensweise wird, wie ausgeführt, die Produktion durch einen unendlichen Regreß in Arbeitswerte zerlegt. Dazu nehmen wir in extremer Vereinfachung an, daß nur zwei Güter hergestellt werden, nämlich Korn und Eisen, und daß zur Produktion von Eisen nur Eisen und Arbeit und zur Produktion von Korn nur Eisen und Arbeit benötigt werden. Wir gehen außerdem davon aus, daß Land und Rohstoffe "Geschenke der Natur" sind; als solche gehen sie in unsere Wertüberlegung nicht ein. Es sollen folgende rein willkürlich gewählte mengenmäßige Beziehungen gelten; die gewählten Zahlen könnten ohne Schwierigkeiten durch allgemeine Koeffizienten ersetzt werden (dabei ist t Abkürzung für Tonne und d für Tag).

$$1 \text{ t Eisen} \xleftarrow{Produktion} \begin{bmatrix} 1/2 \text{ t Eisen} \\ 1 \text{ d Arbeit} \end{bmatrix}$$

$$1 \text{ t Korn} \xleftarrow{Produktion} \begin{bmatrix} 1/4 \text{ t Eisen} \\ 10/4 \text{ d Arbeit} \end{bmatrix}$$

Wegen der Linearität der Produktion muß man, wenn man statt einer nur z. B. eine halbe Tonne Eisen produzieren will, nur die Hälfte der Inputs einsetzen. In Vektorschreibweise

$$1/2 \text{ t Eisen} \xleftarrow{Produktion} \begin{bmatrix} 1/4 \text{ t Eisen} \\ 1/2 \text{ d Arbeit} \end{bmatrix}$$

Wir können jetzt durch unendlichen Regreß eine Tonne Eisen in folgender Weise auf Arbeitswerte und einen verschwindend kleinen Anteil an schon vorhandenem Eisen zurückführen.

$$1 \xleftarrow{Produktion} \begin{bmatrix} 1/2 \\ 1 \end{bmatrix} \xleftarrow{Produktion} \begin{bmatrix} 1/4 \\ 1/2 \end{bmatrix} \xleftarrow{Produktion} \begin{bmatrix} 1/8 \\ 1/4 \end{bmatrix} \xleftarrow{Produktion} Eisen$$

$$\uparrow \qquad\qquad \uparrow \qquad\qquad \uparrow$$

$$1 \qquad\qquad 1/2 \qquad\qquad 1/4 \qquad\qquad Arbeit$$

In dieser Weise könnten wir, wie im Schema angegeben, immer weiter zurückgehen und die Vorprodukte weitestgehend auf Arbeit und einen zu vernachlässigenden Anteil an Vorproduktion zurückführen; in unserem Beispiel ist drei Perioden zuvor nur 1/8 Tonne Eisen als Input erforderlich; würden wir z. B. 10 Perioden zurückgehen, so würde weniger als 0,001 Tonnen Eisen benötigt.

Man erhält dann die in der untersten Zeile des Tableaus angegebenen Arbeitsmengen. Deren Summe ergibt im Grenzübergang als Gesamtarbeitsmenge eine unendliche Reihe

$$\ell_E = 1 + 1/2 + 1/4 + 1/8 + ...$$

Der Ausdruck stellt eine unendliche, konvergierende, geometrische Reihe $\sum_{n=0}^{\infty} a^n$ mit $a = \frac{1}{2} < 1$ dar. Da für die geometrische Reihe allgemein gilt

$$\sum_{n=0}^{\infty} a^n = \frac{1}{1-a} \qquad a < 1$$

bekommen wir

$$\ell_E = \frac{1}{1 - \frac{1}{2}} = \frac{1}{\frac{1}{2}} = 2$$

Die vorgestellte Methode ist anschaulich und bei einfachen Produktionsstrukturen auch nicht sehr schwierig. Sie wird aber kompliziert, wenn sehr viele Inputs und Outputs betrachtet werden und viele der Outputs gleichzeitig auch wieder als Inputs verwendet werden.

Aufgabe 3.17

    a. Bestimmen Sie die Menge an Arbeit ℓ_K, die nötig ist, um 1 t Korn zu produzieren.

    b. Nehmen Sie an, die Produktionsbedingungen von Eisen und Korn seien gegeben durch

$$10 \ t \ Eisen \longleftarrow \begin{bmatrix} 5 \ t \ Eisen \\ 10 \ d \ Arbeit \end{bmatrix} \quad und \quad 20 \ t \ Korn \longleftarrow \begin{bmatrix} 5 \ t \ Eisen \\ 50 \ d \ Arbeit \end{bmatrix}$$

Bestimmen Sie ohne große Rechnung die Arbeitsmengen.

3.4.4 Ein Input-Output-Modell

Wir betrachten eine extrem vereinfachte Ökonomie, in der es nur zwei Güter bzw. Waren gibt: Eisen, Korn und dazu die Ware Arbeit(skraft). Korn symbolisiert also alle Nahrungsmittel oder noch allgemeiner alle Konsumgüter, Eisen steht für die Investitionsgüter. Zur Vereinfachung unterstellen wir, daß das Eisen, also die Investition, in der Produktion vollständig verbraucht wird und laufend ersetzt werden muß. Außerdem gehen wir von einer stationären Wirtschaft aus, in der jeweils nur soviel investiert wird, wie im Produktionsprozeß an Produktionsmitteln verbraucht wird.

Die Technologie sei durch folgendes Tableau beschrieben:

Inputs		Outputs		
Eisen (t)	Arbeiter (d)	Eisen (t)	Korn (t)	
5	10	10		Eisenindustrie
5	50		20	Landwirtschaft
10	60	10	20	Gesamtwirtschaft

Diese Tabelle besagt, daß mit 5 Tonnen Eisen und 10 Arbeitstagen 10 Tonnen Eisen in der Eisenindustrie produziert werden. Die Landwirtschaft produziert mit Eisen (5 t) und Arbeit (50 d) 20 Tonnen Korn. Insgesamt werden in der Ökonomie mit dem Einsatz von 10 Tonnen Eisen und 60 Tagen Arbeit also 10 Tonnen Eisen und 20 Tonnen Korn produziert. Die 10 t des produzierten Eisens ersetzen die 10 t des verbrauchten Eisens. Somit produziert die Ökonomie allein durch Einsatz von 60 d Arbeit netto 20 t Korn. Der Aufwand der Gesamtproduktion besteht aus 60 d Arbeit, der Ertrag aus 20 t Korn. Korn repräsentiert das Volkseinkommen von der Verwendungsseite, die Arbeit hingegen von der Kostenseite; um diese Größen in Beziehung zu setzen, müssen sie durch einen Maßstab vergleichbar gemacht werden. Diesen Maßstab liefern bei Marx die Arbeitswerte.

Die Arbeitsmengen, die zur Produktion von Eisen und Korn benötigt werden, und somit die Werte von Eisen und Korn, ergeben sich

$$\ell_E = 2$$

$$\ell_K = 3$$

Eine Tonne Eisen hat demnach einen Wert von 2 Tagen gesellschaftlicher Arbeit; der Wert einer Tonne Korn ist 3 Tage.

Die gesellschaftliche Produktion ist dann durch folgenden Produktionsablauf gekennzeichnet:

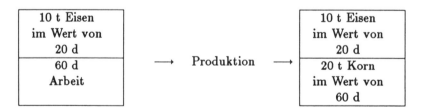

Der Wert der Ware Arbeitskraft kann aus diesem Tableau allein nicht bestimmt werden. Nach Marx nämlich "wird der Wert der Arbeitskraft bestimmt durch den Wert der notwendigen Lebensmittel, die gebraucht werden, um die Arbeitskraft zu produzieren, zu entwickeln, zu unterhalten und zu verewigen" (Lohn, Preis und Profit, S. 105).

Nehmen wir an, daß die Kapitalisten 10 Tonnen Korn als Bezahlung an die Arbeiter zahlen und daß dies auch die Menge der notwendigen Lebensmittel ist.

Wir wollen nun dieses Bild noch stärker aufgliedern und gehen dabei von Marxschen Vorstellungen aus: Die Produktion und die Produktionsmittel sind im Besitz der Kapitalisten. Diese kaufen beim Beginn der Produktion die Ware Arbeitskraft und bezahlen diese mit den Subsistenzmitteln. Mit der Arbeit produzieren sie Produktionsmittel, die die verbrauchten Produktionsmittel ersetzen, und Konsumgüter für den Eigenbedarf und für die Bezahlung des Proletariats für weitere Produktion. Wir erhalten damit

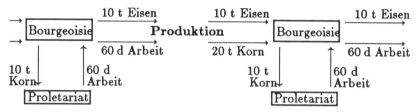

Der Wert der Ware Arbeitskraft v insgesamt ergibt sich durch

$$v = 10\ell_K = 10 \cdot 3 = 30$$

Die Kapitalisten bezahlen also für 60 d erbrachte Arbeit nur mit Waren im Werte von 30 d. Der Wert von einem Arbeitstag der Ware Arbeitskraft ist somit 1/2 Arbeitstag; das bezeichnet Marx als Paradox. Der Mehrwert m ist somit gegeben durch

$$m = 60 - v = 30$$

Dieser Mehrwert setzt sich zusammen aus den Werten, den die Kapitalisten erhalten, also dem Wert des Korns $10\ell_K$. Es ergibt sich

$$10\ell_K = 30$$

Wir kommen also auch durch diese Überlegungen zu einem Mehrwert von 30.

Aufgabe 3.18

Gehen Sie von der Technologie in obigem Tableau aus. Stellen Sie sich vor, daß nach irgendeiner politischen Maßnahme die Klasse der Kapitalisten den Arbeitern keinen Mehrwert abpressen kann.

  a. Wie müßte die Produktion strukturiert werden, so daß genau das Subsistenzniveau der Proletarier in Höhe von 10 t Korn produziert wird? Berücksichtigen Sie dabei, daß bei der Produktion von Korn Eisen verbraucht wurde.

  b. Untersuchen Sie an Hand der gefundenen Struktur, ob der Wert der Ware Arbeitskraft auch die Vorprodukte berücksichtigt, die zur Produktion des Subsistenzniveaus erforderlich sind.

3.4.5 Das Reproduktionsschema von Marx

Wir ersetzen im obigen Tableau die Spalte Arbeitsinputs durch zwei
Spalten, wobei die erste die notwendige Arbeit und die zweite die Mehrarbeit
darstellt. Da jeweils die Gesamtarbeitszeit zur Hälfte aus notwendiger Arbeit
und zur anderen Hälfte aus Mehrarbeit besteht, erhalten wir

Eisen (t)	notwendige Arbeit (d)	Mehr- arbeit (d)	Outputs Eisen (t)	Korn (t)	
5	5	5	10		Eisenindustrie
5	25	25		20	Landwirtschaft
10	30	30	10	20	Gesamtwirtschaft

Die physikalischen Quantitäten dieses Tableaus rechnen wir in Werte
um, indem wir die Mengen an Eisen und Korn mit den entsprechenden Arbeitswerten ℓ_E, ℓ_K multiplizieren; die in notwendige Arbeit und Mehrarbeit
aufgespaltenen Arbeitsmengen werden nicht geändert.

c	+	v	+	m	=	w	$\frac{m}{v}$	$\frac{c}{v}$	$\frac{m}{c+v}$	
10	+	5	+	5	=	20				Eisenindustrie
10	+	25	+	25	=	60				Landwirtschaft
20	+	30	+	30	=	80				Gesamtwirtschaft

Die erste Spalte entsteht also, indem die Eiseninputs (1. Spalte des
vorhergehenden Tableaus) mit 2 multipliziert werden. Spalte zwei und drei
werden unmittelbar übernommen. Die vierte Spalte faßt die Outputs zusammen, also Eisenoutput von 10 multipliziert mit $\ell_e = 2$ und Kornoutput von
20 multipliziert mit $\ell_K = 3$. Alle Einträge im linken Teil des Tableaus sind
Wertgrößen, also einheitengleich; somit kann man addieren und gleichsetzen.

Wir haben mit dem letzten Tableau im Prinzip eines der bekannten und
für Marxsche Analyse wichtigen Reproduktionsschemata erhalten (siehe z. B.
Das Kapital Bd. II, MEW 24, S. 396 ff.). Marx beginnt seine Analyse jedoch
direkt mit solchen Schemata, die Input-Output-Analyse war noch nicht entwickelt.

Bei seinen Überlegungen geht Marx davon aus, daß die Untersuchung
der Werte wesentlich für das Aufdecken der Bewegungsgesetze der kapitalistischen Gesellschaft ist. Dabei sind die Größen c, v, m von grundlegender
Bedeutung, mit ihrer Hilfe definiert Marx die drei wichtigen Konzepte Mehrwertrate, organische Zusammensetzung des Kapitals und Profitrate.

Die Größe c stellt den Wert der benutzten Materialien dar. "Der Teil
des Kapitals ... , der sich in Produktionsmittel, d. h. in Rohmaterial,
Hilfsstoffe und Arbeitsmittel umsetzt, verändert seine Wertgröße nicht im
Produktionsprozeß. Ich nenne ihn daher ... konstantes Kapital.

Der in Arbeitskraft umgesetzte Teil des Kapitals verändert dagegen seinen Wert im Produktionsprozeß. Er reproduziert sein eignes Äquivalent und

einen Überschuß darüber, Mehrwert, ...Ich nenne ihn daher ... variables Kapital" (Das Kapital I, MEW 23, S. 223 f.).

Wir haben also

c = konstantes Kapital   v = variables Kapital   m = Mehrwert.

3.4.6 Strategien der Mehrwertproduktion

Die Mehrwertrate ist gegeben durch $s = \dfrac{m}{v}$

Die Mehrwertrate ist also das Verhältnis von Mehrarbeit zu notwendiger Arbeit. Die Mehrwertrate kann durch zwei Maßnahmen (oder einer Kombination dieser Maßnahmen) erhöht werden:

a. die Produktion des absoluten Mehrwerts

Die absolute Länge des Arbeitstages bestimmt nach Marx die Möglichkeit zur Produktion des absoluten Mehrwerts:

"Nehmen wir an, die Linie a—b stelle die Dauer oder die Länge der notwendigen Arbeitszeit vor, sage 6 Stunden. Je nachdem die Arbeit über a—b um 1, 3 oder 6 Stunden usw. verlängert wird, erhalten wir die 3 verschiedenen Linien:

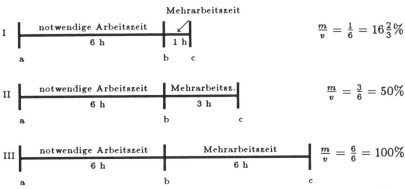

die drei verschiedne Arbeitstage von 7, 9 und 12 Stunden vorstellen. Die Verlängrungslinie b—c stellt die Länge der Mehrarbeit vor ... . Da ... die Proportion $\frac{Mehrarbeitszeit}{NotwendigeArbeitszeit}$ die Rate des Mehrwerts bestimmt, ist letztre gegeben durch jenes Verhältnis. Sie beträgt in den drei verschiednen Arbeitstagen respektive 16 $\frac{2}{3}$, 50 und 100 %" (Das Kapital I, MEW 23, 245 f., in der graphischen Darstellung leicht geändert).

Die Länge des Arbeitstages ist durch physische und soziale Schranken begrenzt:

"Während eines Teils des Tags muß die Kraft ruhen, schlafen, während eines andren Teils hat der Mensch andre physische Bedürfnisse zu befriedigen, sich zu nähren, reinigen, kleiden usw. Außer dieser rein physischen Schranke stößt die Verlängerung des Arbeitstags auf moralische Schranken. Der Arbeiter braucht Zeit zur Befriedigung geistiger und sozialer Bedürfnisse, deren Umfang und Zahl durch den allgemeinen Kulturzustand bestimmt sind ... .

Beide Schranken sind aber sehr elastischer Natur und erlauben den größten Spielraum. So finden wir Arbeitstage von 8, 10, 12, 14, 16, 18 Stunden, also von der verschiedensten Länge" (Das Kapital I, MEW 23, 246 f.).

b. Die Produktion des relativen Mehrwerts

"Durch Verlängerung des Arbeitstags produzierten Mehrwert nenne ich absoluten Mehrwert; den Mehrwert dagegen, der aus der Verkürzung der notwendigen Arbeitszeit und entsprechender Veränderung im Größenverhältnis der beiden Bestandteile des Arbeitstags entspringt - relativen Mehrwert." (Das Kapital I, MEW 23, S. 334). Beim relativen Mehrwert betrachtet man also die Änderung der Relation zwischen notwendiger Arbeitszeit und Mehrarbeitszeit innerhalb einer gegebenen Gesamtarbeitszeit. Gehen wir von einem zwölfstündigen Arbeitstag mit 6 h notwendiger Arbeitszeit aus:

$$\frac{m}{v} = \frac{6}{6} = 100\%$$

Wird jetzt die notwendige Arbeitszeit auf vier Stunden verringert, so steigt bei gleichbleibendem Arbeitstag die Mehrarbeit auf acht Stunden und die Mehrwertrate auf 200 %

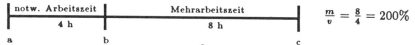

$$\frac{m}{v} = \frac{8}{4} = 200\%$$

Wie kann die notwendige Arbeitszeit verringert werden? Das kann im Prinzip durch zwei Maßnahmen erfolgen:

ba. Verringerung des Reallohns

Die notwendige Arbeitszeit wird bestimmt durch das zum Leben der Arbeiter Notwendige. Die Kosten der Lebenshaltung sind aber neben physischen Bedingungen auch von sozialen Begebenheiten abhängig. Diese sozialen Umstände aber können sich ändern oder geändert werden: "Die englische Lebenshaltung kann auf die irische, die Lebenshaltung eines deutschen Bauern auf die eines irländischen Bauern reduziert werden." (Lohn, Preis und Profit, S. 126)

bb. Steigerung der Produktivkraft der Arbeit

Durch neue technische und organisatorische Entwicklungen, durch Erhöhung der Intensität der Arbeit kann der Output gesteigert werden. Marx untersucht in diesem Zusammenhang detailliert die Arbeitsteilung, die Einführung von Manufaktur und Fabrik und die Entwicklung der Maschinerie (vgl. Kapital I, MEW 23, Vierter Abschnitt).

Die Aufteilung des Gesamtkapitals in c und v heißt bei Marx organische Zusammensetzung des Kapitals. Wir quantifizieren diese Zusammensetzung hier durch das Verhältnis

$$q = \frac{c}{v}$$

Es stellt das konstante Kapital in Beziehung zum variablen Kapital. (Eine andere häufig benutzte Maßzahl ist q=c/(c+v). Diese Relation setzt das konstante Kapital in Beziehung zum Gesamtkapital.) Je stärker ein Prozeß mechanisiert ist, je mehr Maschinen etc. er im Vergleich zur Arbeit einsetzt, um so größer ist die organische Zusammensetzung des Kapitals. Würde nur mit Arbeit produziert, so wäre q = 0 , würde (als nicht realistischer Grenzfall) ganz ohne direkte Arbeit etwas hergestellt, so hätte man $q = \infty$.

Nach Marx ist der Kapitalist daran interessiert, mit gegebenem Kapital den Arbeitern einen möglichst hohen Mehrwert abzupressen. Marx definiert daher die Profitrate

$$Profitrate = p = \frac{m}{c + v}$$

Aufgabe 3.19

a. Bestimmen Sie im vorhergehenden Tableau die Mehrwertrate, die Profitrate und die organische Zusammensetzung des Kapitals für die Eisenindustrie, die Landwirtschaft und die Gesamtwirtschaft.

b. Welch ein Zusammenhang besteht anscheinend nach der Tabelle zwischen organischer Zusammensetzung des Kapitals und der Profitrate?

c. Zeigen Sie, daß zwischen Mehrwertrate s , Profitrate p und organischer Zusammensetzung des Kapitals q folgender Zusammenhang besteht:

$$p(q + 1) = s$$

Zeigen Sie, daß diese Beziehung die Beobachtung von Aufgabenteil b. bestätigt.

3.4.7 Marx' Transformation von Werten in Preise

Im Reproduktionsschema sind für die einzelnen Industrien und für die Wirtschaft insgesamt die Mehrwertrate, die organische Zusammensetzung des Kapitals und die Profitrate aufgeführt. Die Mehrwertrate ist nach Konstruktion jedesmal 100 %; die Profitrate jedoch ist unterschiedlich, und zwar ist die Profitrate hoch, wenn die organische Zusammensetzung des Kapitals niedrig ist und umgekehrt. Dieser Zusammenhang kann auch allgemein gezeigt werden (vgl. Aufgabe 3.15c).

Damit sind wir zu einem gewichtigen Einwand gegen das Marxsche Reproduktionsschema gekommen. Zum einen muß man davon ausgehen, daß es arbeitsintensive Branchen aber auch kapitalintensive Industrien gibt, d. h. daß die organische Zusammensetzung für einzelne Bereiche der Wirtschaft und damit auch die Profitrate unterschiedlich ist. Zum anderen führt die Konkurrenz der Kapitalisten zu einer einheitlichen Profitrate - das wird auch von Marx akzeptiert. "Hier liegt also ein Widerspruch gegen das Wertgesetz vor, den schon Ricardo fand, und den seine Schule zu lösen unfähig war". Nachdem dies von Friedrich Engels in der Einleitung zu 'Das Kapital' Bd. II

(MEW 24, S. 26) konzidiert wurde, versprach er die Lösung des Widerspruchs im Band III dieses Werkes. Diese Lösung sehen wir uns jetzt an:

c	v	m	Wert w	Profit $p(c+v)$	Preis $(1+p)(c+v)$	
10	5	5	20	$\frac{6}{10} \cdot 15$	$\frac{16}{10} \cdot 15$	Eisenindustrie
10	25	25	60	$\frac{6}{10} \cdot 35$	$\frac{16}{10} \cdot 35$	Landwirtschaft
20	30	30	80	30	80	Gesamtwirtschaft

Marx akzeptiert für alle Bereich der Wirtschaft die gleiche Profitrate, nämlich die für die Gesamtwirtschaft bestimmte Profitrate

$$p = \frac{m}{c+v} = \frac{30}{50} = \frac{6}{10} = 60\%$$

Für die einzelnen Industrien ergibt sich der Profit als Profitrate multipliziert mit dem eingesetzten Kapital. Wie obige Tabelle zeigt (und wie auch allgemein nachgewiesen werden kann), ist die Summe der Profite gleich dem Mehrwert. Geht man weiter davon aus, daß der Preis einer Ware gleich den eingesetzten Werten plus dem Profit ist, so ergibt sich die letzte Spalte in obiger Tabelle. Die Summe der Preise ergibt den Wert. Somit ist also nach Marx gezeigt, daß die Profite insgesamt in der kapitalistischen Wirtschaft durch den Mehrwert und die Summe der Preise durch den Wert bestimmt werden.

Diese Lösung des Widerspruchs hat indes Kritiker nicht so recht überzeugen können. Es wird häufig sogar vermutet und durch Zitate belegt, daß auch Marx mit dieser Lösung nicht glücklich war (vgl. z. B. Sweezy, 1959, S. 141).

Was wurde gegen diese Lösung eingewandt?

Der wesentliche Einwand ist, daß Marx einen Fehler dadurch gemacht habe, indem er für die gleiche Ware zwei verschiedene Preise konstruiert habe. Bei der Berechnung des Profits z. B. in der Eisenindustrie werden die Werte zugrundegelegt, also 10 für das Eisen, 5 für die Arbeit und davon ausgehend der Preis des Eisenoutputs bestimmt, indem die Werte mit $(1+p)$ multipliziert werden. Damit hat Eisen aber zwei verschiedene Preise, je nachdem ob es als Output verkauft oder als Input gekauft wird. Kauf und Verkauf sind aber zwei Seiten einer Transaktion, notwendigerweise muß dabei ein Preis gelten.

3.4.8 Bewertung der Marxschen Vorgehensweise

Bei der Bewertung der Marxschen Werttheorie können wir auf Paul Sweezy, den wahrscheinlich bekanntesten "Marxisten" unter den Ökonomen der westlichen Welt zurückgreifen, einem Ökonomen, der auch von seinen bürgerlichen Kollegen als Theoretiker anerkannt ist und der mit seinem Buch "Theorie der kapitalistischen Entwicklung" die moderne Diskussion marxistischen Gedankenguts mitbestimmt hat:

"Es könnte eingewandt werden, daß der ganze Problemkreis, der sich mit Wertrechnung und der Transformation von Werten in Preise befaßt, überflüssiger Ballast sei. Die reale Welt ist eine Welt der Preisrechnung. Warum behandeln wir nicht von Anfang an das Problem in Preisausdrücken?

Ein Marxist kann diesem Standpunkt ruhig einige Zugeständnisse machen. Soweit die Probleme, die zur Lösung gestellt sind, es mit dem Verhalten der verschiedenen Elemente des ökonomischen Systems zu tun haben (Preise der individuellen Waren, Profite einzelner Kapitalisten, die Kombination der Produktivfaktoren in der individuellen Firma usw.), scheint kein Zweifel zu bestehen, daß die Wertrechnung nur geringe Hilfe bietet. Orthodoxe Theoretiker haben im Verlaufe des letzten halben Jahrhunderts und länger intensiv an Problemen dieser Art gearbeitet. Sie haben eine Art von Preistheorie entwickelt, die in dieser Sphäre nützlicher ist als irgend etwas, das bei Marx oder seinen Nachfolgern gefunden werden kann. Man könnte noch weitergehen und zugeben, daß es von einem formalen Standpunkt aus möglich ist, sogar in der Analyse des Verhaltens des Systems als ganzem ohne die Wertrechnung auszukommen. Es gibt jedoch einen gewichtigen Grund, dies zu unterlassen. Der gesamte gesellschaftliche Ausstoß ist das Produkt menschlicher Arbeit. Unter kapitalistischen Bedingungen wird ein Teil dieses gesellschaftlichen Ausstoßes von derjenigen Gruppe in der Gesellschaft in Besitz genommen, die die Produktionsmittel besitzt. Das ist nicht eine ethische Beurteilung, sondern eine Methode der Beschreibung der fundamentalen ökonomischen Beziehungen zwischen sozialen Gruppen. Sie findet ihre klarste theoretische Formulierung in der Theorie des Mehrwerts. Solange wir die Wertrechnung beibehalten, können der Ursprung und die Natur der Profite, nämlich Ableitungen vom Produkt der gesamten gesellschaftlichen Arbeit zu sein, nicht verdunkelt werden. Die Übersetzung geldlicher Kategorien in gesellschaftliche Kategorien ist wesentlich erleichtert. Kurz gesagt, die Wertrechnung macht es möglich, unterhalb der Oberflächenphänomene von Geld und Waren die zugrunde liegenden Beziehungen zwischen Menschen und Klassen zu erkennen.

Die Preisrechnung aber mystifiziert die zugrunde liegenden sozialen Beziehungen der kapitalistischen Produktion. Da der Profit als Ertrag vom Gesamtkapital gerechnet wird, ergibt sich der Gedanke, daß das Kapital als solches in irgendeiner Weise produktiv ist. Die Dinge scheinen mit einer eigenen, unabhängigen Kraft begabt zu sein. Vom Standpunkt der Wertrechnung aus ist klar zu erkennen, daß dies eine flagrante Form von Warenfetischismus ist. Vom Standpunkt der Preisrechnung scheint dies natürlich und unvermeidbar. Es ist jedoch nicht nur eine Frage der Verdunkelung der grundlegenden sozialen Beziehungen der kapitalistischen Produktion. Jede der Profittheorien, die mit dem Ausgangspunkt Preisrechnung entwickelt worden sind, ist ernsten Einwänden ausgesetzt. Böhm-Bawerk, der große Gegner der Marxschen Werttheorie, zerschlug die Theorien, die auf der behaupteten Produktivität des Kapitals als einem Erklärungsprinzip beruhen. Seine eigene Theorie der Zeitpräferenz ist indes nicht solider begründet. Es ist vielleicht von Bedeutung, daß moderne Theoretiker weitgehend den Versuch aufgegeben haben, den Ursprung des Profits zu erklären, und sich nun der Aufgabe zuwenden, Veränderungen in der Höhe des Profits und die Verteilung des Profits zwischen Unternehmern und Zinsempfängern zu analysieren." (Sweezy, 1959, S. 155 ff.)

3.4.9 Die Bestimmung von Produktionspreisen

Als nächstes untersuchen wir an unserem einfachen Beispiel die "Art von Preistheorie, ... die in dieser Sphäre nützlicher ist als irgend etwas, das bei Marx und seinen Nachfolgern gefunden werden kann" (Sweezy, 1959, S. 156). Diese Preistheorie unterstellt:

a. Jede Ware, auch die Arbeit hat einen Preis.
b. Der Einsatz von Kapital im Produktionsprozeß erbringt einen Profit.
c. Der Preis jeder Ware ist in allen Verwendungen gleich. Die Profitrate ist (im Unterschied zu Marx) in jeder Produktion gleich.

Die Preise für Eisen und Korn seien p_E und p_K. Die Lohnrate bezeichnen wir mit w und die Profitrate mit π. Diese Größen gilt es jetzt unter den gemachten Annahmen zu bestimmen.

Wir betrachten zuerst die Eisenindustrie. Der Erlös R (revenue) wird bestimmt durch den Ausstoß von 10 t Eisen, multipliziert mit dem Preis des Eisens

$$R_E = 10p_E$$

Die Kosten der Eisenproduktion ergeben sich aus dem Einsatz von 5 t Eisen und der Arbeit von 10 Tagen. Die Kosten C sind also

$$C_E = 5p_E + 10w$$

Für den Kapitalisten ergibt sich die Profitrate π_E aus dem Überschuß von Erlös und Kosten bezogen auf die Kosten

$$\pi_E = \frac{R_E - C_E}{C_E}$$

Daraus ergibt sich

$$(1 + \pi_E) \cdot C_E = R_E$$

oder ausgeschrieben

$$(1 + \pi_E)(5p_E + 10w) = 10p_E$$

In gleicher Weise erhält man für die Landwirtschaft

$$(1 + \pi_C)(5p_E + 50w) = 20p_K$$

Da in allen Produktionen die Profite gleich sind, muß gelten

$$\pi_E = \pi_c$$

Die Lohnsumme der Arbeiter ist gegeben durch die Arbeitszeit von 60 d, multipliziert mit dem Lohn w. Für diese Lohnsumme erwerben die Arbeiter Konsumgüter, in diesem einfachen Beispiel also 10 Tonnen Korn. Damit erhalten wir folgende Beziehungen

$$(1 + \pi)(5p_E + 10w) = 10p_E \qquad (*)$$

$$(1 + \pi)(5p_E + 50w) = 20p_K \qquad (**)$$

$$60w = 10p_K \qquad (***)$$

Als erstes bemerken wir, daß vier Unbekannte, aber nur drei Gleichungen vorhanden sind und aus den gemachten Annahmen auch keine weitere Gleichung gewonnen werden kann. Die vier Unbekannten können somit nicht eindeutig bestimmt werden. Das ist kein Fehler in unserem Beispiel, sondern zeichnet alle vergleichbaren Ansätze aus: Preise beschreiben den Austausch von Gütern, damit können nur Preisrelationen bestimmt werden.
Man kann diese Schwierigkeit durch zwei sehr ähnliche Methoden angehen, nämlich durch Einführung einer als Geld dienenden Ware, oder durch Bestimmung von relativen Preisen.

a. Einführung einer als Geld dienenden Ware
Marx schreibt "Für den Maßstab der Preise muß ein bestimmtes Goldgewicht als Maßeinheit fixiert werden" (Das Kapital I, MEW 23, S. 113). So werden wir auch vorgehen. Da in unserem einfachen Beispiel Gold als Ware nicht auftaucht, werden wir eine Eisen-Währung einführen

$$1\,t\ Eisen \equiv 1\ GE$$

Damit ist p_E definitionsgemäß gleich 1. Unser Gleichungssystem sieht dann folgendermaßen aus

$$(1 + \pi)(5 + 10w) = 10 \qquad (+)$$

$$(1 + \pi)(5 + 50w) = 20p_K \qquad (++)$$

$$60w = 10p_K \qquad (+++)$$

Bevor wir dieses Gleichungssystem lösen, betrachten wir die andere Möglichkeit.

b. Rückführung auf Preisverhältnisse Wir dividieren die drei Gleichungen (*), (**) und (***) durch p_E. Dann erhalten wir

$$(1 + \pi)(5 + 10\frac{w}{p_E}) = 10 \qquad (x)$$

$$(1 + \pi)(5 + 50\frac{w}{p_E}) = 20\frac{p_K}{p_E} \qquad (xx)$$

$$60\frac{w}{p_E} = 10\frac{p_K}{p_E} \qquad (xxx)$$

In diesem System gibt es zwei unbekannte Preisverhältnisse $\frac{w}{p_E}$, $\frac{p_K}{p_E}$ und die unbekannte Profitrate π. Diese drei Unbekannten können mit Hilfe der drei Gleichungen bestimmt werden.

Aufgabe 3.20

    a. *Zeigen Sie, daß das Gleichungssystem (+) (++) (+++) und das Gleichungssystem (x) (xx) (xxx) im Prinzip gleich sind.*

    b. *Nehmen Sie an, als Geldeinheit würde nicht die Beziehung 1 t Eisen ≡ 1 GE, sondern die "handlichere" Gelddefinition*

$$1 \ kg \ Eisen \equiv 1 \ GE$$

    gelten. Wie ändern sich hierdurch die Preise und die Profitrate im Gleichungssystem (+) (++) (+++) ?

    c. *In Frankreich wurde am 1.1.1960 die Währung gemäß folgender Beziehung umgestellt*

$$100 \ alte \ Francs = 1 \ neuer \ Franc$$

    Wie änderten sich wohl durch diese Maßnahme zahlenmäßig die Preise, die Löhne und die Profite? Überlegen Sie, welche Annahmen Sie bei Ihrer Antwort machen.

Die beiden Gleichungssysteme sind äquivalent; ersetzen wir die Größen w/p_E und p_K/p_E in (x) (xx) (xxx) durch w und p_K, so erhalten wir das System (+) (++) (+++). Wir müssen also nur eines der Systeme lösen und wählen das System (+) (++) (+++).

Aufgabe 3.21

Bestimmen Sie Profitrate, Lohn und Preis des Korns durch Lösen des Gleichungsytems (+) (++) (+++). Gehen Sie dabei am besten folgendermaßen vor:

    a. *Benutzen Sie (+++), um aus (++) die Unbekannte p_K zu eliminieren.*

    b. *Bestimmen Sie dann aus (+) und (++) den Wert von w . Wählen Sie dabei aus den beiden möglichen Lösungen den sinnvollen Wert aus.*

    c. *Bestimmen Sie p_K und π .*

Die von uns gemachten Annahmen werden in dieser Art grundsätzlich auch von Marx für die kapitalistische Wirtschaft gemacht. Gehen wir also von diesen Annahmen aus (und vernachlässigen wir die extrem vereinfachte Struktur und Technologie der Wirtschaft), so bekommen wir die in der kapitalistischen Wirtschaft geltenden Preise und Profite $p_K = 1$, $w = 1/6$ und $\pi = 50\%$.
Die Preise und der Profit entsprechen aber nicht den von Marx aus den Werten bestimmten Preisen.

3.5 Ausblick

Die Ideen von Marx (und Engels) haben die Welt verändert. Das ist natürlich besonders deutlich in den sozialistischen Ländern zu erkennen. Der Einfluß von Marx ist aber auch in der Entwicklung der bürgerlichen ökonomischen Theorie abzulesen. Beide Entwicklungen werden jetzt kurz vorgestellt.

3.5.1 Die Entwicklung des Sozialismus

Die Theorie von Marx und Engels wird von W. I. Lenin fortentwickelt. Er stellt fest: "Die Formen, die Aufeinanderfolge, das Bild der einzelnen Krisen wandelten sich, doch die Krisen blieben ein unvermeidlicher Bestandteil der kapitalistischen Ordnung" (Werke, Bd. 15, S. 24). Als eine wesentliche Änderung wird die Ausbildung des Imperialismus gesehen, also die Aufteilung des Weltmarktes. "Diese Aufteilung konnte nicht anders als nach der ökonomischen und - davon abgeleitet - auch der militärischen und politischen Macht vor sich gehen" (Rapŏs , 1984, S. 112). Diese Machtverhältnisse verschieben sich jedoch in der zweiten Hälfte des 19. Jahrhunderts. "So entstand ein großes Mißverhältnis, ein **Widerspruch zwischen der Aufteilung der Kolonialreiche** einerseits und dem neuen **Kräfteverhältnis, das sich aus der ökonomischen und militärischen Stärke ergab,** andererseits. Hierin liegt auch die ökonomische Basis der imperialistischen Kriege um die Neuaufteilung der Welt, um die Neuverteilung der Kolonialgebiete. Und deshalb kam es auch zum ersten Weltkrieg" (Rapŏs , 1984, S. 112 f., Hervorhebungen im Original).

Der erste Weltkrieg ist somit nach sozialistischem Verständnis eine aus Widersprüchen des kapitalistischen Systems entsprungene Krise, und diese Krise führt unmittelbar zur russischen Revolution und somit zum Beginn der Ablösung des kapitalistischen Systems durch den Sozialismus und zum Übergang zu einer Gesellschaft ohne 'antagonistische Klassengegensätze' (d. h. ohne in einem nicht auszugleichenden Widerspruch stehende Klassengegensätze). Die von Engels für den Sozialismus prognostizierte "planmäßige bewußte Organisation" (Anti-Dühring, MEW 20, S. 264) wird von Lenin durch eine zentrale Planwirtschaft verwirklicht; Vorbild dafür waren wohl Eisenbahn und Postsystem im Deutschen Reich.

"Dem Sozialismus sind solche Erscheinungen wie Überproduktionskrisen, Arbeitslosigkeit usw. fremd" (Rapŏs , 1984, S. 114). Zumindest der "real-existierende" Sozialismus hat durchaus seine eigenen Widersprüche und daraus folgende Krisen: Überproduktion ist kaum ein Problem, dafür aber Unterversorgung, Disproportionalität, nicht funktionierende "planmäßige bewußte Organisation" und je nach Gestaltung des ökonomischen Systems auch Inflation und Arbeitslosigkeit. Es kommt immer wieder zu Krisen,und diese Krisen können nur durch den entschlossenen Einsatz von Militär und Justiz und anderer staatlicher Zwangsmaßnahmen unter Kontrolle gehalten werden.

3.5.2 Die Marxsche Lehre

Die Lehre von Marx hat die ökonomische Theorie, auch und gerade die bürgerliche ökonomische Theorie, entscheidend beeinflußt. Bedeutende Theoretiker wie Böhm-Bawerk, Joan Robinson, Samuelson und viele andere haben sich mit ihr beschäftigt und aus dieser Beschäftigung wesentliche Impulse bezogen. So hat z. B. Böhm-Bawerk erkannt, daß die Entstehung von Zins und Profit beim Ablehnen der Marxschen Ausbeutungstheorie in einer anderen Weise zu erfolgen hat. Seine Überlegungen haben die "Kapitaltheorie" bis heute bestimmt, ohne allgemein überzeugen zu können. Das von Marx im Anschluß an Ricardo aufgeworfene Problem, warum Kapitalbesitzer ein leistungsloses Einkommen erhalten, ist bis heute offen geblieben.

Karl Marx hat in seiner Theorie die Ansätze der Klassiker - vor allem die von Ricardo - weiterentwickelt und bis an ihre Grenzen getrieben. Marx hat die unterschiedlichsten Denkrichtungen zu einer großen Theorie zusammengefaßt, die idealistische Geschichtsphilosophie Hegels mit der materialistischen Weltanschauung Feuerbachs, die Lehren der klassischen Ökonomie von Smith und vor allem von Ricardo mit den sozialistischen Überzeugungen von Saint-Simon, Fourier und Simonde de Sismondi. Er hat aus diesen unterschiedlichen Ansätzen ein einheitliches System geschaffen und fortentwickelt, soweit bis das System an seine Grenzen stieß, bis Widersprüche auftauchten und zeigten, daß dieser Theorie eine andere Theorie gegenübergestellt werden mußte. Diese Antithese zur Theorie von Marx gilt es in den nächsten Kapiteln zu untersuchen.

3.6 Weitere Aufgaben zu 3.4

Aufgabe 3.22

Gehen Sie von der in 3.4.4 unterstellten Technologie aus, machen Sie jedoch die Annahme, daß die Arbeiter das ganze Korn (also 20 Tonnen) als Bezahlung erhalten.
  a. Bestimmen Sie wie in 3.4.9 Profitrate , die Preise der Waren und den Lohn.
  b. Vergleichen Sie die in a. bestimmten Preise mit den Arbeitswerten. (Achten Sie dabei nicht so sehr auf die absolute Höhe der Preise, sondern auf die Preisverhältnisse.)
  c. Welchen Zusammenhang zwischen Profitrate, Preisen und Arbeitswerten scheint das Ergebnis b. nahezulegen?

Aufgabe 3.23 (Die vollautomatisierte Gesellschaft)

Wir betrachten eine Gesellschaft, in der alle Waren allein durch Roboter ohne irgendwelche menschliche Arbeit produziert werden. Ein solches Modell wurde schon 1898 von Dmitriev zur Analyse der Arbeitswerttheorie benutzt. Die Technologie sei durch folgendes Input-Output-Modell gegeben:

Inputs Roboter	Outputs Roboter	Gold	Korn (t)	
40	60			Roboterbau
12		72		Bergbau
8			24	Landwirtschaft

  a. Bestimmen Sie den Wert von Robotern, Gold und Korn im Sinne von Marx.
  b. Konstruieren Sie ein Marxsches Reproduktionsschema (einschließlich der Angaben von Mehrwertrate, Profitrate und organischer Zusammensetzung des Kapitals).
  c. Wählen Sie Gold als Geldeinheit und bestimmen Sie Produktionspreise und Profitrate.
  d. Vergleichen Sie die berechnete Profitrate mit der Profitrate p des Marxschen Reproduktionsschemas.
  e. Analysieren Sie die folgenden Meinungsäußerungen zur vollautomatischen Gesellschaft:
    (i) "Diese Behauptung ist dumm, wird man sagen. Und das ist wirklich wahr. Aber ihre Dummheit hängt einzig und allein von dem vollständig irrealen Charakter der Hypothese ab, die wir wohl oder übel unterstellen mußten, um unserem Autor zu folgen. Kann man sich Produktion ohne menschliche Arbeit vorstellen? Nein, Produktion bedingt nämlich bewußte und intelligente Organisation der Mittel in Verfolgung bestimmter Ziele. Die Hypothese von Dmitriev

ist also von der Art, wie "wenn Hühner Zähne hätten" (H.Denis im
Nachwort zu Dmitriev 1968, zitiert nach Pack, 1985, S.49, unsere
Übersetzung).

(ii) *"Hier sind wir bei der absoluten inneren Grenze der kapitalistischen*
Produktionsweise angelangt. Diese absolute Grenze liegt weder - wie
Rosa Luxemburg meinte - in der kapitalistischen Durchdringung der
Welt noch ... in der tendenziellen Unmöglichkeit, auch bei steigen-
der Mehrwertmasse das gesamte akkumulierte Kapital zu verwerten.
Sie liegt da, wo die Mehrwertmasse selbst zwangsläufig zurückgeht -
wegen der in der letzten Phase der Mechanisierung - der Automation
- stattfindenden Ausschaltung der lebendigen Arbeitskraft aus dem
Produktionsprozeß. Kapitalismus ist unvereinbar mit vollautomati-
sierter Produktion in der gesamten Industrie und Landwirtschaft,
weil dann keine Mehrwertschöpfung (und keine Kapitalverwertung)
mehr vor sich geht. Es ist deshalb unmöglich, daß sich die Automa-
tion im Zeitalter des Spätkapitalismus auf den gesamten Produkti-
onsbereich ausdehnt" (E. Mandel, 1972, S.191).

(iii) *"Im Gegensatz zu dem, was man nach der Arbeitswerttheorie erwar-*
ten würde, können also tatsächlich in einer vollautomatischen Gesellschaft
eine positive Profitrate und relative Preise gelten. Sobald man sich von den
Vorstellungen befreit, daß nur produktive gesellschaftliche Arbeit die Masse
des Mehrwerts produziert und daß die Masse des (Marxschen) Mehrwerts
die Masse des monetären Profits bestimmt, ist dieses Ergebnis nicht wirklich
überraschend" (S. Pack, 1985, S.46, unsere Übersetzung).

3.7 Literatur

Als Vorlage der Lesestücke dienten:

Karl Marx, Friedrich Engels: "Das kommunistische Manifest" (7. deutsche
Ausgabe, 1906), in: K. Diehl und P. Mombert (Hrsg.): Ausgewählte Le-
sestücke zum Studium der politischen Ökonomie, III. Band: Sozialismus,
Kommunismus, Anarchismus, II. Abteilung, 1. Aufl., Jena, 1920, S.89-103.

Karl Marx: "Lohn, Preis und Profit" in: Karl Diehl und Paul Mombert
(Hrsg.): Ausgewählte Lesestücke zum Studium der politischen Ökonomie, V.
Band: Wert und Preis, II. Abteilung, 3. Auflage, Jena, 1923, S. 92-131.

Diese und fast alle anderen Werke von Marx und Engels findet man in:

Marx Engels Werke (MEW), Ost-Berlin, 1967-1973.

Der Text "Lohn, Preis und Profit" ist in den Marx Engels Werken jedoch nicht
in der oben abgedruckten Übersetzung von Bernstein enthalten. Folgendes,
nicht in den MEW enthaltene Werk, wurde außerdem noch benutzt:

Karl Marx: Grundrisse der Kritik der politischen Ökonomie, 2. Auflage,
(Ost-) Berlin, 1974.

Kapitel 4: Die marginalistische Revolution

4.0 Lernziele

In diesem Kapitel soll folgendes kennengelernt werden:

1. Gossen entwickelte in seinem Buch einen neuen Ansatz zur Erklärung von Preisen.

2. Die "marginalistische Revolution" leitete eine neue Epoche der bürgerlichen Ökonomie ein. Die marxistische Theorie hat diese Entwicklung nicht mitgemacht.

3. Die von Jevons, Menger und Walras geschaffene Marginalanalyse bildet die Basis der heutigen vorherrschenden Wirtschaftstheorie.

4. Durch Nutzenfunktionen wird die Nachfrageseite (Konsumenten) in die Analyse eingeführt.

5. Die Betrachtung der Nachfrageseite mit Hilfe der Marginalanalyse kann bestimmte wirtschaftliche Phänomene besser erklären, als es den Klassikern möglich war.

6. Das Problem der Nutzenmessung ist bis heute nicht in allgemein befriedigender Weise gelöst worden.

4.1 Lektüre

4.1.1 Hermann Heinrich Gossen:
Entwicklung der Gesetze des menschlichen Verkehrs und der
daraus fließenden Regeln für menschliches Handeln (1854)

V o r r e d e

V*   Auf den folgenden Blättern übergebe ich der öffentlichen Beurtheilung
das Resultat eines 20jährigen Nachdenkens.

Was einem **Kopernikus** zur Erklärung des Zusammenseins der Welten
im Raum zu leisten gelang, das glaube ich für die Erklärung des Zusammenseins der Menschen auf der Erdoberfläche zu leisten. Ich glaube, daß es mir
gelungen ist, die Kraft, und in großen Umrissen das Gesetz ihrer Wirksamkeit
zu entdecken, welche das Zusammensein der Menschen möglich macht, und
die Fortbildung des Menschengeschlechts unaufhaltsam bewirkt. Und wie die
Entdeckungen jenes Mannes es möglich machten, die Bahnen der Weltkörper
auf unbeschränkte Zeit zu bestimmen; so glaube ich mich durch meine Entdeckungen in den Stand gesetzt, dem Menschen mit untrüglicher Sicherheit
die Bahn zu bezeichnen, die er zu wandeln hat, um seinen Lebenszweck in
vollkommenster Weise zu erreichen.

Ob ich mich in diesem Glauben nicht getäuscht habe, wird sich dadurch
zeigen, ob meine Ausführungen, wie jene Entdeckungen des **Kopernikus**,
auch die Kraft besitzen, andere Menschen von ihrer Richtigkeit zu überzeugen. Möge es dann, wenn sie sich hierdurch bewährt haben, bald einem
Kepler, einem **Newton** gelingen, die Gesetze der Wirksamkeit jener die
Menschheit bewegenden Kraft näher zu präcisiren! [...]

IV   In Rücksicht auf die Form der Ausführungen wird nun bei den Meisten, welche sich mit nationalökonomischen Fragen zu befassen geneigt finden, die mathematische Grundlage unzweifelhaft Anstoß erregen, da mathematische Kenntnisse leider bis jetzt noch keineswegs als ein nothwendiger
Theil menschlicher Ausbildung betrachtet zu werden pflegen. Zur Rechtfer-
tigung dieser Form wird aber die Bemerkung genügen, daß es sich in der
Nationalökonomie um das Zusammenwirken verschiedener Kräfte handelt,
daß es aber unmöglich ist, das Resultat der Wirksamkeit von Kräften zu bestimmen, ohne zu rechnen. Darum ist es denn eben so unmöglich, die wahre
Nationalökonomie ohne Hülfe der Mathematik vorzutragen, wie dieses bei der
wahren Astronomie, der wahren Physik, Mechanik u. s. w. längst anerkannte
Thatsachen sind, und es mag nicht wenig zu dem Wirrwarr beigetragen haben, in welchem die Nationalökonomie sich noch bis heute befindet, daß es
bis jetzt nicht gelingen wollte, die für sie passende mathematische Form aufzufinden. Mit Rücksicht darauf aber, daß bis jetzt eine mathematische Ausbildung keineswegs allgemeine Sitte ist, war mein Streben unausgesetzt, nur
die Theile der Mathematik als bekannt vorauszusetzen, welche auf unseren
Gymnasien vorgetragen werden. [...]

Cöln, im Januar 1853   Gossen

* Die Nummern am linken Rand geben die Seitenzahlen der Vorlage an

[Beginn des Hauptteils des Buches]

1   Der Mensch wünscht sein Leben zu genießen und setzt seinen Lebenszweck darin, seinen Lebensgenuß auf die möglichste Höhe zu steigern. Aber einestheils dauert das Leben des Menschen eine geraume Zeit, und es giebt eine Menge Lebensgenüsse, die der Mensch sich augenblicklich verschaffen kann, die ihm aber in ihren Folgen Entbehrungen auflegen, die außer allem Verhältniß stehen mit dem früher gehabten Genusse; anderntheils werden die höchsten, die reinsten Genüsse dem Menschen erst verständlich, sie werden erst zu Genüssen, wenn er sich zu ihrem Verständniß zuerst herangebildet hat. Der Mensch, welcher glaubte seinen Lebenszweck am Vollkommensten zu erreichen, wenn er sich in jedem Augenblick ohne Rücksicht auf die Folgen den Lebensgenuß verschaffen wollte, der für ihn augenblicklich der größte scheint, würde sich darum arg täuschen; um die wahre Größe eines Genusses zu finden, muß nicht bloß die Größe des augenblicklichen Genusses ins Auge gefaßt, es müssen von dieser alle die Entbehrungen abgezogen werden, welche der wirkliche Genuß durch seine Folgen dem Menschen in seiner ganzen Zukunft auflegen würde; es muß namentlich erwogen werden, in wie weit ein Genuß ein Hinderniß bereitet, die körperliche sowohl, wie geistige Ausbildung zu erreichen, die den Menschen erst zu den höheren, feineren Genüssen befähigt. Mit anderen Worten:

Es muß das Genießen so eingerichtet werden, daß die Summe des Genusses des ganzen Lebens ein Größtes werde.

Nach diesem Grundsatz sehen wir denn von der Wiege bis zum Grabe alle Menschen ohne Ausnahme handeln, den König wie den Bettler, den frivolen Lebemann wie den büßenden Mönch, und wenn dennoch die Handlungsweise der Menschen, wie wir sie im Leben wahrnehmen, so außerordentlich verschiedenartig erscheint, so hat dieses lediglich in der verschiedenen Ansicht über die Größe der verschiedenen Lebensgenüsse (eine Größe, die auch unzweifelhaft nach der Bildungsstufe des Menschen verschieden ist) und über die Größe der Hinderung seinen Grund, die der Genuß später zu erwartenden

2 Genüssen in den Weg legen werde. Darüber, daß jeder seinen Lebensgenuß zum Größten bringen will, sind alle einig. Selbst der Ascet, der sich von diesem Lebenszweck scheinbar am Weitesten entfernt, wenn er durch Kasteiungen und willkürlich aufgelegte Entbehrungen aller Art das Himmelreich zu erwerben vermeint, bekundet die Wahrheit dieses Satzes. Denn, abgesehen davon, daß es selbst bis zu einem gewissen Punkte von ihm als Genuß empfunden wird, eine solche Lebensweise zu befolgen, treibt nur die Ueberzeugung ihn zu dieser Handlungsweise, daß ihm die hier willkürlich aufgelegten Entbehrungen in einem jenseitigen Leben viel-, vielfach werden vergolten werden, und nimmt man ihm diese Ueberzeugung, so wird er augenblicklich eine seiner bisherigen Handlungsweise ganz entgegengesetzte annehmen: wie denn die Geschichte der Beispiele in Ueberfluß liefert, daß aus frivolen Lebemännern Asceten, und umgekehrt aus büßenden Mönchen feine Lebemänner geworden sind. Der Ascet unterscheidet sich in Beziehung zu jenem Grundsatz vom Lebemann also nur darin, daß er ein weit ungenügsamerer Egoist ist; was

die Erde bietet, genügt ihm nicht als Summe des Genusses, er will mehr haben, und glaubt, dieses durch sein Verfahren sich verdienen zu können. Ja,
daß die Menschen beim Wechseln ihrer Handlungsweise so oft in Extreme
verfallen, zeigt die allgemeine Wirksamkeit jenes Satzes in klarster Weise.
Denn, wer in seiner Handlungsweise zu einem Aeußersten gelangt, beweist
hierdurch, daß der Beweggrund zu dieser Handlungsweise besonders stark
von ihm empfunden wird, oder die Kraft, die ihn zu dieser Handlungsweise
bestimmt, besonders stark bei ihm vorhanden ist; es ist daher natürlich, daß
er aus einem Extrem ins andere verfallen muß, sobald durch irgend welche
Umstände seine Ueberzeugung eine Aenderung erleidet, und hierdurch jene
Kraft einen andern Zielpunkt erhält. [...]

3 Für|die Handlungsweise des Menschen folgt aus diesem Lebenszweck die eine
und darum Hauptregel:

**Der Mensch richte seine Handlungen so ein, daß die Summe
seines Lebensgenusses ein Größtes werde,**

und der Schöpfer hat, indem er die Kraft schuf, welche im Menschen den
Wunsch unvertilgbar und ununterbrochen erzeugt, diesen Zweck zu erreichen,
sich die unverbrüchlichste Sicherheit geschaffen, daß der Mensch diesen seinen
Lebenszweck erreichen wird, sobald derselbe erst den Weg erkannt hat, auf
welchem er zu diesem Ziele gelangen kann. Und mehr noch als das, unendlich viel mehr, indem er die Wirksamkeit dieser Kraft wie bei allen anderen
Kräften bestimmten, ihr eigenthümlichen Gesetzen unterwarf, hat er durch
dieselbe für das Zusammenleben der Menschen genau dasselbe erreicht, was
er durch die Schwerkraft und die ihr eigenthümlichen Gesetze für das Zusammensein seiner Welten erreichte. Wie er durch diese Ordnung in seine Welten
schaffte, so schaffte er durch jene Ordnung unter seine Menschen; wie er durch
4 die|Gesetze der Schwerkraft seinen Welten ihre Bahnen ewig und unabänder-
lich vorschrieb, so schrieb er durch die Gesetze der Kraft zu genießen dem
Menschen ewig und unabänderlich seine Bahn im Zusammenleben mit seines
Gleichen vor. Durch sie erreichte er es, daß, sobald dem Menschen die Gesetze der Wirksamkeit jener Kraft erst klar geworden sind, **jeder Einzelne
seines eigenen Wohles wegen zugleich zum Heil der Gesammtheit
seine Kräfte so verwenden muß, wie es zur Förderung des Wohles
der Gesammtheit am Zweckmäßigsten ist.** Dieses ist daher die Kraft,
welche die menschliche Gesellschaft zusammenhält; sie ist das Band, welches
alle Menschen umschlingt, und sie zwingt, im gegenseitigen Austausch mit
dem eigenen Wohl zugleich das Wohl des Nebenmenschen zu fördern. Und
diese Kraft, die diese unberechenbaren Wohlthaten der Menschheit schafft,
konnte so sehr verkannt werden, daß man sie als Genußsucht verketzerte, weil
sie auch einen Mißbrauch zuläßt, daß man es sich zum Verdienst anrechnen
zu können glaubte, wenn man es für gelungen hielt, sie bei sich selbst ganz
oder theilweise unwirksam zu machen! [...]

Bei näherer Betrachtung, wie das Genießen vor sich geht, findet man
denn bei allem Genießen folgende gemeinschaftlichen Merkmale:

5 1. **Die Größe eines und desselben Genusses nimmt, wenn wir mit Bereitung des Genusses ununterbrochen fortfahren, fortwährend ab, bis zuletzt Sättigung eintritt.**

2. **Eine ähnliche Abnahme der Größe des Genusses tritt ein, wenn wir den früher bereiteten Genuß wiederholen, und nicht bloß, daß bei wiederholter Bereitung die ähnliche Abnahme eintritt, auch die Größe des Genusses bei seinem Beginnen ist eine geringere, und die Dauer, während welcher etwas als Genuß empfunden wird, verkürzt sich bei der Wiederholung, es tritt früher Sättigung ein, und beides, anfängliche Größe sowohl, wie Dauer, vermindern sich um so mehr, je rascher die Wiederholung erfolgt.**

Für beide Merkmale liefert das tägliche Leben tausendfältige Thatsachen als Beweise. [...]

6   Wer mit einer einzigen Speise seinen Hunger stillt, dem wird der erste Bissen am Besten schmecken; schon weniger gut der zweite, noch weniger der dritte, und so weiter, bis es ihm bei fast eingetretener Sättigung auch fast gleichgültig geworden sein wird, ob er diesen letzten Bissen noch zu sich nimmt oder nicht. Aber auch, daß bei der Wiederholung der Sättigung durch dieselbe Speise ein Sinken des Genusses und eine Verminderung der Quantität des Genossenen eintritt, der Verkürzung der Zeitdauer bei geistigen Genüssen entsprechend, sehen wir durch die Erfahrung unzweideutig bestätigt. Der Arme, der nur an Festtagen einen Braten zu verzehren hat, hat von der Sättigung durch Braten unstreitig mehr Genuß, als derjenige, der sich täglich diesen Genuß bis zur Sättigung verschafft, und bei diesem letztern steigert sich der Genuß, den die Sättigung durch Braten gewährt, je länger ihm dieser Genuß vorenthalten wird.

Daß dieses Sinken des Genusses beim wiederholten Genießen eines und desselben Gegenstandes nicht bei einem jeden ein gleich großes ist, bedarf wohl kaum der Erwähnung; wie allgemein es aber bemerkt wird, beweisen außerdem noch einerseits die oft gehörten Redensarten: Ja, einmal oder einige Male dieses oder jenes zu sehen, zu hören, zu schmecken, überhaupt zu genießen, lasse ich mir gefallen, aber öfter mag ich es doch nicht; bestätigt andererseits die Verwunderung, in welche wir gerathen, wenn uns ein Gegenstand aufstößt, bei dem auch bei sehr häufig wiederholtem Genießen ein Sinken beim Beginn des Genusses weniger bemerkt wird, wie beispielsweise
7 unter den Speisen beim Brot. Denn diese Verwunderung kann nur darin ihren Grund haben, daß wir eben gewohnt sind, allgemein ein stärkeres Sinken wahrzunehmen. [...]

Nicht zu verwechseln mit diesem Sinken des Genusses beim fortgesetzten und wiederholten Genießen eines und desselben Gegenstandes ist die Steigerung, die bei jedem Genußsinne im Ganzen durch Uebung möglich ist. Die Uebung des Gesichts, des Gehörs, des Geschmacks, des Geistes steigert den Genuß an den diesen Sinnen dienenden Gegenständen im Allgemeinen, aber das fortgesetzte und wiederholte Genießen eines und desselben Gegenstandes ist demungeachtet jenem Sinken unterworfen.

So wiederholt sich denn dieses Gesetz der Abnahme der Größe des Genusses bei allem Genießen ohne alle Ausnahme, bei den geistigen Genüssen sowohl, wie bei den materiellen, **und geradé dadurch, daß der Schöpfer die Kraft zu genießen, die Genußsucht, diesem Gesetze unterwarf, machte er sie fähig, solche Resultate zu Tage zu fördern, wie sie oben näher angedeutet wurden.**

Die unberechenbare Wichtigkeit dieses Gesetzes macht es wünschenswerth, von demselben eine möglichst klare Anschauung zu erhalten. Hierzu kann im vorliegenden Falle ein geometrisches Bild behülflich sein. [...]

8   Man stelle durch die Linie **ab** (Fig. 1) die Zeit vor, die ein Genuß währt, dergestalt, daß jeder Punkt derselben einem Zeitmoment entspricht, und daher jeder Theil der Linie **ab** dem entsprechenden Zeittheile; im vorliegenden Falle mithin **ad**, als erstes Zehntheil, dem ersten Zehntheil der Zeit, **df**, als zweites, dem zweiten u.s.w., man denke sich dann in jedem Punkte der Linie **ab** eine Senkrechte errichtet, wie dieses beispielsweise in **a, d, f** u.s.w. hier geschehen ist, und setze diese Senkrechten in das Größenverhältniß zu einander, wie der Genuß in dem entsprechenden Zeitmomente gefunden wird.

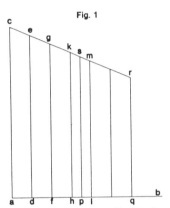

Fig. 1

Verbindet man dann die Endpunkte der Senkrechten, hier **c, e, g, k** u.s.w., miteinander, so ist offenbar, daß dann die Flächen **adec, dfge, fhkg** u.s.w. genau das Größenverhältniß des Genusses in den Zeitabschnitten **ad, df, fh** u. s. w. darstellen, und überhaupt jede durch zwei Senkrechte auf **ab** und die Linien **cr** und **ab** begrenzte Fläche wie **pqrs** das Größenverhältniß des Genusses in dem Zeitraum **pq**.

Zur wirklichen Darstellung eines solchen Bildes für irgend einen wirklichen Genuß wäre nun offenbar ein Messen der Größe des Genusses in jedem Zeitmomente erforderlich, eine Aufgabe, deren Lösung bis jetzt noch nicht gelungen, ja mit klar bewußtem Zweck vielleicht kaum einmal versucht worden ist. Aber wie in der Geometrie zur wirklichen Darstellung eines getreuen Bildes von irgend einem in der Wirklichkeit gegebenen Raum das Ausmessen dieses Raumes nach seinen verschiedenen Richtungen erforderlich ist, wie aber ein solches Ausmessen unnöthig erscheint, um die geometrischen

9 Lehrsätze aufzufinden, wie es vielmehr hierzu genügt, aus den Bedingungen des Raumes die Möglichkeiten zu entwickeln, wie Theile desselben zu einander in Beziehung treten können: so ist auch hier ein wirkliches Messen der Größe der Genüsse nicht nöthig, um die Lehrsätze zu entwickeln, welche zu dem Genießen in Beziehung stehen, auch hierzu genügt es vielmehr, die

Möglichkeiten zu entwickeln, die beim Genießen vorkommen können, und sie mit einander in Beziehung zu setzen. Und wie in der Geometrie die also gefundenen Sätze hinterher uns die Möglichkeit an die Hand geben, auch da Messungen des Raumes vorzunehmen, wo ein directes Messen uns ewig unmöglich sein würde - ich erinnere an die Messungen der Astronomen - ; so werden uns auch hier die also gefundenen Sätze später in den Stand setzen, Messungen beim Genießen vorzunehmen, die, direct zu vollführen, noch kein Mittel gefunden ist. [...]

12   Wie nun bei jedem einzelnen Genuß das Genießen einzurichten ist, um dieses Größte zu erreichen, ist eine factische Frage. Ihre Beantwortung ist bedingt durch nähere Bestimmung des Gesetzes über die Abnahme der Größe, und diese wieder durch das wirkliche Messen der Genüsse. Sie kann daher hier noch nicht versucht werden. Hier genügt es, von dem Dasein dieses Satzes Kenntniß zu erhalten, zu wissen, daß bei jedem Genusse dieses Größte eintritt, und vor Allem abhängig ist - von dem öftern Wiederholen.

2. Der Mensch, dem die Wahl zwischen mehren Genüssen frei steht, dessen Zeit aber nicht ausreicht, alle vollaus sich zu bereiten, muß, wie verschieden auch die absolute Größe der einzelnen Genüsse sein mag, um die Summe seines Genusses zum Größten zu bringen, bevor er auch nur den größten sich vollaus bereitet, sie alle theilweise bereiten, und zwar in einem solchen Verhältniß, daß die Größe eines jeden Genusses in dem Augenblick, in welchem seine Bereitung abgebrochen wird, bei allen noch die gleiche bleibt. Es folgt dieses aus dem Gesetz der Abnahme der Genüsse; [...]

46   Wer sich auch nur mit der geringsten wissenschaftlichen Färbung mit National-Oekonomie beschäftigt hat, weiß, daß die disparaten Resultate, zu denen die verschiedenen National-Oekonomen durch ihre Schlußfolgerungen gelangen, lediglich in den verschiedenen Begriffsbestimmungen von Werth ihren Grund haben, daß also die unendliche Masse der Streitfragen in dieser Wissenschaft auf eben so viele verschiedene Begriffsbestimmungen von Werth zurückführen. Wollte ich es daher versuchen, das Unterscheidende dieser Begriffsbestimmungen von den hier ausgestellten näher anzudeuten; so würde ich mich, da kein Grund vorhanden ist, der einen Bestimmung vor der anderen irgend einen Vorzug einzuräumen, in eine unerschöpfliche Weitläufigkeit verwickelt sehen. Ich beschränke mich daher hier, nur darauf aufmerksam zu machen, daß nach meiner Anschauungsweise der Außenwelt Nichts existirt, dem ein sogenannter absoluter Werth zukäme, wie dieses jetzt von den National-Oekonomen mit mehr oder minder klarem Bewußtsein angenommen, und jeder Sache ein bestimmtes Maß desselben beiwohnend gedacht wird. Nichts hat wohl zu unseligeren Maßregeln Veranlassung gegeben, als diese Fiction eines absoluten Werths. Veranlasssung zu derselben gegeben hat unstreitig der Umstand, daß ohne eine solche Annahme der Werth etwas so ungeheuer Schwankendes wird, daß es schwer zu halten scheint, ihn zu irgend einem praktischen Gebrauch fassen zu können. Die National-

Oekonomen befanden sich hier zum Werth in einer noch weit schlimmern
47 Lage, wie die Mathematiker vor Erfindung der Differenzial- und Integralrech-
nung zu so vielen Naturkräften. Während bei Weitem den meisten National-
Oekonomen das Rechnen an und für sich schon unüberwindliche Schwierigkeiten verursacht, sollten sie hier nun gar mit einer Größe rechnen, die sich
ihnen fortwährend unter den Händen verändert, die ihnen darum nur zu oft,
wenn sie sie gerade recht gefaßt zu haben glaubten, ganz entschlüpfte und
sich in Nichts auflöste. Diese Schlüpfrigkeit glaubte man dem Werthe nehmen
zu können, wenn man einen absoluten Werth statuirte. Und wenn ein solcher
existirte, würden durch denselben unleugbar die Rechnungen einfacher werden. Schade darum, daß er nicht existirt, und alle Rechnungen der National-
Oekonomen ohne Ausnahme dadurch falsch geworden sind. Den absoluten
Werth glaubte man gefunden zu haben, wenn man es unter den Begriff Werth
auffaßte, wenn einer Sache solche physische Eigenschaften ankleben, die sie
befähigen, unmittelbar oder mittelbar in höherm Grade zur Genußbereitung
dienen zu können, wie Lebensmittel, Holz und vor allem Andern Gold und
Silber. Aber in den Pampas bei Buenos Ayres lassen die Büffelzüchter bei
Weitem das meiste Fleisch, obschon es ganz und gar die guten Eigenschaften
besitzt, die uns hier unser Fleisch werth machen, bei voller Kenntniß dieser
Eigenschaften verfaulen, sie ziehen bloß die Büffel der Häute, Hörner und
Hufe wegen; in Nordamerika wendet der neue Ansiedler ebenfalls bei voller
Kenntniß der Eigenschaften des Holzes alle seine Kräfte an, um ganze Wälder
zu vernichten, und Robinson trat bei voller Kenntniß der Eigenschaften des
Goldes den gefundenen Klumpen dieses Metalls verächtlich mit dem Fuße.

Quelle:
Hermann Heinrich Gossen, Entwicklung der Gesetze des menschlichen Verkehrs und der
daraus fließenden Regeln für menschliches Handeln, Braunschweig, 1854 (Reprint, Amsterdam, 1967)

4.1.2 Aufgaben

Aufgabe 4.1

Gossen beginnt seine Vorrede damit, daß er eine Analogie zwischen seiner Vorgehensweise in einem Gebiet der Sozialwissenschaften (nach heutiger Terminologie) und einer erfolgreichen Vorgehensweise der Naturwissenschaften herstellt.
  a. *Erläutern Sie Gossens Vorgehensweise.*
  b. *Welche Vorteile sehen Sie in solchen parallelen Vorgehensweisen?*
  c. *Welche Probleme und Gefahren könnten sich damit ergeben?*

Aufgabe 4.2

"Darum ist es denn ... unmöglich, die wahre Nationalökonomie ohne Hülfe der Mathematik vorzutragen."
  a. *Wie begründet Gossen diese Auffassung?*
  b. *Auf welche anderen Wissenschaftszweige verweist Gossen?*

Aufgabe 4.3
  a. *Welches ist der Grundsatz, nach dem "von der Wiege bis zum Grabe alle Menschen ohne Ausnahme handeln"?*
  b. *Versuchen Sie Ausnahmen zu finden! Wie würde Gossen bei solchen Ausnahmen argumentieren?*
  c. *Ist es nach der Argumentationsweise von Gossen überhaupt möglich, den Grundsatz aus 4.3a empirisch zu überprüfen?*

Aufgabe 4.4

Die "Kraft zu genießen ... ist daher die Kraft, welche die menschliche Gesellschaft zusammenhält; sie ist das Band, welches alle Menschen umschlingt, und sie zwingt, im gegenseitigen Austausch mit dem eigenen Wohl zugleich das Wohl des Nebenmenschen zu fördern." Erläutern Sie diese Ausführungen und vergleichen Sie sie mit Ausführungen von Adam Smith!

Aufgabe 4.5

"Die Größe eines und desselben Genusses nimmt, wenn wir mit der Bereitung des Genusses ununterbrochen fortfahren, fortwährend ab, bis zuletzt Sättigung eintritt." Erläutern Sie dieses sogenannte "1. Gossensche Gesetz" durch eigene Beispiele. Gibt es Gegenbeispiele? (Notieren Sie das 1. Gossensche Gesetz und Ihre Erläuterungen auf einer Karteikarte.)

Aufgabe 4.6

"Der Arme, der nur an Festtagen einen Braten zu verzehren hat, hat von der Sättigung durch Braten unstreitig mehr Genuß, als derjenige, der sich täglich diesen Genuß bis zur Sättigung verschafft." Gehen Sie von dieser Aussage

von Gossen aus und betrachten Sie ein Volk, das entsprechend aus Armen und Reichen besteht.

    a. Welche Auswirkung auf die Größe des Genusses der Armen, der Reichen hätte eine Umverteilung von Braten von den Reichen hin zu den Armen?

    b. Ändern Sie den Gossenschen Grundsatz folgendermaßen: "Es muß das Genießen so eingerichtet werden, daß die Summe des Genießens des ganzen Volkes ein Größtes werde." Welche Umverteilung ist durchzuführen, wenn dieser Grundsatz befolgt wird?

    c. "Die Übung des Gesichts, des Gehörs, des Geschmacks, des Geistes steigert den Genuß an den diesen Sinnen dienenden Gegenständen ... ." In welcher Weise könnte ein Reicher sich auf diesen Satz von Gossen berufen, um gegen eine Umverteilung argumentieren zu können?

Aufgabe 4.7

"Der Mensch, dem die Wahl zwischen mehren Genüssen freisteht, dessen Zeit aber nicht ausreicht, alle vollaus sich zu bereiten, muß, wie verschieden auch die absolute Größe der einzelnen Genüsse sein mag, um die Summe seines Genusses zum Größten zu bringen, bevor er auch nur den größten sich vollaus bereitet, sie alle theilweise bereiten, und zwar in einem solchen Verhältniß, daß die Größe eines jeden Genusses in dem Augenblick, in welchem seine Bereitung abgebrochen wird, bei allen noch die gleiche bleibt." Erläutern Sie (auf einer Karteikarte) dieses "2. Gossensche Gesetz" und versuchen Sie es zu begründen.

Aufgabe 4.8

"Zur wirklichen Darstellung ... wäre nun offenbar ein Messen der Größe des Genusses in jedem Zeitmomente erforderlich, eine Aufgabe, deren Lösung bis jetzt noch nicht gelungen, ja mit klar bewußtem Zweck vielleicht kaum einmal versucht worden ist."

    a. Überlegen Sie sich Methoden, den Genuß bei einer Handlung oder den Nutzen eines Gegenstandes zu messen.

    b. Was könnte es für die Theorie von Gossen bedeuten, wenn eine direkte oder vielleicht sogar indirekte Methode des Messens nicht gefunden werden kann?

Aufgabe 4.9

"Ich beschränke mich daher hier nur darauf aufmerksam zu machen, daß nach meiner Anschauungsweise der Außenwelt Nichts existiert, dem ein sogenannter absoluter Werth zukäme."

    a. Wie begründet Gossen seine Meinung?

    b. Was folgt nach Gossen aus der "Fiktion eines absoluten Werths"?

4.2 Die Begründer der marginalistischen Theorie

4.2.1 Hermann Heinrich Gossen (1810 - 1837)

Hermann Heinrich Gossen wurde 1810 als Sohn eines Steuereinnehmers geboren. Der junge Gossen zeigt früh Interesse und Talent für Mathematik. Sein Vater möchte jedoch, daß der einzige Sohn Verwaltungsbeamter wird. Gossen beugt sich dem Willen seines Vaters und legt 1834 in Bonn die Referendarprüfung ab; danach wird er in den preußischen Staatsdienst in Köln, Magdeburg und Erfurt übernommen. Die Arbeit gefällt ihm nicht; er bittet seinen Vater immer wieder, ihm noch weitere zwei Jahre an der Universität zu ermöglichen, um sich einen anderen Beruf suchen zu können. Er bittet vergeblich; erst als sein Vater 1847 stirbt, kann Gossen seine ungeliebte Tätigkeit aufgeben und im November nach Berlin ziehen.

Es ist kurz vor der Revolution, die die Epoche der Restauration beendete. Walras beschreibt Gossens Haltung in dieser Zeit so: "Politisch liberal sympathisiert er lebhaft mit der Revolution, die sich schon abzeichnet und die im März 1848 ausbricht. Er nimmt in gewisser Weise auch daran teil, ohne daß ich das genau präzisieren kann. Dies scheint jedenfalls nicht bedeutend gewesen zu sein und sich hauptsächlich auf einige Reden in den Klubs beschränkt zu haben. Gossen war ein Feind jeder Gewalt und hatte ein lebhaftes Gefühl für Recht und Legalität; andererseits waren politische Fragen in seinen Augen im wesentlichen soziale Fragen." (Walras, 1885, S. 86, unsere Übersetzung)

Beruflich orientiert er sich neu. Er ist Mitgründer und Leiter einer Versicherung gegen Hagel und Großviehsterblichkeit. Unausgeführt bleiben seine Entwürfe für eine Lebensversicherungsgesellschaft. Die praktische Versicherungstätigkeit gibt er aber 1850 schon wieder auf, als seine Gesellschaft keine Gewinne macht. Danach zieht er nach Köln in die Nähe seiner Schwestern. Er lebt völlig zurückgezogen und widmet seine ganze Zeit seinen ökonomischen Ideen. Er verfaßt "Entwicklung der Gesetze des menschlichen Verkehrs", das 1854 erscheint.

Seine Einleitung zeigt, für wie hoch der Autor sein Werk einschätzt; er will auf dem Gebiet der Volkswirtschaft das leisten, was Kopernikus für die Physik tat; er will die Grundlagen und Gesetze des menschlichen Zusammenseins erklären. Als einer der ersten benutzte er mathematische Formeln und Kurven, um ökonomische Probleme zu veranschaulichen. Als erster entwickelte er die Grenznutzentheorie und stellte sie graphisch dar. Gerade diese Art der Darstellung machte das Buch für die meisten Leser unverständlich; es fand überhaupt keine Beachtung, so daß der enttäuschte Gossen den größten Teil der Bücher vor seinem Tode 1858 einstampfen ließ. Er starb ohne äußeren Erfolg und ohne daß sich eine seiner Hoffnungen erfüllt hatte.

4.2.2 Menger, Jevons und Walras

In den 70er Jahren des letzten Jahrhunderts entwickeln Menger in Österreich, Jevons in England und Walras in der Schweiz fast gleichzeitig unabhängig voneinander eine neue Wirtschaftstheorie, die ganz von dem Nutzen eines Gutes für das Individuum ausgeht. Erst beim Streit um die Priorität zwischen Jevons und Walras wird entdeckt, daß diese Idee schon in den 50er Jahren von Gossen propagiert wurde.

C. Menger wurde 1840 in Neu-Sandec in Galizien als Sohn des Rechtsanwalts Anton Menger Edler von Wolfesgrün geboren. Er studierte in Wien, Prag und Krakau. Als Mitarbeiter der amtlichen Wiener Zeitung beschäftigte er sich vor allem mit statistischem Material zu wirtschaftlichen Fragen. Dabei stieß er immer wieder auf das folgende Problem:
"Es ist hauptsächlich die Unzulänglichkeit der herrschenden Preislehre und der mit ihr in enger Verbindung stehenden Theorie des Arbeitslohnes, der Grundrente und des Kapitalzinses gewesen, welche zu Reformbestrebungen auf dem Gebiete der Wirtschaftstheorie herausforderten. Die Erklärung der Preiserscheinungen durch die Theorie, daß die auf die Güter verwendeten Arbeitsquantitäten, beziehungsweise ihre Produktionskosten das Austauschverhältnis der Güter regeln, mußte gegenüber einer ernsteren Kritik sich als erfahrungswidrig und als lückenhaft herausstellen. Es gibt eine große Anzahl von Dingen, welche trotz der hohen Produktionskosten, welche sie verursacht haben, doch nur niedrige, unter Umständen überhaupt keine Preise erzielen, während umgekehrt für Güter, welche die Natur uns ohne Arbeit und ohne Kostenaufwand darbietet, nicht selten hohe Preise erlangt wurden. Auch ist es klar, daß ... die Erklärung des reinen Unternehmergewinnes, der reinen Grundrente, des reinen Kapitalzinses, also die Erklärung umfassender Gruppen von Wirtschaftserscheinungen auf dem obigen Wege überhaupt zu unüberwindlichen Schwierigkeiten führt, da es sich hier um die Erklärung von Erscheinungen handelt, welche auf Arbeits- oder Produktionskosten zurückzuführen schlechterdings unzulässig ist." (Carl Menger, 1923/1968, S. V)
Der Widerspruch zwischen der herrschenden Theorie und der Realität brachte Menger dazu, eine neue Preis- und Geldtheorie aufzustellen, die ganz auf der subjektiven Wertlehre beruhte. 1871 erscheint sein Werk: "Grundsätze der Volkswirtschaftslehre." Dieses Buch brachte ihm eine Professur in Wien ein und die Aufgabe, den Kronprinzen Rudolf in staatswissenschaftlichen Fächern zu unterrichten. Mengers Ideen stießen in Deutschland auf Widerspruch, während er in Österreich viele hervorragende Gelehrte wie z. B. Böhm-Bawerk anzog und die "österreichische Schule" der Volkswirtschaftslehre gründete.

William Stanley Jevons, 1835 in Liverpool als Sohn eines Eisenkaufmanns geboren, studiert zunächst in London Chemie und Botanik. Aufgrund des Zusammenbruchs der väterlichen Firma ist er gezwungen, sich seinen Lebensunterhalt selbst zu verdienen. So nimmt er 1854 in der neuen Münze von Australien die Stelle eines Münzprüfers an. 1859 setzt er in London sein Studium fort - jetzt mit dem Schwerpunkt auf Philosophie und Logik.

1866 wird er Professor am Owen's College in Manchester, 1876 Professor am University College in London. Verheiratet ist er mit Harriet Taylor, der Tochter des Gründers des Manchester Guardian.

1880 gibt er seine Lehrtätigkeit auf, weil seine schwache Gesundheit ihm sonst keine Zeit für Veröffentlichungen gelassen hätte.

Jevons beginnt sein Studium mit Naturwissenschaften; die naturwissenschaftlichen Methoden überträgt er auf die Volkswirtschaft. Schon 1862 referiert er in Cambridge über die mathematische Theorie der politischen Ökonomie. 1871 erscheint sein Hauptwerk "Theory of Political Economy". Hier entwickelt er seine Theorie vom Grenznutzen mit mathematischen Methoden. Neben diesen wirtschaftstheoretischen Werken schreibt Jevons nicht nur philosophische Aufsätze, sondern bezieht auch Stellung zu aktuellen Fragen. 1865 erscheint "The Coal Question", die als erste Veröffentlichung zum Thema der knappen Ressourcen gilt. Populär wurden seine Untersuchungen über den Zusammenhang zwischen Sonnenflecken und Wirtschaftskrisen. Leider bleiben viele seiner Pläne unausgeführt, da er 1882 ertrinkt.

Leon Walras wurde 1834 in der Normandie als Sohn eines Ökonomen geboren. Aufgrund mangelhafter Mathematikkenntnisse bestand er zweimal die Aufnahmeprüfung für die École polytechnique nicht; stattdessen mußte er die ihn nicht interessierende École des mines absolvieren. Zu der beruflichen Unzufriedenheit kam die Unzufriedenheit mit den Ergebnissen der Revolution von 1848 - Walras fing an, sozialkritische Romane zu schreiben. Sein Vater brachte ihn jedoch dazu, wie er selber Ökonom zu werden und das väterliche Lebenswerk fortzusetzen.

1860 plant Walras eine mathematische Nationalökonomie. Er übernimmt die Terminologie seines Vaters und das mathematische Rüstzeug von Cournot. Bevor Walras seine Ideen von der mathematisch orientierten Ökonomie in die Tat umsetzen konnte, stand ihm eine harte Zeit bevor. Seine Ideen waren ungewöhnlich und stießen in Frankreich auf Unverständnis und Ablehnung, über Beziehungen und Geld verfügte die Familie nicht, und so mußte er zwölf Jahre lang eine Reihe von verschiedenen Tätigkeiten bei der Eisenbahnverwaltung oder einer Bank annehmen. Als Journalist wurde er wegen seiner Unangepaßtheit entlassen. Erst 1870 erhält er schließlich gegen den Widerspruch von Kollegen eine Professur für politische Ökonomie in Lausanne. In den harten Jahren hatten sich seine wirtschaftlichen Theorien nur gefestigt. Er beginnt sofort, seine drei Hauptwerke zu verfassen:

1) Elements d'economie politique pure (1874)

2) Etudes d'economie sociale (1896)

3) Etudes d'economie politique appliquée (1898).

Seine ungewöhnliche Anwendung der Mathematik erklärt er in einem Brief so: "... die Verwendung von Sprache, Methode und Prinzipien der Mathematik (verfolgt) das Ziel, unsere Analyse strenger, genauer und umfassender zu machen, als es der Logik gewöhnlich gelingt. Sie trägt auch dazu bei, exaktere Schlüsse zu ziehen. In der reinen Theorie dürfen deshalb unsere

Formeln nicht nur abstrakt sein, sondern sie müssen es sogar, um Allgemeingültigkeit zu behalten. Unsere Kurven und Funktionen sollten auf jede Ware, die getauscht werden kann, anwendbar sein. ... Die meisten Nationalökonomen haben keinerlei Vorstellung von der Mathematik und kennen nur die vier Grundrechnungsarten der Arithmetik. In ihren Augen besteht die Anwendung der Mathematik auf die Ökonomie in einer Operation, die sich notwendigerweise in Addition, Substraktion, Multiplikation und Division konkreter Zahlen erschöpft. Sie irren. Die Anwendung der Mathematik in der Volkswirtschaftslehre besteht vielmehr darin, Nutzen, Menge, effektive Nachfrage, effektives Angebot, Preis usw. als Größen zu behandeln und darüber zu argumentieren, wie man diese Größen zueinander in Beziehung setzt und in einer Untersuchung wirtschaftlicher Phänomene aus der Kenntnis der allgemeinen Eigenschaften dieser Funktionen Nutzen zieht." (zitiert nach Recktenwald, 1971, S. 351 f.)

Neben der Idee, den Nutzen des Individuums als Ausgangspunkt der Theorie zu nehmen, taucht bei Walras ein zweiter Begriff auf, der des allgemeinen Gleichgewichts. Er stirbt 1910 trotz vieler Anfeindungen in dem Gefühl, ein geschlossenes System hinterlassen zu haben.

4.3 Nutzentheorie
4.3.1 Herleitung der Nutzenfunktion
4.3.1.1 Definition des Begriffes Nutzen

"Die Volkswirtschaftslehre muß auf eine vollständige und genaue Unter-suchung der Voraussetzungen des Nutzens gegründet werden; und um diesen Grundbegriff zu verstehen, müssen wir notwendigerweise die Bedürfnisse und Wünsche des Menschen prüfen." (Jevons, 1923, S. 38)

"Bentham definiert bei der Grundlegung der Ethik in seiner großen "In-troduction to the Principles of Morals and Legislation" (p. 3) den fraglichen Begriff in folgender Weise: 'Unter Nutzen versteht man die Eigenschaft ir-gendeines Gegenstandes, durch welche er Wohltat, Vorteil, Freude, Gutes oder Glück (all dieses bedeutet im gegenwärtigen Falle dasselbe) hervorzu-bringen strebt oder (was wieder auf dasselbe hinausläuft) den Eintritt eines Übels, Leides, Bösen oder Unglücks von der Person, um deren Interesse es geht, abzuwenden strebt.'" Mit den Worten von Bentham beschreibt Jevons (S. 37) genau das, was Gossen unter dem Begriff des Genusses behandelt. Der Begriff Nutzen hat sich durchgesetzt, und auch wir werden ihn im folgenden anwenden.

Jevons postuliert in diesem Zu-sammenhang (S. 38 f.): "Aber es versteht sich bestimmt von selbst, daß die Volkswirtschaftslehre auf den Gesetzen des menschlichen Genusses ruht; und daß, wenn diese Gesetze von keiner anderen Wissenschaft ent-wickelt werden, sie von den Volks-wirten entwickelt werden müssen. Wir erzeugen mit der alleinigen Ab-sicht, zu verbrauchen, und die Art und Größe der erzeugten Güter muß mit Rücksicht auf den Bedarf des Verbrauchs bestimmt werden. Je-der Handwerker weiß und fühlt, wie genau er den Geschmack und die Bedürfnisse der Kunden voraussehen muß; darauf beruht sein ganzer Er-folg; und auf gleiche Weise muß die Theorie der Wirtschaft mit einer rich-tigen Verbrauchslehre beginnen."

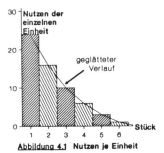

Abbildung 4.1 Nutzen je Einheit

4.3.1.2 Nutzen und Grenznutzen

Die graphische Darstellung des Nutzens einer Gütermenge kann auf zwei verschiedene Weisen erfolgen.

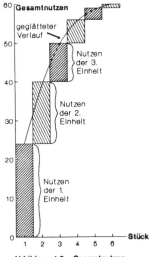

Abbildung 4.2 Gesamtnutzen

Einmal können wir den Nutzen der ersten, zweiten, dritten usw. Gütereinheit auftragen. Wir erhalten eine Abbildung, die bis auf die formale Gestaltung der Figur 1 von Gossen entspricht (Abb. 4.1). Andererseits kann man auch bestimmen, wieviel Nutzen insgesamt z. B. drei Gütereinheiten haben. Der Nutzen von drei Gütereinheiten ergibt sich aus dem Nutzen der ersten plus dem der zweiten, plus dem der dritten Gütereinheit. Führen wir das für alle möglichen Gütermengen durch, so ergibt sich aus Abb. 4.1 die Abb. 4.2. Die Figur entsteht durch "Aufsummieren" der Nutzensäulen der Abb. 4.1.

Abbildung 4.3

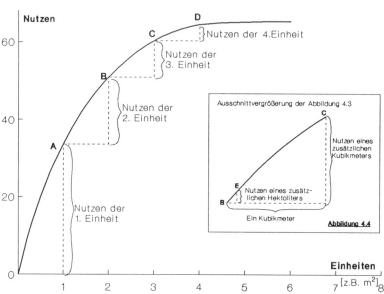

Aus Abbildung 4.2 kann umgekehrt die Abbildung 4.1 gewonnen werden. Aus diesem Grund kann jede der beiden Darstellungen als Ausgangspunkt der Nutzenanalyse genommen werden. Aus gewissen formalen mathematischen Gründen geht man in der Regel aber vom Grenznutzen, also der Abbildung 4.1 aus. Ist das in der Abbildung betrachtete Gut beliebig teilbar, also z. B. Wasser, so können wir nicht nur den Nutzen von 1, 2, 3, ... m^3 Wasser betrachten, sondern auch den jeder Zwischengröße. In einem solchen Fall bekommt man eine glatte Funktion des Gesamtnutzens wie in Abb. 4.3.

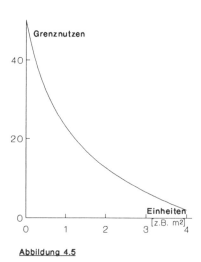

Abbildung 4.5

Aus dem Gesamtnutzen kann in der in Abb. 4.3 skizzierten Weise wieder der Nutzen der ersten, zweiten, dritten usw. Einheit gewonnen werden. Diese Vorgehensweise bringt aber zwei miteinander zusammenhängende Probleme mit sich:

1. Zu einem glatten Verlauf der Gesamtnutzenkurve erhalten wir einen stufenförmigen Verlauf der Nutzen der einzelnen Einheiten.

2. Die Nutzenwerte sind abhängig von der mehr oder weniger zufällig gewählten Einheit. Würde man Wasser z. B. statt in m^3 in Litern messen, so würde der Nutzen jeder Einheit verändert.

Deswegen benutzt man als Ersatz das Konzept des Grenznutzens. Der Übergang vom Nutzen einer Einheit zum Grenznutzen kann folgendermaßen an einem vergrößerten Ausschnitt der Abb. 4.3 erläutert werden: In der Abb. 4.4 ist der Nutzen der dritten Einheit gleich der Steigung der Geraden durch B und C, da der horizontale Abstand von B und C gleich Eins ist. Würde man Wasser nicht in Kubikmetern, sondern in Hektolitern (= 1/10 Kubikmeter) messen, so bekäme man als Nutzenzuwachs die Steigung der Strecke durch B und E. Würde man Liter oder sogar Kubikzentimeter als Einheit wählen, so bekäme man eine Steigung, die sich von der Steigung der Tangente so gut wie nicht unterscheiden würde. Diese Tangentensteigung bezeichnen wir als Grenznutzen im Punkte B. Der Grenznutzen in einem beliebigen Punkt gibt nach Konstruktion an, um wieviel der Nutzen steigt, wenn die Menge um eine extrem kleine Gütereinheit (nicht Kubikmeter sondern Kubikmillimeter) vergrößert wird. Der moderne Ökonom spricht beim Grenznutzen vom Nutzen einer zusätzlichen "infinitesimal kleinen" Einheit. Gossen sprach anschaulicher vom Nutzen "eines neu hinzukommenden Atoms". (Gesetze, S. 31)

Der Grenznutzen in einem Punkt ist somit nichts anderes als die Steigung der Tangente in diesem Punkt bzw. die Ableitung der Nutzenkurve in diesem Punkt. Wird für alle Punkte der Grenznutzen bestimmt, so bekommt man einen Verlauf wie in Abb. 4.5.

4.3.1.3 Ein Beispiel für eine Nutzenfunktion

Wir haben jetzt ein wichtiges Konzept der Wirtschaftstheorie hergeleitet, nämlich das der Nutzenfunktion.

Eine Nutzenfunktion ordnet einer Gütermenge (oder einem Bündel von Gütermengen) eine Zahl zu, die dem Nutzen dieser gesamten Gütermenge entspricht. Die Ableitung der Funktion bezeichnen wir als Grenznutzenfunktion.

Wir wollen in diesem Kapitel von der Gültigkeit des ersten Gossenschen Gesetzes ausgehen. Die Grenznutzenfunktion hat also einen fallenden Verlauf; somit muß die Nutzenfunktion von unten konkav sein. Abbildung 4.3 und 4.5 zeigen eine mögliche Nutzenfunktion bzw. eine mögliche Grenznutzenfunktion.

Die weiteren Überlegungen dieses Kapitels könnten jetzt durchgeführt werden, ohne daß eine ganz spezielle Nutzenfunktion unterstellt oder z. B.

durch Befragung eines Individuums ermittelt wird. Für bestimmte Demonstrationen ist es aber hilfreich, genau spezifizierte mathematische Funktionen als Nutzenfunktionen zu benutzen. Darum stellen wir jetzt ein bekanntes Beispiel vor:
Quadratische Nutzenfunktion

$$U(x) = -\frac{1}{2}Ax^2 + Bx$$

Die Grenznutzenkurve der quadratischen Nutzenfunktion

$$\frac{dU}{dx} = -Ax + B$$

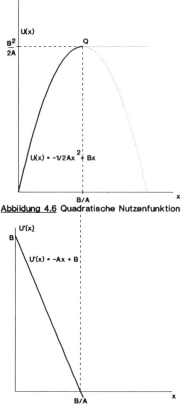

Abbildung 4.6 Quadratische Nutzenfunktion

Abbildung 4.7 Lineare Grenznutzenfunktion

ist eine fallende Gerade. Vergleicht man die Figur 1 aus dem Text von Gossen mit der Abb. 4.7, so erkennt man, daß Gossen diese zur Demonstration benutzt. Dies ist einer der Hauptkritikpunkte von Jevons.

"Statt sich wie Cournot und ich mit unbestimmten Funktionen zu beschäftigen und von möglichst wenigen Voraussetzungen auszugehen, nimmt Gossen der Einfachheit halber an, daß wirtschaftliche Funktionen ein lineares Gesetz befolgen, so daß seine Nützlichkeitskurven [≙ Grenznutzenfunktionen] sich gewöhnlich als gerade Linien darstellen ... Aber insoweit als die Funktionen der Wirtschaftswissenschaften selten oder niemals gerade verlaufen und gewöhnlich von der geraden Linie sehr weit abweichen, glaube ich, daß die von Gossen eingeführten formelhaften und geometrischen Erläuterungen und Entwicklungen zum größten Teil unter die zahlreichen Werke unangebrachter Genialität zu verweisen sind." (1923, S. L) Trotz dieser harschen Kritik ist es doch häufig angebracht, bestimmte Vorgehensweisen mit Hilfe simplifizierter Strukturen zu veranschaulichen. Häufig wird z. B. die lineare Grenznutzenkurve der quadratischen Nutzenfunktion zugrundegelegt, wenn man aus Grenznutzen Preise herleitet. Eine solche Herleitung ist auch mit anderen Nutzenfunktionen, oder mit unbestimmten, nur durch bestimmte Eigenschaften charakterisierte Funktionen möglich, die Ableitung wird dann aber schwieriger.

Auf eine manchmal problematische Eigenschaft der quadratischen Nutzenfunktion muß noch hingewiesen werden: Die Nutzenfunktion erreicht bei
der Gütermenge B/A ein Maximum, in diesem Punkt wird der Grenznutzen
Null. Wie werden weitere Gütereinheiten den Nutzen beeinflussen? Nach
der unterstellten Funktion müßte der Gesamtnutzen wieder abnehmen, der
Grenznutzen negativ werden. Eine solche Entwicklung kann durchaus rea-
litätsnah sein bei Gütern, die von einer bestimmten Menge an zur Last werden.

Häufig geht man aber auch davon aus, daß vom Maximum an der Nutzen
konstant bleibt, der Grenznutzen ist Null. Bei dieser Alternative muß die
quadratische Nutzenfunktion genaugenommen folgendermaßen geschrieben
werden

$$U(x) = \begin{cases} -\dfrac{1}{2}Ax^2 + Bx & x \leq \dfrac{B}{A} \\[2ex] \dfrac{1}{2}\dfrac{B^2}{A} & x > \dfrac{B}{A} \end{cases}$$

Der Grenznutzen ist gegeben durch

$$\frac{dU}{dx} = \begin{cases} -Ax + B & x \leq \dfrac{B}{A} \\[2ex] 0 & x > \dfrac{B}{A} \end{cases}$$

4.3.2 Anwendungen und Erweiterungen

4.3.2.1 Das Wertparadox

"Nichts ist brauchbarer als Wasser, aber man kann kaum etwas dafür erhalten; man kann fast nichts dafür eintauschen. Dagegen hat ein Diamant kaum einen Gebrauchswert, und doch ist oft eine Menge anderer Güter dafür su haben" (Adam Smith, W.o.N., S. 35).

Dieses sogenannte Wertparadox war für die klassischen Ökonomen nicht aufzulösen. Wie kann das Problem nun mit dem Grenznutzenkonzept angegangen werden?

Wir gehen davon aus, daß für ein bestimmtes Individuum die ersten Wassereinheiten einen extrem hohen Nutzen haben; ein Verdurstender würde sein Vermögen für ein Glas Wasser geben. Auch die nächsten Einheiten haben noch einen hohen Nutzen, dieser fällt jedoch stark ab (vgl. Abb. 4.8 a). Bei Diamanten bringen schon die ersten Exemplare wesentlich weniger Nutzen als die ersten Einheiten Wasser. Weitere Einheiten haben einen noch geringeren Nutzen (vgl. Abb. 4.8 b).

Unterstellen wir jetzt, ein Individuum besitze 35 m^3 Wasser, aber keinen Diamanten. Würde es für einen m^3 Wasser einen Diamanten erhalten, so würde es sich beim Wasser um 1 Nutzeneinheit verschlechtern und beim Diamanten um 20 Einheiten verbessern. Das wäre ein überaus günstiger Tausch.

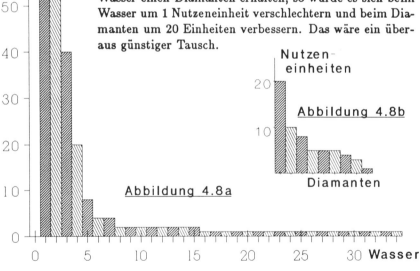

Abbildung 4.8b

Abbildung 4.8a

Müßte er für einen Diamanten 20 m^3 Wasser hergeben, so würde er den Nutzenverlust beim Wasser mit 20 Einheiten genauso hoch bewerten wie den Nutzengewinn beim Diamanten. Ein Diamant ist ihm also soviel wert wie 20 m^3 Wasser; das Individuum ist subjektiv bereit, für einen Diamanten 20 m^3 Wasser herzugeben. Diese Bewertung von Wasser und Diamant hängt aber von der Ausstattung des Individuums ab. Besitzt das Individuum nur 4 m^3 Wasser, so würde es einen m^3 Wasser nur für 1 Diamanten hergeben. Ein Diamant ist für dieses Individuum jetzt soviel wert wie ein Kubikmeter Wasser.

Damit löst sich das Wertparadox auf: **Der Wert eines Gutes (Wasser, Diamant etc.) hängt für ein Individuum auch von der Ausstattung des Individuums ab. Wertbestimmend ist nicht die Menge insgesamt, sondern der Nutzen der letzten Einheit.**

Der Wert einer Ware ist darum abhängig von den Vorstellungen eines Individuums in einer bestimmten Situation. Die Vorstellung vom **objektiven** Wert wird abgelöst von der Idee des **subjektiven Wertes.**

4.3.2.2 Nutzen, Preise und Tauschverhalten

Wir bleiben noch bei den Nutzenfunktionen der Abbildung 4.8 und gehen davon aus, daß das Individuum auf einem Markt Wasser gegen Diamanten tauschen kann. Ob das betrachtete Individuum auf einem solchen Markt Wasser gegen Diamanten oder Diamanten gegen Wasser tauscht, hängt von den Tauschrelationen oder realen Preisen ab, die am Markte herrschen. Diese Preise entstehen aus dem Zusammenwirken aller Marktteilnehmer, wobei jedoch bei einer größeren Anzahl von Marktteilnehmern der Einfluß des einzelnen sehr klein, meistens sogar vernachlässigbar klein ist.

Außer von den Preisen hängt das Tauschverhalten des Individuums auch von seiner Ausstattung mit Wasser und Diamanten ab. Betrachten wir ein Beispiel:

Das Individuum besitze 20 m^3 Wasser und 4 Diamanten. Nach Abbildung 4.8 würde ein Diamant mehr oder weniger seinen Nutzen um 5 Einheiten erhöhen oder erniedrigen, beim Wasser käme es zu einer Nutzenänderung von Eins je m^3 Wasser. Wären nun die Austauschraten (Preise) am Markt so gegeben, daß man für 5 m^3 Wasser einen Diamanten erhält, so lohnt sich kein Tausch für das Individuum.

Ist es am Markt aber möglich, 4 Einheiten Wasser gegen einen Diamanten zu tauschen, so wird das Individuum das durchführen und sich bei dem Tausch um eine Nutzeneinheit verbessern. Es besitzt dann 5 Diamanten und 16 m^3 Wasser; weiterer Tausch würde sich nicht mehr lohnen. (Warum?)

Ist das Tauschverhältnis jedoch 6 Einheiten Wasser gegen einen Diamanten, so wird das Individuum einen Diamanten abgeben und dafür 6 m^3 Wasser erhalten. Weiterer Tausch lohnt sich nicht. (Warum?)

Was ergibt sich aus unseren Überlegungen?

Unterscheiden sich die Tauschverhältnisse am Markt von den Nutzenvorstellungen des Individuums, so paßt sich das Individuum an, indem es

solange Güter abgibt oder nachfragt, bis das Austauschverhältnis am Markt
gleich dem Verhältnis der Grenznutzen ist.

Ein solches Tauschverhalten eines Individuums kann, das vieler Individuen wird die Tauschrelationen des Marktes ändern. Nehmen wir z. B. an,
das Tauschverhältnis von Wasser und Diamanten wäre 1:1. Sehr viele Marktteilnehmer würden dann versuchen, Wasser gegen Diamanten einzutauschen,
nicht alle könnten zum Zuge kommen. Viele von denen, die fürchten leer
auszugehen, würden die Mitkonkurrenten überbieten und mehr als eine Was-
sereinheit für einen Diamanten bieten. Nach kurzer Zeit wird es wohl zu
einem Tauschverhältnis kommen, das den Nutzenvorstellungen der Marktteilnehmer entspräche. Solche "dynamischen Prozesse der Preisanpassung"
können hier aber nicht weiter erörtert werden.

Der oben beschriebene Vorgang der Angleichung von Grenznutzenverhältnis und Preisverhältnis ist für die moderne Theorie so wichtig, daß wir
ihn im übernächsten Abschnitt nocheinmal aufgreifen. Davor müssen wir das
Konzept der Nutzenfunktion noch etwas verallgemeinern.

4.3.2.3 Nutzen von Güterbündeln

Bisher haben wir den Nutzen einzelner Güter für ein Individuum getrennt betrachtet. Nutzen von Wasser und Diamanten ergab sich aus dem
Nutzen des Wassers plus dem Nutzen der Diamanten. Eine solche Vorgehensweise ist dann nicht angebracht, wenn sich zwei Güter ergänzen, wenn es sich
um "komplementäre Güter" handelt. Betrachten wir ein einfaches Beispiel:
Ein einzelner linker bzw. ein einzelner rechter Schuh hat für die meisten Individuen überhaupt keinen Nutzen; aus diesem Grund können Schuhgeschäfte
unbesorgt einzelne Schuhe zur Anprobe auf die Straße stellen. Der Nutzen
eines passenden Paares von Schuhen ergibt sich also nicht aus dem Nutzen
des rechten Schuhs plus dem Nutzen des linken Schuhs; Nutzen ergibt sich
aus dem Paar Schuhe, also aus dem Güterbündel von rechtem und linkem
Schuh. Solche Zusammenhänge zwischen einzelnen Gütern sind nun aber,
wenn man Beispiele betrachtet, eher die Regel als die Ausnahme; sie liegen
nur nicht immer so offen zu Tage wie in unserem Schuhbeispiel. Daraus ergibt sich: **Nutzen hängt nicht von einzelnen Gütern, sondern von
einem Güterbündel ab.**

$$U = U(x_1, x_2, ..., x_n)$$
$$= U(\underline{x})$$

Die folgenden Beispiele werden zeigen, daß diese Betrachtungsweise die
alte Betrachtungsweise umfaßt und erweitert.

Beispiel 1

$$U(x_1, x_2) = -\frac{1}{2}A_1 x_1^2 + B_1 x_1 - \frac{1}{2}A_2 x_2^2 + B_2 x_2$$

In diesem Beispiel ergibt sich der Nutzen des Bündels wiederum als Summe der Einzelnutzen; Einzelnutzen folgt jetzt aber jeweils einer quadratischen Nutzenfunktion.

Beispiel 1 hat somit noch nichts neues gebracht, sondern nur beispielhaft gezeigt, daß das neue Konzept des Nutzens eines Güterbündels das alte Konzept enthält. Anders ist es bei den folgenden Beispielen, bei denen sich der Nutzen nicht aus der Summe der Einzelnutzen ergibt.

Beispiel 2

$$U(x_1, x_2) = \sqrt{x_1}\sqrt{x_2}$$

Der Nutzen ergibt sich als Produkt zweier Terme und nicht als Summe (kann aber durch Logarithmieren in eine Summenschreibweise überführt werden).

Beispiel 3

$$U(x_1, x_2) = min\{\sqrt{x_1}, \sqrt{x_2}\}$$

Dieses Beispiel könnte unser Schuhbeispiel beschreiben, wenn x_1 die Anzahl der linken Schuhe und x_2 die Anzahl der rechten Schuhe ist.

$$\text{Nutzen eines Paares} = U(1,1) = 1$$

$$\text{Nutzen von zwei Paaren} = U(2,2) = \sqrt{2}$$

$$\text{Nutzen von drei Paaren} = U(3,3) = \sqrt{3}$$

Wir haben damit einen Verlauf, der dem ersten Gossenschen Gesetz entspricht: Je mehr Paare ich besitze, desto geringer ist der Nutzen eines zusätzlichen Paares. Welcher Nutzen ergibt sich bei überzähligen einzelnen Schuhen? Bestimmen wir dazu den Nutzen von zwei linken und einem rechten Schuh:

$$U(2,1) = min\{\sqrt{2}, \sqrt{1}\} = 1$$

Ein überschüssiger linker Schuh hat keinen Nutzen.

Lassen wir den Nutzen von einem Güterbündel abhängen, so ist das Konzept des Grenznutzens neu zu bestimmen, da der Nutzenzuwachs jetzt nicht nur von einer Komponente, sondern von einem Zusammenspiel aller Komponenten abhängt.

Unter Grenznutzen des Gutes i verstehen wir den Nutzenzuwachs durch eine zusätzliche infinitesimale Einheit ('eines zusätzlichen Atoms'), wenn die Menge aller anderen Güter konstant gehalten wird.

Man sieht, daß diese Definition genau dem entspricht, was die Mathematiker als partielle Ableitung bezeichnen

$$\text{Grenznutzen des Gutes i} \equiv \frac{\partial U(x_1, ..., x_n)}{\partial x_i}$$

Man erkennt leicht, daß in Beispiel 1 dieses Konzept genau dem bisher benutzten Grenznutzenkonzept entspricht.

4.3.2.4 Das zweite Gossensche Gesetz

Wir zitieren Gossen, formulieren aber auf unser Erklärungsziel hin um:
"Der Mensch, dem die Wahl zwischen mehreren Genüssen frei steht, dessen [Einkommen] aber nicht ausreicht, alle vollaus sich zu bereiten, muß, wie verschieden auch die absolute Größe der einzelnen Genüsse sein mag, um die Summe seines Genusses zum Größten zu bringen, bevor er auch nur den größten sich vollaus bereitet, sie alle theilweise bereiten, und zwar in einem solchen Verhältniß, **daß die Größe eines jeden Genusses** [der letzten nachgefragten Gütermenge] bei allen .... die gleiche [ist]."

Während Gossen im Original auf die Knappheit der verfügbaren Zeit abstellt, konzentrieren wir uns also auf das verfügbare Einkommen und die Preise und der daraus entstehenden Nachfrage. Außerdem maximieren wir nicht die Summe des Genusses einzelner Güter, sondern den Genuß (Nutzen) eines Güterbündels.

Dieses Gesetz wollen wir jetzt unter der Benutzung der modernen Terminologie herleiten. Wir betrachten nur zwei Güter: Gut 1 (Wasser) und Gut 2 (Diamanten); der Nutzen, den ein bestimmtes Güterbündel (x_1, x_2) der Menge x_1 Wasser und x_2 Diamanten erzeugt, ist $U(x_1, x_2)$.

Nach dem Gossenschen Grundsatz ist das Ziel des Individuums die Maximierung des Genusses

$$U = U(x_1, x_2) \longrightarrow max \qquad (*)$$

Diese Beziehung heißt darum **Zielfunktion** des Individuums. Das Einkommen (Zeit bei Gossen) reicht jedoch nicht aus, sich alle Genüsse zu verschaffen, das Individuum ist beschränkt durch eine **Nebenbedingung**. Die Ausgaben für Wasser und Diamanten dürfen das Einkommen nicht übersteigen. Ist p_1 der Preis für Wasser, so sind $p_1 \cdot x_1$ die Ausgaben für Wasser; $p_2 \cdot x_2$ sind die Ausgaben für Diamanten beim Preis p_2 der Diamanten. Wir bekommen also als Nebenbedingung

$$p_1 \cdot x_1 + p_2 \cdot x_2 = E \qquad (**)$$

Da diese Nebenbedingung sich auf das Budget des Individuums bezieht, heißt sie Budgetbedingung. Die Budgetbedingung kann umgestellt werden.

$$x_2 = -\frac{p_1}{p_2} x_1 + \frac{E}{p_2} \qquad (***)$$

also
$$x_2 = f(x_1)$$

Somit können wir die Zielfunktion (∗) in folgender Weise schreiben:

$$U(x_1, f(x_1)) \longrightarrow max$$

$$U(x_1, \frac{E}{p_2} - \frac{p_1}{p_2} x_1) \longrightarrow max$$

Das Maximum wird bestimmt, indem wir nach x_1 ableiten und die Ableitung gleich Null setzen.

$$\frac{\partial U}{\partial x_1} + \frac{\partial U}{\partial x_2} \cdot (-\frac{p_1}{p_2}) \overset{!}{=} 0 \qquad (\ast\ast\ast\ast)$$

Bei der Ableitung der zweiten Komponente in der Nutzenfunktion wurde die sogenannte Kettenregel ("äußere Ableitung mal innere Ableitung") und die Beziehung (∗ ∗ ∗) benutzt.

Formen wir um, so erhalten wir eine Beziehung, die dem zweiten Gossenschen Gesetz entspricht:

Zweites Gossensches Gesetz:

$$\underbrace{\frac{\frac{\partial U}{\partial x_1}}{p_1}}_{\substack{\text{Nutzen einer zu-}\\\text{sätzlichen Geldein-}\\\text{heit beim Kauf von}\\\text{Gut 1 (Wasser)}}} = \underbrace{\frac{\frac{\partial U}{\partial x_2}}{p_2}}_{\substack{\text{Nutzen einer zu-}\\\text{sätzlichen Geldein-}\\\text{heit beim Kauf von}\\\text{Gut 2 (Diamanten)}}} \qquad (+)$$

Diese Beziehung ist von grundlegender Bedeutung für die moderne Mikrotheorie. Aus Gründen, die wir am Ende dieses Kapitels, vor allem aber im nächsten Kapitel erfahren, wird die Beziehung eigentlich immer in folgender Weise aufgestellt.

$$\frac{\frac{\partial U}{\partial x_1}}{\frac{\partial U}{\partial x_2}} = \frac{p_1}{p_2} \qquad (++)$$

Das Verhältnis der Grenznutzen ist gleich dem Preisverhältnis.

4.3.2.5 Wohlfahrtsmaximierung und interpersoneller Nutzenvergleich

Bei fast jeder wirtschaftspolitischen Entscheidung gibt es Gewinner und Verlierer. Beim Bau eines Flughafens gehören zu den Gewinnern die Flugreisenden, aber auch die Geschäftsleute, die Bauunternehmer, die Hoteliers etc. Verlierer sind z. B. die durch den Lärm geschädigten Anwohner und die von der Naturschädigung betroffenen Bürger. Auch wenn es möglich ist, daß jemand sowohl zu der einen Gruppe wie auch zu der anderen gehört, so sind in der Regel der Nutzen und Schaden ungleichmäßig verteilt. Damit ergibt sich aber das Problem der Kosten-Nutzen-Analyse: Ist der Nutzen einer politischen Entscheidung größer als die Kosten? Unter Nutzen sind dabei alle Vorteile, unter Kosten alle Nachteile zusammenzufassen, die irgendeinem Betroffenen entstehen. Wir werden jetzt untersuchen, wie dieses Problem mit Hilfe des Grenznutzenkonzepts angegangen werden kann. Im nächsten Abschnitt werden wir allerdings die Probleme kennenlernen, die diese Vorgehensweise mit sich bringt. Im nächsten Kapitel werden wir dann erfahren, daß das Hauptproblem der Kosten-Nutzen-Analyse - die Wohlfahrtsmessung - bis heute ungelöst ist und vielleicht sogar prinzipiell im Rahmen der ökonomischen Theorie unlösbar ist.

Unser Ziel ist die Wohlfahrtsmessung. Die Wohlfahrt eines Landes sei hoch, wenn es den Bewohnern insgesamt gut geht, sie sei niedrig, wenn es allen insgesamt schlecht geht. Dies ist ein einleuchtendes, wenn auch etwas vages Konzept. Wir präzisieren es darum in folgender plausibler Weise:

Jedes Individuum i besitze eine Nutzenfunktion U_i. X sei der Zustand des Landes ohne Flughafenbau. Y sei der Zustand mit Flughafenbau. Für jedes Individuum i betrachten wir jetzt

$$\Delta U_i = U_i(Y) - U_i(X)$$

Dieser Ausdruck muß positiv sein für die Individuen, die mehr Nutzen als Schaden durch den Flughafenbau haben, die also insgesamt profitieren. Für die Mitglieder der Gesellschaft, denen es nach dem Flughafenbau schlechter geht, ist der Ausdruck negativ, ist jemand gar nicht betroffen oder gleichen sich Nutzen und Schaden gerade aus, so ist $U_i(Y) - U_i(X)$ gerade Null. $U_i(Y) - U_i(X)$ kann also als Netto-Nutzen des Flughafenbaus für Individuum i angesehen werden.

Die Summe der Netto-Nutzen der Individuen nennen wir Wohlfahrtsänderung der Gesellschaft

$$\Delta W = \Delta U_1 + \Delta U_2 + \Delta U_3 + ... + \Delta U_n$$

$$= \sum_{i=1}^{n} U_i(Y) - U_i(X)$$

Gibt es nur Gewinner bei einer Maßnahme, so erhalten wir eindeutig eine positive Wohlfahrtsänderung; gibt es nur Verlierer, so ist die Wohlfahrtsänderung negativ. Gibt es sowohl Gewinner wie Verlierer, so werden Nutzenverluste des einen Individuums mit Nutzengewinnen des anderen aufgerechnet.

Wir können jetzt folgende Entscheidungsregel einführen: Eine Maßnahme soll durchgeführt werden, wenn diese Entscheidung eine positive Wohlfahrtsänderung mit sich bringt.

"Utilitaristische Entscheidungsregel"

Zustand Y ist besser als der Zustand X, wenn gilt:

$$\sum_{i=1}^{n} U_i(Y) - U_i(X) > 0$$

Wir sollten hier die Annahmen zusammenstellen, die uns zu dieser Entscheidungsregel geführt haben.

1. Jedes Individuum besitzt eine Nutzenfunktion

$$U_i(X)$$

in Abhängigkeit von den Zuständen der Gesellschaft.

2. Diese Nutzenfunktion ist nicht nur dem Individuum selbst bekannt, sondern sie kann auch von der Gesellschaft oder den Entscheidungsträgern der Gesellschaft ermittelt werden.

3. Alle Individuen sind gleich und werden von der Entscheidungsregel gleich behandelt.

   a. Ist nämlich in einem Fall

$$\Delta U_i = +10 \qquad \Delta U_j = -5$$

   und im anderen Fall

$$\Delta U_j = +10 \qquad \Delta U_i = -5$$

   so werden in beiden Fällen die beiden Individuen in gleicher Weise von der Entscheidungsregel berücksichtigt.

   b. Um diese Gleichbehandlung aber tatsächlich durchführen zu können, müssen wir annehmen, daß eine Nutzeneinheit bei einem Individuum vergleichbar ist mit einer Nutzeneinheit bei einem anderen Individuum und von der Gesellschaft auch als gleich angesehen wird. Wir werden im nächsten Kapitel sehen, daß eine solche Annahme zu Problemen führen kann.

4.3.3 Das Problem der Nutzenmessung

Die Begründer der Marginalanalyse sind schnell auf ein Problem ihrer Theorie gestoßen, auf das Problem der Nutzenmessung. Die Ausführungen von Gossen haben wir gelesen. Jevons schreibt: "Der zukünftige Fortschritt in der Volkswirtschaftslehre als einer exakten Wissenschaft muß zum großen Teile davon abhängen, daß wir genauere Vorstellungen von den in der Theorie behandelten Quantitäten erlangen ... Der Preis eines Gutes ist der einzige Zeuge, welchen wir über den Nutzen eines Gutes für den Käufer besitzen; und wenn wir genau sagen könnten, wieviel Personen den Verbrauch einer jeden wichtigen Ware einschränken, wenn der Preis steigt, so könnten wir wenigstens annähernd die Veränderung des Grenznutzengrades - des allerwichtigsten Elements in der Volkswirtschaftslehre, bestimmen." (Theorie der Politischen Ökonomie, S. 138 f.) Hiermit sind die beiden Stoßrichtungen der weiteren Entwicklung der Theorie angedeutet.

Diese beiden Entwicklungen werden wir jetzt kurz betrachten. Dabei werden wir zuerst nach einer notgedrungen sehr oberflächlichen Untersuchung von Methoden der direkten Nutzenbestimmung zu dem Schluß kommen, daß bis heute dafür noch keine allgemein akzeptierte Methode entwickelt wurde. Das mag an prinzipiellen Schwierigkeiten liegen, das ist vielleicht aber auch darin begründet, daß die Theorie einen anderen Weg gegangen ist; Nutzenfunktionen werden bestimmt, indem man von Wahlhandlungen der Individuen ausgeht. Davon handelt der Abschnitt 4.3.3.2 und die folgenden zwei Kapitel 5 und 6.

4.3.3.1 Methoden der Nutzenbestimmung

Ein Ausgangspunkt zur Bestimmung von Nutzengrößen ist das Konzept der Präferenzschwellen: Der Konsument kann nicht zwischen beliebig feinen Abstufungen bei der Güterversorgung unterscheiden. Ob ein Raum 18,0° C oder 18,1° C warm ist, ob ein Glas Tee mit 4 g oder 4,2 g Zucker gesüßt wird, ob eine Mahlzeit ein Steak von 300 g oder 299 g umfaßt, wird wohl von keinem Individuum registriert werden können. Werden die jeweiligen Unterschiede aber vergrößert, so ergibt sich irgendwann eine Fühlbarkeitsschwelle. Armstrong (1939) hat vorgeschlagen, diese Fühlbarkeitsschwellen als Nutzeneinheit zu wählen und damit Nutzenfunktionen zu ermitteln.

Es gibt eine Reihe von Einwänden gegen dieses Konzept. Einige wichtige können hier nicht angesprochen werden, da komplizierte Vorüberlegungen durchgeführt werden müßten. Entscheidende Einwände sind aber auch folgende:

a. Das Konzept erscheint nur dann praktikabel, wenn der Nutzen als Funktion einer Variablen angesehen wird. Nutzenschwellen bei Güterbündeln sinnvoll definieren und bestimmen zu können, dürfte jedoch zu unüberwindlichen Schwierigkeiten führen.

b. Fühlbarkeitsschwellen dürften wahrscheinlich stark von Training und Erziehung beeinflußt werden. Benutzt man Fühlbarkeitsschwellen für interpersonellen Nutzenvergleich, so würde voraussichtlich die durch Erziehung sensibilisierte Oberschicht einen großen Anteil des Wohlstandes beanspruchen können.

Der Vorschlag von Armstrong, Präferenzschwellen als Nutzenmaß zu verwenden, wurde kaum weiter verfolgt und wird in der Literatur eigentlich immer nur als auf den ersten Blick plausible aber kaum realisierbare Idee angeführt.

Ein anderer Vorschlag der Nutzenmessung wurde von Neumann und Morgenstern (1947) gemacht und seitdem intensiv diskutiert. Die Methode ist formal schwierig und fordert mehr an mathematischen und wahrscheinlichkeitstheoretischen Grundlagen, als wir hier voraussetzen wollen. Von Kritikern wurde darum eingewendet, daß ein solches Konzept zuviele Anforderungen an die Rationalität menschlichen Verhaltens stellte und daß darum Menschen sich auch nicht unbewußt in dieser Weise entschieden.

Diese Ausführungen sollten deutlich machen, daß es bisher nicht gelungen ist, ein Konzept der Nutzenmessung zu entwickeln, das allgemein akzeptiert wird. Es folgt daraus aber noch nicht, daß das Nutzenkonzept als solches gescheitert ist. Im nächsten Abschnitt wird gezeigt, wie sich die Grenznutzen eventuell am Markt beobachten lassen. Diese Überlegungen führen uns dann direkt zur Herleitung der Nutzenfunktion innerhalb der modernen Theorie.

4.3.3.2 Offenbarung des Nutzens am Markt

Wir hatten Jevons zitiert: "Der Preis eines Gutes ist der einzige Zeuge, welchen wir über den Nutzen eines Gutes für den Käufer besitzen." Stellen wir uns vor, ein nutzenmaximierendes Individuum besitze sowohl Wein wie Brot, und es kann 2 kg Brot gegen 1 l Wein tauschen. Tauscht es nicht, obwohl es die Möglichkeit hat und von dieser Möglichkeit weiß, so können wir schlußfolgern, daß der Grenznutzen des betrachteten Individuums bei der Ausstattung beim Wein doppelt so hoch sein muß wie beim Brot; andernfalls könnte das Individuum durch Tausch seinen Nutzen erhöhen.

Normieren wir jetzt Grenznutzen so, daß der Grenznutzen von Brot bei der betrachteten Ausstattung gerade gleich Eins ist, so können wir aus den Tauschverhältnissen am Markt auf die Grenznutzen des Individuums schließen. Ist z. B. Fleisch zehnmal so teuer wie Brot, so wird ein nutzenmaximierendes Individuum durch Tausch am Markt soviel Fleisch und Brot erwerben, daß nach dem Tausch sein Grenznutzen einer Einheit Fleisch zehnmal so hoch wie beim Brot ist. Aus diesen Überlegungen ergibt sich:

Das nutzenmaximierende Individuum offenbart seine Nutzenvorstellungen am Markt.

Zu dieser Aussage müssen jedoch eine Reihe von Bemerkungen gemacht werden.

Zum einen erhält man jeweils nur einen winzigen Ausschnitt der Nutzenvorstellungen eines Individuums: Die Tauschrelationen bestimmen die erworbenen Gütermengen, und bei diesen Gütermengen entspricht das Preisverhältnis dem Grenznutzenverhältnis. Im Prinzip müßte man die Nachfrageänderung nach Gütern bei jeder möglichen Preisänderung kennen, um
daraus die Grenznutzenfunktion des Individuums insgesamt bestimmen zu
können. Darauf weist schon Jevons in dem aufgeführten Zitat hin.

Außerdem geht die Analyse explizit oder implizit von einer Reihe wichtiger Annahmen aus:

1. Für alle Güter müssen Märkte vorhanden sein (Problem der Existenz
   von Märkten).

2. Das Individuum maximiert rational handelnd seinen Nutzen (Problem
   des rationalen Verhaltens).

3. Das Individuum muß die Existenz von Märkten und die Tauschraten auf
   den Märkten kennen (Problem vollständiger Information).

4. Das Individuum muß Zutritt zu den Märkten haben (Problem von Zutrittsbeschränkungen).

5. Die Kosten des Tausches müssen vernachlässigbar sein, selbst dann wenn
   der Tausch mit Hilfe eines Tauschvermittlers erfolgt (Problem der Transaktionskosten).

6. Ein Gut stiftet nur Nutzen für das Individuum, wenn das Individuum
   dieses Gut entsprechend den Tauschbedingungen am Markt erwirbt
   (Problem der öffentlichen Güter, vgl. das Beispiel der Straßenlaterne
   beim Gefangenen-Dilemma aus Abschnitt 1.4.6.2).

4.4 Aufgaben zur Theorie

Aufgabe 4.10

Gehen Sie aus von der Funktion $U(x) = \log(x)$ $\quad x \geq 0$
  a. *Stellen Sie die Funktion graphisch dar.*
  b. *Ist die Funktion als Nutzenfunktion geeignet? Begründen Sie Ihre Antwort.*
  c. *Bestimmen Sie die Funktion des Grenznutzens und stellen Sie diese graphisch dar.*

Aufgabe 4.11

In Abschnitt 4.3.3.2 wurde eine Reihe von Annahmen dafür genannt, daß ein Individuum seinen Grenznutzen am Markt offenbart. Nennen Sie bei jeder Annahme Beispiele aus der Realität, bei denen die Annahme nicht oder nur abgeschwächt gültig ist.

Aufgabe 4.12

Gehen Sie aus von der Funktion $U(x_1, x_2) = \sqrt{x_1 \cdot x_2}$
  a. *Zeichnen Sie den Verlauf der Funktion bei fest vorgegebenem* $x_2 = 1$.
  b. *Bestimmen Sie den Grenznutzen* $\frac{\partial U}{\partial x_1}$ *und vergleichen Sie das Ergebnis mit dem in a. skizzierten Verlauf.*
  c. *Zeichnen Sie den Grenznutzen* $\frac{\partial U}{\partial x_1}$ *in Abhängigkeit von* x_1 *auf.*
  d. *Ist bei der vorgegebenen Nutzenfunktion das erste Gossensche Gesetz erfüllt?*

Aufgabe 4.13

Ein nutzenmaximierendes Individuum habe die in Aufgabe 4.12 angegebene Nutzenfunktion und ein Einkommen von $E = 100$.
  a. *Bestimmen Sie, welche Menge von Gut 1 und Gut 2 das Individuum haben will, wenn die Preise der Güter gegeben sind durch* $p_1 = 10$, $p_2 = 5$. *(Hinweis: Benutzen Sie Beziehungen (**) und (++) aus Abschnitt 4.3.2.4)*
  b. *Bestimmen Sie für beliebige, aber fest vorgegebene* p_1, p_2, E *die vom Individuum gewünschten Mengen* x_1 *und* x_2.
  c. *Zeichnen Sie den in Teil b. bestimmten Zusammenhang zwischen gewünschter Menge* x_1 *und dem Preis* p_1. *Auf diese "Nachfragefunktion" werden wir später noch eingehen.*

4.5 Ideengeschichtlicher Hintergrund: Der Gegensatz zwischen marginalistischer und sozialistischer Theorie

Mit der Entwicklung der Marginalanalyse spaltet sich die ökonomische Theorie in zwei Gebiete, in die Marxistische und in die Bürgerliche Theorie. Diese beiden Theoriegebiete bestehen seit hundert Jahren eigentlich ohne wesentliche gegenseitige Beeinflussung nebeneinander, die Auseinandersetzung spielt sich vorwiegend im politischen Raum ab. Da die Marginalanalyse den Trennungsstrich zog, soll hier im wesentlichen durch alte und neue Zitate die Auffassung der einen Theorie über die jeweils andere Theorie dargelegt werden.

4.5.1 Die Sicht der Marxisten:
Vulgärökonomie und apologetische Theorie

In Kapitel 3 hatten wir gesehen, wie Marx die Werttheorie des Ricardo zu einer reinen Arbeitswerttheorie umgeformt hat. Innerhalb dieser Theorie kann er dann Mehrwert und Ausbeutung definieren. Damit hat er sich ein Instrument geschaffen, mit dem er das sich entwickelnde System des Kapitalismus kritisieren und bekämpfen kann: "Die Ausbeutung ist allgemein durch die Tatsache gegeben, daß sich die Eigentümer der Produktionsmittel unentgeltlich fremde Arbeit (...) aneignen. ... MARX' Mehrwerttheorie hat das Wesen der kapitalistischen Ausbeutung aufgedeckt. ... Es ist die historische Mission der Arbeiterklasse, durch die sozialistische Revolution und den Aufbau des Sozialismus und Kommunismus jede Ausbeutung des Menschen durch den Menschen zu beseitigen." (Philosophisches Wörterbuch, Leipzig 1964, Stichwort Ausbeutung)

Wird die marxsche Erklärung des Wertes durch die Marginalisten als unrichtig zurückgewiesen, so wird natürlich auch die marxistische Lehre von der Ausbeutung bestritten. Da die Erkenntnisse von Marx aber nach marxistischer Auffassung gesicherte Erkenntnisse sind, kann es sich bei den Marginalisten nur um Ignoranz oder um das bewußte Verschleiern der Realität handeln: also um Pseudo-Wissenschaft, Vulgärökonomie oder um Apologetik.

1. **Apologetik** (von apologus <lat./griech.> Märchen), ist eine Theorie, die nicht erklären sondern verschleiern will. Marx führt aus: "Die Bourgeoisie hatte <1830> in Frankreich und England politische Macht erobert. Von da an gewann der Klassenkampf, praktisch und theoretisch, mehr ausgesprochene und drohende Formen. Er läutete die Totenglocke der wissenschaftlichen und bürgerlichen Ökonomie. Es handelte sich jetzt nicht mehr darum, ob dieses oder jenes Theorem wahr sei, sondern ob es dem Kapital nützlich oder schädlich, bequem oder unbequem, ob polizeiwidrig oder nicht. An die Stelle uneigennütziger Forschung trat bezahlte Klopffechterei, an die Stelle unbefangener wissenschaftlicher Untersuchung das böse Gewissen und die schlechte Absicht der Apologetik." (Das Kapital, Bd. 1, S. 21)

Aus heutiger marxistischer Sicht ist die Theorie Gossens "der erste große Versuch der bürgerlichen Apologetik, der politischen Ökonomie zu Zwecken

der Vertuschung der immer offenbarer werdenden Klassengegensätze in der
kapitalistischen Gesellschaft ihren Charakter als Gesellschaftswissenschaft zu
nehmen und sie zu einer Naturwissenschaft von psychologisch motivierten
Individuen bzw. quantitativ in einer sogenannten Gesellschaft zusammengeschlossenen Individuen zu machen. Diese Theorie war aber im Jahre 1854
völlig unbrauchbar." (Kuczynski, 1960, S. 53 f.)

2. Die Marginalanalyse ist nach marxistischer Sicht eine **Pseudo-Wissenschaft**: "Wenn die Grenznutzentheoretiker ihren Gesichtskreis einseitig
einengen (zum Beispiel auf die Marktproblematik) und von falschen Grund-
voraussetzungen ausgehen (zum Beispiel von der subjektiven Nutzenbetrach-
tung), so verletzen sie allerdings eine wichtige Voraussetzung der wissenschaftlichen Abstraktionsmethode, nämlich die, daß die Begriffe, die durch
die Verallgemeinerung gewonnen werden, tatsächlich das Wesen der Gegenstände und Prozesse widerspiegeln." (Geschichte der politischen Ökonomie, (Ost-)Berlin 1985, S. 336) "Eingezwängt in klassenbedingte sozialökonomische Interessenhorizonte und Denkweisen sind den bürgerlichen Ökonomen
zwangsläufig bestimmte Einsichten versperrt." (ebenda, S. 226)

Karl Korsch schreibt 1935/36: "Die politische Ökonomie ist erst in ihrer
späteren Entwicklung, bei den 'Vulgärökonomien' des 19. Jahrhunderts und
vollends bei den Vertretern der heutigen überhaupt nicht mehr 'politischen'
oder 'sozialen' sondern nur noch 'reinen' Ökonomie, zu einer von keinem
allgemeinen gesellschaftlichen Interesse erfüllten Fachdisziplin verkümmert."
(Karl Korsch, 1967, S. 64) Auf S. 68 f. führt Korsch weiter aus: "Es erscheint schon aus diesem Grund von vornherein abgeschmackt, wenn sich
manche Leute den Kopf darüber zerbrechen, warum Marx jenen angeblich
vollkommen neuen Ansätzen, die seit der Mitte des 19. Jahrhunderts zu der
Ausbildung einer neuen ökonomischen Wissenschaft auf der Grundlage der
subjektiven Wertlehre und der Theorie des Grenznutzens gemacht wurden,
soviel man sehen kann, nirgends die geringste Aufmerksamkeit geschenkt
hat (obwohl z. B. Jevons ihm zweifellos bekannt war). Marx hat sogar
von dem unbedeutendsten Epigonen der klassischen Ökonomie Notiz genommen, sofern er nur irgendein - richtiges oder falsches - neues Wort zu irgendeiner sozialökonomischen Frage beigetragen hat. ... Erst als nach Marx'
Tode der englische Sozialist G. B. Shaw und die Seinen "auf Grundlage der
Jevons-Mengerschen Gebrauchswert- und Grenznutzentheorie" einen "plau-
siblen Vulgärsozialismus" aufbauten, um "auf diesem Felsen die Fabianische
Kirche der Zukunft zu errichten", hat Engels bei der Herausgabe des drit-
ten Bandes des "Kapital" nachträglich auch noch von dieser theoretischen
Richtung kurz und geringschätzig Notiz genommen [s. Vorwort zu Kapital,
Bd. III (1894), S. XII, MEW, Bd. 25, S. 17]."

3. **Vulgärökonomie**: "Um es ein für allemal zu bemerken, verstehe ich
unter klassischer politischer Ökonomie alle Ökonomie seit W. Petty, die den
innern Zusammenhang der bürgerlichen Produktionsverhältnisse erforscht im
Gegensatz zur Vulgärökonomie, die sich nur innerhalb des scheinbaren Zu-

sammenhangs herumtreibt, für eine plausible Verständlichmachung der sozusagen gröbsten Phänomene und den bürgerlichen Hausbedarf das von der
wissenschaftlichen Ökonomie längst gelieferte Material stets von neuem wie-
derkaut, im übrigen aber sich darauf beschränkt, die banalen und selbst-
gefälligen Vorstellungen der bürgerlichen Produktionsagenten von ihrer eignen besten Welt zu systematisieren, pedantisieren und als ewige Wahrheiten
zu proklamieren." (Karl Marx, Das Kapital, Bd. I, S. 95 Fußn.)

Wie wir schon erfahren haben, hat Marx von der Marginalanalyse keine
Notiz genommen, er hat sie konkret also mit obigem Zitat nicht gemeint.
Nach heutiger marxistischer Ansicht gehört die Marginalanalyse aber durch-
aus zur Vulgärökonomie:

"Schließlich wird erkennbar, daß die Grenznutzentheorie eine vulgäröko-
nomische Variante der bürgerlichen politischen Ökonomie ist. Ihre Vertreter mißachten die Erkenntnisse der klassischen bürgerlichen Ökonomie und
knüpften statt dessen an die frühere Vulgärökonomie an. Die Klassik hatte
den Gebrauchswert vom Tauschwert getrennt und einen wichtigen Schritt
getan, den Wert durch die Arbeitsleistung zu bestimmen. Die Grenznutzentheorie hebt die Trennung von Gebrauchswert und Tauschwert wieder auf
und bestimmt den Wert durch den Nutzen. Die Grenznutzentheoretiker beschränken sich auf die Marktsphäre, dabei vereinfachen sie das kapitalistische
Marktproblem, indem sie sich auf Tauscherscheinungen beschränken, vom
Naturaltausch ausgehen und dann versuchen, ihre Vorstellungen auch auf
die Geldwirtschaft anzuwenden. So entfernt sich die Grenznutzentheorie von
der Produktionssphäre und negiert die großartigen Leistungen der bürgerlichen Ökonomie, die die Klassik hervorbrachte." (Geschichte der politischen
Ökonomie, S. 335)

4.5.2 Die Sicht der Marginalisten: Überwindung falscher Anschauungen

Den Marginalisten war von Anfang an bewußt, daß ihr Konzept mit der
klassischen Werttheorie kaum zu vereinbaren war und daß insbesondere die
kommunistische Lehre von ihren Vorstellungen beeinträchtigt würde. Die
Ausführungen Gossens zum absoluten Wert haben wir gelesen. An anderer
Stelle spricht Gossen von den "hirnverbrannten Theorien des Communismus
und Sozialismus" (S. 91). Diese Ausführungen betrafen aber nicht die Lehre
von Marx. Die anderen Schöpfer der Marginalanalyse halten sich demgegenüber deutlich zurück, eine Streitschrift gegen den Marxismus hat weder
Menger noch Jevons noch gar Walras geschrieben. Ein Schüler von Menger hingegen, nämlich Eugen von Böhm-Bawerk, hat sich intensiv der Kritik
der Lehre von Karl Marx angenommen; diese Kritik hat die Sichtweise der
marxschen Theorie durch die bürgerlichen Ökonomen stark beeinflußt. Von
Böhm-Bawerk faßt seine Kritik der marxschen Theorie so zusammen:

"Was aber jene alte sozialistische Ausbeutungstheorie betrifft, die wir in
ihren beiden ausgezeichnetsten Vertretern, RODBERTUS und MARX, vor-
führten, so kann ich das strenge Urteil, das ich schon in der ersten Auflage

dieses Werkes über sie fällte, nicht mildern. Sie ist nicht allein unrichtig, sondern sie nimmt sogar, wenn man auf theoretischen Wert sieht, einen der letzten Plätze unter allen Zinstheorien ein. So schwere Denkfehler auch von den Vertretern einiger anderer Theorien begangen worden sein mögen, so glaube ich doch kaum, daß sich irgendwo die schlimmsten Fehler in so reicher Zahl vereinigt finden: leichtfertige, voreilige Präsumtion, falsche Dialektik, innerer Widerspruch und Blindheit gegen die Tatsachen der Wirklichkeit. Als Kritiker sind die Sozialisten tüchtig, aber als Dogmatiker sind sie ausnehmend schwach. Diese Überzeugung würde die Welt schon längst gewonnen haben, wenn zufällig die Parteistellungen vertauscht gewesen wären, und ein MARX und LASSALLE mit derselben glänzenden Rhetorik und derselben treffsicheren, beißenden Ironie, die sie gegen die "Vulgärökonomen" kehrten, den sozialistischen Theorien an den Leib gerückt wären!

Daß die Ausbeutungstheorie trotz ihrer inneren Schwäche so viel Glauben fand und findet, hat sie meines Erachtens dem Zusammentreffen zweier Umstände zu verdanken. Erstlich dem Umstande, daß sie den Streit auf ein Gebiet verpflanzt hat, auf dem nicht der Kopf allein, sondern auch das Herz mitzusprechen pflegt. Was man gerne glaubt, das glaubt man leicht. Die Lage der arbeitenden Klassen ist in der Tat meist elend: jeder Philanthrop muß wünschen, daß sie gebessert werde. Viele Kapitalgewinne fließen in der Tat aus unlauterer Quelle: jeder Philanthrop muß wünschen, daß solche Quellen versiegen. Steht er nun einer Theorie gegenüber, deren Resultate dahin gehen, die Ansprüche der Elenden zu erhöhen und jene der Reichen zu vermindern, und die so ganz oder zum Teile mit den Wünschen seines Herzens zusammenfallen, so wird gar mancher von vornherein für sie parteiisch sein, und von der kritischen Schärfe, die er sonst auf die Prüfung ihrer wissenschaftlichen Gründe verwandt hätte, einen guten Teil nachlassen. Daß vollends die großen Massen solchen Lehren anhängen, versteht sich von selbst. Ihre Sache kann ja kritische Überlegung nicht sein, sie folgen einfach dem Zuge ihrer Wünsche. Sie glauben darum an die Ausbeutungstheorie, weil sie ihnen genehm ist, und obwohl sie falsch ist; und sie würden an sie auch dann glauben, wenn ihre theoretische Begründung noch weit schlechter wäre, als sie in der Tat ist." (Böhm-Bawerk, 1921, S. 412 f.)

Dem steht die Lehre von z. B. Karl Menger gegenüber, "die ich zu den schönsten und zuverlässigsten Errungenschaften der modernen Nationalökonomie zähle". (Böhm-Bawerk, 1921, S. 193 Fußnote)

Die bürgerliche Wirtschaftstheorie hat sich im wesentlichen dem Urteil von Böhm-Bawerk angeschlossen: Auf der Grundlage der Marginalisten wurde die moderne Wirtschaftstheorie aufgebaut und die Arbeitswertlehre als ein Irrweg der ökonomischen Theorie eingestuft.

Kapitel 5 Nutzentheorie und Präferenzen

5.0 Lernziele

1. Die Entwicklung von der Nutzen- zur Präferenztheorie kennenlernen.

2. Die traditionelle Theorie der Präferenzen kennenlernen.

3. Die technischen Methoden der Präferenzmaximierung erlernen und beherrschen.

4. Die Anwendungsmöglichkeiten dieser Theorie erkennen.

5. Die gesellschaftliche Relevanz und die ideologischen Implikationen der Ansätze erkennen.

5.1 Lektüre: Pareto, Die Indifferenzkurven der Wünsche (1906)

52. Wir gehen von einem Mann aus, der sich nur durch seine Wünsche leiten läßt und der 1 kg Brot und 1 kg Wein besitzt. Seinen Wünschen entsprechend ist er bereit, ein bißchen weniger Brot und ein bißchen mehr Wein zu haben oder umgekehrt. Beispielsweise stimme er zu, nur 0,9 kg Brot, dafür aber 1,2 kg Wein zu haben. Dies bedeutet mit anderen Worten, daß die beiden Kombinationen 1 kg Brot und 1 kg Wein oder aber 0,9 kg Brot und 1,2 kg Wein für ihn gleich sind; er zieht weder das erste dem zweiten noch das zweite dem ersten vor; er weiß nicht, welches er wählen soll, er ist indifferent, die eine oder die andere dieser Kombinationen zu wählen.

Beginnen wir bei der Kombination 1 kg Brot und 1 kg Wein, so können wir eine große Anzahl anderer Kombinationen finden, zwischen denen die Auswahl indifferent ist, beispielsweise haben wir

Brot	1,6	1,4	1,2	1,0	0,8	0,6
Wein	0,7	0,8	0,9	1,0	1,4	1,8

Diese Reihe, die man unendlich fortsetzen könnte, nennen wir eine Indifferenzreihe.

53. Benutzen wir Zeichnungen, so erleichtert uns das das Verständnis dieser Zusammenhänge.

Wir zeichnen zwei Achsen OA und OB, die senkrecht aufeinanderstehen, und tragen auf OA die Mengen an Brot und auf OB die Mengen an Wein ab. Oa bezeichnet z. B. eine Einheit Brot und Ob eine Einheit Wein. Der Punkt m, an dem sich die beiden Koordinaten schneiden, zeigt die Kombination 1 kg Brot und 1 kg Wein.

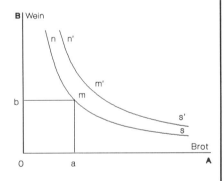

54. In dieser Weise können wir die ganze obige Reihe darstellen und erhalten, indem wir die Punkte durch eine kontinuierliche Kurve verbinden, die Linie nms, die man INDIFFERENZLINIE oder INDIFFERENZKURVE nennt.[1]

55. Jeder dieser Kombinationen ordnen wir einen Index zu, der die folgenden beiden Bedingungen erfüllt, ansonsten aber beliebig ist: 1. Zwei Kombinationen, zwischen denen die Wahl indifferent ist, müssen den gleichen Index haben. 2. Wird eine von zwei Kombinationen der anderen vorgezogen, so muß sie einen höheren Index haben.

---

[1] Dieser Ausdruck geht auf Professor F. Y. Edgeworth zurück. Er setzt die Existenz von Nutzen voraus und leitet daraus Indifferenzkurven ab; ich hingegen sehe die Indifferenzkurven als gegeben an und leite daraus alles ab, was ich für die Gleichgewichtstheorie brauche, ohne daß ich vom Nutzen ausgehen muß.

In dieser Weise erhalten wir Indizes des Nutzens, oder Indizes des Vergnügens, das das Individuum empfindet, wenn es eine Kombination mit gegebenem Index erhält.

56. Aus dem Gesagten ergibt sich, daß alle Kombinationen einer Indifferenzreihe den gleichen Index und somit auch alle Punkte einer Indifferenzkurve den gleichen Index besitzen.

Die Kurve nms der Abbildung möge den Index 1 haben; m' (also z. B.
1,1 kg Brot und 1,1 kg Wein) sei eine andere Kombination, die das Individuum
der Kombination m vorzieht; dieser geben wir den Index 1,1. Ausgehend von
dieser Kombination m' finden wir eine andere Indifferenzserie, d. h. wir
entwickeln eine neue Kurve n'm's'. In dieser Weise können wir fortfahren
und dabei natürlich auch Kombinationen betrachten, die für das Individuum
nicht nur besser, sondern auch schlechter als m sind. So bekommen wir
verschiedene Indifferenzserien, jede mit ihrem Index; anders ausgedrückt,
überdecken wir die betrachtete Fläche OAB mit einer unendlichen Anzahl
von Indifferenzkurven, von denen jede ihren Index hat.

57. Hierdurch bekommen wir eine Aufstellung der Wünsche des Individuums bezüglich Brot und Wein, und das genügt, um ökonomisches Gleichgewicht zu bestimmen. Das Individuum kann sich entfernen, es muß uns nur
die Photographie seiner Wünsche hinterlassen.

Natürlich kann das, was wir über Brot und Wein gesagt haben, für alle
Güter wiederholt werden.

58. Derjenige Leser, der mit topographischen Karten gearbeitet hat, ist
es gewohnt, gewisse Kurven zu zeichnen, die Punkte mit der gleichen Höhe
über dem Meeresspiegel oder einem anderen Niveau repräsentieren.

Die Kurven der Abbildung sind Höhenlinien, wenn wir die Indizes des
Nutzens als Höhe der Punkte eines Hügels oberhalb der horizontal auf-
gefaßten Fläche OAB ansehen. Er kann ein Hügel der Nutzenindizes genannt
werden. Es gibt unendlich viele ähnliche andere, abhängig von dem beliebig
gewählten System der Indizes.

Wenn Vergnügen gemessen werden kann, d.h. wenn ein Nutzenmaß existiert, wird eines dieser Indexsysteme das des Nutzens sein und der entsprechende Hügel wird der Hügel des Vergnügens oder der Nutzenhügel sein.

[...]

66. Sagen wir, ein Individuum konsumiert ein und ein Zehntel Uhren,
so wäre es lächerlich, dies wörtlich zu nehmen. Ein Zehntel einer Uhr ist ein
unbekanntes Objekt, für das wir keine Verwendung haben. Es ist eher so zu
verstehen, daß - beispielsweise - einhundert Individuen 110 Uhren konsumieren.

Sagen wir, ein Gleichgewicht liegt dann vor, wenn ein Individuum ein und
ein Zehntel Uhren konsumiert, so meinen wir einfach, daß die Existenz des
Gleichgewichts zu bejahen ist, wenn alle 100 Individuen zusammen 110 Uhren konsumieren - ein Individuum konsumiert eine Uhr, andere Individuen
konsumieren wiederum zwei oder mehr Uhren und wieder andere gar keine
Uhr. Das arithmetische Mittel ist dann für jedes Individuum 1,1.

Die Ausdrucksweise ist nicht allein charakteristisch für die Politische Ökonomie; sie findet ihren Niederschlag in vielen Wissenschaften. In der Versicherungssprache spricht man von Bruchteilen lebender Personen, z. B. 27- und 37/100 lebender Personen. Es ist ganz offensichtlich, daß es derartige Dinge wie 27/100 einer lebenden Person nicht gibt.

Wären wir nicht einverstanden, diskontinuierliche Änderungen durch kontinuierliche Änderungen zu ersetzen, so hätte die Theorie des Hebels nicht hergeleitet werden können. Wir sagen, daß ein Hebel mit gleichen Armen - eine Waage z. B., im Gleichgewicht ist, wenn jeder Arm das gleiche Gewicht trägt. Aber wenn ich eine Waage, die auf ein Zentigramm reagiert, nehme und in eine der Schalen ein Milligramm mehr lege, dann bleibt sie - entgegen der Theorie - im Gleichgewicht.

Die Waage, mit der man Nahrungsmittel abwiegt, reagiert auf Gramm; andere Waagen wiederum auf Hektogramm, Kilogramm etc.

Der einzige Schluß, der daraus gezogen werden kann, ist, daß wir von diesen Waagen nicht mehr Genauigkeit verlangen können, als sie geben können. 67. Da es vielmehr nur eine Angelegenheit von technischer Schwierigkeit ist, können diejenigen, die Muße haben, sich mit der Analyse finiter Änderungen auseinandersetzen. Letztendlich werden sie nach verbissener und extrem langer Arbeit konstatieren, daß es keine Divergenz zwischen den Resultaten bei finiten Änderungen und bei infinitesimalen Änderungen gibt, wohl gemerkt innerhalb der Grenzen erlaubter Fehler.

Wir schreiben, um die Relationen zwischen den Phänomenen in objektiver Form zu eruieren - und nicht, um in Pedanterie zu verfallen."

(Vilfredo Pareto, Manuale di economia politica, Kap. III, §§52-58 und 66-67, unsere Übersetzung. Der von Pareto benutzte Ausdruck 'Ophelimität' wurde durch 'Nutzen' ersetzt, die Notation der Abbildung unwesentlich geändert.)

5.2 Vilfredo Pareto (1848-1923)

Vilfredo Pareto, Sohn eines italienischen Adligen und einer Französin, wurde 1848 im Pariser Exil geboren. Sein Vater, ein Ingenieur, kehrte Anfang der 50er Jahre mit seiner Familie nach Italien zurück. Pareto erhielt am Polytechnikum zu Turin ebenfalls eine Ingenieursausbildung und trat zunächst in den Dienst der Eisenbahn; später wechselte er zur Schwerindustrie und ging 1890 als Direktor der "Ferrerie Italiane" in der Toskana in den Ruhestand.

Politisch gehörte er zu den Liberalen, das bedeutete für ihn, daß nur der Freihandel in einem Land Frieden und Wohlstand schaffen und erhalten konnte. Eine Bewaffnung lehnte er weitgehend ab, statt dessen forderte er "etwas mehr Gerechtigkeit" (Recktenwaldt, 1971, S. 407). Während die Landbesitzer (wie die Reisfeldbesitzer in der Poebene) jederzeit auf staatliche Subventionen hoffen durften, schoß das Militär auf demonstrierende arme Landarbeiter. Pareto sah als Folge der ständigen Verstöße gegen die Ideen des Freihandels dieses Ende für das Bürgertum: "Die Stunde der Sühne wird am Ende für die herrschenden Klassen schlagen. Langsam aber sicher wird die sozialistische Flut den europäischen Kontinent überschwemmen." (Recktenwaldt, 1971, S. 407) Seine liberalen und pazifistischen Ansichten brachten ihn oft in Konflikt mit der Regierung, die mitunter seine Vorlesungen und Vorträge verbot. Seine Bemühungen, Abgeordneter zu werden, scheiterten, und so propagierte er seine Ideen in einer französischen Zeitung.

Pareto war ein leidenschaftlicher Leser antiker klassischer Literatur und moderner naturwissenschaftlicher Texte. 1890 stieß er auf die Werke Matteo Pantaleonis, des führenden italienischen Wirtschaftswissenschaftlers, und auf die von Walras. Sein Interesse für die mathematisch orientierte Wirtschaftswissenschaft war geweckt. Hierzu ein späteres Zitat: "Oft ist die Rede von einer liberalen, christlichen, katholischen, sozialistischen etc. politischen Ökonomie. Vom wissenschaftlichen Standpunkt ist das unsinnig. Ein wissenschaftlicher Satz ist wahr oder falsch, er kann darüber hinaus keine andere Bedingung erfüllen, wie die, liberal oder sozialistisch zu sein. Die Gleichungen der Bewegung der Himmelskörper durch die Einführung einer katholischen oder atheistischen Kondition integrieren zu wollen, wäre reine Torheit." (V. Pareto, 1975, S. 109) Pareto geht also davon aus, daß es in der Ökonomie wie in der Physik feste Gesetze gibt, die man erforschen kann wie "die Bewegung der Himmelskörper". 1893 übernahm er Walras Lehrstuhl in Lausanne. Zum 25. Jahrestag seiner Lehrtätigkeit rekapituliert er in einem Vortrag seine Absichten: "Das Hauptziel meiner wissenschaftlichen Bemühungen war immer die Anwendung der experimentellen Methode, die in den Naturwissenschaften so glänzende Ergebnisse gezeitigt hat, auf die Sozialwissenschaften - von denen die Wirtschaftswissenschaften nur ein Teil sind." (V. Pareto, 1975, S. 248)

Das Grundthema seiner mathematisch orientierten Wirtschaftslehre war das des Gleichgewichts. Außerdem sammelte er statistische Daten und begann, sie zu interpolieren, um die Einkommensverteilung darstellen zu können. Er gilt damit als ein Begründer der Ökonometrie. Seine Hauptwerke sind: "Cours d'économie politique" (1896/97) und "Manuale d'economia politica" (1906). Bei seiner Suche nach den objektiv vorhandenen Gesetzen, die der Wirtschaft zugrundeliegen, fallen ihm immer wieder menschliche Verhaltensweisen auf, die ihm vom ökonomischen Standpunkt als nicht logisch erscheinen. Die Maßstäbe seines Fachgebietes reichen nicht aus: "Ich war auf einige ökonomische Probleme gestoßen, die ich keineswegs mit der Ökonomie allein lösen konnte. Außerdem bemerkte ich, daß ich bei dem Studium der Ökonomie mich vieler soziologischer Prinzipien bediente, die in der Luft hingen, solange sie nicht das Ergebnis einer experimentellen Untersuchung waren. (V. Pareto, 1975, S. 404) Er gerät immer weiter in die Soziologie, um die Handlungen der Menschen zu erklären. Im "Trattato di Sociologia generale" (1916/23) kommt er zu dem Ergebnis, daß sich die Menschen ihren Trieben entsprechend verhalten und dem Handeln die Gedanken anpassen. Weiter glaubt er, daß eine Elite die Gesellschaft prägt, die sich bald abnutzt und durch eine neue Elite aus unteren Schichten ersetzt wird. Im "Les système socialistes" (1902/03) kritisiert er die Einseitigkeit der auf Ursache und Wirkung hin ausgerichteten sozialistischen Geschichtsbetrachtung. "Er versuchte, die Einseitigkeit der marxistischen Perspektive aufzuzeigen und jene Beziehung zwischen dem Ökonomischen und dem Sozialen, die Marx als Ursache-Wirkungs-Relation gesehen hatte, in Begriffen von Interdependenz und Interaktion mit anderen sozialen Faktoren zu lösen." (Mongardini in der Einleitung zu Pareto, 1975, S. 5)

Pareto selber bleibt Zeit seines Lebens seinen liberalen Ansichten treu. Der Erste Weltkrieg bestärkt ihn in der Ansicht, daß ein Krieg zwischen den europäischen Mächten ein großes Unglück sei. Er stirbt 1923 in Céligny und hinterläßt ein vielseitiges Werk, das von der Gleichgewichtstheorie und der Ökonometrie bis zur Soziologie reicht.

5.3 Fragen und Aufgaben zum Text

Pareto hat mit den oben aufgeführten Passagen die Grundlagen der modernen Präferenztheorie gelegt. Um den Text ganz verstehen, die Tragweite der Gedanken abschätzen und die zugrundeliegenden Annahmen erkennen zu können, bitten wir Sie jetzt, an Hand von Fragen den Text durchzuarbeiten. Die Fragen sind nicht einfach, sie sollen zum Nachdenken anregen und werden zum großen Teil in den folgenden Ausführungen wiederaufgenommen.

Aufgabe 5.1

Stellen Sie die von Pareto beispielhaft gegebene Indifferenzreihe von Brot und Wein als Indifferenzkurve graphisch dar. Inwieweit unterscheidet sie sich von den Indifferenzkurven, die Pareto in seiner Abbildung gezeichnet hat?

Aufgabe 5.2

Pareto läßt die Indifferenzkurven von links oben nach rechts unten - also mit negativer Steigung - verlaufen. Wo nennt Pareto (etwas versteckt) die zugrundeliegende ökonomische Annahme? Diskutieren Sie diese Annahme.

Aufgabe 5.3

Interpretieren Sie die Steigung ökonomisch. Was bedeutet es, wenn die Indifferenzkurve sehr flach bzw. sehr steil verläuft? Was würde eine positive Steigung besagen?

Aufgabe 5.4

Verlängern Sie die von Pareto eingezeichneten Indifferenzkurven auf eine Weise, die Ihnen plausibel erscheint.
  a. Kann es dabei passieren, daß die Indifferenzkurven die Achsen schneiden? Was würde das ökonomisch bedeuten?
  b. Kann es sein, daß sich zwei Indifferenzkurven schneiden?

Aufgabe 5.5

Pareto schreibt: "Er weiß nicht, welches er wählen soll, er ist indifferent, die eine oder andere dieser Kombinationen zu wählen". Zeigen Sie, welche Bedeutung "nicht wissen" hier hat. Stellen Sie sich dazu eine Situation vor, in der ein Individuum nicht weiß, welches von zwei angebotenen Getränken genießbar und welches Gift ist. Sind solche Situationen vorgesehen? Welche Annahme bezüglich des Wissens über die Güter macht Pareto implizit?

Aufgabe 5.6

Pareto zeichnet die Indifferenzkurven in bestimmter Weise gekrümmt. Begründet er diese Krümmung? Versuchen Sie eine ökonomische Begründung!

Aufgabe 5.7
Erläutern Sie, wie den Indifferenzkurven Indizes zugewiesen werden. Geben
Sie für das Kurvensystem von Pareto ein anderes Indexsystem, das die beiden
Bedingungen von Pareto erfüllt.

Aufgabe 5.8
In der Fußnote zu §54 grenzt Pareto seine Vorgehensweise gegen die von
Edgeworth ab. Versuchen Sie darzulegen, daß dabei auf einen sehr wesentlichen Unterschied hingewiesen wird. (Denken Sie an das Problem der Nutzenmessung!)

Aufgabe 5.9
Pareto erklärt Bruchteile von im Prinzip nicht teilbaren Gütern durch Durchschnittsbildung. Was bedeutet dann eine Aussage wie die folgende: Für jeden
betroffenen Patienten stehen 0,9 Herzschrittmacher zur Verfügung?

Aufgabe 5.10
An welchen Stellen benutzt Pareto Vergleiche aus Naturwissenschaft und
Technik? Was erklärt er mit diesen Beispielen?

Aufgabe 5.11
Untersuchen Sie, welche Vorteile es hat, Methoden anderer Wissenschafts-
gebiete in den Sozialwissenschaften zu verwenden. Welche Probleme könnte
eine solche Vorgehensweise mit sich bringen?

Aufgabe 5.12
Zeichnen Sie Ihr persönliches Indifferenzkurvenschema zwischen Brot und
Wein. Welche Schwierigkeiten haben Sie? Führen diese Schwierigkeiten die
Methode ad absurdum?

Aufgabe 5.13
"Wir schreiben, um die Relationen zwischen den Phänomenen in objektiver
Form zu eruieren." Erläutern Sie, welche Ansprüche Pareto an seine Theo-
rie stellt! Denken Sie dabei auch an das Bild von der "Photographie der
Wünsche"!

Aufgabe 5.14
"Ein wissenschaftlicher Satz ist wahr oder falsch, er kann darüber hinaus
keine andere Bedingung erfüllen, wie die, liberal oder sozialistisch zu sein.
Die Gleichungen der Bewegung der Himmelskörper durch die Einführung einer katholischen oder atheistischen Kondition integrieren zu wollen, wäre
reine Torheit."
Diskutieren Sie diese Auffassung Paretos. Gehen Sie dabei auf solche Begriffe wie "christliche Ethik", "sozialistisches Menschenbild", "liberale Weltanschauung" ein. Inwieweit können Normensysteme mit wissenschaftlichen
Methoden untersucht werden?

5.4 Die Theorie der Präferenzen

Im folgenden wollen wir die Theorie der Indifferenzkurven erarbeiten. Wir werden sehen, daß dieses für die moderne Wirtschaftstheorie unentbehrliche Instrumentarium fast vollständig im oben vorgestellten Aufsatz von Pareto schon dargestellt ist. Es wurde lediglich so formalisiert, daß die mathematischen Methoden der Vektorrechnung anwendbar sind. Außerdem werden wir die von Pareto nur versteckt genannten Annahmen (vgl. z. B. Aufgabe 5.2 und 5.4) für die Existenz und die Gestalt von Indifferenzkurven herausarbeiten. Im Text sind recht viele, jedoch zum großen Teil recht einfache Aufgaben integriert. Diese sollen helfen, die Methoden zu verstehen.

5.4.1 Annahmen bezüglich der Wünsche der Individuen

Wir gehen von folgenden Hypothesen aus (vgl. P. Weise u. a., 1979, S. 52):
   a. Jedes Individuum wünscht eine Mannigfaltigkeit von Gütern.
   b. Für jedes Individuum sind einige Güter knapp.
   c. Jedes Individuum ist bereit, etwas von irgendeinem Gut aufzugeben, um mehr von anderen Gütern zu bekommen.
   d. Je mehr ein Individuum von einem Gut (in einer bestimmten Zeitperiode) zur Verfügung hat, desto geringer ist der Wert, den es diesem Gut beimißt.
   e. Nicht alle Individuen haben identische Präferenzen sowie Fähigkeiten.

Aufgabe 5.15

   a. Diskutieren Sie diese Hypothesen und versuchen Sie, Gegenbeispiele zu finden.
   b. Wo benutzt Pareto explizit oder implizit die obigen Annahmen?
   c. Wir werden im folgenden die obigen Annahmen präzisieren, verschärfen, ergänzen und abschwächen. Versuchen Sie herauszufinden, wo präzisiert, verschärft, ergänzt bzw. abgeschwächt wird.

5.4.2 Vergleich von Güterbündeln

5.4.2.1 Güterbündel und Vektoren, eine kurze Wiederholung

Da das Individuum eine Mannigfaltigkeit von Gütern wünscht, müssen wir mit Güterbündeln arbeiten. In der Ökonomie spricht man von Warenkörben, Güterbündeln, Preisvektoren und deutet damit an, daß sehr häufig nicht einzelne Quantitäten, sondern Bündel von Quantitäten gleichzeitig betrachtet werden müssen. Schon im letzten Kapitel hatten wir den Nutzen von Güterbündeln betrachtet. In Kapitel 2 hatten wir im Zusammenhang mit der Transformationskurve auch schon eine Möglichkeit der graphischen Darstellung von Güterbündeln kennengelernt: diese Darstellungsweise werden wir jetzt weiter verfolgen. Die Mathematik liefert uns mit der Vektorschreibweise ein bequemes Hilfsmittel, um mit Güterbündeln arbeiten zu können; diese Methode werden wir im folgenden benutzen.

Ein Güterbündel (und jeder Vektor) besteht aus zwei, drei oder auch mehr Komponenten. Die erste Komponente gibt an, wieviel vom ersten Gut im Güterbündel vorhanden ist usw. Güterbündel mit zwei Komponenten können als Punkte einer Ebene leicht veranschaulicht werden. In Abbildung 5.1 enthält Güterbündel $\underline{x}$ = (3; 5) drei Einheiten von Gut 1 und fünf Einheiten von Gut 2.

Aufgabe 5.16

 a. *Wieviel Einheiten von Gut 1 und Gut 2 enthält das Bündel $\underline{y}$ in der Abbildung 5.1 ?*
 b. *Tragen Sie das Güterbündel $\underline{z}$ = (2; 3) in die Graphik ein.*
 c. *Schreiben Sie die Indifferenzreihe Paretos als eine Reihe von Güterbündeln.*
 d. *Müssen die Güterbündel notwendigerweise nur positive Komponenten enthalten? Wann könnten negative Komponenten ökonomisch sinnvoll sein?*
 e. *Stellen Sie Güterbündel mit drei Gütern graphisch dar. Welche Probleme ergeben sich? Kann man Güterbündel mit mehr als drei Gütern graphisch darstellen?*
 f. *Warum wird in einführenden Darstellungen der Wirtschaftswissenschaft meist mit zwei, allenfalls drei Gütern argumentiert?*

5.4.2.2 Vergleich von Güterbündeln durch Wertschätzung

Nach Pareto gibt es für ein Individuum drei Möglichkeiten, wenn es zwischen zwei Güterbündeln $\underline{x}$ und $\underline{y}$ wählen soll:

α. es hält beide für gleich gut, wir sagen, es ist indifferent;
β. es zieht das Bündel $\underline{x}$ dem Güterbündel $\underline{y}$ vor;
γ. es zieht Bündel $\underline{y}$ dem Bündel $\underline{x}$ vor.

Um diese Einschätzung eines Individuums einfach schreiben zu können, hat man aus der Mathematik die Vergleichsoperatoren $<, \leq, =$ übernommen. Da es sich aber um keinen zahlenmäßigen Vergleich handelt, sondern um eine Bewertung, hat man die Zeichen abgewandelt:

Wir schreiben

$\underline{x} \sim \underline{y}$ wenn das Individuum indifferent zwischen $\underline{x}$ und $\underline{y}$ ist.
$\underline{x} \succ \underline{y}$ wenn $\underline{x}$ dem $\underline{y}$ vorgezogen wird.
$\underline{x} \prec \underline{y}$ wenn $\underline{y}$ dem $\underline{x}$ vorgezogen wird.

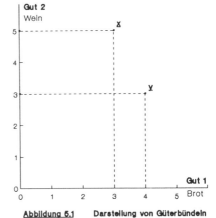

Abbildung 5.1   Darstellung von Güterbündeln

Häufig ist es günstig, zwei Zeichen zusammenzuziehen. $\underline{x} \precsim \underline{y}$ besagt, daß $\underline{y}$ als mindestens so gut wie $\underline{x}$ angesehen wird.

Aufgabe 5.17

Gehen Sie von der letzten Graphik mit den Güterbündeln $\underline{x}$, $\underline{y}$ und dem von Ihnen eingetragenen Bündel $\underline{z} = (2,3)$ aus.

 a. Wie ist die Güterversorgung beim Bündel $\underline{z}$ verglichen mit $\underline{x}$ und von $\underline{z}$ verglichen mit $\underline{y}$? Wie ist die Güterversorgung bei $\underline{x}$ verglichen mit $\underline{y}$?

 b. Können Sie Aussagen darüber machen, wie ein Individuum Bündel $\underline{x}$ und $\underline{z}$ gegeneinander einschätzt? Wie wird der Vergleich zwischen $\underline{x}$ und $\underline{y}$ ausfallen? Begründen Sie Ihre Antwort!

Das Güterbündel $\underline{x}$ enthält weniger vom Gut 1 als Bündel $\underline{y}$, aber mehr vom Gut 2. Welches Bündel das Individuum höher einschätzt, kann nicht gesagt werden. Es kann Individuen geben, die das eine Bündel vorziehen, andere werden das andere wählen. Prinzipiell genauso verhält es sich beim Vergleich zwischen $\underline{x}$ und $\underline{z}$, obwohl $\underline{z}$ von beiden Gütern weniger enthält als $\underline{x}$. Ohne Kenntnisse des Individuums ist eine Entscheidung nicht möglich.

Aufgabe 5.18

 a. Was verstehen Sie unter dem ökonomischen Begriff "Gut" ?

 b. Geben Sie Beispiele für Güter so an, daß $\underline{z}$ von einem Individuum höher geschätzt wird als $\underline{x}$. Kann man den Begriff Gut derart definieren, daß so etwas nicht auftreten kann ?

5.4.3 Das Phänomen der Knappheit

5.4.3.1 Bedürfnisse

Jeder Mensch hat eine Reihe von Bedürfnissen, einige davon müssen in bestimmtem Maß erfüllt werden, sonst kann der Mensch nicht überleben. Dazu gehören:

 a. Nahrung mit einem bestimmten Nährwert und bestimmten Mindestanteilen von bestimmten Stoffen (Wasser, Eiweiß, Vitamine etc.).

 b. Sicherstellung einer gewissen Körpertemperatur z. B. durch Kleidung und Wohnung.

 c. Bestimmte Bewegungsphasen und bestimmte Ruhephasen.

Die Grundbedürfnisse sind durch biologische Faktoren bedingt und hängen vom Alter, dem Geschlecht, der körperlichen und geistigen Konstitution und der Umgebung der Individuen ab. Im Prinzip können sie aber durch medizinische und biologische Methoden relativ genau quantifiziert werden.

Offensichtlich braucht der Mensch aber mehr zum Leben, zumindest sind fast alle Menschen überzeugt, mehr zu benötigen: Die Nahrung muß abwechslungsreich und schmackhaft sein, die Kleidung hübsch und modisch, die Wohnung geräumig etc.: Die Menschen haben eine Mannigfaltigkeit von Wünschen; sie unterscheiden sich in ihren Wünschen und können sich in der

Regel nicht einigen, was wünschenswert und was überflüssig ist, wo die Notwendigkeit endet und wo der Luxus beginnt.

5.4.3.2 Freie Konsumwahl

Je nachdem, welche Bedürfnisse befriedigt werden sollen, können Güter in folgender Weise klassifiziert werden:
(1) lebensnotwendige Güter, (2) wünschenswerte Güter, (3) Luxusgüter.

Aufgabe 5.19
  a. Ordnen Sie die folgenden Güter in die obige Klassifikation ein.
      α. Bücher, β. Schreibmaterial, γ. Pelzmantel, δ. Ausbildung.
  b. Nennen Sie unterschiedliche Situationen, in denen jedes der in a. genannten Güter lebensnotwendig, wünschenswert bzw. Luxusgut ist.

Aus der Aufgabe ergibt sich, daß eine eindeutige Klassifizierung von Gütern in Kategorien kaum möglich ist: Je nach Umstand und persönlicher Einstellung des Betrachters kann ein Gut bald Luxusgut und bald lebensnotwendig sein. Ökonomen sind darum weitgehend davon abgegangen, Bedürfnisse ihrer Mitmenschen in der obenstehenden Weise zu klassifizieren und gehen sehr häufig von der Selbstbestimmung der Individuen - von freier Konsumwahl - aus.

> Wird den Individuen zugestanden, selbständig innerhalb ihrer Möglichkeiten zu entscheiden, welche Bedürfnisse erfüllt werden sollen und welche nicht, so spricht man von freier Konsumwahl. Bei freier Konsumwahl akzeptiert man also, daß jedes Individuum selbst am besten entscheiden kann, was gut und was schlecht für es ist.

Aufgabe 5.20
  a. Untersuchen Sie, inwieweit in folgenden Beispielen freie Konsumwahl gegeben bzw. nicht gegeben ist. (Die Beispiele werden dabei bezüglich der Situation bzw. bezüglich der betrachteten Individuen innerhalb der Klammern näher spezifiziert.)
      aa. Einkauf in einem Geschäft (Supermarkt, Spirituosenhandlung, Videoverleih, Apotheke, Waffenladen) durch ein Individuum (Jugendlicher, Erwachsener, praktizierender Arzt, Jäger).
      ab. Abschluß einer Versicherung (Haftpflicht, Krankenversicherung, Diebstahlversicherung, Altersversorgung) durch einen Versicherungsnehmer (Lehrer, praktizierender Arzt, Autobesitzer, Hausbesitzer).
      ac. Teilnehmer (Kinder, Jugendliche, Erwachsene) an einer Ausbildung (allgemeinbildende Schule, Berufsschule, Musikschule, Sporttraining, Computer-Kurs).

   b. Versuchen Sie zu begründen, warum in Teil a. in bestimmten Fällen freie Konsumwahl gegeben und in anderen Fällen nicht gegeben ist.

   c. Untersuchen Sie einige Fälle, in denen freie Konsumwahl nicht gegeben ist. Welche Personen, Instanzen bzw. Organisationen bestimmen in diesen Fällen über die Bedürfnisse der Individuen? Woher haben sie die Legitimation?

5.4.3.3 Die soziale Bedingtheit von Bedürfnissen

Der Besitz oder die Benutzung von Büchern und Schreibmaterial sind für viele Menschen lebensnotwendige Bedürfnisse; es gibt genug glaubwürdige Berichte, die angeben, daß Menschen am Mangel an solchen Gütern zerbrochen sind. Hätten diese Menschen aber in ihrer Jugend das Lesen und Schreiben nicht gelernt, wären sie z. B. auf einer anderen Zivilisationsstufe groß geworden, so hätten sie diese Dinge nicht einmal vermißt. Bedürfnisse hängen also nicht nur von der physikalischen Umgebung (Klima etc.), sondern auch von seinem sozialen Umfeld ab. Bedürfnisse können geweckt, geformt, verfeinert, verfestigt, unterdrückt oder auch eingeredet werden.

Aufgabe 5.21

   a. Untersuchen Sie, welche Bedürfnisse Sie haben, die Ihre Vorfahren vor 200 Jahren nicht hatten und welche Bedürfnisse damals Ihre Vorfahren hatten, die Sie heute nicht haben.

   b. Auf welche Weise sind die Bedürfnisse entstanden, die Sie heute haben, die aber Ihre Vorfahren nicht hatten?

   c. Inwieweit sind die Bedürfnisse für ein Auto, für eine Waschmaschine, einen Fernsehempfänger tatsächlich neu entstandene, neu geschaffene Bedürfnisse? Wie kann man zeigen, daß auch die Menschen vor 500 Jahren ähnliche Bedürfnisse hatten, die sich aber anders ausdrückten?

5.4.3.4 Knappheit und Nichtsättigung

Vergleichen wir unser Leben mit dem anderer Generationen und anderer Völker, so stellen wir fest, daß wir uns viele Wünsche erfüllen und manche Bedürfnisse stillen können. Wir haben von vielen Dingen genug, von manchen sogar zuviel. Nähern wir uns damit dem Zustand der allgemeinen Zufriedenheit, der allgemeinen Sättigung, zumindest was die materielle Versorgung betrifft?

Schauen wir genauer hin, so stellen wir fest, daß auch bei uns kaum jemand mit seiner materiellen Versorgung zufrieden ist: jeder möchte z. B. mehr Lohn oder Einkommen, um sich viele unerfüllte Wünsche endlich erfüllen zu können. Werden diese Wünsche erfüllt, so entstehen neue Wünsche, die Bedürfnisse scheinen unersättlich zu sein.

Überall begegnen wir dem Phänomen der Knappheit; der Mensch als einzelner und die Menschheit insgesamt können sich nicht alle Wünsche erfüllen, sondern müssen entscheiden: Soll der eine Wunsch erfüllt werden, so muß

der andere zurückgestellt oder eingeschränkt werden. Wir leben nicht im Schlaraffenland. Ökonomie beschäftigt sich damit, wie knappe Güter auf mannigfaltige Bedürfnisse aufgeteilt werden.
Gibt es aber nicht zuviele Autos, zerfressen nicht zuviele Neubauten das Land, zerschneiden nicht zuviele Autobahnen die Natur? Man sieht schnell, daß auch bei diesen Problemen das Phänomen der Knappheit zu Tage tritt:

(1) Es existiert nicht zuviel von diesen Gütern. Es gibt genug Menschen, die ein Auto erstreben, sich ein Haus wünschen oder eine Autobahn zwischen bestimmten Städten vermissen.

(2) Der Eindruck von zuvielen Autos etc. ist trotzdem nicht falsch: unsere Innenstädte quellen über. Das bedeutet aber, daß wir uns nicht alle Wünsche erfüllen können. Wir können nicht die autogerechte Innenstadt mit allen Einkaufsmöglichkeiten und gleichzeitig die idyllische Wohnqualität in der Stadt haben, wir können die Alpen nicht touristisch voll erschließen und gleichzeitig die Natur in ihrer Ursprünglichkeit bewahren. Auf einiges müssen wir verzichten, wenn wir anderes nicht aufgeben wollen. Wir müssen einen Ausgleich herstellen, wir müssen somit einen Handel durchführen.

(3) Damit zusammenhängend tritt Knappheit auch in dritter Form zutage. Um Autos, Häuser, Verkehrswege herzustellen und zu unterhalten, müssen andere knappe Faktoren eingesetzt werden; Bodenschätze, Naturerzeugnisse, Arbeitszeit sind erforderlich bei der Produktion der Güter.

5.4.3.5 Kritik

Knappheit und die Grenzenlosigkeit menschlicher Bedürfnisse bilden einen Grundstein der bürgerlichen Ökonomie. Dieser Ausgangspunkt ist in den letzten Jahren vor allem von sozialistisch orientierten Ökonomen stark angegriffen worden:
"Die menschliche Natur produziert nicht zwangsläufig den konsumhungrigen, maximierenden Roboter, der für das profitable Funktionieren unseres ökonomischen Systems so erforderlich ist. Der kapitalistische Mensch und die meisten seiner Wünsche werden durch ein ausgefeiltes System sozialer Kontrolle, Manipulation, Irreführung und allgemeiner sprachlicher Verschmutzung geschaffen. In diesem ökonomischen und politischen System - aufgebaut auf Korruption und Täuschung - wird jedes einsame isolierte Individuum in gnadenlosem Wettbewerb gegen alle andern Individuen ausgespielt. Kann es da erstaunen, daß das Ergebnis fast vollständige Orientierungslosigkeit, Apathie und Hoffnungslosigkeit ist? Ein beherrschender Zustand von Leere und Sinnlosigkeit des Lebens bildet die Grundlage, auf der Werbeagenturen die Wünsche des Menschen im Kapitalismus aufbauen. Solch ein Mensch sieht in der Werbung, wie fröhliche, glückliche und lebhafte Leute sich neue Autos, Häuser und Stereoanlagen kaufen. Also bemüht er sich, seine eigene Unzufriedenheit und seine Ängste durch Kaufen zu überwinden. Kaufen, Kaufen und nochmals Kaufen wird seine Richtschnur und der Gewinn der Kapitali-

sten. Aber er bekommt dadurch keine Befriedigung und darum strebt er nach
einem größeren Wagen, einem teureren Haus usw. und befindet sich mitten
in einer Tretmühle des Konsums für eine Alice-im-Wunderland-Welt." (Hunt,
1979, S.172, unsere Übersetzung)

Aufgabe 5.22

Worauf ist nach Hunt die Nichtsättigung der Wünsche zurückzuführen?
Diskutieren Sie seine Aussagen.

5.4.4 Indifferenzkurven

5.4.4.1 Nichtsättigung

Im letzten Abschnitt hatten wir in der Weise argumentiert, daß die Menschen mit dem Erreichten nie zufrieden sind, daß sie sich immer noch einen
besseren Zustand vorstellen können. Diese Beobachtung erfaßt man durch
die Annahme der Nichtsättigung: Zu jedem Zustand gibt es einen Zustand,
den das Individuum vorzieht.
Diese Annahme werden wir im folgenden konkretisieren und verschärfen.
Konkretisieren werden wir sie dadurch, daß wir statt von Zuständen von
Güterversorgung in Form von Güterbündeln sprechen; eine Verschärfung ergibt sich dadurch, daß wir von der simplen Annahme "mehr ist besser" ausgehen.

Dazu betrachten wir die nebenste-
hende Abbildung. Das Güterbündel $\underline{x}$
enthält 4 Einheiten Brot und 3 Einheiten Wein. Das Güterbündel $\underline{y}$ enthält
6 Einheiten Brot und 4 Einheiten
Wein, von beiden Gütern also mehr.
Allgemein enthalten alle Bündel im
waagerecht schraffierten Bereich von
beiden Gütern mehr. Das Bündel $\underline{z}$
enthält 3 Einheiten Brot und 2 Einheiten Wein, von beiden Gütern also
weniger als Bündel $\underline{x}$; alle Bündel im
senkrecht schraffierten Bereich enthalten weniger als $\underline{x}$ von beiden Gütern.
Wir gehen davon aus, daß ein Indivi-
duum ein Güterbündel $\underline{y}$ einem Güterbündel $\underline{x}$ vorzieht, wenn es von allen
Gütern mehr enthält.

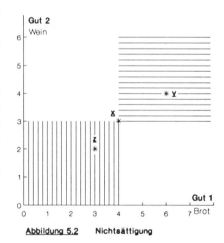

Abbildung 5.2   Nichtsättigung

Annahme der Nichtsättigung

$\underline{x}$ und $\underline{y}$ seien zwei Güterbündel und $\underline{y}$ enthalte von jedem
Gut mehr als $\underline{x}$. Dann folgt $\underline{x} \prec \underline{y}$.

Diese Annahme besagt also nichts anderes, als daß ein Individuum die Bündel im waagerecht schraffierten Bereich dem Bündel $\underline{x}$ vorzieht und außerdem das Bündel $\underline{x}$ allen Bündeln im senkrecht schraffierten Bereich vorzieht.

5.4.4.2 Tauschbereitschaft

Wir betrachten zwei Güter, Brot und Wein, und passen die Hypothese c. aus Abschnitt 5.4.1 folgendermaßen an:

Annahme der Tauschbereitschaft

Jedes Individuum ist bereit, etwas von dem einen Gut abzugeben, um mehr von dem anderen Gut zu bekommen.

Ausgehend von dieser Hypothese stellen wir uns jetzt folgendes Experiment vor: Ein Individuum besitze 2 Einheiten [kg] Wein und 3 Einheiten [kg] Brot (Punkt $\underline{x}$ der Abbildung 5.3). Es sei bereit, Brot gegen Wein zu tauschen, je mehr Wein es für eine Einheit Brot bekommt, um so besser. Darum bieten wir ihm nacheinander für ein kg Brot verschiedene Mengen Wein an und notieren die Menge an Wein, die es gerade noch akzeptiert; es mögen z. B. 2 kg Wein sein. So bekommen wir den Punkt $\underline{y}$ in der Abbildung. Der Punkt $\underline{y}$ ist nach Konstruktion indifferent zu $\underline{x}$. Das Individuum ist bereit, die Menge $\Delta x_1 = y_1 - x_1$ an Brot gegen die Menge $\Delta x_2 = y_2 - x_2$ an Wein zu substituieren.

Der (Differenzen-)Quotient

$$\frac{\Delta x_2}{\Delta x_1} = \frac{y_2 - x_2}{y_1 - x_1}$$

heißt darum Substitutionsrate von Wein zu Brot oder allgemein von Gut 2 zu Gut 1. Im Beispiel der Abbildung 5.3 ergibt sich:

$$\frac{\Delta x_2}{\Delta x_1} = \frac{4 - 2}{2 - 3} = \frac{2}{-1} = -2$$

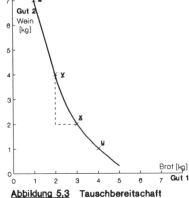

Abbildung 5.3 Tauschbereitschaft

Aufgabe 5.23

a. *Vergleichen Sie in Abbildung 5.3 die Punkte $\underline{x}$ und $\underline{u}$ und bestimmen Sie die Vorzeichen $\Delta x_1 = u_1 - x_1$, $\Delta x_2 = u_2 - x_2$ und von $\Delta x_2 / \Delta x_1$. Interpretieren Sie die Vorzeichen ökonomisch.*

b. *Interpretieren Sie die Substitutionsrate ökonomisch und geometrisch.*

c. *Was würde es ökonomisch bedeuten, wenn die Substitutionsrate positiv wäre? Zeichnen Sie eine entsprechende Graphik. Können Sie sich eine solche Situation vorstellen? Gegen welche schon eingeführte Annahme würde eine positive Substitutionsrate vorstoßen?*

Das Gedankenexperiment kann wiederholt werden, indem z. B. die Menge an Brot variiert wird: Wieviel Wein will das Individuum, wenn es dafür auf 1 kg Brot verzichtet? So könnte der Punkt $\underline{z}$ konstruiert werden. Außerdem könnten wir die Frage umdrehen und ein Individuum mit 3 Einheiten Brot und 2 kg Wein fragen, auf wieviel Wein es gegen ein zusätzliches kg Brot verzichtet. So könnte der Punkt $\underline{u}$ gefunden werden. In dieser Weise kann durch eine unendliche Reihe von Befragungen eine Indifferenzreihe oder Indifferenzkurve konstruiert werden, genauso wie Pareto es angegeben hat. Unsere Darstellung sollte zeigen, daß dazu die Annahme der Tauschbereitschaft gemacht werden muß.

Aufgabe 5.24

  a. *Zeigen Sie, daß solche Tauschbereitschaft zwischen verschiedenen Gütern nicht generell vorausgesetzt werden kann. Gehen Sie dabei aus von der Redensart "Lieber arm und gesund als reich und krank".*
  b. *Zeigen Sie, daß (im Gegensatz zur Redensart aus dem vorstehenden Aufgabenteil) viele Menschen auch zwischen Gesundheit und materieller Versorgung Tauschbereitschaft zeigen (denken Sie z. B. an gesundheitsschädigende Arbeitsplätze).*
  c. *Versuchen Sie weitere Güter oder Werte zu finden, die ein Individuum im Vergleich mit materiellen Gütern so hoch bewertet, daß es zu einem Tausch nicht bereit ist. Sollte sich ökonomische Theorie mit solchen Gütern befassen? Können solche Güter mit Preisen bewertet werden?*
  d. *Zeigen Sie, daß die Anpassung der Hypothese c. aus Abschnitt 5.4.1 an den Zwei-Güter-Fall zwangsläufig eine Verschärfung mit sich brachte.*

5.4.4.3 Konsistenz

Wir wollen jetzt eine wichtige und fast immer benutzte Annahme erläutern, die nicht in der obigen Liste der Annahmen in Abschnitt 5.4.1 enthalten ist. Auch Pareto nennt sie nicht explizit. Auf den ersten Blick scheint diese Annahme eine Selbstverständlichkeit, ja eine logische Notwendigkeit zu sein. Nehmen wir an, ein Individuum schätzt Güterbündel $\underline{x}$ niedriger ein als $\underline{y}$. Gleichzeitig schätzt es $\underline{y}$ niedriger ein als $\underline{z}$. Somit:

$$\underline{x} \prec \underline{y} \qquad und \qquad \underline{y} \prec \underline{z}$$

Was folgt daraus für die Einschätzung zwischen $\underline{x}$ und $\underline{z}$? Könnte es z. B. sein, daß $\underline{z}$ niedriger eingeschätzt wird als $\underline{x}$

$$\underline{x} \prec \underline{y} \qquad und \qquad \underline{y} \prec \underline{z} \qquad und \qquad \underline{z} \prec \underline{x} \qquad ?$$

Dies erscheint doch höchst merkwürdig. Von $\underline{x}$ ausgehend würde das Individuum sich verbessern, wenn es $\underline{y}$ erhält (und für diese Verbesserung vielleicht etwas bezahlen), dann würde es sich verbessern beim Übergang zu $\underline{z}$ (vielleicht wieder mit Kosten) um schließlich mit einer weiteren Verbesserung (und evtl. Kosten) zu $\underline{x}$ zu kommen, als zu seinem Ausgangszustand. Das Individuum würde sich laufend im Kreise drehen und dabei glauben, sich zu verbessern. Ein solches Verhalten erinnert an das Märchen "Hans im Glück". Dieser bekommt für seine Arbeit einen Klumpen Gold, das ist für ihn offensichtlich besser als gar nichts zu bekommen. Nach einer Reihe von Tauschoperationen erhält er einen Schleifstein und ist froh, daß dieser ihm in den Brunnen fällt.

Also: Nichts $\prec$ Gold $\prec$ Pferd $\prec$ Kuh $\prec$ Gans $\prec$ Schleifstein $\prec$ Nichts

Dieses inkonsistente Verhalten von Hans macht einen großen Teil des Witzes des Märchens aus. Wir wollen im folgenden solch inkonsistentes Verhalten bei der Analyse des Verbraucherverhaltens ausschließen und machen dazu folgende, mit einem mathematischen Terminus, benannte Annahme:

Annahme der Transitivität (Konsistenz)

Aus $\underline{x} \precsim \underline{y}$ und $\underline{y} \precsim \underline{z}$ folgt $\underline{x} \precsim \underline{z}$. (∗)

Verbal: Ist $\underline{y}$ mindestens so gut wie $\underline{x}$ und $\underline{z}$ mindestens so gut wie $\underline{y}$, so ist $\underline{z}$ auch mindestens so gut wie $\underline{x}$.

Aus der Annahme können noch drei sehr ähnliche Aussagen abgeleitet werden

$$\text{Aus } \underline{x} \sim \underline{y} \ \text{ und } \ \underline{y} \sim \underline{z} \text{ folgt } \underline{x} \sim \underline{z} \qquad (\ast\ast)$$

$$\text{Aus } \underline{x} \prec \underline{y} \ \text{ und } \ \underline{y} \prec \underline{z} \text{ folgt } \underline{x} \prec \underline{z} \qquad (\ast\ast\ast)$$

$$\text{Aus } \underline{x} \prec \underline{y} \ \text{ und } \ \underline{y} \sim \underline{z} \text{ folgt } \underline{x} \prec \underline{z} \qquad (\ast\ast\ast\ast)$$

Aus der Annahme der Transitivität und der Annahme der Nichtsättigung ergibt sich die folgende Aussage:

Satz: Indifferenzkurven schneiden sich nicht

Diese Aussage zeigen wir indirekt. Wir nehmen an, daß Indifferenzkurven sich schneiden und zeigen dann, daß aus der Annahme der Transitivität ein Widerspruch folgt. Bei sich schneidenden Indifferenzkurven können stets Güterbündel $\underline{x}, \underline{u}, \underline{z}, \underline{y}$ gefunden werden, die so zueinanderliegen wie Abbildung 5.4 das zeigt. Es gilt dann (begründen Sie!):

$$\underline{x} \prec \underline{u} \qquad (1)$$

$$\underline{u} \sim \underline{y} \qquad (2)$$

$$\underline{y} \prec \underline{z} \qquad (3)$$

$$\underline{z} \sim \underline{x} \qquad (4)$$

Aus (1) und (2) folgt wegen (∗∗∗∗)

$$\underline{x} \prec \underline{y}$$

Hieraus und aus (3) folgt wegen (∗∗∗):

$$\underline{x} \prec \underline{z}$$

Hieraus und aus (4) folgt wegen (∗∗∗∗):

$$\underline{x} \prec \underline{x}$$

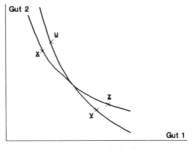

Abbildung 5.4 Schneidende Indifferenzkurven

Das ist ein Widerspruch.

Daraus ergibt sich dann, daß die Transitivität nicht gegeben ist. Also dürfen sich Indifferenzkurven nicht schneiden, wenn die Annahme der Transitivität gültig sein soll.

5.4.4.4 Abnehmende Grenzrate der Substitution

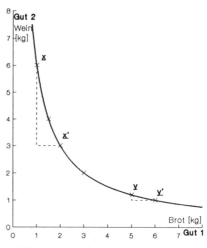

In Abschnitt 5.4.4.2 hatten wir die Substitutionsrate kennengelernt. Sie gibt an, mit welcher Menge von einem Gut ich mindestens entschädigt werden will, wenn ich eine Einheit eines anderen Gutes abgebe. Diese Rate hängt davon ab, welche Mengen ich von den einzelnen Gütern zur Verfügung habe; wir wollen uns jetzt überlegen, welcher Art diese Abhängigkeit ist. Dazu gehen wir von der Annahme d. aus Abschnitt 5.4.1 aus: Je mehr ein Individuum von einem Gut in einer bestimmten Zeitperiode zur Verfügung hat, desto geringer ist der Wert, den es diesem Gut beimißt. Wir gehen von zwei Güterbündeln **x** und **y** aus, die das Indi-

Abbildung 5.5 Grenzrate der Sustitution

viduum gleich hoch einschätzt, die also auf einer Indifferenzkurve liegen. In Punkt **x** besitzt das Individuum eine Einheit Brot und sechs Einheiten Wein, also viel Wein und wenig Brot. Es wird Brot im Vergleich zu Wein hochschätzen und für eine zusätzlich Einheit Brot bereit sein, auf z. B. drei Einheiten Wein zu verzichten. Die Substitutionsrate ist also -3/1 = -3. Im Punkte **y** ist viel Brot (5 Einheiten) und wenig Wein vorhanden. Das Individuum schätzt Brot jetzt nicht mehr hoch ein, es ist nicht bereit, mehr als 0,2 Einheit Wein für eine zusätzliche Einheit Brot abzugeben. Die Substitutionsrate ist -0,2/1 = -0,2. Wir haben also an verschiedenen Punkten einer Indifferenzkurve verschiedene Substitutionsraten, d. h. eine Indifferenzkurve ist in der Regel gekrümmt.

Aufgabe 5.25

*Gehen Sie von Punkt **x** der Abbildung 5.5 aus. Nehmen Sie an, daß als Einheit von Brot und Wein nicht Kilogramm sondern Pfund [= 1/2 Kilogramm] gewählt werden. Bestimmen Sie die Substitutionsrate zwischen Brot und Wein. Vergleichen Sie die Substitutionsrate mit der, die beim Zugrundelegen des Kilogramms als Einheit gilt.*

Aus der Aufgabe ergibt sich: Bei gekrümmten Indifferenzkurven hängt die Substitutionsrate von der gewählten Einheit ab. Diese Abhängigkeit umgeht man in bekannter Weise durch Marginalbetrachtungen und definiert

$$\text{Grenzrate der Substition} = \frac{dx_2}{dx_1} = \lim_{\Delta x_1 \to 0} \frac{\Delta x_2}{\Delta x_1}$$

Die Grenzrate der Substitution gibt also an, um wieviel ein Individuum von Gut 2 mehr haben will, wenn es von Gut 1 eine marginale Einheit abgibt. Die

Grenzrate der Substitution ist die Steigung der Indifferenzkurve. Diese Steigung ist für eine kleine Ausstattung absolut sehr groß, die Indifferenzkurve fällt stark ab und verläuft dann immer flacher; die Indifferenzkurve hat also einen von unten streng konvexen Verlauf. Wir haben damit drei äquivalente Aussagen gefunden.

(1) Je mehr ein Individuum von einem Gut zur Verfügung hat, desto geringer ist der Wert (ausgedrückt in Einheiten des anderen Gutes), den es diesem Gut beimißt.

(2) Die Indifferenzkurven sind von unten streng konvex.

(3) Der Absolutwert der Grenzrate der Substitution $\frac{dx_2}{dx_1}$ auf einer Indifferenzkurve nimmt mit steigendem x_1 ab.

Um bestimmte Randfälle mitbehandeln zu können (vollständige Substitute, komplementäre Güter, vgl. Abschnitt 5.4.4.6), wird die Annahme meistens in folgender Form (wiederum mit drei äquivalenten Formulierungen) postuliert:

Annahme: Abnehmende Grenzrate der Substitution

(1) Hat ein Individuum mehr von einem Gut zur Verfügung, so wird sich dessen Wert (ausgedrückt in Einheiten des anderen Gutes) nicht erhöhen (also verringern oder eventuell gleichbleiben).

(2) Die Indifferenzkurven sind von unten konvex.

(3) Der Absolutwert der Grenzrate der Substitution $\frac{dx_2}{dx_1}$ nimmt mit steigendem Wert x_1 ab oder ist konstant.

5.4.4.5 Subjektiver Wert und subjektive Alternativkosten

Wir müssen noch einen Moment bei der Hypothese d. aus Abschnitt 5.4.1 stehenbleiben. Dieser Satz offenbart uns - wenn wir ihn genau lesen und entsprechend interpretieren - den Hauptunterschied zwischen der Nutzentheorie des Kapitels 4 und der Präferenztheorie des Kapitels 5. Beide Ansätze gehen davon aus, daß eine zusätzliche Einheit eines Gutes für das Individuum einen immer geringeren Wert besitzt, allein die Vergleichsgröße hat sich geändert: **Bei der Grenznutzentheorie wurde der Wert durch den Nutzen einer zusätzlichen Einheit bestimmt** und verschiedene Güter über den Nutzenbegriff verglichen. **In der Präferenztheorie werden Güter direkt verglichen.** Der Wert einer zusätzlichen Einheit bestimmt sich durch die Menge, die ich maximal bereit bin, von einem anderen Gut abzugeben. Wert wird also durch Zahlungsbereitschaft bestimmt: Wieviel gebe ich von einem Gut ab, um eine Einheit des zu bewertenden Gutes zu bekommen? Wir haben hier wieder das **Alternativkostenkonzept**: Was kostet nach Auffassung des Wirtschaftssubjekts eine Einheit des Gutes gemessen in anderen Gütern? Diese Kosten sind im Prinzip von Wirtschaftssubjekt zu Wirtschaftssubjekt verschieden, darum sprechen wir von **subjektiven Alternativkosten**.

5.4.4.6 Beispiele für Systeme von Indifferenzkurven

Wir stellen jetzt drei häufig benutzte Systeme von Indifferenzkurven vor.

I. Komplementäre Güter

Wir nehmen das Beispiel aus Abschnitt 4.4.2.3 noch einmal auf: Einzelne Schuhe sind uninteressant für ein Individuum, gewünscht sind nur vollständige Paare. Bezeichnen wir mit x_1 die Anzahl der linken Schuhe und mit x_2 die Anzahl der rechten Schuhe, so gilt offensichtlich
$(1;1) \sim (1;2) \sim (1;3) \sim (1;4)$,
da in all diesen Bündeln jeweils nur ein komplettes Paar von Schuhen vorhanden ist.
Ebenso gilt:

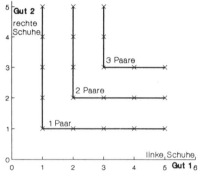

Abbildung 5.6 Komplementäre Güter

$(1;1) \sim (2;1) \sim (3;1) \sim (4;1)$
Zeichnen wir diese Güterkombinationen in ein x_1-x_2-Diagramm ein, und verbinden wir die Punkte (Annahme der Teilbarkeit), so erhalten wir die in Abbildung 5.6 mit "1 Paar" gekennzeichnete Indifferenzkurve. Ebenso können wir Indifferenzkurven für 2, 3, 4 komplette Paare bilden. Güter, die in bestimmter Kombination für den Konsumenten von Interesse sind, heißen **komplementäre Güter**.

II. Vollständige Substitute

In diesem Beispiel gehen wir von Waschpulver und Waschflüssigkeit aus. Eine Trommel Wäsche erfordert 100 g Pulver oder 200 cm^3 Waschflüssigkeit. Geht man zusätzlich davon aus, daß man auch mischen kann, also mit 50 g Pulver und 100 cm^3 Flüssigkeit auch eine Trommel Wäsche waschen kann, so erhält man Indifferenzkurven wie in Abbildung 5.7. In diesem Beispiel kann man jeweils 1 g Waschpulver gegen 2 cm^3 Flüssigkeit ersetzen, ohne daß die Hausfrau/der Hausmann weniger Nutzen hat. Man kann ein Gut in einem bestimmten **festen** Verhältnis "substituieren". Solche Güter nennt man darum **vollständige Substitute**.

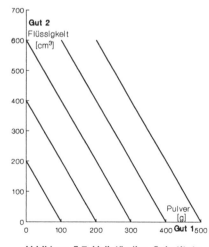

Abbildung 5.7 Vollständige Substitute

Aufgabe 5.26

a. *Suchen Sie weitere Beispiele für Komplemente und vollständige Substitute. Denken Sie z. B. an Butter und Margarine, Stereo-Verstärker und Boxen, Tee und Kaffee, Zigaretten und Streichhölzer, Reis und Kartoffeln etc. (Sie sollten dabei erkennen, daß es viele Beispiele gibt, die Substituten und vollständigen Komplementen nahekommen, aber kaum "saubere" Beispiele).*

b. *Gehen Sie davon aus, daß alles, was aus Leinen gemacht werden kann, auch aus Baumwollstoff gemacht werden kann, daß aber Leinen in der Regel länger hält. Außerdem gibt es bestimmte Anwendungen, für die man lieber Leinen (z. B. Servietten) und andere Anwendungen, für die man lieber Baumwolle (z. B. Halstücher) nimmt. Skizzieren Sie ein Indifferenzkurvendiagramm für Leinen und Baumwollstoff.*

c. *Bestimmen Sie mit Hilfe der Abbildungen 5.6 und 5.7 die Grenzraten der Substitution bei vollständigen Substituten und bei Komplementen.*

III. Substituierbare Güter

Die beiden vorgestellten Systeme stellten zwei Extrema dar: Beim einen Fall konnte das eine Gut gar nicht durch das andere ersetzt werden. Beide Güter mußten in ganz bestimmter Kombination vorhanden sein. Beim anderen System konnte ein Gut beliebig und in konstantem Verhältnis substituiert werden. In der Volkswirtschaftslehre geht man in der Regel von einem Indifferenzkurvenschema aus, wie es Pareto schon gezeichnet hat. Ein Gut kann gegen das andere substituiert werden. Je weniger von einem Gut vorhanden ist, um so wertvoller ist das Gut und um so weniger möchte man darauf verzichten. Solche Güter nennt man **Substitute**.

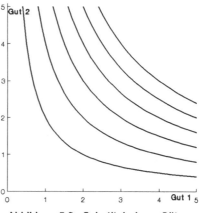

Abbildung 5.8 Substituierbare Güter

Aufgabe 5.27

Gehen Sie von den beiden Gütern Fleisch und Kartoffeln aus und skizzieren Sie ein plausibles Indifferenzkurvendiagramm. Berücksichtigen Sie dabei, daß unter bzw. beim Subsistenzniveau Nahrungsmittel im wesentlichen nach dem Kaloriengehalt beurteilt werden, während bei besserer Ausstattung eine ausgewogene Mischung der Nahrungsmittel angestrebt wird.

5.4.5 Nominale, ordinale und kardinale Skalierung
5.4.5.1 Skalierungsarten

Ökonomen machen gern Exkurse in andere Disziplinen, um ihre Vorgehensweise zu begründen oder zu verteidigen. Beispiele haben wir schon häufiger, zuletzt bei Pareto in Bezug auf die Hebelgesetze kennengelernt. Im Studium werden Sie weitere kennenlernen. Solche Exkurse sind nützlich. Zum einen müssen bekannte Methoden nicht mühsam neu entwickelt werden, zum anderen sind bestimmte Strukturen häufig besser im anderen Zusammenhang zu verdeutlichen. Solche Exkurse sind aber auch problematisch, wesentliche Unterschiede zwischen den einzelnen Disziplinen können leicht übersehen werden. Auch wir machen jetzt zur Verdeutlichung von nominalen, ordinalen und kardinalen Skalierungen einen Exkurs in die Physik, wir beschäftigen uns mit der Beschreibung des Wetters und der Temperatur. Die Beschreibung des Wetters erfolgt meistens durch bestimmte Ausdrücke

ungemütlich, schön, warm, tropisch, wechselhaft etc..

Der Wissenschaftler spricht von einer **nominalen Skalierung**. Eine solche Skalierung ist in der Wissenschaft wenig aussagekräftig. Konzentriert man sich nur auf die Temperatur, so kann man bestimmte Zustände danach vergleichen, welcher wärmer ist und kommt zu einer **ordinalen Skalierung** z. B.:

sehr kalt, kalt, mäßig kalt, lau, mäßig warm, warm, sehr warm

Hier werden in aufsteigender Reihenfolge verschiedene Zustände der Wärme geordnet. Man kann die Temperatur eines Körpers in eine solche Skala einordnen, indem man ihn mit der Temperatur von Körpern vergleicht, die schon in dieser Skala eingeordnet sind. In dieser Weise wurde bis zur Einführung des Thermometers die Wärme von Gegenständen bestimmt. Eine ordinale Skala kann auch mit Zahlen indiziert werden, sie bleibt trotzdem eine ordinale Skala solange die Zahlen nur die Ordnung widerspiegeln. Ein Beispiel ist die Beaufort-Skala der Windgeschwindigkeit. Windstärke 12 ist auf der Skala 6 Stufen höher als Windstärke 6, aber nicht doppelt so stark. Bei dieser Windstärkeskala werden die Windstärken nur in aufsteigender Reihenfolge indiziert. Admiral Beaufort hätte auch von 0 bis 20 indizieren können, um die Möglichkeit von feineren Stufen zu schaffen. Ordinale Skalen, eventuell mit Nummern versehen, sind für wissenschaftliche Analyse durchaus brauchbar, häufig wünscht man sich aber zahlenmäßige Skalierungen, in denen die Zahlenwerte eine direkte, meßbare Beziehung zu den zu skalierenden Objekten haben. Eine solche Skalierung nennt man **kardinal**.

Aufgabe 5.28

  a. Stellen die Dienstränge beim Militär eine nominale, eine ordinale oder eine kardinale Skalierung dar?

  b. "Da die Besoldungsordnung der deutschen Beamten (von A1 bis A16) die einzelnen Stufen mit Zahlen benennt, ist sie kardinal." Ist diese Aussage richtig?

  c. Wie könnte eine kardinale Besoldungsordnung aussehen?

5.4.5.2 Nutzenindizes und Nutzenfunktionen

Die folgenden Ausführungen behandeln die Bemerkungen Paretos zu Nutzenindizes; diese Ausführungen sind also eine Beantwortung der Aufgabe 5.7 aus Abschnitt 5.2.

Pareto hat der ganzen Kurve nms und damit auch dem Güterbündel (1; 1) den Index 1, und dem Güterbündel (1,1; 1,1) den Index 1,1 zugeordnet. Naheliegenderweise ordnen wir dem Güterbündel (2; 2) den Index 2 und allgemein dem Güterbündel (w; w) den Index w zu. Statt Index von (w; w) = w schreiben wir kurz U(w; w) = w; U steht für "utility". Damit haben wir allen Güterbündeln der Winkelhalbierenden einen Index zugeordnet in der Weise, daß die zweite Bedingung von Pareto erfüllt ist.

Die erste Bedingung von Pareto in §55 verlangt, daß Güterbündel der gleichen Indifferenzkurve den gleichen Index erhalten. In der Zeichnung muß also das Güterbündel (4; 2,4) den gleichen Index wie (3; 3) also den Index 3 erhalten, da (3; 3) und (4; 2,4) auf der gleichen Indifferenzkurve liegen. Unsere Indexzuweisung erfüllt offensichtlich die zwei Bedingungen von Pareto. Diese beiden Bedingungen können wir in formaler Schreibweise auch so angeben:

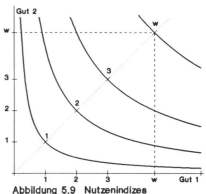

1. $\underline{x} \sim \underline{y} \quad \Rightarrow \quad U(\underline{x}) = U(\underline{y})$

2. $\underline{x} \prec \underline{y} \quad \Rightarrow \quad U(\underline{x}) < U(\underline{y})$

Jede Funktion, die zu einer vorgegebenen Präferenzordnung diese beiden Bedingungen erfüllt, heißt ordinale Nutzenfunktion.

Abbildung 5.9 Nutzenindizes

Aufgabe 5.29

a. *Bestimmen Sie in Abbildung 5.9 die Indizes von folgenden Güterkombinationen (3; 0,4), (1,4; 3) !*

b. *Wäre eine der beiden Forderungen von Pareto verletzt, wenn durchgängig in der Zeichnung allen Güterbündeln (w; w) auf der Winkelhalbierenden der Wert*

    ba. $U(w; w) = w^2$

    bb. $U(w; w) = w$

    bc. $U(w; w) = \log(w)$

    gegeben, die übrige Vorgehensweise aber beibehalten worden wäre?

c. *Gehen Sie von U(w; w) = log(w) aus und bestimmen Sie U(10; 10) U(1; 1) U(0,1; 0,1). Was fällt auf? Widerspricht das Ergebnis den Forderungen Paretos?*

d. Zeichnen Sie in ein Güterdiagramm die Punkte $(x_1; x_2)$ mit

da. $x_1 x_2 = 100$

db. $\sqrt{x_1 x_2} = 10$

dc. $\log_{10} x_1 + \log_{10} x_2 = 2$

und vergleichen Sie die Kurven.

Jede Indizierung, die für ein Präferenzsystem die beiden Bedingungen von Pareto erfüllt, nennt man Nutzenfunktion oder genauer ordinale Nutzenfunktion. Wie Aufgabe 5.29 d zeigt, gibt es zu einem Präferenzsystem viele Nutzenfunktionen, jede gleich gut geeignet, um als Indexsystem die Ordnung der Präferenzen widerzuspiegeln. Definieren wir nämlich entsprechend Aufgabe 5.29 d

$$U^I(x_1, x_2) = x_1 \cdot x_2$$

$$U^{II}(x_1, x_2) = \sqrt{x_1 \cdot x_2}$$

$$U^{III}(x_1, x_2) = \log_{10} x_1 + \log_{10} x_2$$

so werden von jeder dieser Funktionen die gleichen Güterbündel als zu einer Indifferenzkurve gehörend gekennzeichnet, wobei jede der Funktionen die Indifferenzkurven mit einem anderen Index versieht. Das sollte ja gerade in Aufgabe 5.29 d für eine spezielle Indifferenzkurve gezeigt werden; dem Güterbündel (10; 10) beispielsweise und der ganzen dadurch verlaufenden Indifferenzkurve wird von der Nutzenfunktion U^I ein Nutzenindex von 100, von U^{II} ein Nutzenindex von 10 und von U^{III} ein Nutzenindex von 2 gegeben. **Eine Nutzenfunktion gibt also nur eine ordinale Skalierung wieder.**

Aufgabe 5.30

Bestimmen Sie für jede der drei gerade eingeführten Nutzenfunktionen U^I, U^{II}, U^{III}.

a. Jeweils den Grenznutzen $\frac{\partial U}{\partial x_1}$ und $\frac{\partial U}{\partial x_2}$

b. Jeweils das Grenznutzenverhältnis $\frac{\partial U / \partial x_1}{\partial U / \partial x_2}$
Was fällt Ihnen beim Vergleich von a. und b. auf?

c. Skizzieren Sie für $x_2 = 1$ jeweils den Verlauf der Grenznutzenfunktion $\frac{\partial U}{x_1}$

d. Genügen die in c. skizzierten Verläufe dem ersten Gossenschen Gesetz?

Eine ordinale Nutzenfunktion greift das auf, was die Marginalisten als zentral für ihre Theorie erkannt hatten, jedoch mit folgenden wichtigen Unterschieden:

1. Diese Theorie verlangt, daß der Konsument Güterbündel vergleichen kann. Diese Theorie verlangt aber nicht, daß er den Nutzen von Güterbündeln angeben kann. Das Problem der Nutzenmessung ist somit umgangen worden.
2. Wie die Aufgabe 5.30 ergeben hat, kann der 'Grenznutzen für Nutzenfunktionen, die das gleiche Präferenzsystem widerspiegeln, unterschiedlich sein. Wie das Beispiel zeigte (und wie auch allgemein gezeigt werden kann), gilt dies jedoch nicht für das Grenznutzenverhältnis $\frac{\partial U/\partial x_1}{\partial U/\partial x_2}$.
3. Wie schon in der Aufgabe 5.30 erkannt wurde, genügen die nach der Methode konstruierten Grenznutzenverläufe nicht unbedingt dem ersten Gossenschen Gesetz. Das hat, wie wir sehen werden, extreme Folgerungen für die ökonomische Theorie.
4. Wie wir jedoch im nächsten Kapitel erkennen werden, ist das zweite Gossensche Gesetz weiter gültig: In der Aufgabe wurde gezeigt, daß das Grenznutzenverhältnis das gleiche ist für unterschiedliche Nutzenfunktionen einer Präferenzordnung.

5.4.5.3 Grenzrate der Substitution und Grenznutzenverhältnis

Wir gehen jetzt von einer Nutzenfunktion U(x) aus und benutzen das vollständige Differential

$$dU = \frac{\partial U}{\partial x_1} \cdot dx_1 + \frac{\partial U}{\partial x_2} \cdot dx_2$$

und betrachten irgendeine Indifferenzkurve; auf einer Indifferenzkurve gilt:

$$dU = 0$$

Also gilt auf der Indifferenzkurve

$$0 = \frac{\partial U}{\partial x_1} \cdot dx_1 + \frac{\partial U}{\partial x_2} \cdot dx_2$$

Dies formen wir um zu

$$\frac{\partial U}{\partial x_2} \cdot dx_2 = -\frac{\partial U}{\partial x_1} \cdot dx_1$$

Daraus wird

$$\frac{dx_2}{dx_1} = -\frac{\partial U/\partial x_1}{\partial U/\partial x_2}$$

Diese Beziehung ist für eine Indifferenzkurve abgeleitet worden, $\frac{dx_2}{dx_1}$ ist also die Steigung der Indifferenzkurve. Die Beziehung gibt uns also eine Möglichkeit, aus einer Nutzenfunktion die Steigung der Indifferenzkurve, also die Grenzraten der Substitution zu bestimmen.

Aufgabe 5.31
Überprüfen Sie an den in Aufgabe 5.29 d skizzierten Indifferenzkurven, daß das in Aufgabe 5.30 b bestimmte Grenznutzenverhältnis tatsächlich die Steigung der Indifferenzkurve beschreibt.

5.4.5.4 Interpersoneller Nutzenvergleich

In Kapitel 4 hatten wir gesehen, daß das Konzept des abnehmenden Grenznutzens sich in natürlicher Weise für die Entscheidungsfindung eines Staates anbietet, jedenfalls dann, wenn dieser Staat als Handlungsmaxime die Maximierung des Nutzens aller Individuen besitzt. Das wesentliche Problem bestand aber in der Schwierigkeit der Nutzenmessung. Pareto hat einen eleganten Weg gezeigt, dieses Problem zu umgehen. Damit jedoch ist ein Nutzenvergleich zwischen Individuen nicht mehr möglich. Demonstrieren wir dies an einem extrem vereinfachten Beispiel: Es geht um den Bau eines Flughafens, ein Teil der Bevölkerung ist gegen den Bau (das sei Alternative x), ein anderer - eventuell genauso großer - ist für den Bau (Alternative y). Beide Gruppen seien durch die beiden Individuen 1 und 2 repräsentiert. Es gilt also

für 1: $x \succ y$ für 2: $y \succ x$

Nach dem utilitaristischen Prinzip würde man jetzt den Nutzenzuwachs durch Flughafenbau

$$\Delta U_1 = U_1(y) - U_1(x) \qquad und \qquad \Delta U_2 = U_2(y) - U_2(x)$$

bilden und aufaddieren. Ist

$$\Delta U_1 + \Delta U_2$$

größer Null, so würde der Flughafen gebaut, andernfalls nicht. Abgesehen vom Problem der Nutzenmessung wäre dies ein einfaches und plausibles Verfahren.

Bei ordinaler Nutzenfunktion funktioniert dieses Verfahren nicht mehr. Nutzenwerte sind reine Indexwerte, die nur angeben, daß eine bestimmte Alternative besser als eine andere ist, die ansonsten aber beliebig quantisiert sind. Würde bei einer solchen beliebigen Indizierung ein Vergleich in utilitaristischer Weise versucht, so könnte der mit seinen Präferenzen Unterlegene sein Indexsystem ändern, indem er z. B. alle Indizes mit 100 multipliziert. In ähnlicher Weise könnte der andere darauf antworten, und es würde zu einem absurden Entscheidungsverfahren kommen. Wir sehen also, daß mit dem Konzept der ordinalen Nutzenfunktion die Vergleichbarkeit personellen Nutzens hinfällig geworden ist.

5.5 Zusammenfassung: Die Annahmen der Haushaltstheorie

Wir fassen hier noch einmal die Annahmen zusammen, die die Basis der Haushaltstheorie bilden.

Annahme 1 Prinzip der Wahlakte

Das Individuum wählt zwischen Güterbündeln. Es kann sich grundsätzlich entscheiden, ob es ein Bündel einem anderen vorzieht oder ob es beide gleichschätzt.

Annahme 2 Prinzip der Nichtsättigung

Das Individuum ist nie vollständig zufrieden, sondern kann sich grundsätzlich eine Verbesserung durch ein anderes Güterbündel vorstellen. Vereinfacht nimmt man in der Regel sogar an, daß ein Individuum es vorzieht, wenn es mehr von allen Gütern bekommt.

Annahme 3 Prinzip der Tauschbereitschaft

Das Individuum ist bereit, etwas von einem Gut aufzugeben, wenn es mehr von einem anderen Gut bekommt.

Annahme 4 Prinzip der Konsistenz

Wenn vom Individuum das Bündel $\underline{z}$ dem Bündel $\underline{y}$ und dieses dem Bündel $\underline{x}$ vorgezogen wird, so wird $\underline{z}$ dem Bündel $\underline{x}$ vorgezogen.

Annahme 5 Abnehmende Substitutionsrate

Je mehr ein Individuum von einem Gut besitzt, um so weniger schätzt es dieses Gut, gemessen in anderen Gütern.

Auf das Prinzip der Wahlakte mit den zugehörigen Annahmen kann die traditionelle Mikrotheorie aufbauen, das Konzept der Nutzenfunktion ist nicht unbedingt nötig; ein aus dem Prinzip der Wahlakte ableitbares Konzept des ordinalen Nutzens vereinfacht aber viele Überlegungen.

Wird Mikrotheorie aber auf diesem Prinzip aufgebaut, so gibt es keine Möglichkeit, die Verbesserungen eines Individuums mit zugehörigen Verschlechterungen eines anderen Individuums zu vergleichen. Sind, wie z.B. häufig in der Finanztheorie oder in der Wachstumstheorie interpersonelle Nutzenvergleiche erforderlich, so wird regelmäßig auf eine kardinale Nutzenfunktion zurückgegriffen.

5.6 Aufgaben zur Theorie

Da dieser Text von einer Reihe von Aufgaben begleitet wurde, soll hier nur eine weiterführende Aufgabe gestellt werden.

Aufgabe 5.32 Abstimmungsparadox

An die Hochschule in Aburg soll ein neuer Hochschullehrer berufen werden. Zur Auswahl stehen drei Kandidaten, jeder qualifiziert, aber einer (I) besonders in der Forschung, der zweite (II) in der Wissenschaftsorganisation und der dritte (III) in der Lehre. Das Berufungsverfahren ist - so nehmen wir an - in den frühen siebziger Jahren geregelt worden und somit ist die Berufungskommission drittelparitätisch durch einen Professor, einen Assistenten und einen Studenten besetzt. Der Professor ist besonders interessiert, daß sein zukünftiger Kollege gut in der Wissenschaft ist (das hebt das Ansehen der Hochschule), danach rangiert Organisationstalent (Organisationstalent löst bestimmte Probleme des Lehrstuhls) und erst dann pädagogische Fähigkeiten. Der Assistent möchte einen guten Organisator (unter Lehrstuhlproblemen hat er besonders zu leiden), das Lehrgeschick stuft er geringer ein (gegebenenfalls erklärt er den Stoff noch einmal in der Übung) und noch geringer die wissenschaftliche Qualifikation (seiner Überzeugung nach haben Hochschullehrer die wissenschaftliche Phase sowieso hinter sich). Der Student möchte gute Lehre, danach einen bekannten Wissenschaftler (er verspricht sich einiges von 'name-dropping' bei Bewerbungen); Organisationsgeschick findet er nicht so wichtig. Über die Berufungsliste wird durch Abstimmung entschieden. Zuerst stimmt die Kommission über die Rangfolge von I und II ab. Jedes Kommissionsmitglied gibt dem Bewerber die Stimme, den es von beiden vorzieht; die Stimmenanzahl entscheidet über die Rangfolge. Danach wird in gleicher Art über den Gewinner der ersten Wahl und dem Kandidaten III entschieden. Damit ist die Reihenfolge festgelegt.

    a. Welche Reihenfolge ergibt sich?

    b. Welche Reihenfolge ergibt sich, wenn im ersten Wahlgang über
        ba. II und III bzw.
          bb. I und III und im zweiten Wahlgang über den Gewinner und den verbleibenden Kandidaten entschieden wird?

    c. Belegen Sie: Das Ergebnis von Wahlen kann von recht zufälligen Umständen (im obigen Beispiel also eventuell vom Posteingang oder von der alphabetischen Reihenfolge der Namen etc.) abhängen.

    d. Zeigen Sie, daß es zu inkonsistenten (d. h. intransitiven) Präferenzen kommen kann, wenn die Präferenzen innerhalb einer Gesellschaft durch Abstimmung festgelegt werden. Gehen Sie dafür vom obigen Beispiel aus und nehmen Sie an, daß die Abstimmung über die Berufungsliste aus Verfahrensgründen mehrmals wiederholt werden muß.

    e. Nehmen Sie an, der Hochschullehrer kennt die Präferenzen der Kommissionsmitglieder und das Abstimmungsparadox. Wie wird er als Kommissionsvorsitzender abstimmen lassen? Was wird eventuell der Assistent dagegen unternehmen? Wird der Student damit einverstanden sein? Welche Probleme ergeben sich bei einer eventuell einsetzenden Geschäftsordnungsdiskussion über die Reihenfolge der Abstimmung?

Hinweis: Das in d. festgestellte Ergebnis ist in der Literatur als Abstimmungsparadox bzw. als Condorcet-Paradox (manchmal auch als Arrow-Paradox) bekannt. Ausgehend von diesem Paradox hat K.J. Arrow 1952 gezeigt, daß es zu logischen Problemen kommen kann, wenn man aus Präferenzordnungen der Individuen Präferenzordnungen der Gesellschaft z. B. durch Abstimmungen oder auch durch irgendwelche andere Mechanismen konstruieren will. Diese Aussage ist als Arrow-Unmöglichkeitstheorem bekannt.

5.7 Literatur

Das Werk von Vilfredo Pareto, Manuale di economia politica, Milano 1906 wurde hier in der französischen Ausgabe Manuel d'economie politique, Paris 1927 und der englischen Ausgabe Manual of political Economy, Clifton(N.J.), 1971 benutzt. Soziologische Schriften Paretos sind zusammengefaßt in Vilfredo Pareto, Ausgewählte Schriften - Herausgegeben und eingeleitet von Carlo Mongardini, Frankfurt/M, 1957. Recktenwald (1971) gibt auf den Seiten 404 ff. zwei Biographien zu Pareto wieder.

Die Theorie der Indifferenzkurven kann in fast jedem Buch über Mikrotheorie nachgelesen werden. Vergleichsweise formal ist z.B. Schumann (1980), vergleichsweise verbal ist Kelvin Lancaster (1981). Nützliche zusätzliche Erläuterungen zu Indifferenzkuven zusammen mit empirischem Material findet man in Hirshleifer (1976), Chapter 3. Eine umfangreiche Kritik des Indifferenzkurvenansatzes findet man in Weise (1979). Dort findet man auch eine Reihe weiterführender Fragen und Aufgaben zur Problematik der Knappheit, der Nichtsättigung und der sozialen Bedingtheit der Präferenzen. Die Durcharbeitung dieser Seiten 22-59 (und auch der anderen Teile) des Buches können wir sehr empfehlen. Zum Problem der Knappheit auch Hunt (1979).

Kapitel 6: Nachfragegesetze

6.0 Lernziele

1. Den Begriff und die Bedeutung vom "ökonomischen Gesetz" kennenlernen.

2. Die Probleme bei der Bestimmung ökonomischer Gesetze erkennen.

3. Den Ansatz der historischen Schule und den von Alfred Marshall erfassen.

4. Die Partialanalyse von Alfred Marshall kennenlernen.

5. Die Möglichkeiten und Grenzen der Partialanalyse erfassen.

6. Nachfragefunktionen in Abhängigkeit von Preis und Einkommen zu bestimmen lernen.

7. Das Rechnen mit Elastizitäten einüben.

8. In einer graphischen Analyse die einfachsten Konzepte, Methoden und Ergebnisse der Walrasschen Totalanalyse kennenlernen.

6.1 Lektüre

6.1.1 Engel über die Geschichte der Konsumstatistik bis 1853

16*   Die Heimath der ältesten umfangreichen Erforschung der Lebenskosten von Familien arbeitender Klassen ist in England. Soweit bekannt, ist diese Erforschung als der Ausgangspunkt aller ähnlichen Arbeiten anzusehen. Ihr Urheber ist der Baronet Sir Frederic Morton **Eden,** der Verfasser des klassischen Werkes "The State of the Poor, or an History of the labouring classes in England, from the Conquest to the present period, in which are particularly considered their domestic economy, with respect to Diet, Dress, Fuel and Habitation etc.; in three volumes, London 1797." Uns müssen in diesem ausgezeichneten Werke, das der bescheidene Autor selbst nur als eine Materialiensammlung bezeichnet, vornehmlich die darin aus einer grossen Zahl englischer Kirchspiele mitgetheilten Haushaltsrechnungen armer und ärmster Arbeiterfamilien interessieren. [...]

17   Nach dem eigenen Bekenntnisse Eden's wurden seine Untersuchungen, wie auch die Zusammenfassung der Ergebnisse derselben zu dem umfangreichen Werke, dessen Titel oben genannt ist, durch die Noth der Zeit veranlasst. Die Jahre 1794 und 1795 waren, infolge von Missernten, Zeiten bitteren Elends für die Arbeiter in den Städten und auf dem Lande, und Eden fühlte sich veranlasst, die Ursachen und den Umfang dieses Elends nicht blos im 18 Allgemeinen, sondern an den eigentlichen Sitzen und Heerden desselben, in den Familien, zu erforschen. Es darf nicht Wunder nehmen, dass ähnliche Erscheinungen in anderen Ländern und zu anderen Zeiten in anderen Männern ähnliche Entschlüsse reifen liessen und ähnliche Ermittlungen bewirkten. In kleinem Massstabe mag dies überall da, wo die Grossindustrie einen vierten Stand hervorrief, noch mehrfach der Fall gewesen sein, allein erst die grauenvolle Missernte von 1846 und die darauf folgenden schweren sozialen und politischen Umwälzungen gaben Anstoss zu Untersuchungen solchen Charakters in grösserem Massstabe.

Eine Untersuchung verdient diejenige genannt zu werden, welche das **Königl. Landes-Oekonomie-Kollegium in Preussen** im Jahre 1848 anstellte, indem es durch die landwirtschaftlichen Vereine aus allen Theilen des Landes nach einem bestimmten Schema Antwort auf die Fragen forderte: 1. "Was bedarf eine ländliche Arbeiterfamilie, deren Bestand im Durchschnitt auf 5 Personen anzunehmen ist (nämlich Mann und Frau, 2 bis 3 Kinder, die das 14. Jahr noch nicht erreicht haben, oder etwa eine alte Person, Vater oder Mutter des Mannes oder der Frau), zu ihrem auskömmlichen Unterhalte nach der üblichen Lebensweise dieser Klasse von Leuten in einer bestimmten Gegend und zwar für Nahrung, Kleidung, Wohnung, Feuerung und Erleuchtung, Viehfuttermittel, Unterhaltung der Arbeitswerkzeuge und des Hausgeräths, Salz und Abgaben an Staat, Kirche und Schule?" 2. "Ist der Arbeiter nach den dortigen Verhältnissen im Stande, für seine Bedürfnisse

---

* Die Zahlen am linken Rand verweisen auf die Seitenzahlen der benutzten Vorlage

durch seine (Geld- und Natural-) Verdienste auskömmlich und nachhaltig zu sorgen?" [...]

Das Königreich Preussen zählte 1849 326 Kreise. Nur aus 136 Kreisen waren brauchbare Berichte eingegangen. Ohne hier bei den absoluten Gesammtzahlen zu verweilen, führen wir sogleich das Durchschnittsresultat der Antworten auf die 1. Frage und zwar in Mark umgerechnet an:

Es wurden im Jahre 1848 von einer wie oben beschriebenen Familie für den Unterhalt jährlich ausgegeben 315,30 Mk. Davon kommen 8,22 Mk. auf Salz, Gewürz etc., 18,45 Mk. auf Viehfutter und 9,57 Mk. auf Unterhaltung des Arbeitsgeräthes. Die beiden ersten Posten mussten dem der Nahrung zugesetzt werden; denn das Vieh wird nur der Milch- und Fleischnutzung wegen gehalten und gefüttert, der Posten für Arbeitsgeräthe etc. betrifft die Konsumtion nur mittelbar, nicht unmittelbar, muss also aus der Rechnung
19 ausscheiden; es bleiben mithin nur 305,73 Mk. als Konsumtionsausgabe, und diese vertheilen sich mit 187,26 Mk. = 61,17% auf Nahrung, 54,18 Mk. = 17,00% auf Kleidung, 25,92 Mk. = 8,47% auf Wohnung, 26,73 Mk. = 8,57% auf Heizung und Beleuchtung und 12,20 Mk. = 4,00% auf Abgaben an Staat, Schule und Kirche.

Wohl nur wenige Menschen sind im Stande, sich eine Vorstellung davon zu machen, wie es möglich sei oder auch vor 45 Jahren möglich gewesen sein soll, dass eine Familie von 5 Personen, mit der geringen Summe von 305 Mk. jährlich ihre gesammten Lebenskosten bestreite. Und doch ist das keineswegs das Minimum, sondern der Mittelsatz. Wenn sämmtliche Ausgaben, d. h. mit Einschluss der für Arbeitswerkzeuge, betrachtet werden, so steht der Regierungsbezirk Minden auf der niedrigsten Stufe; dort betrugen dieselben nur 228,65 Mk., wogegen Koblenz mit 554,57 Mk. die höchste einnimmt. Die Provinzen halten folgende Reihe inne: Posen 234,90 Mk., Westfalen 266,04 Mk., Schlesien 280,02 Mk., Preussen 296,30 Mk., Sachsen 316,53 Mk., Brandenburg 325,70 Mk., Pommern 380,93 Mk. und Rheinland 421,81 Mk. [...]

20   Es mag hier nicht unerwähnt bleiben, dass, aus Anlass der Noth und der Ereignisse in den Jahren 1847 und 1848, auch im **Königreich Sachsen**, durch den Minister des Innern, eine Kommission zur Erörterung der Erwerbs- und Arbeiterverhältnisse eingesetzt wurde. Sie suchte diese Verhältnisse gleichfalls auf dem Wege der Enquête und mittelst einer Reihe von vornher- ein am grünen Tische festgestellter Fragen zu erforschen. Unter den Fragen befanden sich auch solche nach den Ausgaben für den nothwendigen Lebens- unterhalt; leider waren dieselben nicht präzis, zum Theil auch nicht objektiv genug gefasst. Sie wurden zwar ziemlich zahlreich beantwortet, allein aus den Antworten ergab sich, dass in letzteren mehr Wünsche als Thatsachen be- richtet waren und dass viele der im Gewande von Thatsachen auftretenden Antworten Erhebliches an Glaubwürdigkeit zu wünschen übrig liessen. Es hat deshalb auch keine eingehende Bearbeitung dieser Antworten stattgefun- den. Und wie die ganze Enquête, ihres halb revolutionären Ursprungs wegen, von der im Jahre 1849 eingetretenen Reaktion bei Seite geschoben, um nicht

zu sagen über den Haufen geworfen wurde, so haben auch jene die Lebensbedürfnisse und die Lebenskosten der Arbeiter betreffenden Fragen und Antworten um so leichter ad acta geschrieben werden können, als schon im Jahre
1849 die Arbeiternoth gewichen war und wirthschaftlich günstige Aussichten,
in Sachsen wenigstens, die humanistischen Bestrebungen des Jahres 1848 in
Vergessenheit gerathen liessen. [...]

22   Wir haben nicht ergründen können, ob die alsbald nach 1848 auch
in ausserdeutschen Ländern, namentlich England, Belgien und Frankreich,
aufgetauchten Bestrebungen, die Erwerbs- und Konsumtionsverhältnisse der
arbeitenden Klassen zu erforschen, mit den in Preussen und Sachsen unter-
nommenen in irgend einem Zusammenhang stehen und ob jene durch diese
hervorgerufen worden sind. Nur das steht fest, dass auf die belgischen Vor-
nahmen das von **Eden** gegebene Beispiel eingewirkt hat. Insbesondere hatte
M. Fletcher, der zur Zeit der Londoner Weltausstellung im Jahre 1851 fun-
girende Generalsekretär der Londoner statistischen Gesellschaft, jenes Beispiel nie aus dem Auge verloren. Die Ausstellung selbst legte den Wunsch
nahe, ähnliche Erforschungen nicht blos auf einzelne Länder, sondern über
alle Kulturstaaten zu erstrecken. Da noch andere Gründe in den die Londoner Ausstellung besuchenden belgischen Statistikern, namentlich in Quetelet,
den Gedanken der Begründung eines internationalen statistischen Kongresses
entstehen und reifen liessen, so bewog M. Fletcher den für alle Humanitätsbe-
strebungen gern zugänglichen belgischen Oberbergrath **Visschers**, dahin zu
wirken, dass die internationale Herbeischaffung wirklicher Haushaltsrechnungen aus Arbeiterkreisen mit auf die Tagesordnung des ersten, 1853 in Brüssel
abzuhaltenden, internationalen statistischen Kongresses gesetzt werde. [...]

23   Visschers war Berichterstatter über die dem Kongress unterbreitete
Vorlage der Haushaltsrechnungen. Der Kongress adoptirte dieselbe ohne
irgend welche Aenderung. In der Debatte hierüber aber trat die Spaltung
der anwesenden Oekonomisten zum ersten Male öffentlich zu Tage. Das
Kongressmitglied **M. Horace Say**, Sohn des berühmten **J. B. Say** und
Vater des späteren französischen Finanzministers **Léon Say**, nahm Anstoss
an manchen Redewendungen Visschers', die er für einen Vorwurf gegen die
Ad. Smith'sche Schule und gegen dessen Grundlehrsatz, die Selbstverant-
wortlichkeit der Menschen, hielt, worauf Visschers erwiederte, dass er diesen
Grundsatz des "laisser faire, laisser passer" wohl anerkenne, keineswegs aber
bis dahin, wo er zu dem des "laisser souffrir, laisser mourir" ausarte. Jam
proximus ardet Ucalegon! rief Visschers Denen zu, welche die vorzunehmende
Untersuchung der Lage der arbeitenden Klassen lieber auf sich beruhen zu
lassen wünschten. [...]

25   Sehr bald nach dem Kongress (1855) erschien die Zusammenstellung
der von den statistischen Provinzial-Kommissionen und einzelnen Privatpersonen gesammelten Haushaltsrechnungen in einem stattlichen Bande unter
dem Titel: "Budgets économiques des classes ouvrières en Belgique, par Ed.
Ducpetiaux", in welchem allerdings nur 199 Budgets, worunter 153 mit Unterscheidung der Sozialklassen, hatten Aufnahme finden können. [...]

Nicht ein sozialpolitischer, sondern ein gewerbepolitischer Grund war es, der mich im Jahre 1857, in meiner damaligen Stellung als Direktor des K. Sächs. Statistischen Bureaus, bestimmte, eine Aufrechnung und Differenzierung der in dem Ducpetiaux'schen Werke mitgetheilten 199 Budgets vorzunehmen. Dieselbe ist in Nr. 8 und 9 der von mir redigirten und bis zu meinem Abgange von dem genannten Bureau fast allein geschriebenen Zeitschrift desselben (Jahrg. 1857) S. 156 u. ff. enthalten. Diese Aufrechnung, verbunden mit der der Budgets in dem gleichzeitig erschienenen klassischen Werke von **Le Play** "Les ouvrièrs européens", führte mich zur Erkenntniss des Gesetzes, dass, je ärmer eine Familie ist, einen desto grösseren Antheil von den Gesammtausgaben muss sie zur Beschaffung der Nahrung aufwenden, und weiter, dass unter gleichen Umständen das Mass der Ausgaben für die Ernährung ein untrügliches Mass des materiellen Befindens einer Bevölkerung überhaupt ist.

26

Obige Bearbeitung war als Separatabdruck niemals im Buchhandel und als Theil der Zeitschrift ist sie deshalb nicht mehr zu erlangen, weil der betreffende Jahrgang längst vergriffen ist. Ich gebe daher den zahlreich an mich gerichteten Wünschen nach, sie nochmals, und zwar unverändert, zum Abdruck zu bringen und sie dieser Schrift als Anlage beizufügen.

Auszüge aus der Anlage:

7.	Procentverhältnisse unter den Ausgaben			
	einer **bemittelten Arbeiterfamilie**		einer Familie des Mittelstandes	einer Familie des Wohlstandes
Consumtionszwecke	in Belgien ohne Vertheilung der Ausgaben	in Sachsen	nach Vertheilung für Werkzeuge und Geräthe.	
1	2	3	4	5
1. Nahrung	61,0	62,0	55,0	50,0
2. Kleidung	15,0	16,0	18,0	18,0
3. Wohnung	10,0 95,0	12,0 95,0	12,0 90,0	12,0 85,0
4. Heizung u. Beleuchtung	5,0	5,0	5,0	5,0
5. Geräthe u. Werkzeuge.	4,0	.	.	.
6. Erziehung, Unterricht etc.	2,0	2,0	3,5	5,5
7. Oeffentliche Sicherheit etc	1,0 5,0	1,0 5,0	2,0 10,0	3,0 15,0
8. Gesundheitspflege etc.	1,0	1,0	2,0	3,0
9. Persönliche Dienstleistung	1,0	1,0	2,5	3,5

Schon durch wenige Angaben wird das vorn ausgesprochene Gesetz aufs Deutlichste und gleichzeitig so zur sinnlichen Anschauung gebracht, dass Jeder es an seiner eigenen Wirthschaft prüfen kann. Freilich wird es auf Ein-

selne angewendet, nicht unter allen Umständen seine volle Richtigkeit behaupten, um so mehr aber in seiner Anwendung auf Bevölkerungsgruppen. Das Gesetz, mit welchem man es hier zu thun hat, ist kein einfaches. Die Höhe der Ausgaben für Nahrung wachsen bei Abnahme des Wohlstandes in einer geometrischen Progression. Dafern man die wenigen gegebenen Glieder derselben als ein sicheres Anhalten zur Berechnung der übrigen betrachten darf, so entsprechen die Angaben folgender 8. Tabelle ziemlich nahe den Bedingungen des Gesetzes, obschon dieses selbst noch nicht auf einen präcisen mathematischen Ausdruck gebracht werden könnte.

8.

Wenn das gesammte jährliche Einkommen einer Familie beträgt Francs:	so nehmen die Ausgaben für Nahrung davon in Anspruch Procent:
200	72,96
300	71,48
400	70,11
500	68,85
600	67,70
700	66,65
800	65,69
900	64,81
1 000	64,00
1 100	63,25
1 200	62,55
1 300	61,90
1 400	61,30
1 500	60,75
1 600	60,25
1 700	59,79
1 800	59,37
1 900	58,99
2 000	58,65
2 100	58,35
2 200	58,08
2 300	57,84
2 400	57,63
2 500	57,45
2 600	57,30
2 700	57,17
2 800	57,06
2 900	56,97
3 000	56,90

Gleichzeitig ist hiermit auf inductivem Wege ein oft zu vernehmender Ausspruch mathematisch bewiesen, der nämlich: **dass die ärmsten Clas-**

sen verhältnissmässig den grössten Theil der indirecten Steuern tragen. *Dieser Ausspruch ist so wahr, dass man eigentlich sagen müsste: Je ärmer eine Familie ist, verhältnissmässig desto grösser ist der Antheil ihrer Beitragspflicht zu den indirecten Steuern.*

So haben also vorstehende Zahlen auch einen hohen Werth für das praktische Leben. Nicht minder sind sie für die Wissenschaft von Belang, denn sie sind geeignet, die Begriffe Geiz, Sparsamkeit, Wirthschaftlichkeit, Unwirthschaftlichkeit, Luxus und Verschwendung genauer zu bezeichnen. Geiz ist die bei vorhandenen Mitteln des Auskommens unmotivirt oder nicht hinlänglich motivirt grössere Einschränkung in allen oder einzelnen Zweigen der Consumtion, als es dem Mittelmass der Consumtion bei den gegebenen Einkünften entspricht. Sparsamkeit ist ebensowohl die motivirte grössere Einschränkung, als auch die Enthaltsamkeit unproductiver und solcher Consumtionen, wo der Zweck in keinem Verhältnis zu den Mitteln steht. Wirthschaftlichkeit ist die Erhaltung des Ebenmasses der Ausgaben für die einzelnen Consumtionszwecke nach Massgabe ihrer Wichtigkeit und in dem oben durch Zahlen angedeuteten Sinne. Unwirthschaftlichkeit ist die Verletzung jenes Ebenmasses; sie ist mit dem Luxus aufs Engste verwandt. Luxus ist ohne Zweifel schon das namhafte Missverhältnis unter den Ausgaben, je nach den Mitteln der Familie; d. h. also eine Arbeiterfamilie mit 1 200 Fr. oder circa 300 Thlr. Einkünften, welche anstatt 50 bis 60 Thlr. für Kleidung auszugeben, 100 Thlr. dafür ausgeben wollte, würde Kleiderluxus treiben; eine andere Familie, die bei 500 Thlr. Einkünften theurer als 60 bis 70 Thlr. wohnen wollte, würde Wohnungsluxus treiben etc. Natürlich können in diesem sowie in jenem Falle Umstände die theurere Kleidung und die kostspieligere Wohnung rechtfertigen; dann gehört das Plus der Ausgaben aber zu dem Gewerbe- oder Berufsaufwand und nicht zu den Kosten des nothwendigen Unterhalts. Ein solcher ausserverhältnismässiger, durch den Beruf bedingter Aufwand wird häufig vergütet. Behörden bewilligen gewissen Beamten Bekleidungsgelder, anderen Quartiergelder (dies namentlich in grossen Städten, wie z. B. in Wien), noch anderen Repräsentationsgelder u. s. w. Wie die Unwirthschaftlichkeit an den Luxus, so streift der Luxus nach Verschwendung. Verschwendung ist die wirthschaftlich unmotivirte und darum unproductive Consumtion, bei welcher die Mittel in keinem Verhältnis zum Zweck stehen.

Stark gekürzt aus:

I Ernst Engel: Die Lebenskosten belgischer Arbeiter-Familien früher und jetzt, Dresden 1895, eine Fußnote von Engel wurde hier teilweise im Text integriert .

II Ernst Engel: Die Produktions- und Consumtionsverhältnisse des Königreichs Sachsen, 1857. Wiederabgedruckt als Anlage zu Ernst Engel, Die Lebenskosten [...], die Auszüge daraus sind hier kursiv geschrieben .

6.1.2 Aufgaben zum Text

Aufgabe 6.1

a. *Wodurch wurden die Untersuchungen von F. M. Eden, die preußische Untersuchung von 1848/49 und die im Königreich Sachsen nach 1848 veranlaßt? Welche Ereignisse gingen voraus?*

b. *Nennen Sie die Gründe, die dazu führten, daß die nach 1848 in Sachsen begonnene Untersuchung nicht weitergeführt wurde.*

c. *Wieso kommt es bei solchen Untersuchungen leicht zu Interessenskonflikten? Gehen Sie bei Ihrer Antwort auch auf die von Engel geschilderte Kontroverse zwischen M. H. Say und Visscher ein.*

Aufgabe 6.2

Engel berichtet über die preußische Untersuchung von 1848/49.

a. *Können Sie den Unterschied in den Lebenskosten im Reg.-Bezirk Minden und im Reg.-Bezirk Koblenz plausibel erklären?*

b. *Warum haben die reinen MK-Beträge der Studie für uns heute eine geringe Aussagekraft? Welche zusätzlichen Angaben würde man noch benötigen, um die Lage der Arbeiterfamilien einschätzen zu können?*

c. *Wieso kann Engel davon ausgehen, daß seine Leser (immerhin 45 Jahre nach der Untersuchung) die MK-Beträge ohne zusätzliche Angaben in ihrer Größenordnung als unglaublich niedrig einschätzen können?*

Aufgabe 6.3

a. *"Je ärmer eine Familie ist, einen desto größeren Antheil von den Gesamtausgaben muss sie zur Beschaffung der Nahrung aufwenden." Erläutern Sie dieses "Engelsche Gesetz" an Hand der Tabelle 7 von Engel.*

b. *Zeigen Sie, "dass unter gleichen Umständen das Mass der Ausgaben für die Ernährung ein untrügliches Mass des materiellen Befindens einer Bevölkerung überhaupt ist."*

c. *Ist die Forderung "unter gleichen Umständen" beim Vergleich zweier Bevölkerungen zu verwirklichen? Gehen Sie bei Ihrer Überlegung z. B. von folgender Bemerkung Engels (1857, S. 29) aus: "Einzelne geringfügige Änderungen werden blos dadurch nöthig, dass in Sachsen die Ausgaben für Kleidung und Wohnung wegen des rauheren Klimas noch etwas grösser sind, wogegen die in Belgien für Feuerung, wegen des allgemeinen Gebrauchs der pyrotechnisch unvortheilhaften Kaminfeuer, sich um eine Kleinigkeit höher belaufen werden."*

Aufgabe 6.4

Die 8. Tabelle von Engel zeigt den von ihm beobachteten Zusammenhang zwischen Einkommen und Konsum.

a. *Stellen Sie hier graphisch folgende Zusammenhänge dar:*

aa. *den Zusammenhang zwischen Einkommen und prozentualen Ausga-*
    ben für Nahrung,

ab. *den Zusammenhang zwischen Einkommen und absoluten Ausgaben*
    für Nahrung (diese Darstellung heißt in der Mikrotheorie "Engel-
    Kurve").

b. *Welche Eigenschaft der in aa. bzw. ab. dargestellten Kurve repräsentiert*
   das "Engelsche Gesetz"?

Aufgabe 6.5

"So haben also vorstehende Zahlen auch einen hohen Werth für das praktische
Leben. Nicht minder sind sie für die Wissenschaft von Belang." Welche
Beispiele von Engel sind hier wiedergegeben? Erläutern Sie diese.

6.2 Geistesgeschichtlicher Hintergrund:
Das Erkennen ökonomischer Gesetze

6.2.1 Die Historische Schule

In der zweiten Hälfte des 19. Jahrhunderts empfanden immer mehr
Wissenschaftler in Deutschland die beiden Hauptrichtungen der Volkswirtschaftslehre, nämlich den Liberalismus Smithscher Prägung und den Sozialismus, als unzureichend. Gustav von Schmoller (1838-1917), ein führender
deutscher Gelehrter und Vertreter der "historischen Schule", schreibt hierzu:
"Beide Richtungen, die liberale und die sozialistische, glauben aus einer abstrakten Menschennatur heraus ein vollendetes objektives System der heutigen Volkswirtschaft konstruieren zu können. Beide überschätzen, wie die
ganze Aufklärung und die konstruktive Philosophie aus der ersten Hälfte des
Jahrhunderts, unsere heutige Erkenntnismöglichkeit; beide wollen mit einem
Sprung, ohne gehörige Detailforschung, ohne rechte psychologische Grundlage, ohne umfassende rechts- und wirtschaftsgeschichtliche Vorstudien, die
letzte endgültige volkswirtschaftliche Wahrheit erhaschen und nach ihr die
Welt, die Menschen, die Staaten meistern; beide knüpfen an die empirische
volkswirtschaftliche Erkenntnis der Zeit an, suchen in ihren Systemen ihr
gerecht zu werden, aber beide bleiben in ihren Hauptvertretern Ideologien,
geschlossene Systeme, welche direkt nach neuen Idealen der Wirtschaft, des
Gesellschaftslebens, der gesamten Wirtschafts- und Rechtsinstitutionen hin-
zielen. Sie erheben sich nach Methode und Inhalt noch nicht voll und ganz
zum Range wirklicher Wissenschaft ... . Die Hauptschwäche der individua-
listischen wie der sozialistischen Theorien war, daß sie eine vom Staat und
Recht losgelöste abstrakte Wirtschaftsgesellschaft fingieren und mit ihr rechnen." (Schmoller, 1985, Bd.II, S. 835) Den gleichsam über die Wirklichkeit
gestülpten Ideologien will die historische Schule etwas anderes entgegenset-
zen: sie will die wirklichen Abläufe erforschen, indem sie begrenzte Bereiche
ganz genau mit vor allem statistischen Methoden untersucht. Nur die empirische Kleinarbeit dient als Grundlage für gesicherte Erkenntnis: "Je weiter die
feststehende Detailerkenntnis ... aber anwächst, desto eher werden wir auch

über das Zusammengesetzte, über die großen Fragen einiges wohl fundierte
Urteil gewinnen, desto mehr werden die Ahnungen, die Bilder, die Hypothesen über sie eine gesicherte Gestalt annehmen. Immer freilich werden die
größten und letzten Fragen sich der ganz gesicherten empirischen Feststellung entziehen, und so weit "Theorien" über sie nötig und unvermeidlich
sind, werden sie, von verschiedenen Forschern, Schulen und Richtungen aufgestellt, verschieden ausfallen." (Schmoller, 1985, Bd.II, S. 834) Die deutsche
Wirtschaftsforschung begann, intensiv und fast mikroskopisch genau Mate-
rialsammlungen über Vorgänge aus der Wirtschaftsgeschichte anzulegen und
leistete dadurch viel solide Grundlagenarbeit empirischer Art. Zwei Titel von
Schmollers Arbeiten zeigen typische Themen der historischen Schule:
    "Die Straßburger Tucher- und Weberzunft. Urkunden und Darstel-
lungen nebst Regesten und Glossar. Ein Beitrag zur Geschichte der deutschen Weberei und des deutschen Gewerberechts vom 13. bis 17. Jahrh."
(Straßburg, 1879)
    "Zur Geschichte der deutschen Kleingewerbe im 19. Jahrhundert. Sta-
tistische und nationalökonomische Untersuchungen." (Halle, 1879)
    Über der Sammlung von Daten geriet das Aufstellen von Gesetzen nicht
nur ins Hintertreffen; man wagte es einfach noch nicht, etwas Grundsätzliches
zu formulieren, weil der beleuchtete und untersuchte Ausschnitt noch zu klein
zu sein schien. Jahrhundertelange Forschungszeiten wurden veranschlagt, bis
man glaubte, vorsichtig Gesetze erkennen zu können, eine Kulturleistung, der
viele Generationen zu dienen hätten. Wenn Schmoller auch nicht an die Existenz feststehender unumstößlicher Gesetze oder die Möglichkeit sie zu erkennen glaubte, so hieß das nicht, daß er keine drängenden Aufgaben oder Ziele in
der wirtschaftlichen Entwicklung sah. Er forderte eine psychologisch-sittliche
Betrachtung: "Die heutige Volkswirtschaftslehre ist zu einer historischen und
ethischen Staats- und Gesellschaftsauffassung im Gegensatz zum Rationalismus und Materialismus gekommen. Sie ist aus einer bloßen Markt- und
Tauschlehre, einer Art Geschäfts-Nationalökonomie, welche zur Klassenwaffe
der Besitzenden zu werden drohte, wieder die große moralisch-politische Wissenschaft geworden, welche neben der Produktion die Verteilung der Güter,
neben den Werterscheinungen die volkswirtschaftlichen Institutionen untersucht, welche statt der Güter- und Kapitalwelt wieder den Menschen in den
Mittelpunkt der Wissenschaft stellt." (Schmoller, 1985, Bd.II, S. 846) Den
Menschen in den Mittelpunkt stellen - das bedeutete für Schmoller besonders
angesichts der sich rasch entwickelnden Industrie in Deutschland eine Verbesserung der Situation der ärmeren Klassen. Hören wir ihn selbst anläßlich
der Gründung des "Vereins für Socialpolitik" 1873: "Wir erkennen nach allen Seiten das Bestehende, die bestehende volkswirtschaftliche Gesetzgebung,
die bestehenden Formen der Produktion, die bestehenden Bildungs- und psychologischen Verhältnisse der verschiedenen gesellschaftlichen Klassen als die
Basis der Reform, als den Ausgangspunkt unserer Thätigkeit an; - aber wir
verzichten darum nicht auf die Reform, auf den Kampf für eine Besserung der
Verhältnisse. Wir wollen keine Aufhebung der Gewerbefreiheit, keine Aufhe-

bung des Lohnverhältnisses; aber wir wollen nicht einem doktrinären Princip
zu Liebe, die grellsten Mißstände dulden und wachsen lassen; wir treten für
eine maßvolle, aber mit fester Hand durchgeführte Fabrikgesetzgebung auf,
wir verlangen, daß nicht ein sogenannter freier Arbeitsvertrag in Wahrheit
zur Ausbeutung des Arbeiters führe, wir verlangen die vollste Freiheit für
den Arbeiter bei Feststellung des Arbeitsvertrages mitzureden, selbst wenn
er da Ansprüche erheben sollte, die scheinbar mit dem alten Zunftwesen eine
gewisse Analogie haben. Wir verlangen, daß die Freiheit überall durch die
Oeffentlichkeit controlirt werde, und daß wo die Oeffentlichkeit thatsächlich
fehlt, der Staat untersuchend eintrete und ohne in die Unternehmungen sich
zu mischen, das Resultat publicire. Wir verlangen von diesem Standpunkt
ein Fabrikinspektorat, ein Bank- und Versicherungscontroleamt, wir fordern
von diesem Standpunkt aus hauptsächlich Enquêten in Bezug auf die sociale Frage. Wir verlangen nicht, daß der Staat den untern Klassen Geld zu
verfehlten Experimenten gebe, aber wir verlangen, daß er ganz anders als
bisher für ihre Erziehung und Bildung eintrete, wir verlangen, daß er sich
darum kümmere, ob der Arbeiterstand unter Wohnungsverhältnissen, unter
Arbeitsbedingungen lebt, die ihn nothwendig noch tiefer herabdrücken. Wir
glauben, daß eine zu große Ungleichheit der Vermögens- und Einkommens-
vertheilung, daß ein zu erbitterter Klassenkampf mit der Zeit auch alle freien
politischen Institutionen vernichten muß, und uns wieder der Gefahr einer
absolutistischen Regierung entgegenführt. Schon darum glauben wir, daß
der Staat einer solchen Entwicklung nicht gleichgültig zusehen dürfe. Wir
verlangen, vom Staate wie von der ganzen Gesellschaft und jedem Einzelnen,
der an den Aufgaben der Zeit mit arbeiten will, daß sie von einem großen
Ideale getragen seien. Und dieses Ideal darf und soll kein anderes sein, als das,
einen immer größeren Theil unseres Volkes zur Theilnahme an allen höheren
Gütern der Kultur, an Bildung und Wohlstand zu berufen, das soll und muß
die große im besten Sinne des Wortes demokratische Aufgabe unserer Entwicklung sein, wie sie das große Ziel der Weltgeschichte überhaupt zu sein
scheint." (zitiert nach E. Schneider, 1970, S.299)

So kann man Schmollers Werk in zwei Hauptbereiche teilen: In den des
Wissenschaftlers, der das genaue Untersuchen der wirtschaftlichen Vorgänge
mit empirischen und statistischen Methoden fordert, bevor man es wagen
könne, Gesetze aufzustellen und in den des sozial engagierten Wissenschaftlers, der für die Verbesserung der Lage der unteren Bevölkerungsschichten
mit konkreten Vorschlägen kämpft. Dieser zweite Bereich brachte Schmoller
und seinen Mitstreitern den Namen "Kathedersozialisten" ein. Es ist klar,
daß die Historische Schule Widerspruch hervorrief. Zunächst gab es natürlich
Widerspruch aus den Reihen der Anhänger der liberalen Richtung, die sich
gegen Schutzzölle und Kontrolle der Arbeitsbedingungen wehrten. Während
diese vor allem konkrete Gründe für die Ablehnung der sozialpolitischen Forderungen hatten, kam der wissenschaftliche Widerspruch von Carl Menger
aus Wien. Die Kontroverse zwischen Schmoller und Menger ist unter dem
Namen "älterer Methodenstreit" in die Wissenschaftsgeschichte eingegangen.

Der noch geringste Vorwurf, den Menger Schmoller macht, ist der der ungeheuren Zeit, den Schmollers Forschungen in Anspruch nehmen: "Sollte die Wirtschaftsgeschichte, ehe wieder an die Bearbeitung der theoretischen Nationalökonomie geschritten werden könne, im Geiste der historischen Mikrographie Schmollers vollendet werden - man denke nur an die Fleischpreise von Elberfeld! von Pforzheim! von Mühlheim! von Hildesheim! von Germersheim! von Zwickau! u.s.f. - so würden hierzu nur Aeonen ausreichen ... so würden wir Volkswirthe zum Mindesten nach Lebensaltern der Sonnensysteme zu rechnen beginnen müssen, um auch nur einen annäherungweisen Begriff von den Zeiträumen zu erhalten, die nöthig wären, um eine vollständige historisch-statistische Grundlage für die theoretische Forschung im Sinne Schmollers zu gewinnen." (Zitiert nach E. Schneider, 1970, S. 319)

Viel schwerer als dieser Einwand wiegt derjenige, daß Schmoller es nicht darauf ankomme, die Forschungsergebnisse der Hilfswissenschaft Wirtschaftsgeschichte für die politische Ökonomie nutzbar zu machen, sondern "sie wollen aber überhaupt, oder doch für ungezählte Menschenalter die ausschliessliche, bezw. die nahe zu ausschliessliche Herrschaft der Wirthschaftsgeschichte auf dem Gebiete der politischen Oekonomie, - dagegen muss sich jeder Besonnene verwahren!" (E. Schneider, 1970, S. 320)

Nur mit Hilfe von Abstraktionen und Theorien kann man die angesammelte Datenflut nutzbar machen - die Volkswirtschaft hat die Aufgabe, Gesetzmäßigkeiten aufzuzeigen.

Die historische Schule leistete viel Grundlagenarbeit statistischer und empirischer Art, gab auf sozialen Gebiet Anstöße durch die Forderung nach Verbesserung der Lage der ärmeren Bevölkerungsschichten, isolierte aber die deutsche Nationalökonomie für ein halbes Jahrhundert, indem sie die theoretischen Forschungsergebnisse der anderen europäischen Gelehrten nicht beachtete oder verdammte. Sie ist die spezielle Wirtschaftsbetrachtung des noch fast agrarischen Deutschlands, das seine schwächere Entwicklung mit "historisch statistischer Kleinmalerei" und den Vorzügen der ethisch-moralischen Wissenschaft kaschieren wollte.

6.2.2 Leben und Wirken von Ernst Engel

Ernst Engel wurde am 26. 3. 1821 in Dresden geboren, wo er auch 1896 starb. Er studierte an der Ecole des Mines in Paris bei Frederic Le Play, einem der ersten, der Familien-Budgets statistisch untersucht hat. In Belgien lernt er Adolphe Quetelet kennen, einen eifrigen Verfechter der Meinung, daß quantitative ökonomische Gesetze entdeckt werden können; mit Quetelet arbeitete Engel dann eng zusammen. Engel ist von 1850 - 1858 Leiter des "Königlich Sächsischen Statistischen Büros" in Dresden. 1862 wird er Direktor des "Königlich Preußischen Statistischen Büros" in Berlin. Nachdem er im Jahre 1881 einen Angriff auf die Bismarcksche Schutzzollpolitik unter Pseudonym veröffentlicht hat, muß er "aus Gesundheitsgründen" zurücktreten.

Bekanntgeworden ist Engel durch das nach ihm benannte Gesetz und die damit im Zusammenhang stehende Engel-Kurve. Das Engelsche Gesetz ist seitdem mit verfeinerten Methoden in vielen Teilen der Welt immer wieder überprüft und bestätigt worden (vgl. Houthakker, 1968). Ähnliche Untersuchungen sind von anderen Forschern durchgeführt worden.In diesem Zusammenhang ist noch das Gesetz von Schwabe bekanntgeworden: Der Prozentsatz des Einkommens, der für die Miete bestimmt ist, ist allgemein um so kleiner, je größer das Einkommen ist. Nach Houthakker (1968) ist die typische Einkommenselastizität den Ausgaben für Nahrung 0,6 , für Mieten 0,8 , für Kleidung 1,2 und für alle anderen Ausgaben 1,6.

6.2.3 Der Ansatz von Alfred Marshall

Alfred Marshall wurde 1842 als Sohn eines Kassenbeamten der Bank von England in Clapham bei London geboren. Sein Vater, streng bis zur Tyrannei, bestimmte seinen offensichtlich begabten Sohn zum Priester und quälte ihn oft bis in die Nacht mit ausgedehnten Übungen in alten Sprachen, besonders in Hebräisch, während der junge Alfred sich heimlich mit Mathematik, die sein Vater verabscheute, beschäftigte.

Ein Verwandter war bereit, Alfred ein Mathematikstudium in Cambridge zu bezahlen. Als er es 1865 erfolgreich beendet hatte, erwachte plötzlich in ihm das Bedürfnis, die philosophischen Grundlagen des Wissens zu erkunden. Nach zwei Jahren der Beschäftigung mit philosophischen und ethischen Fragen, mit Hegels Geschichtsphilosophie und Kant entschied er sich für die Nationalökonomie. 1869 wurde er Dozent am St. John's College in Cambridge, 1885 Professor. Sein Interesse an der Nationalökonomie erklärte er damit, daß "die Untersuchung der Ursache der Armut gleichzeitig die Untersuchung der Wurzel der sozialen Deklassierung eines großen Teiles der Menschheit ist". (Recktenwald, S. 384 f.) Eine Verbesserung der Lage hängt "weitgehend von Tatsachen und Folgerungen ab, die auf wirtschaftlichem Gebiet zu finden sind; und das ist, was der Wirtschaftswissenschaft ihren wichtigsten und höchsten Sinn verleiht". (Recktenwald, S. 385) 1867 begann Marshall intensiv mit dem Studium der Nationalökonomie und entwickelte schon bis 1883 die Grundlagen seiner "Principles of Economics".

Seine schwache Gesundheit, seine Konzentrationsschwierigkeiten und vor allem seine Bemühungen, fehlerfrei und allgemeinverständlich zu formulieren, hinderten ihn an einer schnellen Veröffentlichung. Die "Principles of Economics" erschienen 1890, "Money, Credit and Commerce" sogar erst 1923. Allerdings hatte er seine Ideen schon lange durch Vorlesungen und in Gesprächen mit Freunden und Kollegen verbreitet.

Marshalls Bücher lesen sich glatt und flüssig und sind so formuliert, daß die meisten Aussagen selbstverständlich zu sein scheinen. Mathematik wird kaum verwendet oder in die Fußnoten verbannt, damit jeder Interessierte, auch die Geschäftsleute, die Bücher lesen können. Sie erreichten einen hohen Verbreitungsgrad.

Marshall bemühte sich um Integration des vorhandenen Wissens und baute auf Smith, Ricardo und Mill auf; von Cournot übernahm er die Nachfrage- und Angebotskurve, die Gesamtkosten- und Grenzkostenkurve, die Idee der generellen Interdependenz aller ökonomischen Größen, und von Thünen die Grenzanalyse und das Substitutionsprinzip. Einen besonderen Schwerpunkt bildet die Partialanalyse.

"Die zu behandelnden Kräfte sind jedoch so zahlreich, daß es am besten ist, sich jeweils auf ein paar zu beschränken und eine Reihe von Teillösungen für die Hauptstudie auszuarbeiten. Darum beginnen wir damit, die wesentlichen Zusammenhänge zwischen Angebot, Nachfrage und Preis bezüglich eines speziellen Gutes zu isolieren. Alle andere Kräfte reduzieren wir durch die Bedingung "andere Dinge konstant" zur Untätigkeit: wir gehen nicht davon aus, daß sie unwirksam sind, aber im Augenblick berücksichtigen wir ihre Tätigkeit nicht. Dieser wissenschaftliche Kunstgriff ist wesentlich älter als die Wissenschaft: bewußt oder unbewußt haben vernünftige Menschen seit undenklichen Zeiten mit dieser Methode jedes schwierige Problem des Alltagslebens behandelt". (A. Marshall, 1920, S. XIV)

Ein Ziel von Marshall war das Aufdecken ökonomischer Gesetze: "Das führt uns dazu, das Wesen ökonomischer Gesetze zu betrachten. Manch einer hat ausgeführt, daß dieser Ausdruck nicht angebracht ist, da es in der Ökonomie keine eindeutigen und umfassenden Beziehungen gäbe, die sich mit den Gravitationsgesetzen oder den Energieerhaltungsgesetzen in der Physik vergleichen ließen. Aber diese Einwände sind wohl doch irrelevant. Denn obwohl es keine ökonomischen Gesezte der angegebenen Art gibt, so gibt es viele, die etwa den ... Gesetzen jener Naturwissenschaften entsprechen, die ähnlich wie die Ökonomie komplexe Verläufe von vielen heterogenen und unsicheren Ursachen behandeln. Die Gesetze der Biologie z. B., oder - um ein rein physikalisches Beispiel zu nehmen - die Gezeiten-Gesetze, schwanken sehr in Bestimmtheit, im Anwendungsbereich und in der Sicherheit." (Marshall, 1961, II, S. 148) "Ein Gesetz in den Sozialwissenschaften ... ist eine Aussage über gesellschaftliche Tendenzen, d. h. eine Aussage, daß unter bestimmten Bedingungen ein bestimmter Handlungsgang von den Mitgliedern einer gesellschaftlichen Gruppe erwartet werden kann." (Marshall, 1961, I, S. 33)

Im Rahmen seiner Partialanalyse interessiert sich Marshall vor allem für den Zusammenhang zwischen dem Preis eines Gutes und der Nachfrage nach diesem Gut. "Es gibt dann ein allgemeines **Nachfragegesetz:** - Je größer die verkaufte Menge, um so kleiner muß der Preis sein, zu dem das Gut angeboten wird, damit es Käufer findet; oder mit anderen Worten, die nachgefragte Menge nimmt bei einer Preissenkung zu und einem Steigen des Preises ab." (Marshall, 1961, S. 99) Marshall selbst aber macht geltend: "Es gibt jedoch Ausnahmen. Zum Beispiel, wie Sir R. Giffen ausgeführt hat, führt ein Steigen des Brotpreises zu einem so starken Verlust der Geldmittel der armen Arbeiterfamilien, ... daß sie gezwungen sind, ihren Konsum von Fleisch und teureren Teigwaren einzuschränken; Brot, das immer noch die billigste Nahrung ist, die sie bekommen können, wird von ihnen stärker und nicht schwächer konsumiert." (Marshall, 1961, I, S. 132)

Probleme, die Marshall vor allem beschäftigten, waren: "Von welchen Gesetzmäßigkeiten wird die Produktion, Verteilung und Verbrauch des Reichtums bestimmt? Welche Gesichtspunkte sind für die industrielle Organisation maßgebend? Welche Bedeutung haben der Außenhandel und der Geldmarkt? Wie vermag steigender Güterreichtum das allgemeine Wohl zu heben? Wie weit reicht, realistisch gesehen, die wirtschaftliche Freiheit? Wie wirken wirtschaftliche Wandlungen auf die Lage des Arbeiters ein?" (B. B. Seligman, 1967, S. 197) Diese sehr konkreten Fragen führten dazu, daß er immer wieder neben der Tätigkeit an der Universität Kontakt mit Gewerkschaftsführern suchte und jahrelang intensiv in der "Royal Commission on Labour" mitarbeitete.

Er arbeitete bis an sein Lebensende unter dem Motto "Die Wirtschaftswissenschaft ist nicht Wahrheit als solche, sondern ein Instrument zu ihrer Entdeckung." Vor seinem Tod im Jahre 1924 versuchte er, die Gedanken in Platons "Staat" auf die Gegenwart zu übertragen. Von 1880-1930 und darüber hinaus prägten Marshalls Ideen die englische Wissenschaft und Wirtschaft (Vergleiche dazu Kap 8.1).

Aufgabe 6.6

   a. *Welche Vorwürfe macht Schmoller der liberalen und der sozialistischen Theorie?*
   b. *Welche Wege zur Erkenntnis von Zusammenhängen sieht Schmoller?*
   c. *Zählen Sie positive Anstöße der historischen Schule auf.*
   d. *Geben Sie die zentralen Gesichtspunkte von Mengers Kritik an Schmoller wieder.*

Aufgabe 6.7

   a. *Womit erklärt Marshall sein Interesse an der Nationalökonomie?*
   b. *Versuchen Sie, den von Marshall angesprochenen Kunstgriff "andere Dinge konstant" zu erläutern.*
   c. *Was versteht Marshall unter einem "Gesetz in den Sozialwissenschaften"?*
   d. *Erläutern Sie das "allgemeine Nachfragegesetz". Wie könnte man dieses Gesetz belegen bzw. widerlegen?*
   e. *Vergleichen Sie Marshall und Schmoller im Hinblick auf die Möglichkeit, ökonomische Gesetze zu erkennen.*

6.3 Nachfragetheorie
6.3.1 Haushaltsoptimum
6.3.1.1 Beschränkungen bei der Güterwahl

Wir gehen im folgenden von einem Individuum aus, das sich bei seinen wirtschaftlichen Entscheidungen von den Präferenzen leiten läßt. Diese Präferenzen seien durch ein Indifferenzkurvensystem gegeben. Der Einfachheit halber beschränken wir uns weiterhin auf zwei Güter; die abgeleiteten Ergebnisse können aber auf viele Güter verallgemeinert werden. Bei der Nachfrage nach Gütern ist das Individuum durch physikalische, wirtschaftliche, sittliche, moralische, legislative und ganz allgemein durch gesellschaftliche Bedingungen beschränkt.

Aufgabe 6.8
Nennen Sie Beispiele für gesellschaftliche Beschränkungen bei der Nachfrage nach Gütern. Denken Sie an Drogenhandel, Prostitution, Sklavenhandel etc.

Von den vielen Beschränkungen, denen sich ein Individuum bei der Güterauswahl gegenübersieht, werden wir im folgenden nur das Einkommen und die Preise der Güter betrachten. Diese Beschränkung werden wir weiter unten diskutieren. Wir werden zusätzlich noch eine wirklichkeitsnahe jedoch vereinfachende Einkommensdefinition verwenden.

6.3.1.2 Die Budgetgerade
Wir beginnen mit einer Aufgabe:

Aufgabe 6.9
Was verstehen Sie unter dem Einkommen eines Individuums? Spielen beim Einkommen nur Geldzahlungen eine Rolle? Denken Sie dabei an Werkswohnungen, Dienstwagen, Einkaufsmöglichkeiten, Dienstreisen, Verpflegung am Arbeitsplatz, Arbeitsplatzausstattung etc.

Wir vernachlässigen jetzt nicht-monetäre Einkommensteile. Im folgenden werden wir unter Einkommen also eine Größe verstehen, die in Geldeinheiten gemessen wird und über die das Individuum verfügen kann. Einkommen sind also z. B. die siebenhundert Mark, die ein Student am Anfang des Monats auf sein Konto überwiesen bekommt. Zum (gegenwärtigen) Einkommen müßte man zusätzlich Einkommen "aus Schuldenmachen" rechnen, da dieses Geld auch zum Erwerb von Gütern ausgegeben werden kann. Vom Einkommen abziehen müßte man dann Ratenzahlungen für früher eingegangene Verpflichtungen. Wir ersparen uns hier die Komplikationen, die dadurch entstehen, daß Einkommen durch Sparen und Leihen von einem Zeitpunkt zu einem anderen transferiert werden kann.

Einkommen ist also der in Geldeinheiten gemessene Betrag, der einem Individuum im betrachteten Moment für die Nachfrage zur Verfügung steht. Das Einkommen bezeichnen wir im folgenden mit E, die Preise der Güter mit

p_1 und p_2. Eine Beschränkung durch Preise und Einkommen haben wir in Kapitel 4 bei der Herleitung des zweiten Gossenschen Gesetzes schon unterstellt. Diese Beschränkung wollen wir uns jetzt graphisch veranschaulichen.

Kauft ein Individuum 10 Einheiten des ersten Gutes für einen Preis von 2 DM und 5 Stück vom Gut 2 zum Preis von 10 DM, so muß es dafür

$$10 \cdot 2 \ DM + 5 \cdot 10 \ DM = 70 \ DM$$

bezahlen. Ganz entsprechend gilt allgemein, wenn p_1 und p_2 die Preise von Gut 1 und Gut 2 sind, daß der Kauf von x_1 und x_2 Einheiten der Güter eine Ausgabe von

$$p_1 \cdot x_1 + p_2 \cdot x_2$$

Geldeinheiten erfordert. Dies muß vom Einkommen finanziert werden (da auch das Schuldenmachen zum Einkommen gerechnet wird). Somit muß folgende Budgetbedingung notwendigerweise erfüllt sein

$$\boxed{p_1 \cdot x_1 + p_2 \cdot x_2 \leq E}$$

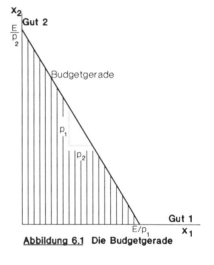

Abbildung 6.1 **Die Budgetgerade**

Aufgabe 6.10
Formulieren Sie die Budgetbedingung für mehr als zwei Güter.

Gibt das Individuum sein Einkommen ganz aus, so ergibt sich

$$p_1 \cdot x_1 + p_2 \cdot x_2 = E$$

Wir können diese Beziehung nach x_2 auflösen und erhalten die lineare Funktion

$$x_2 = -\frac{p_1}{p_2} x_1 + \frac{E}{p_2}$$

Das ist die Darstellung einer Geraden mit der Steigung $-\frac{p_1}{p_2}$. Die Gerade schneidet bei E/p_2 die vertikale und bei E/p_1 die horizontale Achse. Die Punkte auf der Geraden stellen Güterbündel (x_1, x_2) dar, bei denen das Individuum sein Einkommen vollständig ausgibt. Die Punkte unterhalb und auf der Geraden sind die Kombinationen, die die Budgetbedingung erfüllen. Geht man noch von der sinnvollen Bedingung aus, daß die nachgefragten Mengen x_1 und x_2 nicht negativ werden dürfen, so erhält man den schraffierten Bereich der Abbildung. Der schraffierte Bereich enthält also die Güterbündel, die mit dem Einkommen E bei den Preisen p_1 und p_2 gekauft werden können. Diese Menge heißt Budgetmenge.

Aufgabe 6.11

  a. *Zeichnen Sie für E = 100 und p_1 = 10, p_2 = 20 die Budgetgerade.*

  b. *Untersuchen Sie in der Zeichnung, ob folgende Güterbündel oberhalb, auf oder unterhalb der in a. bestimmten Budgetgeraden liegen*
$$\underline{x} = (4;\ 3)\ \underline{y} = (5;\ 5)\ \underline{z} = (5;\ 2{,}5)\ \underline{u} = (3;\ 2)$$

  c. *Bestimmen Sie, welche Ausgaben Sie für die Bündel aus Teil b. tätigen müssen und untersuchen Sie, ob diese mit dem Einkommen finanzierbar sind. Vergleichen Sie die Ergebnisse mit den Ergebnissen aus Aufgabenteil b.*

  d. *Interpretieren Sie die Schnittpunkte der Budgetgeraden mit den Achsen ökonomisch.*

Aufgabe 6.12

Wie sieht geometrisch die "Budgetgerade" bei drei Gütern aus? Kann man sich bei mehr als drei Gütern noch ein geometrisches Bild machen?

6.3.1.3 Haushaltsoptimum und zweites Gossensches Gesetz

Die Indifferenzkurven repräsentieren die Wünsche des Individuums, die Budgetgerade seine Beschränkung. Läßt sich das Individuum im Rahmen seiner Möglichkeiten voll von seinen Wünschen leiten, so muß innerhalb der Budgetmenge der Punkt gesucht werden, der auf der höchsten Indifferenzkurve liegt.

Graphisch sieht man sehr schnell, daß für diesen Punkt Q gelten muß:

  1. Der Punkt Q liegt auf der Budgetgeraden.
  2. Im Punkt Q haben Indifferenzkurve und Budgetgerade die gleiche Steigung.

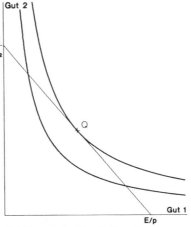

Abbildung 6.2   Haushaltsoptimum

Aufgabe 6.13

  a. *Begründen Sie, warum Q auf der Budgetgeraden liegt. Aus welchen Annahmen folgt dies?*

  b. *Zeigen Sie, daß im Haushaltsoptimum Indifferenzkurve und Budgetgerade die gleiche Steigung haben.*

Die Steigung der Budetgeraden ist gegeben durch $-\frac{p_1}{p_2}$, die Steigung der Indifferenzkurve (vgl. Abschnitt 5.4.5.3):

$$\frac{dx_2}{dx_1} = -\frac{\partial U/\partial x_1}{\partial U/\partial x_2}$$

Da im Haushaltsoptimum die Steigung der Budgetgeraden gleich der
Steigung der Indifferenzkurve ist, folgt damit das uns schon bekannte zweite
Gossensche Gesetz

$$\frac{p_1}{p_2} = \frac{\partial U/\partial x_1}{\partial U/\partial x_2}$$

6.3.2 Haushaltsoptimum und Parameteränderung

6.3.2.1 Totalanalyse, Partialanalyse und die Ceteris-paribus-Bedingung

Im Abschnitt 6.3.1 haben wir das Haushaltsoptimum bei vorgegebenem
Einkommen und bei vorgegebenen Preisen abgeleitet. Jetzt interessiert uns,
wie sich dieses Haushaltsoptimum ändert, wenn sich entweder nur das Einkommen oder irgendein Preis (und nur dieser) ändert. Eine solche Vorgehensweise versucht also die Wirkungen einzelner Parameter zu isolieren und
einzeln zu analysieren. Das kann zu wichtigen und interessanten Ergebnissen führen, ist aber nicht ganz unproblematisch. In einer Wirtschaft sind
nämlich Preise und Einkommen in mannigfaltiger Weise miteinander und
mit anderen Größen wie Nachfrage und Angebot verknüpft. Können z. B.
die Anbieter einer Ware einen höheren Preis durchsetzen, so wird wohl ihr
Einkommen steigen. Dieses erhöhte Einkommen kann Nachfrage nach irgendwelchen anderen Dingen induzieren und deren Preise hochtreiben. Um
aber zu wissen, welche Preise in welcher Weise mit anderen Parametern zusammenhängen, müßte man mindestens das Nachfrageverhalten sämtlicher
Haushalte und das Angebotsverhalten sämtlicher Unternehmen kennen und
daraus ein kompliziertes interdependentes System der Wirtschaft ableiten. Es
gibt solche **Totalmodelle** innerhalb der auf Überlegungen von Léon Walras
aufbauenden Gleichgewichtstheorie. Da man aber nicht das Nachfrageverhalten jedes einzelnen Individuums und nicht die Produktionsbedingungen
aller Unternehmer im einzelnen kennt, beschränkt man sich in Totalmodel-
len darauf, daß gewisse Grundannahmen erfüllt sind. Man geht z. B. bei
den Konsumenten davon aus, daß die im letzten Kapitel diskutierten Annahmen der Haushaltstheorie bezüglich der Indifferenzkurven erfüllt sind. Man
unterstellt aber nicht ganz bestimmte in der Realität beobachtete Präferenzen. Ähnlich geht man bei der Produktionsseite vor. Unterstellt man aber in
einem Totalmodell nur allgemeine Eigenschaften, dann kann man auch nur
allgemeine Aussagen erwarten, wie z. B. daß sich in bestimmten Situationen Preise bilden, in anderen nicht, daß diese Preise bestimmte erwünschte
oder unerwünschte Eigenschaften besitzen und daß die Preise sich eventuell
in einer bestimmten Weise entwickeln werden. Fassen wir zusammen: **Ein
Totalmodell berücksichtigt die Interdependenz aller ökonomischen
Variablen, also den Zusammenhang aller Preise, aller Einkommen,
aller Angebote und aller Nachfragen. Ein solches Modell erfaßt
in aller Regel aber nur strukturelle Beziehungen und kann darum
auch nur strukturelle Aussagen machen.**

Von einer solchen **Total-Analyse** unterscheidet man die **Partial-Analyse**. Diese ist in ihrem Anspruch bescheidener, sie will nur einen Ausschnitt des gesamten Systems untersuchen. Sie muß dafür aber unterstellen, daß es überhaupt möglich ist, sich auf einen solchen Ausschnitt zu beschränken, und alles andere, was nicht zum betrachteten Ausschnitt gehört, konstant bleibt. Eine solche Annahme heißt darum "Ceteris-paribus-Annahme". Eine Partial-Analyse untersucht die Abhängigkeit einer (oder einiger weniger) Variablen in Abhängigkeit einer Ursache (oder einiger weniger Ursachen). Man unterstellt, daß alle nicht betrachteten Veränderlichen während der Untersuchung konstant bleiben.

Eine solche Ceteris-paribus-Annahme macht z. B. auch Ernst Engel (1895, S. 26), wenn er schreibt "dass unter gleichen Umständen das Mass der Ausgaben ein untrügliches Mass des materiellen Befindens einer Bevölkerung überhaupt ist". Die Problematik dieser Annahme wurde durch das in Aufgabe 6.3.c des Abschnitts 6.1.2 angegebene Zitat Engels deutlich: Zwei verschiedene Situationen unterscheiden sich in vielen Aspekten und sind darum immer nur bedingt vergleichbar.

Hier in Abschnitt 6.3 führen wir eine Partialanalyse durch. Im folgenden Abschnitt 6.4 stellen wir ein einfaches Totalmodell vor.

6.3.2.2 Einkommen und Haushaltsoptimum

6.3.2.2.1 Einkommensänderung

Wir gehen davon aus, daß sich nur das Einkommen des Wirtschaftssubjektes ändert, die Preise aber gleich bleiben. E^I, E^{II}, E^{III} seien also verschieden hohe Einkommen, und zwar sei E^I niedriger als E^{II} und E^{II} niedriger als E^{III}. Wie man sich an der Budgetbedingung direkt oder auch an den Achsenabschnitten verdeutlichen kann, führt eine Einkommensänderung bei konstanten Preisen zu einer Parallel-Verschiebung der Budgetgeraden. Jede der Budgetgeraden hat die Steigung $-p_1/p_2$. Bei gegebenen Preisen kann man aus den Achsenabschnitten auch jeweils das Einkommen ermitteln.

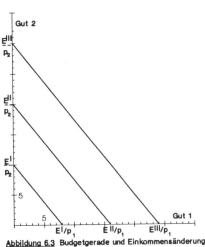

Abbildung 6.3 Budgetgerade und Einkommensänderung

Aufgabe 6.14
Der in Abbildung 6.3 benutzte Preis für Gut 1 sei $p_1 = 5$. Bestimmen Sie p_2 und E^I, E^{II}, E^{III}.

6.3.2.2.2 Normale Güter, inferiore Güter und das Engelsche Gesetz

Die Parallelverschiebung der Budgetgeraden kann bei verschiedenen Indifferenzkurvensystemen zu sehr unterschiedlichen Nachfrageentwicklungen führen.

<u>Beispiel 1</u>

Wird das Einkommen verdoppelt, verdreifacht bzw. vervierfacht, so verdoppelt, verdreifacht bzw. vervierfacht sich die Nachfrage nach beiden Gütern. Obwohl ein solcher Zusammenhang in der Theorie wiederholt unterstellt wird, ist diese Beziehung zwischen Einkommen und Güternachfrage doch bei vielen Gütern sehr unwahrscheinlich. Die Verbindung der Haushaltsoptima, die sogenannte Einkommenskonsumkurve, ist in diesem Fall also eine Gerade.

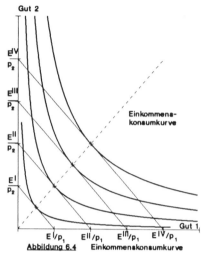

Abbildung 6.4   Einkommenskonsumkurve

Aufgabe 6.15

a. *Begründen Sie, warum ein solcher Zusammenhang eher unwahrscheinlich ist. Stellen Sie sich dazu z. B. vor, Gut 1 wären Kartoffeln. Denken Sie auch an das Engelsche Gesetz!*

b. *Nehmen Sie an, Gut 1 sei Nahrung, Gut 2 Kleidung. Versuchen Sie Indifferenzkurven so zu konstruieren, daß das Engelsche Gesetz gilt.*

<u>Beispiel 2</u>

Wird das Einkommen erhöht, so erhöht sich die Nachfrage nach beiden Gütern, jedoch in unterschiedlicher Proportion. Bei einer Verdoppelung des Einkommens steigt die Nachfrage nach Gut 1 nicht auf das Doppelte, während die Nachfrage nach Gut 2 sich mehr als verdoppelt. Dieses Schema repräsentiert also das Engelsche Gesetz, wenn unter Gut 1 Lebensmittel und unter Gut 2 andere Güter subsumiert werden.

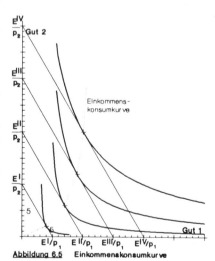

Abbildung 6.5   Einkommenskonsumkurve

Aufgabe 6.16

	E/p_2	E	x_1	x_2	$p_1 x_1$	$p_2 x_2$	$\frac{p_1 x_1}{E}100$	$\frac{p_2 x_2}{E}100$
I								
II								
III								
IV								

Nehmen Sie an, der Preis von Gut 1 sei $p_1 = 4$. Bestimmen Sie aus der Abbildung 6.5

a. den Preis p_2.

b. für die Situationen I, II, III, IV jeweils die Einkommen E, die nachgefragten Mengen x_1 und x_2 und die absoluten und die prozentualen Ausgaben für Gut 1 und Gut 2. Die nachgefragten Mengen sind dabei aus der Abbildung abzulesen.

c. Tragen Sie in Abb. 6.6a die Nachfrage nach Gut 1 und außerdem die Nachfrage nach Gut 2 in Abhängigkeit vom Einkommen ein.

d. Tragen Sie in Abbildung 6.6b die Ausgaben für Gut 1 und die Ausgaben für Gut 2 in Abhängigkeit vom Einkommen ab. Diese Kurve heißt in der Literatur "Engel-Kurve".

e. Tragen Sie in Abb. 6.6c die prozentualen Ausgaben für Gut 1 (und damit gleichzeitig für Gut 2) in Abhängigkeit vom Einkommen ab. Vergleichen Sie Abbildung 6.6b und 6.6c.

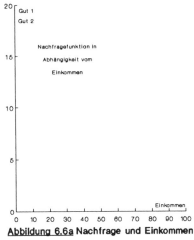

Abbildung 6.6a Nachfrage und Einkommen

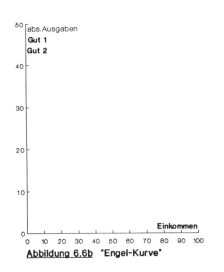

Abbildung 6.6b "Engel-Kurve"

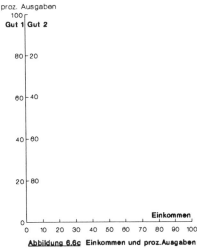

Abbildung 6.6c Einkommen und proz.Ausgaben

Beispiel 3

Dieses Beispiel unterscheidet sich vom vorhergehenden dadurch, daß bei steigendem Einkommen die Nachfrage nach Gut 1 abnimmt. So etwas ist nicht unbedingt wirklichkeitsfremd; bestimmte Grundnahrungsmittel wie z. B. Kartoffeln sind billig und haben einen hohen Nährwert. Sie sind bei geringem Einkommen also gut zur Sättigung geeignet. Steigt das Einkommen, so werden diese Grundnahrungsmittel aber durch höher geschätzte Nahrungsmittel wie Gemüse und Fleisch ersetzt. Beispiele 1., 2. und 3. können jetzt für eine Klassifizierung von Gütern dienen:

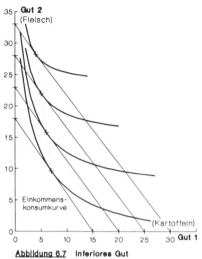

Abbildung 6.7   Inferiores Gut

Steigt die Nachfrage nach einem Gut mit steigendem Einkommen, so spricht man von einem **normalen Gut**, sinkt die Nachfrage hingegen, so heißt das Gut ein **inferiores Gut**. Gut 1 in Beispiel 3 ist inferiores Gut, Gut 2 und alle Güter in Beispiel 1 und 2 sind normale Güter. Normale Güter werden noch in Luxusgüter und lebensnotwendige unterschieden: Nimmt bei steigendem Einkommen der Anteil der Ausgaben für ein Gut relativ zu, so sprechen wir von einem **Luxusgut**, andernfalls von einem lebensnotwendigen Gut. Gut 2 in Beispiel 2 ist Luxusgut, Gut 1 also **lebensnotwendiges Gut**. Diese Definitionen sind hergeleitet aus persönlichen Präferenzen; die Eigenschaft eines Gutes inferior oder normal, lebensnotwendig oder Luxusgut zu sein, hängt also vom einzelnen Individuum ab.

Aufgabe 6.17

Formulieren Sie das Engelsche Gesetz mit Hilfe der gerade eingeführten Güterklassifikationen.

6.3.2.3 Preise und Haushaltsoptimum

6.3.2.3.1 Das Nachfragegesetz

Es gibt ein allgemeines Nachfragegesetz: "... die nachgefragte Menge nimmt bei einer Preissenkung zu und bei einem Steigen des Preises ab. Es gibt jedoch keinen gleichmäßigen Zusammenhang zwischen der Preissenkung und der Zunahme der Nachfrage" (Marshall, 1920, S. 99, unsere Übersetzung). Mit diesem Nachfragegesetz wollen wir uns jetzt beschäftigen. Dabei sind folgende Fragen zu beantworten:

1. Folgt dieses Gesetz logisch zwingend aus bestimmten Annahmen, also z. B. aus den Annahmen der Haushaltstheorie oder
2. Ist dieses Gesetz aus empirischer Beobachtung zu gewinnen?

3. Gibt es unter gewissen Bedingungen Ausnahmen zu dem Gesetz? Wie passen eventuell diese Ausnahmen in den logischen Kontext oder in den empirischen Rahmen?

6.3.2.3.2 Preisänderung und Haushaltsoptimum

Wir unterstellen jetzt, daß sich nur ein Preis, also z. B. p_2 ändert, und daß das Einkommen und alle anderen Preise konstant bleiben (Ceteris-paribus-Bedingung). In unserer Zwei-Güter-Darstellung bedeutet das, daß p_1 und E konstant sind und p_2 sich ändern kann. Wir untersuchen die Lage der Budgetgeraden für verschiedene Preise für Gut 2. Seien $p_2^I, p_2^{II}, p_2^{III}, p_2^{IV}$ verschiedene Preise für Gut 2 mit $p_2^I < p_2^{II} < p_2^{III} < p_2^{IV}$.

Da das Einkommen E konstant ist, folgt daraus

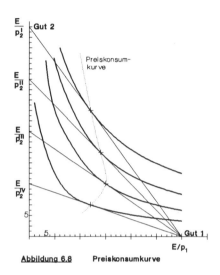

Abbildung 6.8   Preiskonsumkurve

$$\frac{E}{p_2^I} > \frac{E}{p_2^{II}} > \frac{E}{p_2^{III}} > \frac{E}{p_2^{IV}}.$$

Der Schnittpunkt einer Budgetgeraden mit der Ordinaten liegt also für kleine Preise p_2 weit oben und geht mit steigendem p_2 immer näher zum Ursprung, genau wie in Abbildung 6.8 eingezeichnet. Haushaltsoptima sind dort gegeben, wo eine Indifferenzkurve eine Budgetgerade tangiert. Fällen wir von diesen Punkten des Haushaltsoptimums das Lot auf die Achsen, so bekommen wir in bekannter Weise die Nachfrage nach Gut 1 und Gut 2 in Abhängigkeit vom Preis des Gutes 2. Die in Abbildung 6.8 dargestellte Nachfrageänderung bei Änderung von p_2 ist sehr plausibel: Ist p_2 niedrig, ist Gut 2 also billig, so wird viel vom Gut 2 nachgefragt, wird das Gut teurer, so geht die Nachfrage deutlich zurück. Die Nachfrage nach Gut 1 hängt dagegen nur wenig vom Preis des Gutes 2 ab. Außerdem ist die Art der Nachfrageänderung nicht eindeutig. Zumindest die geringen Nachfrageänderungen nach Gut 1 bei Änderungen von p_2 sind nicht unplausibel.

Aufgabe 6.18

Das Einkommen E des Wirtschafts-subjekts betrage $E = 240$. Bestimmen Sie in Abbildung 6.8 die Preise p_1 und p_2^I, p_2^{III}, p_2^{IV} und die zugehörige Nachfrage nach dem ersten und dem zweiten Gut und stellen Sie den Zusammenhang graphisch dar.

	E/p_2	p_2	x_2	x_1
I				
II				
III				
IV				

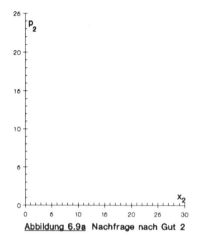

Abbildung 6.9a Nachfrage nach Gut 2

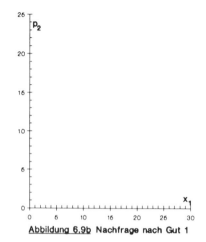

Abbildung 6.9b Nachfrage nach Gut 1

6.3.2.3.3 Giffen-Güter

Wir kommen jetzt zu der Bemerkung von Marshall " Es gibt jedoch einige Ausnahmen ... wie Sir R. Giffen aufgezeigt hat". Dazu betrachten wir die nebenstehende Graphik.

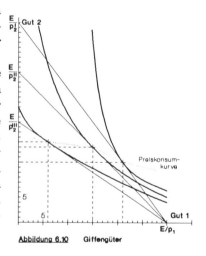

Abbildung 6.10   Giffengüter

Dieses Indifferenzkurvensystem entspricht den in Aufgabe 5.27 des Kapitels 5 gemachten Annahmen. Wir variieren bei festem E und festem p_1 wiederum den Preis p_2. (Die Analyse hängt im Prinzip jedoch nicht davon ab, welcher Preis variiert wird.) In der Zeichnung gilt $p_2^I < p_2^{II}$. Also müßte bei Gültigkeit des Nachfragegesetzes daraus folgen $x_2^I > x_2^{II}$. Das aber ist nicht mehr der Fall. Güter, deren Nachfrage in einem gewissen Bereich bei steigendem Preis steigt, heißen Giffen-Güter, da Marshall sich in diesem Zusammenhang auf Giffen beruft. Giffen selber hat über solche Beobachtungen nichts veröffentlicht. (vgl. Stigler, 1947, S. 152)

Da das Indifferenzkurvensystem der Abbildung 6.10 alle Annahmen der Haushaltstheorie erfüllt, ergibt sich unmittelbar, daß man aus diesen Annahmen nicht das Nachfragegesetz ableiten kann. **Ausnahmen vom Nachfragegesetz sind also logisch konsistent mit den Annahmen der Haushaltstheorie.**

Es ist bis heute nicht eindeutig aufgezeigt worden, daß Giffen-Güter tatsächlich existieren und daß es damit Ausnahmen zum Nachfragegesetz gibt. Man kann sich aber, wie Marshall schon in dem Zusammenhang ausgeführt hat, die Möglichkeit von solchen Gütern plausibel machen.

Die folgende historische Situation wird häufig zur Veranschaulichung benutzt: Die ländliche Bevölkerung Irlands lebte im 19. Jahrhundert im wesentlichen von Kartoffeln und zum geringeren Teil von Fleisch und anderen Nahrungsmitteln. 1847 kommt es durch Kartoffelfäule zu einem größeren Ernteausfall. Der Preis der Kartoffel steigt, die Nachfrage müßte zurückgehen. Steigt jedoch der Preis der Kartoffel und ändert sich das Einkommen nicht, so muß ein größerer Teil des Einkommens dafür aufgewendet werden, folglich muß auf andere Güter verzichtet werden, also z. B. auf Fleisch. Um den entsprechenden Nahrungsausfall zu kompensieren, wird der Hungernde mehr von den teuren (aber verglichen mit Fleisch billigen) Kartoffeln kaufen. (Ob Kartoffeln in dieser Zeit in Irland tatsächlich ein Giffen-Gut darstellten, ist sehr umstritten. Vgl. Dwyer/Lindsay, 1984)

Ein wichtiger Punkt in dieser Erläuterung besteht darin, daß ein Individuum bei gleichem Einkommen real weniger kaufen kann, wenn ceterisparibus ein Preis steigt. Dieses Zusammenspiel zwischen Preis und Einkommen müssen wir im folgenden noch genauer untersuchen.

6.3.3 Nachfragefunktion, Substitutions- und Einkommenseffekt

6.3.3.1 Individuelle Nachfragefunktion

In den vorhergehenden Abschnitten wurde unter den Annahmen der Haushaltstheorie für ein nutzenmaximierendes Individuum gezeigt: Die Nachfrage nach den Gütern hängt ab vom Einkommen, vom Preis des Gutes und eventuell von den Preisen anderer Güter:

$$x_1 = x_1(p_1, p_2, E) \qquad (*)$$

$$x_2 = x_2(p_1, p_2, E) \qquad (**)$$

Jede dieser Beziehungen können wir mit Hilfe der Ceteris-paribus-Bedingung in die drei folgenden Beziehungen transformieren. Für $(**)$ ergibt das z.B.

$$x_2 = x_2(p_2) \qquad p_1, E \quad konstant \qquad (+)$$

$$x_2 = x_2(p_1) \qquad p_2, E \quad konstant \qquad (++)$$

$$x_2 = x_2(E) \qquad p_1, p_2 \quad konstant \qquad (+++)$$

Beispiele für solche Beziehungen lieferten die Abbildungen 6.9a, 6.9b und
6.6a.

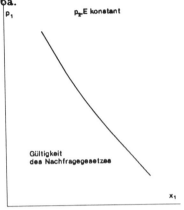

Abbildung 6.11   Nachfragefunktion   Abbildung 6.12   Nachfragefunktion

Die Beziehung (+) heißt direkte Nachfragefunktion. (++) heißt Kreuznachfragefunktion. Die Beziehung (+++) heißt manchmal Engelkurve. Da
wir mit Engelkurve den Zusammenhang von <u>Ausgaben</u> und Einkommen bezeichnet haben (das ist auch die gängige Notation), sprechen wir von (+++)
als Nachfragefunktion in Abhängigkeit vom Einkommen. Bei Gültigkeit des
Nachfragegesetzes hat die direkte Nachfragefunktion einen fallenden Verlauf
bzw. eine negative Steigung.

6.3.3.2 Substitutions- und Einkommenseffekt

Bei Preiserhöhungen eines Gutes
bei konstantem Geldeinkommen ist
das Individuum nicht mehr in der
Lage, seinen Konsum aufrecht zu erhalten; real, also gemessen in er-
werbbaren Gütern, ist das Einkommen nach der Preiserhöhung niedriger:
der Punkt x in Abb. 6.13 ist nach
der Preiserhöhung nicht mehr reali-
sierbar. Diese Tatsache hatte eine wesentliche Rolle gespielt, als wir uns die
Möglichkeit von Giffen-Gütern plausibel machten. Wir wollen jetzt untersuchen, ob dieser durch Preiserhöhung
verursachte Verlust an realem Einkommen tatsächlich die Anomalie der
Giffen-Güter erklärt.

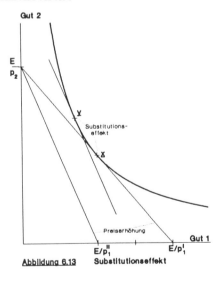

Abbildung 6.13   Substitutionseffekt

Wir stellen uns eine hypothetische Situation vor: Aus irgendeinem
Grund steigt der Preis des Brotes extrem, z. B. wie in Abb. 6.13 angenommen
auf das doppelte. Gleichzeitig aber erklärt irgendeine Stelle (z. B. die Regierung aus Angst vor Unruhen), sie könne zwar an den Preisen nichts ändern,
aber sie wolle das Einkommen der Konsumenten genau so stark ändern, daß
es den Konsumenten genauso gut gehe wie vor der Preiserhöhung. Diese
Situation ist in Abbildung 6.13 dargestellt. Vor der Preiserhöhung ist die
Budgetgerade durch die Achsabschnitte E/p_2 und E/p_1^I gekennzeichnet, der
Optimalpunkt ist $\underline{x}$. Durch die Preiserhöhung ergibt sich die Budgetgerade
durch E/p_2 und E/p_1^{II}. Jetzt kommt es zum Eingriff der Regierung: Bei
konstanten Preisen p_2 und p_1^{II} kommt es zur Einkommenserhöhung - also
zu einer Parallelverschiebung der Budgetgeraden - und zwar genau in dem
Maße, daß der Konsument sich genau so steht wie vor der Preiserhöhung.
Das bedeutet, daß die Einkommenserhöhung genauso groß sein muß, damit
die ursprüngliche Indifferenzkurve wieder erreicht wird. Dadurch wird dann
die ursprüngliche Indifferenzkurve in $\underline{y}$ erreicht, dem neuen Optimalpunkt.
Durch diesen Kunstgriff haben wir also bestimmt, wie der Konsument auf
eine reine Änderung der Preise, also der relativen Austauschraten, reagiert,
wenn damit keinerlei Änderung des Nutzenniveaus verbunden ist:

**Wird ein Gut teurer, so fragt der Konsument weniger von die-
sem Gut nach und substituiert durch verstärkte Nachfrage nach
den relativ billigeren Gütern.**

Diese Überlegungen wurden durchgeführt, indem von Einkommensein-
flüssen abstrahiert wurde. Darum spricht man vom reinen Substitutionseffekt. Wir haben damit aufgezeigt, daß das Nachfragegesetz zwangsläufig aus
den Annahmen folgt, sofern die Einkommensverluste kompensiert werden.

Wir verfolgen unseren hypothe-
tischen Fall jetzt noch einen Schritt
weiter und nehmen an, daß die Regierung die Kompensationszahlungen
einstellt. Dadurch kommt es dann
genau zu dem Einkommensverlust,
der vorher durch die Kompensationszahlung verhindert wurde; für den
Konsumenten ist dann die Budgetgerade durch E/p_1^{II} und E/p_2 gegeben.
Der Tangentialpunkt dieser Budgetgeraden mit einer Indifferenzkurve ist
neues Haushaltsoptimum. Der Über-
gang von $\underline{y}$ nach $\underline{z}$ erfolgte durch
reine Einkommensänderung, wir spre-
chen darum vom Einkommenseffekt.

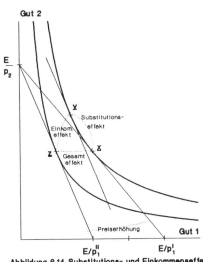

Abbildung 6.14 Substitutions- und Einkommenseffekt

Fassen wir die Überlegungen zusammen:

Die Kompensationszahlung der Regierung ist hier eine reine Fiktion, ein Gedankenexperiment. Dieses Gedankenexperiment ermöglicht es, den Gesamteffekt - nämlich den Übergang von $\underline{x}$ vor der Preiserhöhung zu $\underline{z}$ nach der Preiserhöhung - in zwei Teileffekte zu zerlegen: den Substitutionseffekt und den Einkommenseffekt.

Der Substitutionseffekt abstrahiert von Einkommensänderungen und stellt nur auf Preisänderungen ab. Dieser Substitutionseffekt erfaßt die Aussage des Nachfragegesetzes.

Der Einkommenseffekt abstrahiert von Preisänderungen und untersucht nur die von einer Preisänderung induzierte Einkommensänderung. Bei inferioren Gütern wirkt der Einkommenseffekt dem Substitutionseffekt entgegen, so daß es bei starkem Einkommenseffekt zum Giffen-Paradox kommen kann.

Aufgabe 6.19

Gehen Sie von Abbildung 6.10 aus und nehmen Sie an, daß der Preis des Gutes 2 von ursprünglich p_2^I auf p_2^{III} geändert wird.

  a. *Bestimmen Sie in der Zeichnung den Substitutionseffekt, den Einkommenseffekt und den Gesamteffekt.*

  b. *Zeigen Sie, daß auch bei den in Abbildung 6.10 unterstellten Indifferenzkurven gilt: Wird ein Gut teurer, so fragt der Konsument weniger von diesem Gut nach und substituiert durch verstärkte Nachfrage nach den relativ billigeren Gütern - sofern Einkommensänderungen kompensiert werden.*

  c. *Handelt es sich bei Gut 2 um ein superiores oder um ein inferiores Gut?*

  d. *Vergleichen Sie im untersuchten Beispiel bezüglich Gut 2 den Substitutionseffekt und den Einkommenseffekt. Wie muß allgemein die Größe des Substitutionseffektes sein - verglichen mit der Größe des Einkommenseffektes -, damit ein Gut Giffen-Gut ist?*

  e. *Begründen Sie: "Das Nachfragegesetz gilt, wenn der Einkommenseffekt vernachlässigbar ist."*

6.3.3.3 Aggregation von Nachfragefunktionen

In Abschnitt 6.3.3.1 wurde graphisch gezeigt, wie aus individuellen Präferenzordnungen individuelle Nachfragefunktionen bestimmt werden können. Jetzt wird untersucht, wie aus den individuellen Nachfragefunktionen (bezüglich ein und desselben Gutes) eine Marktnachfragefunktion konstruiert werden kann. Diese graphische Konstruktion ist - wie man leicht sieht - sogar für beliebig viele Marktteilnehmer durchführbar; wir beschränken uns aber wieder auf zwei Individuen.

Beim Preis p^I ist die Nachfrage von Individuum 1 gegeben durch die Strecke $\overline{AA'}$ in Abbildung 6.15a, die von Individuum 2 durch die Strecke $\overline{A'A''}$ in Abbildung 6.15b. Beide zusammen entfalten beim Preis p^I also die Nachfrage, die gegeben ist durch die Summe der Strecken $\overline{AA'}$ und $\overline{A'A''}$, das ist die Strecke $\overline{AA'A''}$ in Abbildung 6.15c. Entsprechend kann bei Preis p^{II} durch Addition der Strecken $\overline{BB'}$ und $\overline{B'B''}$ die Gesamtnachfrage $\overline{BB'B''}$ und beim Preise p^{III} genauso die Gesamtnachfrage $\overline{CC'C''}$ bestimmt werden. Graphisch ergibt sich die Gesamtnachfrage durch horizontale Addition der Abstände der individuellen Nachfragefunktionen von den jeweiligen Ordinaten.

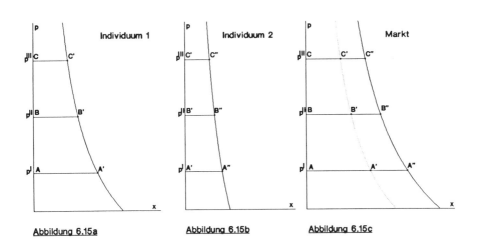

Abbildung 6.15a   Abbildung 6.15b   Abbildung 6.15c

6.3.4 Die rechnerische Bestimmung von Nachfragefunktionen

6.3.4.1 Das Lagrange-Verfahren

Wir haben jetzt graphisch die Nachfragefunktion bestimmt. Graphische Methoden sind anschaulich und leicht nachzuvollziehen. Sie haben aber den Nachteil, daß man in der Anzahl der Güter beschränkt ist und auch keine präzisen Beziehungen erhält. Wir wollen jetzt eine mathematische Methode vorstellen, die zum Handwerkszeug der Ökonomen gehört und die gleichzeitig demonstriert, daß mit ordinalen Nutzenfunktionen in eindeutiger Weise ein optimales Bündel bestimmt werden kann. Um zu zeigen, daß diese Methode auch mit mehr als zwei Gütern arbeiten kann, betrachten wir den Fall von drei Gütern.

Ziel des Haushalts ist es, das am besten eingeschätzte Güterbündel zu erhalten, das mit seinem Einkommen zu bezahlen ist. Benutzen wir eine ordinale Nutzenfunktion und die bekannte Budgetbedingung, so führt das zur Optimierung der Zielfunktion

$$U(x_1, x_2, x_3) \longrightarrow max$$

unter der einen Nebenbedingung

$$p_1 \cdot x_1 + p_2 \cdot x_2 + p_3 \cdot x_3 = E$$

(Andere Probleme können auch mehrere Nebenbedingungen besitzen)

Wir beschreiben jetzt die Vorgehensweise bei der Lagrange-Methode durch eine Reihe von fast schematisch durchführbaren Schritten.

I Jede Nebenbedingung wird so umgeformt, daß eine, beispielsweise die rechte Seite, Null wird. In unserem Fall ergibt das

$$E - p_1 x_1 - p_2 x_2 - p_3 x_3 = 0$$

II Die linke Seite jeder Nebenbedingung wird mit einem noch unbestimmten Faktor - dem **Lagrange-Faktor** - multipliziert. Es ergibt sich im untersuchten Fall der Ausdruck

$$\lambda(E - p_1 x_1 - p_2 x_2 - p_3 x_3)$$

Bei mehreren Nebenbedingungen muß man jede Nebenbedingung mit einem Lagrange-Faktor multiplizieren.

III Es wird eine **Lagrange-Funktion** L gebildet, indem an die Zielfunktion der in II gebildete Ausdruck (bzw. die Ausdrücke bei mehreren Nebenbedingungen) als Summand angehängt wird. Diese Lagrange-Funktion L hängt von den Unbekannten und den Lagrange-Faktoren ab.

$$L(x_1, x_2, x_3, \lambda) = U(x_1, x_2, x_3) + \lambda(E - p_1 x_1 - p_2 x_2 - p_3 x_3)$$

IV Die Lagrange-Funktion wird nach den Variablen abgeleitet und alle Ableitungen werden gleich Null gesetzt

$$\frac{\partial L}{\partial x_1} = \frac{\partial U}{\partial x_1} - \lambda p_1 \overset{!}{=} 0 \qquad\qquad (*)$$

$$\frac{\partial L}{\partial x_2} = \frac{\partial U}{\partial x_2} - \lambda p_2 \overset{!}{=} 0 \qquad\qquad (**)$$

$$\frac{\partial L}{\partial x_3} = \frac{\partial U}{\partial x_3} - \lambda p_3 \overset{!}{=} 0 \qquad\qquad (***)$$

$$\frac{\partial L}{\partial \lambda} = E - p_1 x_1 - p_2 x_2 - p_3 x_3 \overset{!}{=} 0 \qquad\qquad (****)$$

Die Ableitungen nach den Lagrange-Faktoren führen wieder, wie man an der Beziehung $(****)$ sieht, zu den Nebenbedingungen.

V Aus den in IV bestimmten Gleichungen werden die Variablen bestimmt. Dies hängt natürlich von dem Gleichungssystem ab, das in IV bestimmt wurde. Wir können etwa so vorgehen

$$
\left.
\begin{aligned}
(*) &\Rightarrow \frac{\partial U}{\partial x_1}/p_1 = \lambda \\[2mm]
(**) &\Rightarrow \frac{\partial U}{\partial x_2}/p_2 = \lambda \\[2mm]
(***) &\Rightarrow \frac{\partial U}{\partial x_3}/p_3 = \lambda
\end{aligned}
\right\}
\Rightarrow
\frac{\partial U/\partial x_1}{p_1} = \frac{\partial U/\partial x_2}{p_2} = \frac{\partial U/\partial x_3}{p_3}
$$

bzw.

$$\frac{\partial U/\partial x_1}{\partial U/\partial x_2} = \frac{p_1}{p_2} \qquad\qquad (+)$$

$$\frac{\partial U/\partial x_1}{\partial U/\partial x_3} = \frac{p_1}{p_3} \qquad\qquad (++)$$

$$\frac{\partial U/\partial x_2}{\partial U/\partial x_3} = \frac{p_2}{p_3} \qquad\qquad (+++)$$

oder allgemein

$$\frac{\partial U/\partial x_i}{\partial U/\partial x_j} = \frac{p_i}{p_j} \qquad\qquad (++++)$$

Für je zwei Güter ist das Grenznutzenverhältnis gleich dem Preisverhältnis.

Das ist die Erweiterung der uns bekannten Optimalbedingung, diesmal nicht graphisch, sondern analytisch bestimmt.

Aufgabe 6.20

Zeigen Sie, daß mit Hilfe der Lagrange-Methode die Optimalbedingung
(++++) auch für n Güter (n ≥ 4) abgeleitet werden kann.

6.3.4.2 Bestimmung der Nachfragefunktionen bei zwei Gütern

Aus der Beziehung (+) aus Kap. 6.3.4.1 und der Budgetbedingung kann für
(ordinale) Nutzenfunktionen das optimale Konsumbündel bestimmt werden.
Nehmen wir z. B. an, die Nutzenfunktion sei gegeben durch

$$U(x_1, x_2) = x_1 x_2$$

Daraus folgt

$$\frac{\partial U}{\partial x_1} = x_2 \qquad \frac{\partial U}{\partial x_2} = x_1$$

und aus (+) folgt

$$\frac{x_2}{x_1} = \frac{p_1}{p_2}$$

also

$$p_2 x_2 = p_1 x_1$$

Daraus und aus der Budgetbedingung ergibt sich

$$p_1 x_1 + p_1 x_1 = E$$

$$2 p_1 x_1 = E$$

$$x_1 = \frac{E}{2 p_1}$$

Ebenso ergibt sich

$$x_2 = \frac{E}{2 p_2}$$

6.3.4.3 Bestimmung der Nachfragefunktionen bei drei oder mehr Gütern

Für eine entsprechende Nutzenfunktion kann diese Vorgehensweise jetzt ohne irgendein Problem auf drei Güter und genauso einfach auf mehr als drei Güter übertragen werden.

Nehmen wir also an, die Nutzenfunktion sei gegeben durch die sogenannte Cobb-Douglas-Nutzenfunktion

$$U(x_1, x_2, ..., x_n) = x_1 \cdot x_2 \cdot ... \cdot x_n$$

Dann ist der Grenznutzen irgendeines Gutes i gegeben durch die partielle Ableitung nach x_i.
Für Gut 1 bekommen wir z. B.

$$\frac{\partial U}{\partial x_1} = x_2 \cdot x_3 \cdot ... \cdot x_n = \frac{U}{x_1}$$

Ebenso bekommen wir für irgendein beliebiges Gut i

$$\frac{\partial U}{\partial x_i} = \frac{U}{x_i}$$

Mit $(++++)$ folgt damit (man beachte Aufgabe 6.20)

$$\frac{U/x_1}{U/x_i} = \frac{p_1}{p_i}$$

Kürzen von U und Umstellen ergibt

$$p_i x_i = p_1 x_1$$

Da diese Beziehung für jedes i gilt, kann die Budgetbedingung

$$p_1 x_1 + ... + p_n x_n = E$$

folgendermaßen geschrieben werden

$$\underbrace{p_1 x_1 + p_1 x_1 + ... + p_1 x_1}_{n \text{ mal}} = E$$

Daraus ergibt sich

$$x_1 = \frac{E}{n p_1}$$

Somit gilt allgemein

$$x_i = \frac{E}{n p_i}$$

6.3.5 Elastizitäten

Viele ökonomische Zusammenhänge werden anschaulicher und deutlicher, wenn man relative oder prozentuale Größen benutzt. Das Engelsche Gesetz stellte auf solche Größen ab, und im alltäglichen Leben werden auch Gewinne durch Prozentbildung vergleichbar gemacht. Ein zusätzlicher Vorteil ergibt sich noch dadurch, daß eine Prozentzahl eine dimensionslose Zahl ist. Wegen dieser Vorteile analysiert man auch Nachfrageänderungen häufig durch Analyse prozentualer Änderung.

Die direkte Preiselastizität der Nachfrage untersucht, um wieviel Prozent sich die Nachfrage nach Gut i ändert, wenn der Preis von Gut i um 1 % steigt. Formal

$$\frac{\text{proz. Mengenänderung}}{\text{proz. Preisänderung}} = \frac{\frac{\Delta x_i}{x_i} \cdot 100}{\frac{\Delta p_i}{p_i} \cdot 100} = \frac{\Delta x_i}{\Delta p_i} \cdot \frac{p_i}{x_i}$$

Für die <u>marginale</u> Preiselastizität ergibt sich

$$\eta_{x_i, p_i} = \lim_{\Delta p_i \to 0} \frac{\Delta x_i}{\Delta p_i} \frac{p_i}{x_i} = \frac{\partial x_i}{\partial p_i} \frac{p_i}{x_i}$$

Die Kreuzpreiselastizität der Nachfrage gibt an, um wieviel Prozent sich die Nachfrage nach einem Gut i ändert, wenn der Preis p_j eines anderen Gutes um 1 % steigt. Es gilt entsprechend

$$\eta_{x_i, p_j} = \frac{\partial x_i}{\partial p_j} \frac{p_j}{x_i}$$

Die Einkommenselastizität der Nachfrage ist die prozentuale Änderung der Nachfrage nach Gut i, wenn das Einkommen um ein Prozent steigt

$$\eta_{x_i, E} = \frac{\partial x_i}{\partial E} \frac{E}{x_i}$$

Aufgabe 6.21

   a. Skizzieren Sie die Nachfragefunktionen
      aa. $x_1 = E - 2p_1$
      ab. $x_1 = \frac{E\sqrt{p_2}}{p_1}$
   b. Bestimmen Sie für die Nachfragefunktionen aus Teil a. jeweils die Preiselastizität, die Kreuzpreiselastizität und die Einkommenselastizität der Nachfrage.
   c. Zeigen Sie: Für Giffen-Güter ist die direkte Preiselastizität positiv. Für andere Güter ist die direkte Preiselastizität immer negativ. (Hinweis: Da man normalerweise von der Gültigkeit des Nachfragegesetzes ausgeht, man aber ungern mit negativen Werten argumentiert - Größenvergleiche führen dann nämlich schnell zu Mißverständnissen - wird in einigen Darstellungen als Nachfrageelastizität der absolute Betrag des

*von uns benutzten Wertes genommen. Darauf muß man achten, wenn
man Mißverständnisse vermeiden will.)*

d. *Definieren Sie selbständig den Begriff "isoelastische Nachfragefunktion".*

e. *Machen Sie sich plausibel:*

   ea. *Eine lineare Nachfragefunktion ist nicht isoelastisch.*

   eb. $x_1 = \frac{\sqrt{p_2}}{p_1}$ *ist isoelastisch.*

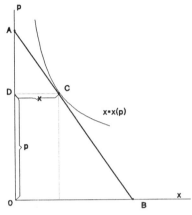

In der vorstehenden Aufgabe haben wir die (nur im ersten Moment überraschende) Tatsache kennengelernt, daß die Elastizität auf einer linearen Nachfragefunktion nicht
konstant ist. Alfred Marshall, der den
Begriff der Elastizität eingeführt hat,
hat auch eine graphische Methode geliefert, mit der die Elastizität auf einer
Nachfragefunktion einfach bestimmt
werden kann. Dazu betrachten wir das
nebenstehende Bild. Die Steigung der
Nachfragefunktion im Punkte C ist:

Abbildung 6.16 Bestimmung der Elastiz

$$\frac{dx}{dp} = -\frac{\overline{CD}}{\overline{AD}}$$

Also folgt

$$-\frac{dx}{dp} \cdot \frac{p}{x} = \frac{\overline{CD}}{\overline{AD}} \cdot \frac{\overline{OD}}{\overline{CD}} = \frac{\overline{OD}}{\overline{AD}}$$

Wegen des Strahlensatzes gilt

$$\frac{\overline{OD}}{\overline{AD}} = \frac{\overline{CB}}{\overline{AC}}$$

Somit haben wir als Ergebnis

$$|\eta_{x,p}| = \frac{\overline{CB}}{\overline{AC}}$$

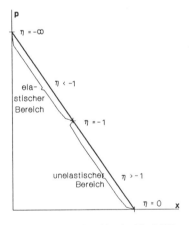

Abbildung 6.17   Bereiche der Elastizität

Aufgabe 6.22

*Zeigen Sie, daß für Funktionen
mit steigendem Verlauf folgende Beziehung für die Elastizität η im Punkte C
gilt:*

$$\eta = \frac{df(x)}{dx} \frac{x}{f(x)} = \frac{\overline{CA}}{\overline{CB}}$$

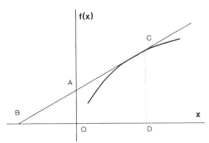

Abbildung 6.18   Bestimmung der Elastizität

6.4 Tauschoptimum und Gleichgewicht

6.4.1 Besserstellung aller durch Tausch - Eine graphische Analyse

Im folgenden wollen wir an einem einfachen Modell zeigen, daß sich die Individuen verbessern können, wenn sie Güter austauschen, also miteinander Handel treiben. Wir werden die Analyse graphisch durchführen. Dafür müssen wir uns allerdings - wie bisher - auf zwei Güter und außerdem auf zwei Tauschpartner beschränken. Um das Problem so einfach wie möglich zu halten, betrachten wir nur den Tausch von Gütern und schließen Produktion aus. Daß die betrachteten Güter produziert wurden, berücksichtigen wir hier nicht. Wir gehen einfach davon aus, daß die Individuen irgendwie in Besitz von Gütern mit Gebrauchswert gekommen sind, die sie somit selbst nutzen können oder aber auch eventuell gegen andere Güter gemäß bestimmter Relationen tauschen können. Ohne Rücksicht auf Produktionsbedingungen wollen wir diese Tauschrelationen in Form von Preisen bestimmen. Da Produktion ausgeschlossen ist, beziehen die Individuen auch kein Einkommen dadurch, daß sie Produktionsfaktoren wie Arbeit, Kapital oder Land verkaufen. Einkommen kann eventuell dadurch bezogen werden, daß etwas (oder alles) von den vorhandenen Gütern am Markt gemäß Marktpreisen verkauft wird. Wir werden dabei davon ausgehen, daß das Handeln bzw. der Tausch weder Mühe noch Kosten macht, es ist damit gedanklich z. B. vorstellbar, daß ein Individuum zuerst seine Güter am Markt verkauft und mit dem damit erzielten Einkommen einen Teil der Güter zurückkauft.

Bevor wir zu diesen Preiskonzepten kommen, müssen wir zuerst eine neue graphische Methode, die Edgeworth-Box, einführen und damit das schon bekannte Konzept des Pareto-Optimums weiter untersuchen.

6.4.1.1 Einführung der Edgeworth-Box

Wir betrachten zwei Individuen, Herrn Normal und Herrn Fett. Von jedem kennen wir die Indifferenzkurven, also die Photographie seiner Wünsche (siehe Abb. 6.19a und b).

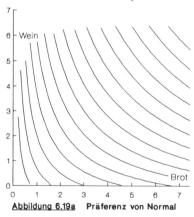

Abbildung 6.19a Präferenz von Normal

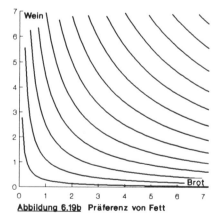

Abbildung 6.19b Präferenz von Fett

In die Photographie der Wünsche zeichnen wir jeweils ein, was der einzelne besitzt. Herr Normal besitze z. B. 6 kg Brot und 1 Liter Wein, Herr Fett hingegen 5 Liter Wein und 2 kg Brot. Diesen Besitz nennen wir Anfangsausstattung $\underline{w}$ (als Abkürzung für Wohlstand, wealth), $\underline{w}^N = (6,1)$ ist die Anfangsausstattung von N und $\underline{w}^F = (2,5)$ ist die Anfangsausstattung von F.

Die Indifferenzkurve, die durch diese Anfangsausstattung läuft, kennzeichnet die Kombinationen von Brot und Wein, die genauso eingeschätzt werden wie die Anfangsausstattung. Der Bereich rechts oberhalb dieser Indifferenzkurve enthält die Güterbündel, bei denen sich die Individuen gegenüber der Anfangsausstattung verbessern. Diese "Verbesserungsmengen" schraffieren wir. (siehe Abb. 6.20a und b)

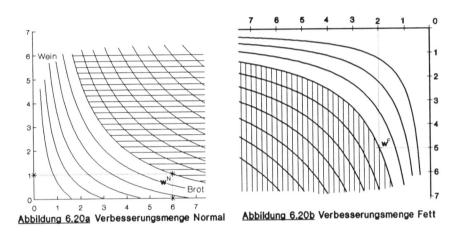

Abbildung 6.20a Verbesserungsmenge Normal   Abbildung 6.20b Verbesserungsmenge Fett

Das Schema von Herrn Fett ist mit Absicht "falsch herum" gezeichnet worden. Durch die Drehung zeigen die Güterachsen jetzt nach links (für Brot) und nach unten (für Wein). Je mehr Wein Herr Fett besitzt, um so tiefer, je mehr Brot er besitzt, um so weiter links muß die Güterkombination eingezeichnet werden. Indifferenzkurven mit höherem Nutzenindex liegen jetzt links unterhalb von denen mit niedrigerem Nutzenindex. Die Krümmung der Indifferenzkurven hat sich im Prinzip nicht geändert, sie sind weiterhin konvex zum Ursprung; dieser Ursprung liegt jetzt aber rechts oberhalb der Kurven.

Im folgenden Bild sind die beiden Schemata so zusammengeschoben, daß die Punkte der Anfangsausstattung übereinander liegen.

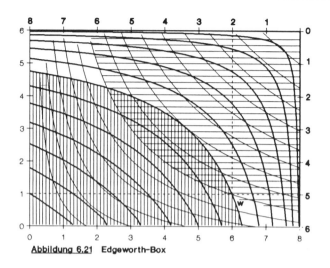

Abbildung 6.21 Edgeworth-Box

Die entstandene Figur heißt **Edgeworth-Box**.

Aufgabe 6.23

Rekapitulieren Sie die Konstruktion der Edgeworth-Box und zeigen Sie, daß diese Box folgende Eigenschaften besitzt:

   a. *Die Länge der Box ist gleich der insgesamt existierenden Menge an Gut 1 (Brot).*

   b. *Die Höhe der Box ist gleich der insgesamt existierenden Menge an Gut 2 (Wein).*

   c. *Jeder Punkt in der Box oder auf dem Rand stellt eine mengenmäßig mögliche Aufteilung der insgesamt existierenden Mengen Brot und Wein auf die Individuen dar.*

   d. *Jeder Punkt außerhalb der Box ist keine zulässige Aufteilung, da mindestens einem Individuum von mindestens einem Gut eine negative Menge zugeordnet würde.*

Aufgabe 6.24 (Wiederholung des Begriffs 'Pareto-Optimum')

In Kapitel 1 wurde der Begriff des Pareto-Optimums eingeführt. In welchem Zusammenhang wurde dieser Begriff eingeführt? Wie war er definiert? Warum wohl sprechen die Ökonomen nicht einfach von Optimum? Warum kennzeichnen sie vielmehr dieses Optimum durch einen speziellen Namen?

6.4.1.2 Pareto-Verbesserung und Pareto-Optimum

Aus der Edgeworth-Box können wir einige wichtige Aussagen gewinnen: Der waagerecht schraffierte Bereich zeigt die Kombinationen, bei denen sich Herr Normal gegenüber der Ausgangsposition <u>w</u> verbessern würde; Herr Fett würde sich im senkrecht schraffierten gegenüber <u>w</u> verbessern. Im doppelt schraffierten Bereich der Edgeworth-Box verbessern sich beide. Wir sollten uns das noch an einigen Beispielen verdeutlichen.

Tauscht N mit F ein kg Brot gegen einen Liter Wein, so hat N 5 kg Brot und 2 Liter Wein und F 4 Liter Wein und 3 kg Brot. Es ergibt sich also der Punkt x in der Zeichnung. Beide Individuen verbessern sich gegenüber der Anfangsausstattung, da jeder auf eine höhere Indifferenzkurve gelangt. Wir nennen einen Zustand (wie Punkt x) eine **Pareto-Verbesserung** verglichen mit einem anderen Zustand (wie Punkt w), wenn sich kein Individuum verschlechtert und sich mindestens eines verbessert.

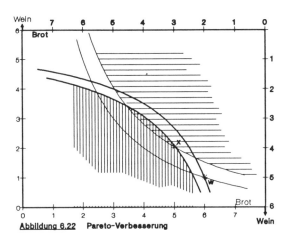

Abbildung 6.22   Pareto-Verbesserung

Eine Pareto-Verbesserung zu w ist also irgendein anderer Zustand, der sowohl in der Verbesserungsmenge von Individuum Normal wie in der Verbesserungsmenge von Individuum Fett liegt.

Auch zum Zustand x gibt es für Fett und Normal jeweils eine Verbesserungsmenge, die sich teilweise überlappen. Jeder Punkt dieser Überlappung stellt eine Pareto-Verbesserung zu x dar.

Schließlich zeichnen wir noch für Punkt x die Verbesserungsmengen von Fett und Normal ein. Abgesehen vom Punkt y haben diese Verbesserungsmengen keinen gemeinsamen Punkt. Zu y gibt es keine Pareto-Verbesserung, also keinen Zustand gemeinsamer Verbesserung. Da es zu y keine Pareto-Verbesserung gibt, ist y ein Pareto-Optimum.

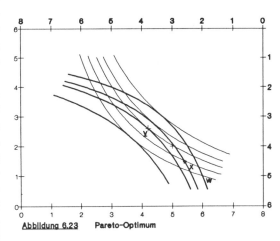

Abbildung 6.23   Pareto-Optimum

Aufgabe 6.25

*Für eine Durchdringung des wichtigen Konzepts des Pareto-Optimums ver-
deutlichen Sie sich selbst an der Abbildung 6.23 noch einmal folgende Eigenschaften des (pareto-optimalen) Zustandes.*

   a. *Individuum Normal kann sich gegenüber Zustand* y *verbessern: kenn-
     zeichnen Sie graphisch alle für Normal gegenüber Zustand* y *besseren
     Zustände. Zeigen Sie, daß jeder dieser Zustände eine Verschlechterung
     für Fett ist.*

   b. *Individuum Fett kann sich gegenüber Zustand* y *verbessern: kennzeich-
     nen Sie graphisch alle für Fett gegenüber Zustand* y *besseren Zustände.
     Zeigen Sie, daß jeder dieser Zustände eine Verschlechterung für Normal
     ist.*

   c. *Zeigen Sie, daß es
     keine gemeinsame Ver-
     besserung für beide gibt.*

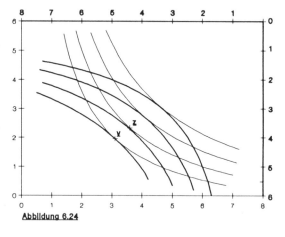

Aufgabe 6.26

*Gehen Sie in Abbildung
6.24 vom Punkt* z *aus*

   a. *Bestimmen Sie die Ver-
     besserungsmengen von
     Fett und Normal.*

   b. *Zeigen Sie, daß Punkt
     * z *Pareto-Optimum ist.*

   c. *Ist Punkt* y *Pareto-
     Optimum? Begründen
     Sie Ihre Antwort!*

Abbildung 6.24

   d. *Skizzieren Sie die Lage aller Pareto-Optima (Beachten Sie, daß wir nicht
     alle Indifferenzkurven eingezeichnet haben bzw. nicht einzeichnen konn-
     ten, und ergänzen Sie die Kurvenschar in passender Weise).*

Ein Pareto-Optimum ist
offensichtlich dadurch gekennzeichnet, daß die Indifferenzkurven der verschiedenen Individuen tangen-
tial sind, also im Pareto-
Optimum die gleiche Stei-
gung haben. Es gibt unendlich viele Pareto-Optima.

   Die Menge der Pareto-
Optima nennt man **Kon-
traktkurve.**

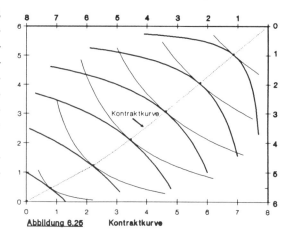

Abbildung 6.25   Kontraktkurve

6.4.2 Gleichgewicht, Optimum und Gerechtigkeit

6.4.2.1 Preise, Tausch und Haushaltsoptimum

Wir betrachten jetzt noch einmal die beiden Individuen getrennt

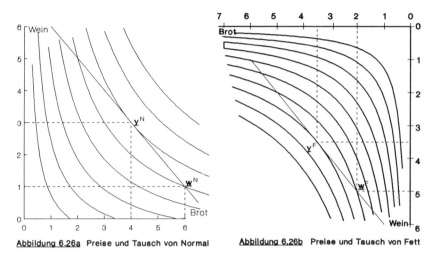

Abbildung 6.26a Preise und Tausch von Normal   Abbildung 6.26b Preise und Tausch von Fett

Wir wollen untersuchen, wie verschiedene Preise auf die Tauschhandlungen der Individuen wirken. Dazu gehen wir aus von folgender

Verhaltensannahme
Die Individuen sehen die Preise als gegeben an und versuchen bei diesen Preisen ihren Nutzen zu maximieren.

Bei zwei Individuen ist diese Annahme nicht unbedingt selbstverständlich, taktisches Verhalten wie Drohung und Überredung werden eventuell eine größere Rolle als der Preis spielen. Mit der Verhaltensannahme soll aber der Marktprozeß modelliert werden; bei einem Markt mit vielen Teilnehmern geht man davon aus, daß zwar alle Individuen zusammen über Angebot und Nachfrage die Preise beeinflussen, daß aber jedes Individuum die Preise als gegeben ansieht. Wir beginnen unsere Überlegungen einmal mit folgenden relativen Preisen p_1 für Brot und p_2 für Wein:

$$p_1 = 1 \qquad p_2 = 1$$

Brot und Wein haben damit den gleichen Preis. Ein kg Wein kostet das gleiche wie ein kg Brot; für ein kg Brot bekommt man ein kg Wein. Beide Individuen können also Brot gegen Wein im Verhältnis 1:1 tauschen. Damit ergibt sich eine Gerade, wie sie in den Abbildungen 6.26a und 6.26b eingezeichnet ist. Eine solche Gerade wollen wir jetzt für allgemeine Preise p_1 und p_2 ableiten (vgl. Abb. 6.27a). Wir suchen die Güterbündel $\underline{x}^N$, die das Individuum N durch Tausch zu den Preisen p_1 und p_2 erreichen kann. Gibt ein Individuum von seiner Ausstattung an Gut 1 die Menge Δx_1 ab, so erhält es dafür beim Preis p_1 einen Wert von $p_1 \cdot \Delta x_1$. Für den Erwerb einer zusätzlichen Menge Δx_2 von Gut 2 muß es $p_2 \Delta x_2$ aufwenden. Für ein ausgeglichenes Budget muß also gelten

$$p_1 \Delta x_1 = -p_2 \Delta x_2$$

also

$$p_1(w_1^N - x_1^N) = -p_2(w_2^N - x_2^N)$$

daraus folgt

$$x_2^N = -\frac{p_1}{p_2} x_1^N + \frac{p_1 w_1^N + p_2 w_2^N}{p_2}$$

Dies ist die Gleichung für eine Gerade, die durch den Punkt (w_1^N, w_2^N) läuft und die Steigung $-\frac{p_1}{p_2}$ besitzt. Der Ausdruck $p_1 w_1^N + p_2 w_2^N$ erfaßt die Anfangsausstattung des Individuums, bewertet zu den Preisen p_1 und p_2. Das ist das Einkommen des Individuums N, das es aus dem Verkauf seiner Ressourcen erzielen kann. Wir setzen also

$$E^N = p_1 \cdot w_1^N + p_2 \cdot w_2^N$$

und erhalten

$$x_2^N = -\frac{p_1}{p_2} x_1^N + \frac{E^N}{p_2}$$

Dies entspricht der Gleichung für die Budgetgerade in Abschnitt 6.3.1.2 mit dem jedoch sehr wichtigen Unterschied, daß das Einkommen nicht fest vorgegeben ist, sondern von den Marktpreisen abhängt. Bei einer Änderung z. B. des Preises p_1 dreht sich die Gleichung um den Drehpunkt $\underline{w}^N$ und nicht um einen Punkt auf der x_1-Achse

In Abbildung 6.27b ist die entsprechende Budgetgerade mit den gleichen Preisen für Individuum Fett dargestellt. Wie man unmittelbar sieht, ändert das "auf den Kopf" stellen die Richtung der Budgetgerade nicht: Würden wir Abbildung 6.27a und 6.27b zu einer Edgeworth-Box zusammenschieben, so würden die Budgetgeraden aufeinanderliegen. Durch die Budgetgerade ist festgelegt, wie ein Individuum bei vorgegebenen Preisen tauschen kann, es ist noch zu bestimmen, welchen Tausch ein Individuum tatsächlich durchführen will.

In Abb. 6.27a erkennt man, daß Individuum Normal sich gegenüber der Anfangsausstattung verbessern kann, indem es gemäß der Preisrate p_1/p_2 Gut 1 gegen Gut 2 eintauscht und so z. B. zu Punkt $\underline{x}^N$ kommt. Punkt $\underline{x}^N$ ist nämlich besser für das Individuum, da $\underline{x}^N$ auf einer höheren Indifferenzkurve liegt. Das Individuum kann weiterhin Gut 1 gegen Gut 2 eintauschen und zu dem noch besseren Zustand gelangen. Setzt es aber von $\underline{y}^N$ aus den Tausch von Gut 1 gegen Gut 2 fort, verschlechtert es sich. $\underline{y}^N$ ist offensichtlich eine durch Tausch zu den Preisen p_1 und p_2 erreichbare Kombination, da $\underline{y}^N$ auf

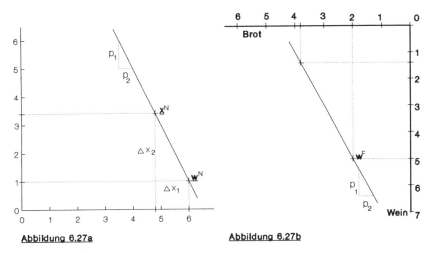

Abbildung 6.27a   Abbildung 6.27b

der Budgetgerade durch $\underline{\mathbf{w}}^N$ liegt. Außerdem ist $\underline{\mathbf{y}}^N$ von allen erreichbaren Kombinationen die vom Individuum am höchsten eingeschätzte, da $\underline{\mathbf{y}}^N$ von allen Punkten der Budgetgerade auf der höchsten Indifferenzkurve liegt. Für das Individuum bzw. seinen Haushalt ist $\underline{\mathbf{y}}^N$ ein Optimum; wir nennen $\underline{\mathbf{y}}^N$ darum Haushaltsoptimum.

> Ein Güterbündel $\underline{\mathbf{y}}^N$ heißt Haushaltsoptimum vom Individuum N zur Anfangsausstattung $\underline{\mathbf{w}}^N$ und den Preisen p_1 und p_2 wenn
> a. das Güterbündel von $\underline{\mathbf{w}}^N$ aus durch Tausch zu den Preisen p_1 und p_2 erreichbar ist und
> b. es kein anderes von $\underline{\mathbf{w}}^N$ durch Tausch erreichbares Güterbündel gibt, das vorgezogen wird.

Aus der Zeichnung ergibt sich sofort, daß im Haushaltsoptimum die Budgetgerade die gleiche Steigung wie die Indifferenzkurve hat. Die Steigung der Indifferenzkurve ist die Grenzrate der Substitution $\frac{dx_2}{dx_1}$, die Steigung der Budgetgerade ist $-p_1/p_2$. Also ergibt sich

> Im Haushaltsoptimum gilt: $\dfrac{dx_2}{dx_1} = -\dfrac{p_1}{p_2}$

6.4.2.2 Gleichgewicht, Gleichgewichtspreise und die unsichtbare Hand

Wir gehen wieder aus von $p_1 = 1$ und $p_2 = 1$ (Abbildung 6.26) und erkennen, daß bei diesem Tauschverhältnis Individuum Normal sein Optimum beim Punkt $\underline{x}^N$ hat.

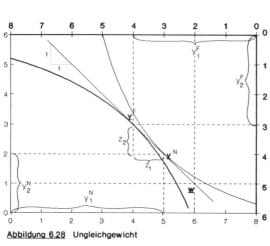

Abbildung 6.28 Ungleichgewicht

Statt der Anfangsausstattung von 6 kg Brot und 1 kg Wein wünscht das Individuum lieber 5 kg Brot und 2 kg Wein. Bei den vorgegebenen Preisen müßte ein solcher Tausch für das Individuum auch möglich sein. Individuum Fett hat sein Optimum bei $\underline{y}^F$. Statt seiner Anfangsausstattung von 2 kg Brot und 5 kg Wein möchte dieses Individuum lieber 4 kg Brot und 3 kg Wein. Bei den vorgegebenen Preisen müßte auch dieser Tausch möglich sein.

Insgesamt ist dieser Tausch aber nicht möglich: Individuum Normal möchte zwar das abgeben, was Individuum Fett zusätzlich haben will, nämlich Brot, dafür will Normal von dem bekommen, was Fett abgeben will, nämlich Wein. Die Mengen jedoch sind unterschiedlich, der Tausch geht mengenmäßig nicht auf. Bei den (willkürlich) angenommenen Preisen wollen beide zusammen mehr Brot als ingesamt vorhanden ist - die Nachfrage nach Brot ist also zu groß -, gleichzeitig wollen beide zusammen weniger Wein als vorhanden ist - das Angebot an Wein ist zu groß. Wir können uns das auch in der Edgeworth-Box verdeutlichen. In Abb. 6.28 kennzeichnet die Strecke x_1^N die von Normal gewünschte Menge an Brot, y_1^F die von Fett gewünschte Menge. Beide Strecken zusammen sind länger als die Edgeworth-Box. Der horizontale Abstand z_1 zwischen $\underline{y}$ und $\underline{x}$ verdeutlicht die nicht befriedigte Nachfrage nach Brot. z_1 bezeichnet man als (positive) Übernachfrage nach Gut 1. x_2^N ist die von Normal gewünschte Menge an Wein, y_2^N die von Fett angestrebte; das ist insgesamt weniger als vorhanden ist. Der vertikale Abstand von $\underline{x}$ und $\underline{y}$ gibt das Überschußangebot an Wein an.

Unbefriedigte Nachfrage auf der einen Seite und Überschußangebot auf der anderen legt die Vermutung nahe, daß das eine Gut relativ zu billig, das andere relativ zu teuer ist. Brot muß im Vergleich zu Wein teurer werden. Ändern wir also das Austauschverhältnis, so daß gilt

$$1 \text{ kg Brot} = 2 \text{ kg Wein}$$

Wie die Edgeworth-Box in Abb. 6.29 zeigt, ist dies das richtige Tauschverhältnis. Individuum Normal will zu diesem Preis genausoviel Brot abgeben, wie Fett zu diesem Preis haben will; Fett gibt soviel von Wein ab, wie Normal haben will. Der Punkt y ist für beide ein Haushaltsoptimum. Machen wir die Verhaltensannahme, daß die Individuen bereit sind, ihre Güter gemäß dieser Tauschrate zu tauschen, so ist der Punkt y ein Zustand, den keiner von beiden verlassen will.

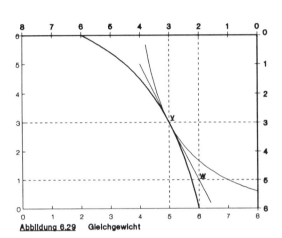

Abbildung 6.29   Gleichgewicht

Einen solchen Punkt nennen wir Gleichgewicht. Will man die zugrundeliegende Verhaltensannahme - Tausch zu am Markt bestimmten Preisen - besonders betonen, spricht man von einem Marktgleichgewicht. Die Tauschrate bzw. die relativen Preise, die das Marktgleichgewicht ermöglichen, heißen Gleichgewichtspreise. Man sieht sofort, daß im Marktgleichgewicht die Indifferenzkurven der beiden Individuen tangential zueinander sind. Ein Marktgleichgewicht ist also pareto-optimal.

Wir sollten zusammenfassen: Durch graphische Analyse haben wir für ein einfaches Modell deutlich gemacht

a. Individuen können sich in der Regel durch Tausch verbessern.

b. Bei verschiedenen relativen Preisen kann es zu Überangebot und Übernachfrage kommen.

c. Durch (eventuell zielgerichtetes) Probieren können die Marktteilnehmer Preise bestimmen, bei denen beide im Optimum sind und bei dem weder Überangebot noch Übernachfrage existiert. Diesen Zustand nennen wir ein Marktgleichgewicht. Die Gleichgewichtspreise werden aus der Ausstattung und den Präferenzen der Individuen so abgeleitet, daß Angebot und Nachfrage übereinstimmen.

d. Preise wurden durch Tausch bestimmt, ohne daß Produktion betrachtet wurde. Somit sind in diesem Modell Preise nicht auf Produktionskosten oder noch spezieller auf Arbeitseinheiten zurückgeführt.

e. Ein Marktgleichgewicht ist optimal in dem Sinne, daß sich ein Individuum nur noch auf Kosten eines anderen verbessern kann.

6.5 Problematisierender Rückblick

6.5.1 Annahmen und Aussagen

Wir haben hiermit einen Abschnitt der Mikrotheorie - die Haushaltstheorie - kennengelernt. Bevor wir weitergehen, müssen wir noch einmal
unser Vorgehen in der Wirtschaftstheorie überdenken. Ausgegangen waren
wir von einem Satz von Annahmen, alle durchaus plausibel, aber nicht unbedingt selbstverständlich. Diese Annahmen hatten wir analysiert, mit Hilfe
der Annahmen neue Begriffe eingeführt (wie z. B. Indifferenzkurve, Substitutionsrate, Nachfragekurve) und dann eine Reihe von Aussagen gewonnen
(über die Steigung von Indifferenzkurven, über das Haushaltsoptimum, etc.).

$$\boxed{\text{Annahmen}} \longrightarrow \text{Analyse} \longrightarrow \boxed{\text{Aussagen}}$$

Wir sollten hier eine ganz wichtige Tatsache festhalten: Die abgeleiteten
Ergebnisse sind gegeben durch die Annahmen und die Definitionen. Die Analyse deckt bestimmte Sachverhalte auf und stellt bestimmte Zusammenhänge
her, sie schafft aber keine Sachverhalte und Zusammenhänge. Werden innerhalb der Wirtschaftstheorie sich widersprechende Aussagen gemacht, so kann
dies grundsätzlich drei Ursachen haben:

1. Die Analyse enthält einen logischen Fehler.
2. Es werden unterschiedliche Definitionen verwandt.
3. Man geht von unterschiedlichen Annahmen aus.

Ursache 1 kann in der Regel schnell ausgeschaltet werden; trotzdem
sollte auch der Studienanfänger wissen, daß Lehrbücher und wissenschaftliche Veröffentlichungen Fehler enthalten können und zwar von einfachen
Tippfehlern bis zu gravierenden logischen Fehlern. Ursache 2 ist schon pro-
blematischer. Hitzige Diskussionen werden geführt, weil die Teilnehmer von
verschiedenen Definitionen ausgehen. Das passiert besonders dann, wenn
die Definitionen aus einem Bereich stammen, in dem Emotionen eine Rolle
spielen wie z. B. Ausbeutung, Profit, Nutzenmaximierung, Einkommensverteilung. Ursache 3 ist am schwierigsten zu überwinden, da hier das Problem
der ökonomischen Theoriebildung berührt wird: Welche Annahmen sind relevant, welche Aspekte können zur Theoriebildung vernachlässigt werden?
Hier spielt dann auch die weltanschauliche Bindung des Wissenschaftlers eine
Rolle.

6.5.2 Die soziale Bedingtheit der Nachfrage

Nachfragefunktionen wurden aus individuellen Präferenzsystemen abgeleitet. Dies setzt voraus, daß das Individuum Güter nach ihren Eigenschaften
beurteilt und nur nach ihren Eigenschaften. Betrachten wir ein Beispiel: Ein
Individuum kauft eine bestimmte Menge Champagner, weil ihm Champagner
gut schmeckt, den Kreislauf anregt, seine und die Stimmung seiner Gäste hebt
usw. Bei P. Weise (1979) heißt dies funktionale **Nachfrage**. Eine solche
Nachfrage entsteht aus der Funktion der Güter. Auch Robinson Crusoe hätte
- abgesehen vom Fehlen von Gästen - Präferenzen in dieser Weise entwickeln

können und (im gestrandeten Schiff) Champagner anderen Güter vorziehen können. Der Indifferenzkurvenanalyse ist darum auch wiederholt der Vorwurf einer Robinson-Crusoe-Theorie gemacht worden, also einer Theorie, die auf isolierte Individuen ohne gesellschaftliche Verflechtungen abzielt. Unter **nicht funktionaler Nachfrage** wird von Weise die Nachfrage verstanden, die aus sozialen Interdependenzen und gesellschaftlichen Zwängen herrührt: Es gibt sicherlich Leute, die Champagner trinken, weil es in der Schicht, in der sie leben, dazugehört. Normalerweise würden sie vielleicht lieber Bier trinken, aber das können oder wollen sie sich in ihrer Umgebung nicht leisten. Bei solchem Verhalten spricht man vom **Mitläufer-Effekt** (Bandwaggon-Effekt). Andere hingegen wollen sich von der breiten Masse abheben, sie trinken dann keinen Champagner mehr, wenn man ihn in jedem Laden kaufen kann und bei jedem Fest angeboten bekommt. Dieses Verhalten ist als **Snob-Effekt** bekannt. Schließlich hat Thorstein Veblen den nach ihm benannten **Veblen-Effekt** eingeführt. Danach werden bestimmte Güter um so mehr gekauft, je höher der Preis ist, den die Mitmenschen vermuten. Geht man allgemein davon aus, daß französischer Champagner teuer ist, so hat Champagner einen hohen Prestigeeffekt. Daraus ergibt sich aber, daß Präferenzen in komplizierter Weise von Preisen abhängen. Dies kann sogar noch etwas breiter gesehen werden: Preise können Information enthalten, mindestens geht der Konsument häufig davon aus. Einmal kann der Preis über den Prestigegehalt eines Gutes informieren, weiter kann aber der Preis allgemein über Qualität informieren (oder zu informieren vorgeben). Werden zwei nahe Substitute im Laden zu sehr unterschiedlichen Preisen angeboten, so geht man naheliegenderweise davon aus, daß damit ein Qualitätsunterschied signalisiert wird. So gliedert z. B. die Stiftung Warentest bestimmte Tests in "gehobene Preisklasse", "mittlere Preisklasse", "untere Preisklasse".

6.5.3 Präferenzen und Dynamik

Pareto schreibt: "Das Individuum kann sich entfernen, es muß uns nur die Photographie seiner Wünsche hinterlassen." Eine Photographie, und nach diesem Vergleich auch ein Indifferenzkurvensystem, führt zum Festhalten eines Augenblicks, kann aber nicht die Entwicklung widerspiegeln. Die Wünsche des Individuums ändern sich aber aus verschiedenen Ursachen:

1. In Abhängigkeit vom Lebensalter: Als Kind hat man andere Bedürfnisse als als Jugendlicher; dieser hat wieder andere Wünsche als ein Erwachsener.
2. In Abhängigkeit von der Jahreszeit.
3. In Abhängigkeit von der Tageszeit. Gesamtgesellschaftlich spielen solche Präferenzänderungen kaum eine Rolle, solange sie nach gewissen Regelmäßigkeiten ablaufen: Durchschnittsbildung kann zu vergleichsweise stabilem Nachfrageverhalten führen, wenn die Anteile der Altersklassen an der Bevölkerung sich nicht abrupt ändern. Nachfragefunktionen ändern sich im Laufe eines Jahres und auch im Laufe eines Tages: Die Nachfrage nach Weihnachtsbäumen innerhalb eines Jahres und

nach Brötchen innerhalb eines Tages sind Beispiele, die fast beliebig vermehrbar sind. Diese Hinweise führen aber wohl nicht auf die eigentlichen Probleme, denn diese Entwicklungen sind weitgehend vorherzusehen und gleichen sich über die Bevölkerung hinweg oder über die Zeit hinweg weitgehend aus, sofern man eine statische Gesellschaft unterstellt. Wir sprechen von einer statischen Gesellschaft, wenn sich die Gesellschaft in ihrem Aufbau, in ihren Zeiten und Gewohnheiten, in ihren Lebensumständen und ihrem Konsumverhalten nicht nennenswert ändert. Unsere Zeit ist aber sicherlich eher von einer dynamischen Gesellschaft geprägt. Dazu vergleiche man nur die allgemein akzeptierten Wertvorstellungen der Gesellschaft von 1904, 1914, 1924, 1934, 1944, 1954, 1964, 1974, 1984, das Güterangebot und die Konsumgewohnheiten in diesen Jahren. Eine statische Analyse, wie die mit Hilfe der Photographie der Wünsche, ist aber für solche dynamischen Probleme nur bedingt anwendbar.

6.6 Literatur

H.C. **Recktenwald** (1971) enthält eine von Keynes verfaßte Marshall-Biographie.

Abschnitt 6.3 enthält Stoff, der in fast jedem Buch zur Mikrotheorie nachgelesen werden kann. Das Buch von **Weise** (1979) liefert viel Hintergrundmaterial zur Diskussion der hier eingeführten Methoden. Eine knappe Darstellung zur Entwicklung des Giffen-Paradox findet man in **Stigler** (1947). Der Zusammenhang von Giffen-Paradox und Kartoffelfäule in Irland wird sehr kritisch untersucht in **Dwyer und Lindsay** (1984).

Kapitel 7: Die sichtbare Hand, Teil 1: Das Unternehmen

7.0 Lernziele

1. Beispielhaft erfahren, daß die Entwicklung der amerikanischen Wirtschaft begleitet wurde durch das Entstehen von Wirtschaftsimperien, die von innovativen und weitsichtigen aber auch durchsetzungsfähigen und rücksichtslosen Unternehmern geschaffen und zum Erfolg geführt wurden.

2. Erkennen, daß mit dem Entstehen von wirtschaftlicher Macht die Frage nach der Kontrolle der wirtschaftlichen Macht verbunden ist.

3. Erkennen, daß Unternehmen einen wichtigen konstituierenden Faktor eines entwickelten Wirtschaftssystems darstellen.

4. Erkennen, daß Unternehmen in einer Marktwirtschaft "Inseln bewußter Macht in einem Ozean unbewußter Kooperation" darstellen.

5. Feststellen, daß es verschiedene Ansätze gibt, die Existenz von "Inseln bewußter Macht" zu erklären.

6. Verschiedene Unternehmensziele kennenlernen und ihre Relevanz diskutieren.

7. Die neo-klassische Theorie des Unternehmerverhaltens vor dem Hintergrund der Gewinnmaximierung kennenlernen.

Hinweis: Dieses Kapitel stützt sich im Abschnitt 7.2 auf Ausführungen des Buches von Peter Weise (1979).

7.1 Amerikanische Wirtschafts-Geschichte

7.1.1 Von der Unabhängigkeit bis zum Sezessionskrieg

Am 4. Juli 1776 erklärten 13 nordamerikanische Kolonien ihre Unabhängigkeit von England. In der Einleitung der Unabhängigkeitserklärung finden sich diese Worte:

"Wir halten folgende Wahrheiten für offenbar und keines weiteren Beweises bedürftig: Daß alle Menschen gleich sind von Geburt, daß sie von ihrem Schöpfer mit gewissen, unveräußerlichen Rechten ausgestattet sind, daß zu diesen Leben, Freiheit und das Streben nach Glück gehören; - daß, um diese Rechte zu sichern, Regierungen unter den Menschen eingerichtet sind, welche ihre rechtmäßige Gewalt von der Zustimmung der Regierten herleiten. So oft eine Regierungsform diesen Endzwecken verderblich wird, hat das Volk das Recht, sie zu ändern oder abzuschaffen, eine neue Regierung einzusetzen und diese auf solchen Grundsätzen aufzubauen und ihre Befugnisse in solche Form zu kleiden, die die Sicherheit und das Glück des Volkes zu gewährleisten scheinen." (Franz, 1975, S. 3)

Damit geht alle Gewalt vom Volke aus; Ziel des Staates ist es, dem Glück und der Wohlfahrt des einzelnen zu dienen. Die Gleichheit der Menschen vor dem Gesetz wird garantiert durch die scharfe Trennung von Legislative, Exekutive und Jurisdiktion. Jahre vor der französischen Revolution wurde hier eine Verfassung vorgestellt, die ganz auf den Ideen der Aufklärung beruhte.

Der mit soviel Enthusiasmus ausgerufene Staat befand sich bei seiner Gründung in einer schwierigen Lage. Etwa vier Millionen Einwohner lebten fast ausschließlich in kleinen Ansiedlungen verstreut im weiten Land. Zunächst mußte für die 13 Einzelstaaten ein Rahmengesetz ausgearbeitet werden. Dem ersten Präsidenten George Washington gelang es, die oft gegeneinander operierenden Staaten mit einer losen Klammer zu einem Bundesstaat zu verbinden. Der Bund war für die Außen-, Handels- und Wirtschaftspolitik, die Verteidigung und das Münzwesen verantwortlich. Eine Erwerbs- und Vermögenssteuer sollte die Bundesaufgaben finanzieren.

Die Siedler hatten zwar die Bevormundung durch England verloren, aber auch gleichzeitig den Schutz, den England der Kolonie durch die Navigationsakte geboten hatte, sowie die sicheren Absatzmärkte für amerikanische Waren im Mutterland. Da die Engländer zunächst keine, später in geringerem Maße als vor der Unabhängigkeitserklärung amerikanische Waren kauften, mußte der junge Staat nach neuen Absatzmärkten Ausschau halten. Die USA knüpften nicht nur enge Handelsbeziehungen zu Schweden und Preußen, sondern bis nach Kanton in China. Starke Zollmauern schützten die aufblühende amerikanische Industrie vor allem vor der englischen Ware. Das technische Wissen, das für die Industrialisierung nötig war, kam mit europäischen Einwanderern; ausgebildete Arbeiter waren begehrt, so daß bis 1830 die Löhne für Fachkräfte um 50 % höher waren als in England (Treue, 1973, S. 597). 1803 war die Union trotz ständiger Geldknappheit wirtschaftlich schon so stark, daß sie von Napoleon für 15 Millionen Dollar Lousiana kaufen konnte.

Die in Europa tobenden napoleonischen Kriege wurden für die USA ein Glücksfall. Während Frankreich alles in seiner Macht liegende tat, um den englischen Seehandel zu unterbinden, konnten die Schiffe aus den USA dank ihrer Neutralität zunächst ungehindert verkehren. So wuchs der amerikanische Schiffsraum während der napoleonischen Kriege von 124 000 auf 810 000 Tonnen (Treue, 1973, S. 599). England fühlte sich durch die amerikanische Konkurrenz gestört und versenkte oder kaperte amerikanische Schiffe, so bald es Gelegenheit dazu hatte. Präsident Jefferson rief 1806/07 daraufhin ein Wirtschaftsembargo gegen England aus, das aber vor allem die amerikanischen Farmer, Kaufleute, Reeder schädigte und die Preise um zwei Drittel sinken ließ. Bis 1814 gab es ständige Konflikte und Feindseligkeiten, bis jede Seite begriff, daß sie nicht gewinnen konnte und die Gegenseite respektierte.

Es begann eine Zeit des stetigen Wachstums. Das Gebiet der USA dehnte sich immer mehr aus; bis 1819 vergrößerte es sich um Indiana, Illinois, Alabama, Maine und Mississippi. Mit dem Staat Mississippi kam auch der riesige Fluß ganz ins Territorium der USA. Der Charakter der USA hatte sich seit ihrer Gründung noch nicht sehr geändert, es war immer noch ein dünnbesiedeltes Land, in dem 1830 nur 6,7 % der Bevölkerung in Städten über 8 000 Einwohner lebten (Treue, 1973, S. 601). Der Haupterwerbszweig war die Landwirtschaft geblieben, die aber im Gegensatz zum übervölkerten Europa extensiv arbeitete und Methoden bevorzugte, die viel Land und geringen Einsatz von menschlicher Arbeitskraft erforderten. Schon ab 1847 wurden die Ernten mit McCormicks Getreidemähmaschinen eingebracht.

Angesichts der großen Entfernungen und der schlechten Straßenverhältnisse wurde das Problem des Transports von Maschinen und Ernten immer gravierender; so machte man im Süden den Mississippi schiffbar und baute im Norden den Erie-Kanal von 550 km Länge. Ab 1828/30 begann man mit dem Eisenbahnbau, und 1840 gab es im Osten schon ein Schienennetz von fast 4 500 km Länge.

Die Industrialisierung, die vom Nordosten ausging, basierte - wie schon erwähnt - auf europäischen Erfindungen, die immer weiter verbessert wurden. Das Startkapital mußte in den noch sehr geldarmen USA oft im Ausland geliehen werden, wobei besonders die Niederlande und Frankreich aus Sympathie für die Freiheitsideale der Amerikaner Kapital investierten; die Engländer traten erst später als Geldgeber auf. Die einheimische aufblühende Industrie unterschied sich von der europäischen dadurch, daß sie weniger Kapital pro Arbeitsplatz einsetzte und immer bereit war, sich auf modernere Anlagen umzustellen und auf günstigere Standorte auszuweichen. Die Flexibilität der Fabrikanten war höher, die Löhne der Arbeiter ebenso. Um 1850 entsprach die Industrialisierung der USA der Englands, vor deren Waren sich die Amerikaner weiterhin durch starke Zollmauern schützten.

7.1.2 Der Sezessionskrieg

Der amerikanische Süden, in dem etwa 8 Mill. Weiße und 4 Mill. Neger lebten, war von der industriellen Revolution kaum berührt, sondern produzierte landwirtschaftliche Güter wie Baumwolle, Tabak und Mais. Die guten Böden befanden sich überwiegend im Besitz von 10 % der Bevölkerung, einer reichen Oberschicht, der sogenannten Pflanzeraristokratie. Die Bewirtschaftung der riesigen Plantagen war nach Meinung der Südstaatenbewohner ohne die billige Arbeit der Negersklaven nicht möglich. Um ihre Baumwolle und ihren Tabak, Produkte, die immerhin 57 % der amerikanischen Ausfuhr ausmachten, günstig exportieren zu können, waren die Pflanzer erklärte Gegner von Zollmauern. So standen sich innerhalb der USA eine moderne Industrie- und eine archaische Agrargesellschaft gegenüber. Der Anlaß für den Konflikt war die Wahl Abraham Lincolns, der die Abschaffung der Sklavenhaltung forderte, zum Präsidenten. Der Süden wollte aus wirtschaftlichen Gründen nicht auf die Sklavenarbeit verzichten und erklärte 1861 seinen Austritt (Sezession) aus dem Staatenbund der USA. Es begann ein Bürgerkrieg, der von jeder Seite mit ungewöhnlicher Härte und Brutalität geführt wurde und als erster "totaler Krieg" gilt. Man versuchte nicht nur, die Heere des Gegners zu schlagen, sondern auch seine Fabriken, Verkehrswege, Häuser, Ernten und Vorräte zu zerstören. 1865 gewann der Norden, weil er aufgrund seiner wirtschaftlichen und technischen Überlegenheit nicht nur die Häfen des Südens sperren und damit Ein- und Ausfuhr unterbinden konnte, sondern auch zerstörte kriegswichtige Güter, seien es Ausrüstungsgegenstände wie Gewehre oder Eisenbahnwaggons, schnell mit Hilfe seiner Industrie ersetzen konnte. Nach der Kapitulation mußten sich die Südstaaten verpflichten, Mitglied im Bundesstaat zu bleiben und die Sklaven freizulassen. Die Rassenfrage wurde von nun an zum Dauerproblem der USA. Der Süden hatte seine bedeutende Stellung in den USA verloren, er war ein ausgeblutetes, unterentwickeltes Land.

Nach Beendigung des Sezessionskrieges kam es zu einem erneuten Wachstumsschub. Die Dynamik zeigte sich zunächst nur äußerlich im stetigen Zug nach Westen. Zuerst stießen die Jäger ins Indianergebiet vor, dann folgten die Viehzüchter, und schließlich siedelten sich die Farmer an. 1862 verfügte der "Homestead-Act", daß jeder Interessent 200 acres (ca. 65 Hektar) Land im eroberten Westen erhalten könne, um sich als Farmer niederzulassen.

Mit der ausgedehnteren und dichteren Besiedlung des Westens wurden weitere Verkehrswege nötig; 1851 war die erste transkontinentale Eisenbahn fertiggestellt, weitere Ost-West-Linien, die oft den Pfaden der Siedler folgten, schlossen sich an. Von 1865 wuchs das Schienennetz von 68 000 km auf 500 000 km Länge um 1900.

Mit der Besiedlung stieg die Produktion von Weizen und Fleisch ungeheuer, und erst das Schienennetz ermöglichte den Transport der Ernten. Gleichzeitig wurde ein neues Verfahren entwickelt, Lebensmittel in Konserven haltbar und damit zu Exportgütern zu machen. Im Norden und Nordosten konzentrierten sich die Konservenfabriken; die berühmten Schlachthöfe Chicagos sind eine Folge der industriell betriebenen Landwirtschaft.

Neben Stahl- und Konservenproduktion wurden die USA auf einem anderen Gebiet innovativ: dem des Erdöls als Beleuchtungsmittel. 1859 fand man das erste Erdöl in Pennsylvania, 1865 baute man die erste Pipeline, 1866 den ersten Eisenbahntankwagen. 1869 hatte Erdöl Kienspan und Tran verdrängt und sich als Beleuchtungsmittel durchgesetzt. Die Raffinerien liefen auf Hochtouren, und auch in Europa gab es fast keinen Haushalt, der nicht amerikanisches Erdöl für seine Petroleumlampen brauchte.

Innerhalb eines Jahrhunderts entwickelten sich die USA von einer ausgebeuteten schwach besiedelten Kolonie zu einer der wirtschaftlich stärksten Mächte der Erde. Wie kam es dazu? Den Grundstein zum Erfolg legte wohl die amerikanische Verfassung, die jedem Individuum das Recht zur eigenen Entfaltung gab. In diesem Sinne wirkte der Staat nicht durch scharfe Kontrollen, Regulierungen jeder Art, hohe Steuern auf das wirtschaftliche Geschehen ein, sondern förderte und schützte das Eigentum und die Eigeninitiative des einzelnen. Die Weite der USA, der scheinbar unerschöpfliche Vorrat an herrenlosem Land im Gegensatz zum engen und übervölkerten Europa ermöglichten eine Verwirklichung der Ideen der Verfassung. Eine ständig wachsende Bevölkerung mit ständig wachsenden Bedürfnissen machte die Ausbeutung der zahlreichen Bodenschätze notwendig und regte große technische Neuerungen und eine beispiellose Industrialisierung an, die weiten Bevölkerungsgruppen einen bis dahin unbekannten Lebensstandard ermöglichte.

Den Reichen und Mächtigen, die 10 % der Bevölkerung ausmachten, die aber über 90 % des Nationalvermögens verfügten (Treue, S. 624), gaben die wirtschaftlichen Rahmenbedingungen nicht nur die Möglichkeit, märchenhafte Vermögen zu erwerben, sondern mit Hilfe von Trusts und Monopolen den Markt zu beherrschen und jede Konkurrenz zu verhindern oder zu vernichten, also gegen den Geist der Verfassung zu verstoßen. Der Glaube an die Freiheit des Individuums und die liberale Haltung des Staates gaben also der Wirtschaft nicht nur eine ungeheure Dynamik, sondern schufen auch Probleme für die Armen, die hier nicht durch ein soziales Netz aufgefangen wurden. Mit dem Knapperwerden des freien Landes beim endgültigen Vorstoß bis zum Pazifik wandte sich der Staat von seiner extrem liberalen Haltung ab und begann, Schwächere zu schützen. 1890 wurden scharfe Gesetze gegen das Preisdiktat der Monopole und Trusts formuliert; Arbeiter- und Angestelltenvereinigungen wurden stärker, die progressive Einkommensteuer bat die Reichen zur Kasse, während es von da an immer wieder Sondergesetze für benachteiligte Gruppen gab. Diese staatlichen Verordnungen konnten die schlimmsten Mißstände auffangen, untergruben aber nicht den Glauben an die Eigenverantwortung des einzelnen. Die Antitrust-Gesetze schafften es nicht, die großen Wirtschafts- oder Finanzimperien eines Rockefeller oder Morgan zu zerschlagen. Einzelne Wirtschaftsführer blieben so vermögend, daß sie wie Bankier Charles Morgan mit amerikanischem Geld England im

Burenkrieg unterstützten und Japan mitfinanzierten, als es die Mandschurei eroberte. Um 1900 griffen die USA mit Hilfe ihrer Wirtschafts- und Finanzkraft in die Weltgeschichte ein.

7.1.3 American Tobacco Company als Beispiel für ein innovatives Unternehmen

Wir illustrieren die grob skizzierte amerikanische Wirtschaftsgeschichte, indem wir die Entwicklung eines Unternehmens zwischen Bürgerkrieg und erstem Weltkrieg darstellen. (vgl. dazu Whitten, 1983, S. 119-132)

Tabak gehörte zu den typischen Produkten des Südens und wurde vor allem gekaut oder geschnupft; da Zündhölzer noch nicht verbreitet waren, wurde weniger geraucht. Der Tabak war die Existenzgrundlage vieler kleiner Farmen. Als der Farmer Washington Duke aus North Carolina aus dem Bürgerkrieg zurückkehrte, stellte er fest, daß die nordamerikanischen Soldaten bei ihren Plünderungen seine Tabakvorräte übersehen hatten, und begann, den Tabak zu verkaufen. Er hatte Erfolg und weitete sein Geschäft in der Zeit des allgemeinen Wirtschaftsaufschwungs zu einer größeren Gesellschaft aus. 1880 übernahm sein ehrgeiziger Sohn James Buchanan Duke die Gesellschaft. Er suchte für die Ausweitung des Geschäfts eine Marktlücke und beschloß, Zigaretten herzustellen. Zündhölzer waren jetzt überall erhältlich, so daß mehr Tabak geraucht als gekaut oder geschnupft wurde; die Zahl der Zigaretten war von 1,8 Mill. Stück 1865 auf 500 Mill. Stück 1880 gestiegen. Es war also ein Produkt mit Zukunft. Trotzdem gehörte Mut dazu, in die Zigarettenfabrikation einzusteigen, denn die Zigaretten wurden bei Finanzbedarf des Staates hoch versteuert und konnten so plötzlich zu teuer für die Konsumenten werden. 1867 mußten für 1000 Zigaretten 5 Dollar Steuern bezahlt werden, von 1874 nur noch 1,75 Dollar. Unter diesen Bedingungen stellte James Buchanan Duke ein Zigarettenrollteam ein. Als schwierig erwies sich der Verkauf der Zigaretten, denn die Händler sträubten sich, unbekannte Marken in ihr Sortiment zu nehmen. Wenn James Buchanan Duke Erfolg haben wollte, mußte er bei Händlern und Konsumenten bekannt werden. Mit großem Aufwand und neuen Ideen begann er einen Werbefeldzug. Zunächst wurde eine attraktive Frau angestellt, die die Firmen nach außen repräsentierte. Dieses war Ende des 19. Jahrhunderts eine so ungewöhnliche Maßnahme, daß alle Zeitungen darüber berichteten und die Firma so eine kostenlose Reklame bekam. Die Händler wurden durch Rabatte und Geschenke dazu bewogen, größere Mengen der neuen Zigaretten zu bestellen. J. B. Duke erhielt außerdem die Erlaubnis bekannter Persönlichkeiten, ihr Bild auf seinen Zigarettenpackungen anzubringen. Diese Methoden machten die Zigaretten nicht nur schnell bekannt, sondern auch zu Verkaufsschlagern.

Duke verbündete sich mit anderen Zigarettenherstellern, um die Regierung zur Senkung der Zigarettensteuer zu bewegen. 1883 wurde die Taxe tatsächlich von 1,75 Dollar auf 50 Cents für 1.000 Stück herabgesetzt. Sofort halbierte J. B. Duke den Preis für seine Zigaretten. Um seine Stellung weiter zu festigen, mußte Duke noch billiger produzieren als seine Konkurrenten. Bisher konnte ein gutes Rollteam von 10 Arbeitern und einem Aufseher 20.000 Stück am Tag herstellen; Tempo und Gewinne konnten nicht gesteigert werden. Duke kaufte vom Erfinder Bonsak neu entwickelte Zigarettenrollmaschinen, die noch nie eingesetzt worden waren. Er ließ sich als erster Käufer Sonderkonditionen einräumen, die alle späteren Käufer benachteiligten. Ab 1884 wurden die Rollmaschinen benutzt, die Dukes Gewinne extrem steigerten. 1889 hatten seine Zigaretten einen Marktanteil von 40 %. Mit Hilfe seiner Gewinne konnte Duke nicht nur einige Konkurrenzfirmen aufkaufen, sondern auch die anderen Firmen zwingen, sich unter seiner Führung 1890 zu einem Trust, der American Tobacco Company, zusammenzuschließen. In dieser mit 25 Millionen Dollar Grundkapital ausgestatteten Treuhandgesellschaft gab es konkurrierende Firmen unter verschiedenem Management, aber J. B. Duke bestimmte die Richtlinien.

Sein Ziel war die Kontrolle des gesamten Tabakmarktes. Als nächstes ging er den Kautabakmarkt an. Als die Kautabakhersteller ihm ihre Firmen nicht verkaufen wollten, bot Duke den Kautabak mit Hilfe seiner Zigarettengewinne unter dem Herstellungspreis an und zwang die Fabrikanten zur Aufgabe. Mit ähnlichen Methoden hatte er bis 1910 96 % des Schnupftabakgeschäfts in seine Hände gebracht. Lediglich der Zigarrenmarkt, der aufgrund der Handfertigung in sehr viele kleine Firmen zersplittert war, ließ sich nicht einnehmen.

1901 versuchte Duke, mit seinen Methoden in den englischen Markt einzudringen. Die Briten wehrten sich; das Ergebnis war eine Vereinbarung, die den amerikanischen Markt der American Tobacco Company, den britischen Markt der britischen Firmen Imperial Tobacco Company und den Rest der Welt einer Britisch-Amerikanischen Gesellschaft überließ.

In den USA entwickelten sich die Geschäfte hervorragend. Als die Steuern für Zigaretten heraufgesetzt wurden, stiegen auch die Zigarettenpreise, und als 1902 die Steuern wieder gesenkt wurden, konnte die A.T.C. die Preise auf hohem Niveau halten, weil die Konkurrenz fehlte.

Nicht nur die Verbraucher wurden durch die Herrschaft der A.T.C. benachteiligt, sondern vor allem die Tabakfarmer. Bis 1906 wurde der Tabak noch in offenen Auktionen versteigert; da jedoch die A.T.C. sowieso fast alles aufkaufte, beschloß sie, direkt von den Farmern zu kaufen. Dabei konnte sie die Preise festsetzen, die meistens den Erwartungen der Farmer nicht entsprachen. Für die Farmer gab es nur eine Möglichkeit, sich zu wehren, nämlich sich ihrerseits zu Pools zusammenzuschließen, die Tabakpreise festzulegen und nur als Gruppe an A.T.C. zu verkaufen. Der Zusammenschluß zu Pools ging nicht ohne Schwierigkeiten ab; Tabakbauern, die den Pools nicht beitraten, mußten mit Repressalien, Zerstörung ihrer Ernten, dem Niederbrennen ihrer Häuser rechnen. Die Farmer steckten sogar Lagerhäuser der Kompanie in Brand und hinderten die Feuerwehr mit Waffengewalt am Löschen.

Diese Aktionen machten die Bevölkerung auf die verzweifelte Lage der Farmer aufmerksam. J. B. Duke hatte erwartet, daß die Regierung alles versuchen würde, Recht und Ordnung wiederherzustellen, aber Präsident

Roosevelt und die Öffentlichkeit zeigten großes Verständnis für die Situation
der Farmer. Die Regierung bemühte sich jetzt energisch, den 1890 erlas-
senen Sherman-Act, der die Auflösung der Trusts und Monopole verlangte,
durchzusetzen. 1911 forderte der höchste Gerichtshof in seinem Urteil, daß
der Trust innerhalb von acht Monaten entflochten sein sollte. Duke erreichte
schließlich, daß er drei Jahre Zeit hatte, sein Monopol zu einem Oligopol umzuwandeln. Aus Dukes Imperium gingen mehrere große Firmen hervor, die
es kleineren Produzenten genauso schwer machten, Marktanteile zu erhalten
wie das Monopol unter J. B. Duke.

7.2 Lektüre: Unternehmen, Unternehmerpersönlichkeit und Unternehmergewinn

7.2.1 Der Schumpetersche Unternehmer

209 Wenn irgend jemand in einer Volkswirtschaft, in der die Textilindustrie nur mit Handarbeit produziere, die Möglichkeit der Begründung eines mit mechanischen Webstühlen arbeitenden Betriebes sieht, die Kraft in sich fühlt, alle die zahllosen Hindernisse zu überwinden, und den entscheidenden Entschluß gefaßt hat, dann braucht er vor allem Kaufkraft. Er leiht sie sich von einer Bank aus und schafft seinen Betrieb, wobei es ganz gleichgültig ist, ob er die Webstühle selbst konstruiert oder von einem andern Betriebe nach seiner Anweisung konstruieren läßt, um sich auf ihre Verwendung zu beschränken. Wenn nun ein Arbeiter mit einem solchen Webstuhl imstande ist, täglich sechsmal soviel an Produkt zu erzeugen wie ein Handweber, so ist es offenbar, daß unser Betrieb unter drei Bedingungen einen Kostenüberschuß, eine Differenz zwischen Erlös und Ausgang erzielen muß. Erstens darf der Produktpreis infolge seines neuauftretenden Angebots nicht oder doch nicht so sinken, daß die größere Produktmenge pro Arbeiter keinen höhern Erlös erzielt als die mit Handarbeit zu gewinnende kleinere. Zweitens müssen die Kosten der Webstühle pro Tag entweder hinter dem Tageslohn von fünf Arbeitern oder doch hinter jener Summe zurückbleiben, die unter Berücksichtigung des eventuellen Sinkens des Produktpreises und nach Abzug des Lohnes des einen Arbeiters noch übrigbleibt. Als dritte Bedingung formulieren wir eine Ergänzung der beiden andern. In diesen erscheint der Lohn der Arbeiter, die die Webstühle bedienen, und Lohn und Rente, die auf die Bezahlung der Webstühle gehen. Dabei dachte ich zunächst an den Fall, daß diese Löhne und Renten einfach die Löhne und Renten seien, die herrschten, ehe unser
210 Mann den Plan betrat. Wenn seine Nachfrage verhältnismäßig klein ist, dann können wir uns auch damit begnügen. Wenn aber nicht, dann steigen die Preise von Arbeits- und Bodenleistungen der neuen Nachfrage entsprechend. Denn die übrigen Textilbetriebe arbeiten zunächst ruhig weiter, und die nötigen Produktionsmittel müssen nicht gerade ihnen, aber irgendwelchen Betrieben entzogen werden. Das geschieht durch höheres Preisgebot. Und deshalb darf unser Mann, der die Preissteigerung auf dem Produktionsmittelmarkt, die seinem Auftreten folgt, vorhersehen und schätzen muß, nicht einfach jene frühern Löhne und Renten in seine Berechnung einsetzen, sondern er muß noch einen entsprechenden Betrag dazurechnen, so daß also noch ein dritter Abzugsposten hervortritt. Nur wenn der Erlös auch ihn übersteigt, gibt es einen Kostenüberschuß.

In unserm Beispiel sind diese drei Bedingungen in der Praxis zahllose Male erfüllt gewesen. Das tut die Möglichkeit ihrer Erfüllung und damit eines Kostenüberschusses dar. Natürlich sind sie aber nicht immer erfüllt, und wo das nicht der Fall ist, kommt es, wenn dieser Sachverhalt vorausgesehen wird, nicht zur Einrichtung des neuen Betriebes, wenn dieser Sachverhalt aber nicht erkannt wurde, nicht zu einem Überschuß, sondern zu einem Verlust. Wenn sie aber erfüllt sind, dann ist der erzielte Überschuß auch schon ipso facto ein Reinertrag. [...]

211   Nun aber folgt der zweite Akt des Dramas. Der Bann ist gebrochen, und immer neue Betriebe mit mechanischen Webstühlen entstehen unter dem Impuls des lockenden Gewinns. Eine vollständige Reorganisation der Branche tritt ein mit ihren Produktionssteigerungen, ihrem Konkurrenzkampfe, ihrer Verdrängung veralterter Betriebe, ihren eventuellen Arbeiterentlassungen usw. Wir werden diesen Prozeß später noch näher betrachten. Hier interessiert uns nur eins: Das endliche Resultat muß ein neuer Gleichgewichtszustand sein, in dem bei neuen Daten wieder das Kostengesetz herrscht, so daß die Produktpreise nun gleich sind den Löhnen und Renten der Arbeits- und Bodenleistungen, die in den Webstühlen stecken, mehr den Löhnen und Renten der Arbeits- und Bodenleistungen, die noch den Webstühlen hinzuzufügen sind, damit das Produkt entstehe. Nicht ehe dieser Zustand erreicht ist, wird jener Impuls zum Produzieren immer weiterer Produktmengen aufhören, nicht eher auch der Preisdruck infolge wachsenden Angebots.

Folglich verschwindet der Überschuß unsres Wirtschaftssubjekts und seiner ersten Nachfolger. Allerdings nicht sofort, sondern in der Regel erst nach einer längern oder kürzern Periode fortschreitenden Sinkens. Aber nichtsdestoweniger wird er realisiert, bildet er unter gegebenen Verhältnissen eine bestimmte Summe von wenn auch nur temporären Reinerträgen. Wem nun fällt er zu? Offenbar den Wirtschaftssubjekten, die die Webstühle in den Kreislauf der Wirtschaft eingeführt haben, nicht ihren bloßen Erfindern, aber

212 auch nicht einfach ihren bloßen Erzeugern oder Verwendern: Wer sie nach Anweisung erzeugte, wird nur ihren Kostenpreis erhalten, wer sie nach Anweisung verwendete, wird sie anfangs so teuer kaufen, daß er kaum etwas vom Gewinn erhält. Den Wirtschaftssubjekten fällt der Gewinn zu, auf deren Tat die Einführung der Webstühle zurückzuführen ist, mögen sie sie erzeugen und verwenden oder nur erzeugen oder nur verwenden. In unserm Beispiele liegt das Hauptgewicht auf der Verwendung, doch ist das nicht essentiell. Die Einführung erfolgt durch Gründung von neuen Betrieben, sei es zur Erzeugung, sei es zur Verwendung oder zu beiden. Was haben unsre Wirtschaftssubjekte dazu beigesteuert? Nur den Willen und die Tat: Nicht konkrete Güter, denn diese haben sie gekauft - von andern oder von sich selbst -, nicht die Kaufkraft, mit der sie kauften, denn diese haben sie sich ausgeliehen - von andern oder, wenn wir Errungenschaften aus frühern Perioden auch einbeziehen wollten, von sich selbst -. Und was haben sie getan? Nicht irgendwelche Güter aufgehäuft, auch keine ursprünglichen Produktionsmittel geschaffen, sondern vorhandene Produktionsmittel anders, zweckmäßiger, vorteilhafter verwendet. Sie haben "neue Kombinationen durchgesetzt". Sie sind Unternehmer. Und ihr Gewinn, das Plus, dem keine Verpflichtung gegenübersteht, ist ein Unternehmergewinn.

Wie die Einführung der Webstühle ein Spezialfall der Einführung von Maschinen überhaupt ist, so ist die Einführung von Maschinen ein Spezialfall aller jener Veränderungen des Produktionsprozesses im weitesten Sinne,

die darauf abzielen, die Produkteinheit mit geringerem Aufwand zu erzeugen und so eine Diskrepanz zwischen ihrem bisherigen Preis und ihren neuen Kosten zu schaffen. Dahin gehören viele Neuerungen in der Organisation der Betriebe und alle Neuerungen in den kommerziellen Kombinationen. Für alle solchen Fälle läßt sich das Gesagte Wort für Wort wiederholen. Ein Repräsentant der ersten Gruppe ist die Einführung von Großbetrieben in die Industrie einer Volkswirtschaft, die sie bisher nicht kannte. In einem Großbetriebe ist eine zweckmäßigere Anordnung und bessere Ausnützung der Elemente der Produktion möglich, als in kleinern und kleinsten Betrieben, ferner auch die Wahl eines geeignetern Standortes. Aber die Einführung von Großbetrieben ist schwer. Unter unsern Voraussetzungen fehlen alle Bedingungen dafür,
213 die Arbeiter, die geschulten Beamten, die nötigen Marktverhältnisse. Zahllose Widerstände sozialer und politischer Natur arbeiten entgegen. Und die Organisation selbst, noch unbekannt, bedarf zu ihrer Aufrichtung eines speziellen Talentes. Hat aber jemand alles das in sich, was zum Erfolge in diesen Umständen gehört, und kann er sich den nötigen Kredit verschaffen, dann kann er die Produkteinheit billiger auf den Markt bringen und, wenn unsre drei Bedingungen realisiert sind, einen Gewinn machen, der in seinen Händen bleibt. Aber er hat auch für andre gesiegt, für andre die Bahn gebrochen und eine Vorlage geschaffen, die sie kopieren können. Sie können und werden ihm folgen, zunächst einzelne, dann ganze Haufen. Wieder tritt jener Reorganisationsprozeß ein, dessen Resultat die Vernichtung des Kostenüberschusses sein muß, wenn die neue Betriebsform dem Kreislauf eingegliedert ist. Aber vorher wurden eben Gewinne gemacht. Wiederum: Jene Wirtschaftssubjekte haben nichts andres getan, als vorhandene Güter wirksamer zu verwenden, sie haben neue Kombinationen durchgesetzt und sind Unternehmer in unserm Sinne. Ihr Gewinn ist ein Unternehmergewinn. [...]
214   Die Schaffung eines neuen Gutes, das vorhandene und schon bisher befriedigte Bedürfnisse besser befriedigt, ist ein etwas andrer Fall. Die Produktion besserer Musikinstrumente, während bisher nur schlechtere vorhanden waren, ist ein Beispiel. Hier beruht die Gewinnmöglichkeit darauf, daß der für das bessere Gut erzielte höhere Preis seine meist ebenfalls höhern Kosten übersteigt. [...]
215   Das Aufsuchen neuer Absatzorte, in denen ein Gut sich noch nicht eingelebt hat und in denen es nicht produziert wird, ist eine außerordentlich reichliche und war namentlich früher eine sehr dauerbare Quelle von Unternehmergewinn. Der primitive Handelsgewinn gehört hierher und als Beispiel kann der Verkauf von Glasperlen an einen Negerstamm gelten. Das Prinzip des Vorgangs ist, daß ein neuauftretendes Gut vom Käufer in ähnlicher Weise geschätzt wird, wie eine Naturgabe oder das Bild eines alten Meisters, d. h. daß seine Preisbildung ohne Rücksicht auf Produktionskosten erfolgt. [...]
216   Diese Beispiele zeigen uns das Wesen des Unternehmergewinns als das Resultat der Durchsetzung neuer Kombinationen. [...]
    Dasselbe gilt dann, wenn eine neue Unternehmung von einem Produzenten derselben Branche ausgeht und an dessen bisherige Produktion anknüpft.

Zunächst ist das gar nicht die Regel: Die neuen Unternehmungen werden meist von neuen Männern gegründet und die alten Betriebe sinken zur Bedeutungslosigkeit herab. Aber auch wenn ein Wirtschaftssubjekt, das bisher seinen Betrieb in jährlich gleichem Kreislauf erledigte, zum Unternehmer wird, ändert sich nichts am Wesen des Vorgangs. Daß in diesem Falle der Unternehmer die nötigen Produktionsmittel ganz oder teilweise selbst schon hat, bzw. aus einem vorhandenen Betriebsfonds bezahlen kann, macht seine Funktion als Unternehmer nicht zu etwas anderm. [...]

217   Niemals ist der Unternehmer Risikoträger. In unsern Beispielen ist das ganz klar. Hier kommt der Kreditgeber zu Schaden, wenn die Sache mißlingt. Denn obgleich eventuelles Vermögen des Unternehmers haftet, so ist doch ein solcher Vermögensbesitz nichts Wesentliches, wenngleich etwas Förderndes. Aber auch wenn der Unternehmer sich selbst aus früheren Unternehmergewinnen finanziert oder wenn er die Produktionsmittel seines "statischen" Betriebes beisteuert, trifft ihn das Risiko als Geldgeber oder als Güterbesitzer, nicht aber als Unternehmer. Die Übernahme des Risikos ist in keinem Falle ein Element der Unternehmerfunktion. Mag er auch seinen Ruf riskieren, die direkte ökonomische Verantwortung eines Mißerfolgs trifft ihn nie.

Aus Joseph Schumpeter: Theorie der wirtschaftlichen Entwicklung, Wien (1911), 1934, Nachdruck 1964 Berlin.

7.2.2 Fragen zum Text von Schumpeter

Aufgabe 7.1

a. Charakterisieren Sie die erfolgreiche Unternehmerpersönlichkeit im Sinne Schumpeters.

b. Welche Voraussetzungen müssen für den Erfolg des Unternehmers gegeben sein

  ba. bezüglich der Person des Unternehmers?

  bb. bezüglich des technischen und organisatorischen Fortschritts?

  bc. bezüglich des Angebots und der Kosten auf den Märkten?

Aufgabe 7.2

a. Wie entsteht nach Schumpeter Unternehmergewinn?

b. Wie und warum verschwindet Unternehmergewinn nach einer gewissen Zeit wieder?

c. Überlegen Sie selbst: Wie kann ein Unternehmer über längere Zeit seinen Gewinn sichern?

Aufgabe 7.3

a. Welche Aussage macht das Kostengesetz über den Produktpreis im Gleichgewicht?

b. Taucht bei dem nach dem Kostengesetz bestimmten Produktpreis auch der Grenznutzen als Bestimmungsgrund auf? Versuchen Sie eine Antwort.

Aufgabe 7.4

"Das Aufsuchen neuer Absatzorte ... war ... früher eine sehr dauerhafte Quelle von Unternehmergewinn ... als Beispiel kann der Verkauf von Glasperlen an einen Negerstamm gelten." Erklären Sie "das Prinzip des Vorgangs".

Aufgabe 7.5

Versuchen Sie eine moralische Bewertung des Unternehmergewinns. Gehen Sie dabei sowohl auf positive wie negative Aspekte ein.

Aufgabe 7.6

"... wenn ein Wirtschaftssubjekt, das bisher seinen Betrieb in jährlich gleichem Kreislauf erledigte, zum Unternehmer wird ..."

   a. Warum ist jemand, der "seinen Betrieb erledigt", nach Schumpeter kein Unternehmer?

   b. Unterscheiden Sie in Zusammenhang mit der Führung einer Unternehmung folgende Funktionen.

      - Unternehmer
      - Kapitalgeber
      - Grundstücksbesitzer
      - Firmenleiter

   c. Wie sollte man die Entlohnungen für die in b. ausgeführten Funktionen nennen?

   d. "Niemals ist der Unternehmer Risikoträger". Erläutern Sie die Auffassung von Schumpeter.

Aufgabe 7.7

   a. Nennen Sie Beispiele aus Vergangenheit und Gegenwart für die Existenz des dynamischen Unternehmers im Sinne Schumpeters.

   b. Überlegen Sie, ob sowohl die Entstehung wie die Existenz großer deutscher Unternehmen generell durch die von Schumpeter vorgestellten Überlegungen erklärt werden kann.

7.2.3 Coase: Das Wesen der Unternehmung

332   Wir wollen die Beschreibung eines ökonomischen Systems betrachten, wie sie von Sir Arthur Salter gegeben wurde: "Das normale ökonomische System arbeitet selbständig. Für seinen normalen Verlauf braucht es keine zentrale Kontrolle und keine zentrale Überwachung. Für den ganzen Bereich menschlicher Aktivitäten und menschlicher Bedürfnisse wird das Angebot der Nachfrage und die Produktion dem Konsum durch einen Prozeß angepaßt, der automatisch, elastisch und feinfühlig ist." Der Ökonom geht beim ökonomischen System davon aus, daß es vom Preismechanismus koordiniert wird und die Gesellschaft zu einem Organismus und nicht zu einer Organisation wird. Das ökonomische System "arbeitet selbständig". Dies bedeutet nicht, daß die Individuen nicht planen. Sie planen voraus und wählen zwischen Alternativen aus. Für eine Ordnung im System ist dieses notwendig. Die Theorie nimmt aber an, daß der Einsatz der Ressourcen direkt vom Preismechanismus abhängt. Tatsächlich wird als Ziel ökonomischer Planung häufig angesehen, daß diese nur das tut, was der Preismechanismus schon getan hat. Dennoch gibt die Beschreibung von Sir Arthur Salter ein sehr unvollständiges Bild unseres ökonomischen Systems. Innerhalb einer Firma paßt diese Beschreibung ganz und gar nicht. Beispielsweise wird in der ökonomischen Theorie ausgesagt, daß die Allokationsfaktoren durch das Preissystem unterschiedlichen Einsätzen zugeordnet werden. Steigt der Preis des Faktors A in X höher als in Y, so wandert A von Y nach X solange bis der Unterschied der Preise in X und Y verschwindet, es sei denn, andere Kostenvorteile bleiben bestehen. In der realen Welt finden wir jedoch viele Bereiche, in denen dieses nicht zutrifft. Geht ein Arbeiter aus der Abteilung Y in die Abteilung X, so tut er dieses nicht wegen der Änderung der relativen Preise, sondern weil ihm dieses aufgetragen wurde. Wenn sich jemand gegen ökonomische Planung mit dem Argument ausspricht, daß das Problem durch Preisbewegungen gelöst wird, dann kann ihm durch den Hinweis geantwortet werden, daß es auch in unserem ökonomischen System Planung unterschiedlich zu der oben erwähnten individuellen Planung gibt, doch sehr ähnlich zu dem, was normalerweise unter ökonomischer Planung verstanden wird. Das gegebene Beispiel ist typisch für einen großen Bereich unseres modernen ökonomischen Systems. Natürlich ist die Tatsache von den Ökonomen nicht übergangen worden. Marshall führt Organisationen als einen 4. Produktionsfaktor ein; J.B. Clark gibt dem Unternehmer eine Koordinationsfunktion; Prof. Knight führt koordinierende Manager ein. Wie D. H. Robertson ausführt, finden wir "Inseln bewußter Macht in einem Ozean unbewußter Kooperation wie Butterflocken, die sich in einem Kübel Buttermilch bilden". Warum jedoch ist solche Organisation notwendig, wo doch normalerweise argumentiert wird, daß die Koordination durch den Preismechanismus durchgeführt wird? Warum gibt es diese "Inseln bewußter Macht"? Außerhalb der Firma lenken Preisbewegungen die Produktion, die koordiniert wird durch eine Serie von Austauschtransaktionen auf dem Markt. Innerhalb der Firma werden diese Transaktionen eliminiert und statt der komplizierten Marktstruktur mit Aus-

tauschtransaktionen wird der Unternehmer-Koordinator eingeführt, der die Produktion lenkt. Es ist klar, daß dies alternative Methoden zur Koordinierung der Produktion sind. Wenn nun aber Produktion durch Preisbewegungen reguliert wird und Produktion ohne jede Organisation ausgeführt werden könnte, warum so könnte man fragen, gibt es dann überhaupt irgendwelche Organisationen? [...]

334   Das Ziel dieses Papiers ist es, eine Brücke über etwas zu schlagen, das in der ökonomischen Theorie wie eine Lücke aussieht, zwischen der (manchmal
335 gemachten) Annahme, daß die Ressourcen mit Hilfe eines Preismechanismus allokiert werden und der (in anderen Fällen gemachten) Annahme, daß diese Allokation von einem Unternehmer-Koordinator abhängt. Wir müssen die Grundlage erklären, auf der die Wahl zwischen verschiedenen Alternativen in der Praxis getroffen wird. [...]

336   Der Hauptgrund, warum es praktikabel ist, eine Unternehmung einzurichten, scheinen die Kosten zu sein. Die offensichtlichsten Kosten, um die Produktion durch den Preismechanismus zu organisieren, sind die, zu erkennen, welches die relevanten Preise sind. Die Kosten können reduziert werden, aber sie werden nicht verschwinden, auch wenn Spezialisten auftreten, die diese Information verkaufen. Außerdem müssen die Kosten für das Aushandeln und Abschließen eines jeden einzelnen Kontrakts für jede Austauschaktion, die auf dem Markt stattfindet, in Betracht gezogen werden. Wiederum gilt für gewisse Märkte, z. B. Produktmärkte, daß Techniken entwickelt wurden, um diese Kontraktkosten zu minimieren; sie verschwinden dadurch jedoch nicht vollständig. Es ist wahr, daß auch beim Vorhandensein von Firmen, Kontrakte abgeschlossen werden, ihre Zahl ist jedoch deutlich reduziert. Ein Produktionsfaktor oder sein Eigner muß nicht eine ganze Reihe von Kontrakten mit den Faktoren abschließen, mit denen er innerhalb der Firma zusammenarbeitet, wie es natürlich notwendig wäre, wenn die Kooperation das direkte Ergebnis des Preismechanismusses wäre. Eine ganze Reihe von Kontrakten wird durch einen einzigen ersetzt. An dieser Stelle ist es wichtig, den Charakter des Kontrakts zu vermerken, in den ein Fak-
337 tor eintritt, der innerhalb einer Firma beschäftigt wird. Der Kontrakt ist derart, daß der Faktor für eine gewisse festgelegte oder variable Belohnung akzeptiert, den Befehlen des Unternehmers innerhalb gewisser Grenzen zu gehorchen. Es gehört zu dem Wesen des Kontrakts, daß er nur die Grenzen der Macht des Unternehmers abstecken sollte. Daher kann er innerhalb dieser Grenzen die anderen Produktionsfaktoren dirigieren.

Es gibt jedoch auch andere Nachteile - oder Kosten - den Preismechanismus zu benutzen. Es könnte wünschenswert sein, einen längerfristigen Kontrakt über die Lieferung eines Artikels oder einer Dienstleistung zu machen. Dies könnte daran liegen, daß mit einem Kontrakt, abgeschlossen über eine längere Periode anstatt mehrerer Verträge über kürzere Perioden, gewisse Abschlußkosten der einzelnen Verträge vermieden werden könnten. Außerdem könnten es die betroffenen Personen ihrem Risikoverhalten entsprechend vorziehen, einen langfristigen statt eines kurzfristigen Kontrakts abzuschließen. Aus der Schwierigkeit einer Voraussicht ergibt sich nun: Je länger die Kontraktperiode für den Erwerb eines Gutes oder eines Dienstes ist, um so schwieriger, ja um so weniger wünschenswert ist es für den Erwerber, die Tätigkeit zu spezifizieren, die von der anderen kontrahierenden Partei erwartet wird. Die Person, die eine Ware oder eine Dienstleistung anbietet, mag durchaus indifferent sein, welche von verschiedenen Handlungsalternativen gewählt wird, der Erwerber des Gutes oder des Dienstes jedoch nicht. Aber der Erwerber wird nicht wissen, welche der verschiedenen Aktionen er vom Anbieter durchgeführt haben will. Darum wird die zu erbringende Dienstleistung in allgemeinen Bedingungen beschrieben, die exakteren Details werden für einen späteren Termin aufgespart. In dem Kontrakt werden nur die Grenzen davon aufgezeigt, was von der Person erwartet wird, die das Gut oder den Dienst anbietet. Was vom Anbieter im Detail erwartet wird, wird nicht im Kontrakt festgelegt, sondern später vom Käufer beschlossen. Wenn die Ausrichtung der Ressourcen (innerhalb der Grenzen des Kontrakts) in dieser Weise vom Käufer abhängig wird, so kann das Rechtsverhältnis erhalten werden, das ich "Unternehmung" nenne. In den Fällen also, in denen

338 ein kurzfristiger Kontrakt unbefriedigend wäre, ist wahrscheinlich, daß eine Unternehmung entsteht. Augenscheinlich ist dies im Fall von Dienstleistungen - Arbeit - von größerer Bedeutung als im Fall des Kaufens von Gütern. Im Fall von Gütern können die großen Linien im voraus festgelegt werden und die Details über die später entschieden wird, werden von geringerer Bedeutung sein. Diesen Argumentationsabschnitt können wir dadurch zusammenfassen, daß wir sagen: Marktoperationen kosten etwas und durch Formen einer Organisation und Zulassen einer Autorität ("Unternehmer") können für die Ausrichtung der Ressourcen gewisse Marktkosten gespart werden. Der Unternehmer muß seine Funktionen zu geringeren Kosten ausführen und dabei die Tatsache berücksichtigen, daß er die Produktionsfaktoren zu einem geringeren Preis erhält als bei Markttransaktionen, die er verdrängt; es ist nämlich immer möglich, zum offenen Markt zurückzukehren, wenn er dieses nicht erreichen kann. [...]

344   Das in den früheren Abschnitten behandelte Problem wurde nicht vollständig von den Ökonomen vernachlässigt und es ist jetzt zu untersuchen, warum die oben angegebenen Gründe für das Entstehen von Unternehmungen in einer spezialisierten Austauschökonomie den anderen vorgeschlagenen Erklärungen vorgezogen werden sollten. [...]

345   Die interessantesten Gründe, die als Erklärung dieser Tatsache gegeben wurden (und wahrscheinlich die am weitesten akzeptierten), können in Prof. Knights Risk, Uncertainty and Profit gefunden werden. Seine Ansichten werden jetzt detailliert untersucht.

Prof. Knight beginnt mit einem System, in dem es keine Ungewißheit gibt:

> Es wird davon ausgegangen, daß die Individuen, die unter absoluter Freiheit jedoch ohne Zusammenschlüsse handeln, das ökonomische Leben mit ... Arbeitsteilung, dem Gebrauch des Kapitals usw. organisiert haben, bis zu dem Punkt, der aus dem heutigen Amerika bekannt ist. Die wesentliche Tatsache,

die Einbildungskraft herausfordert, ist die interne Organisation der Produktionsgruppe oder Unternehmung. Wenn Ungewißheit vollständig abwesend ist und jedes Individuum im Besitz vollständiger Voraussicht ist, dann würde es keinerlei Begründung für irgendetwas wie verantwortliches Management oder der Kontrolle der produktiven Aktivität geben. Man würde nicht einmal Markttransaktionen in irgendeiner realistischen Weise finden. Der Fluß der Rohmaterialien und der produktiven Dienste würde dem Konsumenten vollständig automatisch zufließen.

Prof. Knight sagt, daß wir uns diese Anpassung vorstellen können als "das Ergebnis eines langen Prozesses von Experimenten, ausgearbeitet allein bei einer trial-and-error-Methode", daß es aber nicht notwendig ist "sich vorzustellen, daß jeder Arbeiter genau das richtige im richtigen Moment in einer Art voreingestellter Harmonie mit der Arbeit anderer ausführt. Zum Zweck der Koordinierung der individuellen Aktivitäten mag es Manager und Überwacher usw. geben, "doch diese Manager führen nur reine Routinefunktionen aus" ohne Verantwortung irgendwelcher Art".

Prof. Knight fährt dann weiter fort:

Führt man in diesen paradiesähnlichen Zustand Ungewißheit ein - also die Tatsache von Nichtwissen und die Notwendigkeit mehr der Überzeugung als dem Wissen entsprechend zu handeln - dann ändert sich vollständig der Charakter ... Beim Vorhandensein von Ungewißheit wird das Handeln, also das tatsächliche Ausführen von Aktivitäten, tatsächlich ein zweitrangiger Teil des Lebens. Das wesentliche Problem, die wesentliche Funktion, besteht in der Entscheidung, was zu tun ist und wie es zu tun ist.

Die Tatsache der Ungewißheit bringt die beiden wichtigsten Charakteristika sozialer Organisation mit sich.

346   *Zum einen werden Güter für den Markt produziert, basierend auf vollständig unpersönlichen Voraussagen der Bedürfnisse und nicht für die Befriedigung der Bedürfnisse der Produzenten selber. Der Produzent übernimmt die Verantwortung für die Vorhersage der Wünsche der Konsumenten. Zum anderen konzentriert sich die Arbeit der Vorhersage und zu einem großen Teil die technologische Leitung und Kontrolle der Produktion stärker auf eine sehr enge Klasse von Produzenten; wir begegnen einem neuen ökonomischen Funktionär, dem Unternehmer ... Wenn Ungewißheit vorhanden ist und die Entscheidungsaufgabe, was zu tun und wie es zu tun ist, den bestimmenden Einfluß gegenüber der Durchführung erhält, dann ist interne Organisation nicht mehr eine unbedeutende Tatsache oder ein technisches Detail. Es kommt zwangsläufig zu einer Zentralisation dieser Entscheidungs- und Kontrollfunktion. Der Prozeß der Cephalisation ist unvermeidlich.*

Die wesentlichste Änderung ist:

Ein System, bei dem die Kühnen und Wagemutigen Risiko übernehmen bzw. die Unschlüssigen und Ängstlichen versichern, indem sie den letzteren ein festgelegtes Einkommen als Gegenleistung für die Übertragung der tatsächlichen Ergebnisse garantieren ... So wie wir die menschliche Natur kennen, wäre es kaum praktikabel oder sehr ungewöhnlich, daß ein Mann einem anderen ein festgelegtes Ergebnis für seine Handlungen garantieren würde ohne daß ihm die Macht gegeben würde, seine Arbeit zu dirigieren. Andererseits würde sich die zweite Partei kaum ohne eine solche Garantie unter die Befehlsgewalt des ersteren stellen ... Das Ergebnis dieser vielfältigen Spezialisierung der Funktion ist die Unternehmung und das Lohnsystem der Industrie. Seine Existenz in der Welt ist das direkte Ergebnis der Ungewißheit.

Diese Zitate geben das Wesentliche der Theorie von Prof. Knight wieder. Die Tatsache der Unsicherheit bedeutet, daß die Leute zukünftige Wünsche vorhersagen müssen. Dadurch erhalten wir das Entstehen einer speziellen Klasse, die die Aktivitäten anderer lenkt und diesen ein garantiertes Einkommen gibt. Sie kann handeln, da normalerweise ein gutes Urteil verbunden ist mit dem Vertrauen in das eigene Urteil.

Es scheint mir, daß Prof. Knight sich aus verschiedenen Gründen der Kritik aussetzen könnte. Zuerst einmal, wie er selber ausführt, bedeutet die Tatsache, daß einige Leute ein besseres Urteil und bessere Kenntnisse haben, noch nicht, daß sie alleine durch aktive Teilnahme in der Produktion ein Einkommen bekommen können. Sie können Rat und Wissen verkaufen. Jedes Geschäft kauft den Dienst eines Heeres von Beratern. Wir können uns ein System vorstellen, wo aller Rat und alles Wissen nach Bedarf gekauft wird. Außerdem ist es möglich, eine Belohnung von besserem Wissen und besserem Rat nicht aus aktiver Teilnahmeproduktion, sondern durch Abschluß von Kontrakten mit den Leuten, die produzieren, zu erhalten. Ein Händler, der einen Terminkauf abschließt, ist hierfür ein Beispiel. Dieses illustriert allein der folgende Punkt: Es ist durchaus möglich, eine garantierte Belohnung zu gewähren, vorausgesetzt, gewisse Tätigkeiten werden durchgeführt ohne daß

347 die Ausführung dieser Tätigkeiten dirigiert werden muß. Prof. Knight führt aus "so wie wir die menschliche Natur kennen, wäre es kaum praktikabel oder sehr ungewöhnlich, daß ein Mann einem anderen ein festgelegtes Ergebnis für seine Handlungen garantieren würde ohne daß ihm die Macht gegeben würde, seine Arbeit zu dirigieren". Dies ist sicherlich unzutreffend. Eine große Anzahl von Tätigkeiten werden nach Kontrakt durchgeführt. Dabei wird eine bestimmte Summe garantiert, vorausgesetzt, gewisse Handlungen werden durchgeführt. Dieses beinhaltet jedoch keinerlei Lenkung. Es bedeutet aber, daß das System relativer Preise geändert wurde und daß es eine neue Anordnung der Produktionsfaktoren gibt. Die von Prof. Knight erwähnte Tatsache, daß "die zweite Partei kaum ohne eine solche Garantie sich unter die Befehlsgewalt der ersteren stellen" würde, ist irrelevant für das betrachtete Problem. Schließlich scheint es noch wichtig zu sein, zu bemerken, daß Prof. Knight auch in einem ökonomischen System ohne Ungewißheit von der Existenz von Koordinatoren ausgeht, die jedoch nur Routinefunktionen übernehmen würden. Er ergänzt jedoch sofort, daß diese ohne jede Verantwortung wären, worauf sich dann die Frage ergibt, warum sie bezahlt werden und durch wen. Es scheint so, daß Prof. Knight nirgendwo einen Grund angibt, warum der Preismechanismus überlagert werden sollte.

Auszüge aus R. H. Coase: "The Nature of the Firm", Economica, New Series, IV (1937) S. 386 - 405, eigene Übersetzung

7.2.4 Fragen zu Coase und Knight

Aufgabe 7.8
"Der Hauptgrund, warum es praktikabel ist, eine Unternehmung einzurichten, scheinen die Kosten zu sein."
    a. *Nennen und erläutern Sie die "offensichtlichsten Kosten, um die Produktion durch den Marktmechanismus zu organisieren".*
    b. *Nennen und erläutern Sie "auch andere Nachteile - oder Kosten - den Preismechanismus zu benutzen".*

Aufgabe 7.9
Skizzieren Sie, wie Knight die Entstehung von Unternehmen begründet.

Aufgabe 7.10
Vergleichen Sie die Ausführungen von Coase, Knight und Schumpeter. Suchen Sie Gemeinsamkeiten und Unterschiede.

7.2.5 A.A. Alchian und W.R. Allen: Die Unternehmung als Team

"Teamproduktion hat technologische Vorteile. Zwei Leute, die als Team zusammenarbeiten, um Fische zu fangen - der eine rudernd, der andere das Netz auswerfend - werden mehr Erfolg haben, als wenn jeder einzelne Fische fängt. Zwei Männer, die mit einer Zwei-Mann-Säge arbeiten, können mehr Bäume fällen, als wenn jeder mit seiner Säge für sich Bäume fällt. Wesentlich an Teamarbeit ist ihre Form: Mehrere Personen arbeiten so zusammen, daß es kein Einzelprodukt irgendeines Individuums gibt, das zum marktfähigen Gesamtprodukt der Gruppe zusammengefaßt werden könnte. Wenn es aber schwierig ist, den Effekt der Arbeit jedes Teilnehmers auf den Gesamtausstoß festzustellen, dann wäre jedes Teammitglied imstande, sich zu drücken und die anderen Mitglieder die Folgen dieses Ausweichens vor der Arbeit mittragen zu lassen; es würde nicht die resultierenden vollen Kosten übernehmen. Auf Märkten werden Betrüger normalerweise durch die Substitutionskonkurrenz bestraft, die hierdurch gleichzeitig das Ausmaß an Betrug reduziert. Verschiedene Mittel der Messung des spezifischen Beitrags werden gebraucht, damit die Zahlungen an jeden Hersteller dem von ihm gelieferten Produkt entsprechen. In der Teamproduktion entstehen gewisse Kosten durch das Achtgeben auf die Leistung jedes einzelnen, denn es ist nicht möglich, nur die Veränderungen des Gesamtausstoßes festzustellen und dann zu entscheiden, auf wen sie zurückzuführen sind. Obwohl die Teamproduktion deshalb vielleicht höhere Meß- oder Überwachungskosten für die Leistung jedes einzelnen Mitglieds verursacht, kann die größere Produktionskraft von Teamarbeit diese höheren Kosten gleichwohl übersteigen.

Das Unternehmen ist ein Mittel zur Organisation und Beaufsichtigung von Teamproduktion. In diesem Sinn ist es ein Ersatz für Wettbewerb auf

Märkten. Die disziplinierenden Effekte des Wettbewerbs werden in das Unternehmen übertragen. Überwacher oder Aufsichtspersonen beobachten die Teammitglieder bei der Arbeit und weisen sie (durch vertragliche Übereinkunft) an, ihre Arbeit in Formen auszuführen, die die Möglichkeiten, vor ihr auszuweichen, vermindern. Die Organisation der Art und Weise, in der die Teammitglieder eingesetzt werden, dient in der Teamproduktion als Ersatz für das Messen jedes Einzelbetrags zum Ausstoß des Teams. Aber wer überwacht die Überwacher? Eine Kontrollform stellt die Konkurrenz anderer potentieller Aufsichtspersonen dar, die sich als Ersatz für vor ihren Aufgaben ausweichende Überwacher - soweit diese erkannt werden können - anbieten. Dem Überwacher kann auch ein anderer Zwang auferlegt werden; seine Bezahlung kann im Rest des Teamprodukts bestehen, nach Abzug festgelegter Entlohnungen für die anderen Teammitglieder. Er erhält die "Gewinne oder Verluste". Je weniger er seinen Aufgaben ausweicht, desto höher ist der Nettogewinn, den er erreichen kann.

Der Überwacher wird seine Aufgaben nicht nur durch passives Beaufsichtigen der übrigen Teammitglieder wahrnehmen, sondern auch durch disziplinierende Wirkung des Rechts, Mitglieder zu "heuern" oder zu "feuern" oder über vereinbarte Löhne und Vergütungen neu zu verhandeln. Er ist die gemeinsame Partei für alle Verträge aller Teammitglieder. Als allen gemeinsame Vertragspartei kann er jeden entlassen oder einstellen, während das kein Teammitglied mit irgend jemand sonst im Team machen kann. Die vertragliche Struktur zwischen Beteiligten an Teamproduktion kennzeichnet das Wesen der Unternehmung. Ein zentraler (gemeinsame Partei aller Verträge) Überwacher hat Veranlassung, durch Selbstüberwachung effizient zu sein, weil er Anspruch auf den Restgewinn hat. Er wird der "Gewinn- oder Verlust"-Empfänger genannt, d. h. der Eigentümer des Unternehmens. Er kann einige seiner Rechte delegieren, aber der Untergebene ist dem Eigentümer verantwortlich (d. h. hat mit ihm einen Vertrag, nicht mit den übrigen Teammitgliedern).

Die Firma ist also eine Ergänzung oder ein Substitut für den Markt. In ihr sind alle Mitglieder freiwillige Verträge mit einer gemeinsamen Partei eingegangen. Am Markt gibt es gewöhnlich keine einzelne Partei als Zentrale aller Tauschverträge. Die einem zentralen Agenten zugeordneten Vertragsrechte konstituieren das, was man eine Unternehmung in der freien Unternehmerwirtschaft nennt."

Aus: A. A. Alchian und W. R. Allen, 1974, hier zitiert nach Peter Weise, 1979, S. 175

7.2.6 Fragen zum Text von Alchian / Allen

Aufgabe 7.11

"Das Unternehmen ist ein Mittel zur Organisation und zur Beaufsichtigung von Teamproduktion" (Alchian/Allen). Wo wird im abgedruckten Text von Alchian/Allen die Organisation und wo die Überwachung behandelt? Welche der beiden Funktionen steht eindeutig im Vordergrund?

Aufgabe 7.12

  a. Zeigen Sie, daß Alchian/Allen ein Gefangenen-Dilemma bei der Teamproduktion konstatieren.
  b. Wie ergibt sich bei Alchian/Allen aus dem Gefangenen-Dilemma zwangsläufig die Existenz eines Unternehmers?

Aufgabe 7.13

Phänomene des Bummelns in einem Team kann man tatsächlich immer wieder in der Realität beobachten, auch in Gruppen, deren Ziel die Überwindung "mieser kapitalistischer Methoden der Nutzen- und Gewinnmaximierung ist".

  a. Kennen Sie, oder können Sie sich vorstellen, wie ein solcher von Alchian und Allen beschriebener Prozeß in einer studentischen Wohngemeinschaft abläuft, in der die Hausarbeit durch Zusammenarbeit aller erledigt werden soll?
  b. Welche Maßnahmen kann, wird oder sollte eine solche Wohngemeinschaft ergreifen, um gegen allgemeines "sich drücken" ankämpfen zu können? Denken Sie an
    ba. Motivation und Überzeugungsarbeit
    bb. gegenseitiges Überwachen
    bc. Überwachen durch abgegrenzte Tätigkeitsbereiche
    bd. Überwachung durch einen ausdrücklich bestellten oder allgemein akzeptierten Gruppensprecher
    be. Mißbilligung durch andere Gruppenmitglieder
    bf. Ausschluß (Kündigung) einzelner Mitglieder.
  c. Untersuchen Sie Vor- und Nachteile der in b. diskutierten Maßnahmen für die Gruppe insgesamt und für einzelne Gruppenmitglieder
  d. Untersuchen Sie, welche der in b. angesprochenen Methoden auch von Unternehmungen angewandt werden.

Aufgabe 7.14

Eine implizite Annahme von Alchian und Allen ist, daß Arbeit Leid und Mühe ist und daß darum das Vermeiden von Arbeit ein Gewinn für das Individuum ist.

  a. Diskutieren Sie, inwieweit diese Annahme realistisch ist und inwieweit es Situationen gibt, in denen man nicht von dieser Hypothese ausgehen kann.
  b. Wie ändert sich das Spiel, wenn Arbeit Freude oder Erfüllung ist?

7.2.7 Die Position von Marglin

Den Positionen vom Schumpeter, Knight, Coase und Alchian/Allen kann die Position von Stephen A. Marglin gegenübergestellt werden:

150 "Dieser Arbeit liegt die These zugrunde, daß die Entwicklung, in deren Verlauf den Arbeitern die Kontrolle über den Produktionsprozeß und die Produkte ihrer Arbeit entrissen wurde, nicht in erster Linie aus technischen Ursachen ableitbar ist; das gilt für ihre beiden bedeutenden Phasen: 1. für das Verlagssystem, das die Zerlegung der Arbeit in kleinste Einheiten durchsetzt, und 2. für das Fabrikwesen, das die Produktion zentralisiert. Die organisatorischen Umwälzungen hatten weniger den Sinn, bei gleichbleibenden Investitionen größere Erträge zu erzielen; vielmehr zielten sie darauf hin, dem Kapitalisten, auf Kosten der Arbeiter, einen größeren Anteil am Ertrag zu sichern. Dadurch wurde, da infolge der Neuerungen auch der Gesamtausstoß wuchs, das Klasseninteresse, das ihnen zugrunde lag, verschleiert. Der soziale Sinn hierarchisierter Arbeit liegt nicht in technischer Rationalität, sondern im Akkumulationsinteresse des Kapitals. Im kapitalistischen System der Arbeit, das zwischen Produzent und Konsument vermittelt, wird weitaus mehr Gewinn in die Ausdehnung der Produktionsstätten und in technische Innovationen reinvestiert, als dies der Fall wäre, wenn Individuen die Geschwindigkeit der Kapitalakkumulation bewußt kontrollieren könnten. Ich will diese Gedanken, die im folgenden entwickelt werden sollen, in ... Hauptthesen zusammenfassen:

1. Kapitalistische Arbeitsteilung, wie Adam Smith sie am berühmten Beispiel der Stecknadelmanufaktur darstellte, war nicht das Ergebnis der Suche nach einer technologisch überlegenen Arbeitsorganisation, sondern nach einer, die dem Unternehmer die zentrale Rolle im Produktionsprozeß verschaffen sollte: er integrierte die Teilarbeiten seiner Arbeiter zu einem marktwirksamen Produkt.

2. Ebensowenig sind die Anfänge und durchschlagenden Erfolge des Fabriksystems aus technologischen Erwägungen ableitbar. Vielmehr übernahm der Kapitalist die Kontrolle über den Produktionsprozeß und die produzierte Menge, er entriß dem Arbeiter die Möglichkeit, nach eigenem Gutdünken zu arbeiten und zu produzieren. Von nun an beugten sich die Arbeitsbedingungen nicht mehr dem Bedürfnis des einzelnen, sie waren fremdbestimmt; die Entscheidung hieß arbeiten oder nicht arbeiten (insofern man das als freie Wahl bezeichnen will). [...]

157 Wir müssen uns fragen, warum die Arbeitsteilung unterm Verlagssystem sowohl Spezialisierung als auch die Aufgliederung des Arbeitsvorgangs umfaßte. Meiner Ansicht nach ist der Grund darin zu suchen, daß erst die Spezialisierung dem Kapitalisten eine zentrale Rolle im Produktionsprozeß zuweist. Wenn nämlich der Produzent selbst die verschiedenen Arbeiten bei der Stecknadelherstellung zu einem marktfähigen Produkt hätte integrieren können, dann hätte er schnell festgestellt, daß er eines Verlegers als Vermittlungsglied zwischen sich und dem Markt nicht bedurfte. Die Aufteilung der Arbeitsbereiche unter die einzelnen Produzenten war das einzige Mittel,

durch das sich der Kapitalist - in der Zeit vor der Einführung der teuren Maschinerie - eine unverzichtbare Rolle im Produktionsprozeß sichern konnte. Er war die Instanz, die die verschiedenen Arbeiten zu einem Produkt integrierte, für das es einen großen Markt gab. Die Spezialisierung von Menschen innerhalb von Arbeitsbereichen, aus denen keine Fertigprodukte hervorgingen, ist das Hauptkennzeichen des Verlagssystems.

Die kapitalistische Arbeitsteilung, wie sie unterm Verlagssystem entwickelt wurde, läßt sich auf dasselbe Prinzip zurückführen, nach dessen Logik "erfolgreiche" Imperien ihre Kolonien regierten: teile und herrsche! So beuteten die Briten den Konflikt zwischen Hindus und Moslems in Indien aus (wo sie ihn nicht selbst entfachten) und stellten sich dann als einzige Ordnungsmacht im Subkontinent dar. Sie konnten sogar, mit schlecht verhohlener Befriedigung, darauf hinweisen, daß die Teilung des Gebiets, die Millionen Menschen das Leben kostete, ihre Stabilisierungsfunktion nachträglich begründet hätte. Doch bewies diese Tragödie nur, daß sich die Briten als Vermittler unersetzlich gemacht hatten, nicht daß von vornherein, aus inneren Gründen, die Notwendigkeit britischen Eingreifens in die kommunalen Auseinandersetzungen bestanden hätte. [...]

167   Die Zerlegung der Arbeit in kleinste Einheiten, die als Charakteristikum des Verlagssystems zu gelten hat, entriß dem Arbeiter die Kontrolle über das Produkt seiner Arbeit. Eine andere wichtige Bestimmung seiner Tätigkeit,
168 nämlich die Kontrolle über den Produktionsprozeß, wurde ihm erst später abgenommen; es war die Fabrik, die ihm die freie Disposition über Arbeitszeit und -methode aus den Händen nahm.

Die meisten Wirtschaftshistoriker schreiben das Wachstum der Fabriken der technologischen Überlegenheit der großen Maschinerie zu, die von vornherein die Konzentration der Produktivkräfte in der Nähe der Energiequellen - Wasser und Dampf - erforderlich gemacht habe. [...]

169   Immerhin war zumindest einem zeitgenössischen Beobachter klar, daß der Siegeszug der Fabrik (ebenso wie die Interessen, die hinter ihr standen) auf ihrer disziplinierenden Wirkung und den Vorteilen der Kontrollfunktion basierte. Der bedeutendste Verfechter des Fabriksystems im 19. Jahrhundert, Andrew Ure, schrieb die Erfolge Arkwrights*) ganz offen seinen administrativen Fähigkeiten zu:

"Meiner Ansicht nach war das Hauptproblem Arkwrights nicht so sehr, einen selbständigen Mechanismus zu erfinden, der die Baumwolle herausziehen und in einen fortlaufenden Faden einflechten konnte, als vielmehr ... den Leuten ihren unsteten Arbeitstag abzugewöhnen und sie dazu zu bringen, sich mit der unveränderlichen Ordnung eines komplexen Automaten zu iden-
170 tifizieren. Es ging darum, ein System der Fabrikdisziplin zu planen und zu

---

*)   "Im allgemeinen werden die Ursprünge des modernen Fabriksystems mit dem Namen Richard Arkwright verknüpft, dessen Spinnereien mit der Verarbeitung von Baumwollgarn durch die Heimarbeit Schluß machten." (Marglin an anderer Stelle)

verwalten, das den Ansprüchen der Fabrik an Sorgfalt und Fleiß genügte; das war eine herkulische Aufgabe, es war die große Leistung Arkwrights. [...]

Es erforderte wirklich einen Mann von der Nervenkraft und dem Ehrgeiz eines Napoleon, um mit dem widerspenstigen Charakter von Arbeitern fertig zu werden, die bis dahin nur ihren unregelmäßigen Anfällen von Arbeitslust gehorcht hatten ... Ein solcher Mann war Arkwright."

Stephen A. Marglin, Was tun die Vorgesetzten? Ursprünge und Funktion der Hierarchie in der kapitalistischen Produktion, in: Technologie und Politik, Bd. 8, Reinbek bei Hamburg, 1977.

7.2.8 Übergreifende Fragen

Aufgabe 7.15

Vergleichen Sie die Auffassung Marglins mit den Auffassungen von Schumpeter, Coase, Knight und Alchian/Allen. Geben Sie Gemeinsamkeiten und Unterschiede an.

Aufgabe 7.16

a. Vergleichen Sie die Texte. Untersuchen Sie dabei insbesondere
aa. das jeweils unterstellte Unternehmerbild
bb. die vom Autor herausgestellten Charakteristika
ac. die vom Autor gesehenen Existenzgründe für Unternehmen.
b. Welcher Autor hat recht? Argumentieren Sie sorgfältig und untersuchen Sie, inwieweit sich grundlegende Definitionen, Annahmen aber auch politische Standpunkte unterscheiden.

7.2.9 Zu einigen der Autoren

7.2.9.1 J. A. Schumpeter

Joseph Alois Schumpeter wurde 1883 als Sohn eines Tuchfabrikanten und einer Arzttochter in Triesch geboren, in einer Provinz Österreichs, die heute zur ČSSR gehört. Er wuchs in kultivierter und großbürgerlicher Atmosphäre in Wien auf, wo er auch das Theresianum besuchte. Nach einem glänzenden Schulabschluß begann er 1901 ebenfalls in Wien ein Studium von Jura und Nationalökonomie, zwei damals eng miteinander verbundenen Fächern. Seine wichtigsten Lehrer wurden Wieser und Böhm-Bawerk.

In den Jahren 1905/06 hielt Böhm-Bawerk ein Seminar ab, an dem sich neben anderen Schumpeter, Ludwig v. Mises, der spätere Konjunkturforscher, und Emil Lederer, der Mitbegründer der Graduate Faculty der New School for Social Research in New York wurde, beteiligten. Für heftige Diskussionen sorgten einige junge Marxisten wie Otto Bauer, der spätere Führer der österreichischen Sozialisten und Rudolf Hilferding, Verfasser des Buches

"Das Finanzkapital" und 1923 und 28/29 Finanzminister der Weimarer Republik. Hier lernte Schumpeter nicht nur die marxistische Theorie und einige ihrer hervorragenden Vertreter kennen, sondern knüpfte auch Kontakte, die sein Leben mitbestimmten. 1909 habilitierte er sich und erhielt einen Lehrstuhl in Czernowitz, das im äußersten Osten des Reiches fast an der russischen Grenze lag.

Schumpeter begann sehr früh zu veröffentlichen. Hier sind die Titel einiger seiner Werke: "Über die mathematische Methode der theoretischen Ökonomie" (1906), "Wesen und Hauptinhalt der theoretischen Nationalökonomie" (1908), "Theorie der wirtschaftlichen Entwicklung" (1912), "Epochen der Dogmen- und Methodengeschichte" (1913), "Zur Soziologie des Imperialismus" (1919).

Diese kurze Aufzählung zeigt schon, wie vielfältig und breitgestreut die Themen sind. Trotzdem gibt es für alle Arbeiten Gemeinsamkeiten; die mathematische Methode prägt die Werke, wenn auch die Mathematik so versteckt wird, daß sie kaum zu bemerken ist; historische Forschungen dienen als Grundlage der Erkenntnisse, und weiter fällt die Originalität von Gedanken und Formulierungen auf. Diese Originalität wuchs auf dem Boden eines umfassenden Wissens und einer ungewöhnlichen geistigen Unabhängigkeit, die Schumpeter sein Leben lang davon abhielt, sich irgendeiner Glaubensrichtung - sei sie wissenschaftlich oder politisch - ganz anzuschließen. So empfand er den 1. Weltkrieg, in dem seine Sympathien eher auf der britischen Seite lagen, vor allem "als blutigen Wahnsinn, der Europa verwüstet" (vgl. Recktenwald, 1971, S. 569). Nach dem Zusammenbruch 1918 kamen marxistische Bekannte aus der Wiener Studienzeit auf verantwortliche Posten. Angesichts der verzweifelten wirtschaftlichen Lage suchten sie auch Schumpeters Rat; so nahm er beispielsweise Ende 1918 an der Sozialisierungskommission in Berlin teil, die über die Verstaatlichung wichtiger Industriezweige beraten sollte. Als Schumpeter gefragt wurde, warum er sich an einer solchen Kommission beteilige, antwortete er: "Wenn jemand Selbstmord begehen will, ist es gut, wenn ein Arzt in der Nähe ist" (vgl. Recktenwald, 1971, S. 509).

Viel komplizierter wurde sein nächster Schritt in die Politik. 1919 bildeten in Österreich die Sozialdemokraten und eine konservative Partei, die Christlichsozialen, eine Koalition. Für die durch den Krieg völlig zerrütteten Finanzen suchte man einen unabhängigen Fachmann und berief, wohl auf Empfehlung des Sozialdemokraten Otto Bauer, Schumpeter zum Staatssekretär für Finanzen. Schumpeters Aufgabe war fast unlösbar. Das Habsburger Reich, das 625.000 km^2 mit einer Bevölkerung von 50 Millionen umfaßt hatte, war in mehrere Nationalstaaten zerfallen; Österreich blieben nur noch 18.000 km^2 und 6,5 Millionen Einwohner. In der Hauptstadt Wien mußten aber weiter die Beamten der ehemaligen Zentralbehörden weiterversorgt werden; zudem waren riesige Summen an Kriegsanleihen zurückzuzahlen. Es gab nun zwei Wege, die Kriegsanleihen zu tilgen: sie durch die fortschreitende Inflation einfach nichtig werden zu lassen oder eine allgemeine Vermögensabgabe zu fordern.

Schumpeter befürwortete die zweite Lösung, aber angesichts der schwierigen Koalitionslage war eine unpopuläre Maßnahme politisch nicht durchsetzbar. Er geriet immer stärker zwischen die Fronten - die Konservativen mißtrauten ihm, weil er auf Vorschlag der Sozialdemokraten berufen worden war, die Beamten des Ministeriums mißtrauten dem Außenseiter, und die Sozialisten, die die Wirtschaft durch staatliche Planung beleben wollten, mußten sich gegen Schumpeters Ideen eines freien Unternehmertums wehren. So forderte Schumpeter als eine Bedingung, die Wirtschaft zu beleben, "den ungeheuren Vorrat an Energie freizumachen, der in Österreich vergeudet wird im unaufhörlichen Kampf gegen die Fesseln, in welche die Unvernunft von Gesetzgebung, Verwaltung und Politik jede wirtschaftliche Initiative legt und die den Unternehmer von seinen organisatorischen, technischen und kommerziellen Aufgaben ablenken und ihm als einzigen Weg zum Erfolg die Hintertreppen zur Politik und Verwaltung offenlassen" (vgl. Recktenwald, 1971, S. 512).

Neben einer Liberalisierung der Wirtschaft, die noch durch Vorschriften der Kriegswirtschaft reglementiert wurde, sah Schumpeter die einzige Möglichkeit zur Verbesserung der Situation in einer Auslandsanleihe. Noch während er sich um eine solche bemühte, wurde er gestürzt. Später übernahm er die Leitung einer Privatbank, die jedoch - wie fast alle in dieser Zeit - Bankrott machte.

Nach den Mißerfolgen in Politik und Wirtschaft nahm Schumpeter 1926 den Lehrstuhl für Finanzwissenschaften in Bonn an und widmete seine ganze Energie der Forschung und Lehre. 1932 wechselte er nach Harvard. Hauptwerke dieser Jahre sind "Business Cycles" (1939) und "Capitalism, Socialism and Democracy" (1951).

Getrübt wurden die Jahre in Harvard durch den 2. Weltkrieg; ähnlich wie im 1. Weltkrieg befand sich Schumpeter auch dieses mal im Gegensatz zu der öffentlichen Meinung des Landes, in dem er lebte. Er wies - aber ohne Sympathie für den Nationalsozialismus zu äußern - öfter auf die schlechte Behandlung Deutschlands durch die Versailler Verträge hin. Als Hauptkonsequenz des Krieges prophezeite er das weitere Vordringen des Kommunismus. Er starb 1950 in den USA. Sein wichtigstes Spätwerk, seine Dogmengeschichte "History of Economic Analysis", das er noch nicht ganz vollendet hatte, wurde nach seinem Tode von seiner Frau herausgegeben.

Schumpeter hinterließ, wie schon erwähnt, ein umfangreiches und vielfältiges Werk. Worin liegt das Besondere seiner Arbeit? Hören wir ihn im Vorwort zur japanischen Ausgabe zu der "Wirtschaftlichen Entwicklung" :

"... Als ich die Konzeption und Technik von Walras zu untersuchen begann ... entdeckte ich nicht nur ihren konsequent statischen Charakter ... sondern auch ihre ausschließliche Anwendbarkeit auf einen stationären Prozeß. Beide Dinge dürfen nicht durcheinandergebracht werden. Eine statische Theorie kann ... für die Erforschung von Tatsachen jeder Art nützlich sein, wie gestört deren Gleichgewicht auch sein mag. Ein stationärer Prozeß jedoch ist ein Vorgang, der tatsächlich den eigenen Antrieb nicht ändert, sondern einfach nur gleichbleibende Raten des Realeinkommens im Zeitablauf hervorbringt. Wenn überhaupt Änderungen auftreten, geschieht das unter dem Einfluß von Ereignissen, die selbst von außen wirken, wie Naturkatastrophen, Kriege und so weiter. Walras hätte dies zugegeben und gesagt (tatsächlich sagte er es, als sich ... einmal die Gelegenheit bot, mich mit ihm zu unterhalten), daß ... das wirtschaftliche Leben essentiell passiv ist und sich selbst einfach den natürlichen und sozialen Einflüssen anpaßt, die auf es einwirken, so daß die Theorie eines stationären Prozesses tatsächlich die ganze theoretische Ökonomie ausmacht ... Ich war fest überzeugt, dies sei falsch. Es gibt innerhalb des Wirtschaftssystems eine Energiequelle, die aus sich selbst heraus ... das Gleichgewicht stört. Wenn das zutrifft, dann muß es eine reine Wirtschaftstheorie der ökonomischen Veränderung geben, die nicht einfach von äußeren Faktoren abhängt ... eine solche Theorie versuchte ich zu entwickeln, und ich glaube ... daß sie etwas zum Verständnis ... der kapitalistischen Welt beiträgt und eine Anzahl von Phänomenen ... befriedigender erklärt als Walras' oder Marshalls System." (zit. nach Recktenwald, 1971, S. 522)

So versucht er, das statische Modell von Walras und Böhm-Bawerk in ein dynamisches umzuwandeln. Neben den Kräften wie Erfindungen, Kreditentwicklungen, unternehmerische Initiativen, die den Wirtschaftsablauf verändern, bemüht er sich, die sozialen Rahmenbedingungen ebenso wie historische Entwicklungen einzubeziehen.

7.2.9.2 F. H. Knight und R. H. Coase

Frank Hyneman Knight wurde am 7. 11. 1885 als erstes von elf Kindern sehr religiöser Eltern in Illinois geboren. Fragen der Ethik beschäftigten ihn sein Leben lang. Nach seinen Studien der Philosophie und später der Ökonomie schrieb er 1916 eine Dissertation, die mit Änderungen 1921 als "Risk, Uncertainty and Profit" erschien.

Teil II dieser Arbeit enthält eine knapp gefaßte klare neo-klassische (dieser Ausdruck wird im nächsten Kapitel erklärt) Preistheorie und wurde z. B. an der London School of Economics als Lehrtext benutzt (vgl. Stigler, 1987, S. 56). Die darin enthaltenen Ausführungen zu Risiko und Unsicherheit stellen einen wesentlichen Beitrag zur ökonomischen Theorie dar.

Risiko ist dadurch charakterisiert, daß aus Kenntnissen der zugrundeliegenden Gesetze und/oder empirischen Beobachtungen Aussagen über Auswirkungen und Eintrittswahrscheinlichkeiten gemacht werden können. Dem Risiko kann somit durch Versicherung begegnet werden. Unsicherheit besteht, wenn "es keine zulässige Basis irgendeiner Art gibt, die Gegebenheiten zu klassifizieren" (Knight, 1921, p. 225, unsere Übersetzung).

Knight beschäftigt sich später intensiv mit der Frage, wie eine liberale Gesellschaft aufgebaut werden kann, in der individuelle Freiheit bewahrt wird und die trotzdem zufriedenstellend funktioniert (vgl. Stigler, 1987, S. 56). In seinem berühmten Aufsatz "The Ethics of Competition" (1923) geißelt Knight die auf der Konkurrenz von Unternehmen basierende Ökonomie als dem Wesen nach unmoralisch, "da das christliche Konzept der Güter die Antithese der Konkurrenz ist" (S. 72). Knight macht jedoch nach dem Urteil von Stigler (1987) die Grundlage seiner ethischen Prinzipien nicht hinreichend deutlich, außer daß er ausführt, es seien die "allgemein akzeptierten Ideale der absoluten Ethik des modernen Christentums" (Knight, 1923, S. 44, unsere Übersetzung). Knight beschäftigt sich auch mit der Frage des Zusammenhangs zwischen Naturwissenschaften und Sozialwissenschaften und kommt zu dem Schluß, daß die Kommunikation zwischen Individuen eine zusätzliche Dimension in die Sozialwissenschaften einführt, und daß somit der fundamentale Irrtum darin besteht zu glauben, "Sozialwissenschaften wären oder könnten eine Wissenschaft im selben Sinne wie Naturwissenschaften sein" (Knight, 1940, S. 226).

Ronald Harry Coase wurde 1910 in Middlesex, England geboren. Während seines Studiums an der London School of Economics lernte er "Risk, Uncertainty and Profit" von Knight kennen. Im Alter von 21, noch im Grundstudium (als "undergraduate"), schreibt er als Rohentwurf seine Arbeit "The Nature of the Firm". Die Arbeit zeigt - wie wir gesehen haben - daß beim Vorhandensein von Transaktionskosten eine bestimmte Art von Kontrakten (z. B. Lohnkontrakte) eine andere Art von Kontrakten (Tausch am Markt) überlagert.

Das Problem der Wahl von Transaktionsmechanismen beschäftigt Coase auch weiterhin. 1958/59 legt er der Zeitschrift "Journal of Law and Economics" eine Arbeit vor, in der er kühne Behauptungen vorträgt, die bis heute die ökonomische Theorie der Umwelt stark beeinflussen. Coase wendet sich dabei gegen die traditionelle (mit dem Namen Pigou verbundene) Auffassung: Wird ein Individuum bei der Nutzung einer ökonomischen Ressource von einem anderen Individuum beeinträchtigt, so ist diese Beeinträchtigung zu untersagen. Dieses Untersagen - so die ungewöhnliche Meinung von Coase - würde dem Verursacher Schaden zufügen. Die widerstrebenden Interessen würden wesentlich besser durch den Markt ausgeglichen, vorausgesetzt, die Eigentumsrechte sind hinreichend definiert. Die Zeitschrift akzeptiert die Arbeit, will jedoch Änderungen. Darauf kommt es in einer illustren Runde (anwesend waren neben Coase z. B. Milton Friedman, Reuben Kessel, George Stigler) zu einer Diskussion, in der Coase sich erfolgreich verteidigen kann. Kessel erklärt zu dieser Diskussion "man müsse schon bis zu Adam Smith zurückgehen, um einen anderen Ökonomen zu finden, dessen Einsichten in das Funktionieren des ökonomischen Systems mit denen von Coase vergleichbar sind" (Cheung, 1987, S. 456, unsere Übersetzung). Die in der Debatte vorgetragenen Ideen sind die Grundgedanken des sogenannten 'Coase Theorems' geworden (vgl. Kapitel 8).

7.3 Die traditionelle Theorie der Unternehmung

7.3.1 Unternehmensziele

Die Gedanken der Autoren wollen wir jetzt zusammenfassen und weiterführen:

Eine Gruppe von Individuen schließt sich zusammen (als Team, als Belegschaft, als Firma) und produziert in Zusammenarbeit etwas. Die Zusammenarbeit wird nicht durch freiwilligen Tausch, sondern durch bewußte Organisation, also durch eine sichtbare Hand, geregelt. Im Prinzip haben alle beteiligten Individuen unterschiedliche Interessen (unterschiedliche Interessen z. B. auch dann, wenn jedes Individuum sein Einkommen maximieren will). Die Theorie der Unternehmung untersucht:

a. welche Interessen einzelne Individuen oder Gruppen von Individuen besitzen

b. wie sie ihre Interessen innerhalb der Unternehmung artikulieren und durchsetzen können

c. welche Auswirkungen dies auf das Verhalten der Unternehmung innerhalb der Volkswirtschaft hat (also z. B. Auswirkungen auf Beschäftigung, Einkommensteuer, Güterangebot, technologische Entwicklung).

Die traditionelle Theorie untersuchte dabei fast ausschließlich den Punkt c. und unterstellt eine extrem vereinfachte Unternehmensstruktur ohne divergierende Interessen innerhalb der Unternehmung. In den letzten Jahren hat sich das Interesse der Theorie stärker auch den innerbetrieblichen Strukturen zugewandt.

7.3.2 Traditionelle Theorie:
Die Unternehmung mit einheitlichem Ziel

In der traditionellen Theorie wird in aller Regel unterstellt, daß die Unternehmung ein einheitliches Ziel verfolgt. Es werden dabei unterschiedliche Zielsetzungen diskutiert, bei der weitergehenden Behandlung beschränkt man sich jedoch fast immer auf das Ziel der Gewinnmaximierung.

Wir werden jetzt verschiedene Ziele ansprechen.

1. Herstellung eines bestimmten Gutes bzw. Erbringung einer bestimmten Leistung.

   Eine Unternehmung könnte das alleinige Ziel verfolgen, ein bestimmtes Gut zu produzieren, z. B. eine technische Entwicklung durchzuführen, eine Ausstellung zu organisieren oder (z. B. in den USA) als Fußballteam in Form einer AG die Meisterschaft zu erreichen. Dies ist in der Regel jedoch nicht das Ziel einer Unternehmung, sondern eher das eines Vereins oder einer Gesellschaft.

2. Wohlfahrtssteigerung

   "Die primäre Funktion des Unternehmens liegt darin, einen Dienst für die Gesellschaft zu leisten" (H. J. Abs, zitiert nach P. Weise, 1979, S. 201). Unternehmen können also durch das Ziel motiviert sein, den "Gemeinnutz" zu fördern. Man denke z. B. an die Bundesbahn, die

Bundespost, an die von den Grünen projektierte alternative Bank, aber auch an die "Neue Heimat".

3. Erzielung von Einkommen

Unternehmen können gegründet und geführt werden, um Beschäftigungsmöglichkeiten und damit Arbeitseinkommen zu bieten. Beispiele hierfür sind kleinere Handwerksunternehmungen oder auch Unternehmungen bei Arbeiterselbstverwaltung vor dem Hintergrund von Beschäftigungsproblemen.

4. Erzielung von Gewinn

Das am häufigsten unterstellte Ziel einer Unternehmung in einer Marktwirtschaft ist die Erzielung eines möglichst hohen Gewinns. Dabei geht man davon aus, daß es einen oder mehrere Besitzer der Firma gibt, die die Ressourcen - Arbeitskräfte, Vorprodukte und Grund und Boden - so zur Produktion einsetzen, daß die Differenz zwischen Ausgaben für die Faktoren und dem Erlös für die Produkte möglichst groß wird.

5. Nutzenmaximierung

Die bisher vorgestellten Ziele können zusammengefaßt und erweitert werden, indem man mit dem Nutzenkonzept arbeitet. Der "Chef" einer Unternehmung führt die Unternehmung so, daß er einen möglichst hohen Nutzen hat. Dabei kann Nutzen darin bestehen

    a. etwas Sinnvolles zu produzieren

    b. der Gesellschaft zu dienen

    c. hohes Arbeitseinkommen für sich und/oder seine Mitarbeiter zu erzielen

    d. viel Gewinn zu machen

aber auch

    e. in luxuriöser Umgebung zu arbeiten und zu leben

    f. ein expandierendes Unternehmen zu führen

    g. Macht und Einfluß in der Unternehmung auszuüben

    h. Macht und Einfluß in der Gesellschaft auszuüben.

Das Konzept der Nutzenmaximierung ist vergleichsweise allgemein und umfaßt auch z. B. die Gewinnmaximierung. Es ist aber wesentlich schwieriger zu formalisieren.

Die traditionelle Theorie geht darum fast durchgängig vom Ziel der Gewinnmaximierung aus. Dabei wird implizit unterstellt, daß ein Unternehmer wie etwa der Schumpetersche Unternehmer seinem Unternehmen ein einheitliches Ziel vorgibt und dieses Ziel auch durchsetzen kann. Wegen dieses nach außen einheitlichen Ziels interessiert den traditionellen Volkswirt nicht das Innenleben der Firma - das ist dann ein Problem für den Techniker, den Buchhalter, den Betriebswirt. Das Unternehmen wird wie eine "black-box" behandelt: man beobachtet, was von außen in den Betrieb hineinfließt und was der Betrieb dann nach außen abgibt.

7.3.3 Formalisierung der Gewinnmaximierung

Wir unterstellen jetzt eine "black-box"-Sichtweise der Produktion. Produktion ist die Umformung eines Input-Güterbündels in ein Output-Güterbündel.

$$\text{Output} \longleftarrow \boxed{\text{Produktion}} \quad \begin{array}{l} \longleftarrow \text{Input 1} \\ \longleftarrow \text{Input 2} \\ \vdots \vdots \vdots \vdots \\ \text{Input n} \end{array}$$

Wie diese Produktion intern geregelt wird, interessiert uns jetzt nicht, vielmehr unterstellen wir, daß eine Kombination von Inputs und Outputs gesucht wird, die ein bestimmtes Unternehmensziel ermöglicht. Diese Annahme kann durchaus sinnvoll sein, wenn die Marktkräfte so stark sind, daß sie das Verhalten der Firma prägen.

Die traditionelle Produktionstheorie unterstellt fast durchgängig die **Gewinnmaximierung** als Ziel der Produktion. Dazu wird in der Regel davon ausgegangen, daß aus n Faktoren, gegeben durch das Bündel

$$\underline{x} = (x_1, x_2, ..., x_n)$$

ein Produkt y hergestellt wird.

Der am Markt erzielte Preis des Produkts sei p und die am Markt zu zahlenden Preise der Faktoren seien $q_1, ..., q_n$.

Dann wird definiert

Erlös	$E = p \cdot y$
Kosten	$C = q_1 \cdot x_1 + q_2 \cdot x_2 + ... + q_n \cdot x_n$
Gewinn	$G = E - C$

Die traditionelle Theorie der Unternehmung interessiert sich nicht für den internen Ablauf der Produktion, sondern für den Zusammenhang der Inputmengen und der Outputmenge vor dem Hintergrund eines Unternehmensziels, also im allgemeinen vor dem Hintergrund der Gewinnmaximierung.

Diesen Zusammenhang von Inputs und Output gilt es also jetzt zu untersuchen.

Aufgabe 7.17

Definiert man Unternehmen als "Inseln bewußter Macht", so können die folgenden Gebilde im weitesten Sinn als Unternehmen gedeutet werden. Was produzieren sie, haben sie ein einheitliches Unternehmensziel, welches sind die Unternehmensziele, wer definiert die Ziele und wie werden diese kontrolliert?

a. Daimler Benz AG, b. Lufthansa AG, c. Deutsche Shell AG, d. eine Universität, e. Bundespost,

7.3.4 Produktionsfunktion und Isoquanten

Der Zusammenhang zwischen dem Faktorbündel $\mathbf{x} = (x_1, ..., x_n)$ und dem daraus produzierbaren Produkt wird in bekannter Weise durch eine Produktionsfunktion erfaßt.

$$y = f(x_1, ..., x_n)$$

Um die abzuleitenden Beziehungen graphisch erfassen zu können, beschränken wir uns auf zwei Faktoren.

$$y = f(x_1, x_2)$$

Bezüglich der Produktionsfunktion machen wir folgende Annahmen:

Annahme 1
Die Inputs x_1, x_2 und der Output y sind beliebig teilbar.

Annahme 2
Bei gleichbleibendem Output kann auf bestimmte Mengen eines Faktors verzichtet werden, wenn die Einsatzmenge mindestens eines Faktors erhöht wird.

Die Faktorbündel, die den gleichen Output liefern, nennen wir eine **Isoquante**. Den Verlauf dieser Isoquanten wollen wir jetzt skizzieren. Dazu machen wir noch zwei Annahmen.

Annahme 3
Wird der Einsatz eines Faktors bei Konstanz der anderen Faktoren erhöht, so erhöht sich die produzierte Menge (oder bleibt mindestens gleich). Formal:

$$\frac{\partial f}{\partial x_1} \geq 0 \qquad \frac{\partial f}{\partial x_2} \geq 0$$

Der Ausdruck $\frac{\partial f}{\partial x_i}$ heißt **Grenzproduktivität** des Faktors i. Er gibt an, um wieviel sich der Output erhöht, wenn der Input von Faktor i um eine (marginale) Einheit erhöht wird und alle anderen Faktoren konstant gehalten werden.

Annahme 4
Je weniger ich von einem Inputfaktor habe, um so schwieriger wird es, bei gleichbleibendem Output auf weitere Mengen dieses Faktors zu verzichten, d. h. um so mehr von anderen Faktoren muß ich für eine Einheit dieses Faktors substituieren.

Die Annahme 4 muß für bestimmte Randfälle (vollständige Substitute) geringfügig verallgemeinert werden (siehe unten).

Aus diesen Annahmen können wir die Gestalt von Isoquanten ableiten; wir gehen dabei in bekannter Weise von der beliebigen Teilbarkeit der Faktoren aus (Annahme 1).

Aus der Annahme 2 folgt dann unmittelbar die Existenz von Isoquanten. Verzichte ich nämlich in Abb.
7.1 auf die Menge Δx_1, so kann ich
ein Δx_2 so finden, daß die produzierte
Menge sich nicht ändert.

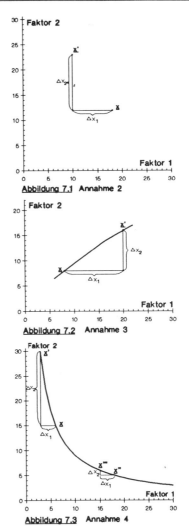

Abbildung 7.1 Annahme 2

Abbildung 7.2 Annahme 3

Abbildung 7.3 Annahme 4

Aus Annahme 3 folgt, daß Isoquanten
negative Steigung haben; $\underline{x}$ und $\underline{x}'$ in
der Abb. 7.2 können nämlich nicht
auf einer Isoquanten liegen. Von
$\underline{x}$ ausgehend, erhöht die zusätzliche
Menge Δx_1 von Faktor 1 die Produktion und zusätzlich die Menge Δx_2
von Faktor 2 noch einmal die Produktion.

Aus Annahme 4 folgt schließlich, daß
Isoquanten von unten streng konvex
sind. In $\underline{x}$ (vgl. Abb. 7.3) ist wenig von Faktor 1 enthalten, der Verzicht auf eine weitere Einheit des Faktors bedingt für gleichbleibende Produktion eine große Menge zusätzlich
von Faktor 2. Im Punkte $\underline{x}''$ ist viel
von Faktor 1 vorhanden, eine Einheit
kann durch eine geringe Menge von
Faktor 2 substituiert werden.

Die oben angesprochene Verallgemeinerung besteht darin, daß man für Isoquanten nicht strenge Konvexität fordert, wie es aus der Annahme folgen
würde, sondern nur Konvexität. Eine Isoquante kann dann auch eine Gerade
sein oder ein Geradenstück enthalten.
Die Steigung $\frac{dx_2}{dx_1}$ der Isoquanten heißt **technische Substitutionsrate**.
Es gilt (vollständiges Differential):

$$df(x_1, x_2) = \frac{\partial f}{\partial x_1} \cdot dx_1 + \frac{\partial f}{\partial x_2} \cdot dx_2$$

Betrachten wir Änderungen auf einer Isoquanten, so ist $df(x_1, x_2) = 0$. Wir
erhalten also

$$0 = \frac{\partial f}{\partial x_1} \cdot dx_1 + \frac{\partial f}{\partial x_2} \cdot dx_2$$

Daraus folgt

$$\frac{dx_2}{dx_1} = -\frac{\partial f / \partial x_1}{\partial f / \partial x_2} \qquad (*)$$

Damit haben wir eine Beziehung für die Steigung der Isoquanten also eine
Beziehung für die technische Substitutionsrate abgeleitet.
**Die technische Substitutionsrate von Faktor 2 zu Faktor 1 ist gleich
dem negativen Verhältnis von Grenzproduktivität des Faktors 1 zur
Grenzproduktivität des Faktors 2.**
Diese Beziehung bringt uns zweierlei:
1. Sie bestätigt unsere graphische Herleitung, daß Isoquanten eine negative
   Steigung haben (Begründen Sie diese Aussage!).
2. Sie liefert eine relativ einfache Methode, zu gegebenen Produktionsfunktionen die technische Substitutionsrate zu bestimmen. Diese Methode
   kennen wir im Prinzip schon aus der Haushaltstheorie.

Aufgabe 7.18

a. *Vergegenwärtigen Sie sich die
   Begriffe abnehmende, konstante,
   zunehmende Skalenerträge.*
b. *Wir nehmen an, daß mit dem
   Faktorbündel* x *eine Einheit Output produziert werden kann. Aus
   den Annahmen folgt, daß mit
   dem Faktorbündel* x' *mehr produziert werden kann als mit Faktorbündel* x*. Welche Aussagen
   können Sie darüber hinaus über
   die Produktion bei* x' *machen,
   wenn Sie*
   ba. *konstante Skalenerträge*
   bb. *zunehmende Skalenerträge*
   bc. *abnehmende Skalenerträge*
   unterstellen?

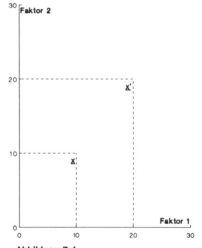

Abbildung 7.4

c. *Zeichnen Sie durch* x *eine Isoquante, so daß sie den obigen Annahmen
   1-4 genügt. Wie muß dann die Isoquante mit einem Output von zwei
   Einheiten verlaufen bei*
   ca. *konstanten*
   cb. *abnehmenden*
   cc. *zunehmenden Skalenerträgen?*

7.3.5 Die Cobb-Douglas-Produktionsfunktion

In der Wirtschaftstheorie wird folgende Produktionsfunktion sehr häufig benutzt

$$f(x_1, x_2) = A x_1^\alpha \cdot x_2^\beta$$

mit $A > 0$, $\alpha > 0$ und $\beta > 0$. Diese Produktionsfunktion heißt Cobb-Douglas-Produktionsfunktion. Ist $\alpha + \beta = 1$, so sprechen wir von der speziellen Cobb-Douglas-Produktionsfunktion (In manchen Büchern wird diese Beziehung generell bei einer Cobb-Douglas-Funktion unterstellt). Im folgenden vereinfachen wir die Rechnungen, indem wir stets $A = 1$ unterstellen. Das ist keine besondere Einschränkung, da es durch Wahl der Einheit des Outputs leicht erreicht werden kann.

Aufgabe 7.19

Gehen Sie von $\alpha = \frac{1}{2}$ und $\beta = \frac{1}{2}$ aus.

   a. Bestimmen Sie für die Cobb-Douglas-Produktionsfunktion die Isoquanten mit dem Output $f(x_1, x_2) = 1$, indem Sie die Beziehung für die Isoquante mit dem Output 1, also

$$1 = x_1^{1/2} \cdot x_2^{1/2}$$

nach x_2 auflösen.

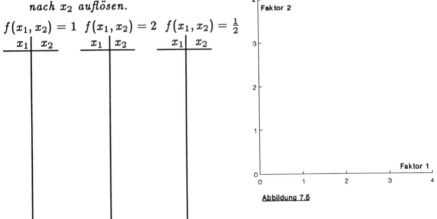

$f(x_1, x_2) = 1$ $f(x_1, x_2) = 2$ $f(x_1, x_2) = \frac{1}{2}$

x_1	x_2	x_1	x_2	x_1	x_2

Abbildung 7.5

Bestimmen Sie dann aus der ermittelten Beziehung die Wertetabelle und übertragen Sie die Werte in das Diagramm 7.5 .

   b. Bestimmen Sie die Isoquanten mit dem Output 2 und dem Output $\frac{1}{2}$.

   c. Bestimmen Sie die Grenzproduktivitäten $\frac{\partial f}{\partial x_i}$ der beiden Faktoren.

   d. Bestimmen Sie die technische Substitutionsrate. Überprüfen Sie das Ergebnis an Hand der in a. und b. bestimmten Isoquanten.

   e. Verdeutlichen Sie sich folgende Eigenschaften der Isoquanten dieser Produktionsfunktion und interpretieren Sie die Eigenschaften ökonomisch.

     ea. Die Isoquanten schneiden die Achsen nicht.

eb. Jede Isoquante kommt den Achsen aber beliebig nahe (ohne sie ganz zu berühren).

f. Bestimmen Sie graphisch die Art der Skalenerträge der Funktion

$$f(x_1, x_2) = x_1^{1/2} \cdot x_2^{1/2}$$

Aufgabe 7.20

Bestimmen Sie für die Cobb-Douglas-Produktionsfunktion

$$f(x_1, x_2) = x_1^\alpha \cdot x_2^\beta \qquad \alpha > 0, \beta > 0$$

a. *die Grenzproduktivitäten,*
b. *die technische Substitutionsrate.*

Aufgabe 7.21

Wir gehen wieder von der Cobb-Douglas-Produktionsfunktion $f(x_1, x_2) = x_1^\alpha \cdot x_2^\beta$ mit A=1 aus. Wegen dieser Wahl von A wird mit dem Faktorbündel $x_1 = 1, x_2 = 1$ genau eine Einheit Output produziert.

a. *Welche Menge Output wird produziert, wenn beide Inputs verdoppelt werden?*
b. *Wie hängt der Output des verdoppelten Inputs vom Wert $\alpha + \beta$ ab? Untersuchen Sie z. B. die Werte*
   ba. $\alpha = \frac{1}{4}$ $\beta = \frac{1}{4}$
   bb. $\alpha = \frac{1}{2}$ $\beta = \frac{1}{2}$
   bc. $\alpha = 1$ $\beta = 1$
c. *Benutzen Sie die Ergebnisse aus b. und untersuchen Sie, bei welchen Werten von α und β die Cobb-Douglas-Produktionsfunktion abnehmende, konstante bzw. zunehmende Skalenerträge besitzt.*

7.3.6 Minimalkostenkombination und Expansionspfad

Wir gehen von folgender Situation aus: Eine Unternehmung mit einer bestimmten Produktionsfunktion hat einen bestimmten Geldbetrag KS (Kostensumme) zur Verfügung. Die Produktionsfaktoren haben die Preise q_1 und q_2. Welche Faktorkombination muß gewählt werden, wenn der Output maximiert werden soll? Sind x_1 und x_2 die Mengen, die von den Faktoren gewählt werden, so muß gelten

$$q_1 x_1 + q_2 x_2 = KS$$

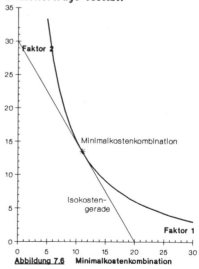

Abbildung 7.6   Minimalkostenkombination

Diese Beziehung heißt **Isokostengerade**. Diese Isokostengerade kann auch folgendermaßen geschrieben werden:

$$x_2 = -\frac{q_1}{q_2}x_1 + \frac{KS}{q_2}$$

Der Tangentialpunkt von Isokostengerade und irgendeiner Isoquanten heißt Minimalkostenkombination. Eine Minimalkostenkombination ist also gegeben durch

$$\left\{\begin{array}{c} Steigung\ der \\ Isoquanten \end{array}\right\} = \left\{\begin{array}{c} Steigung\ der \\ Isokostengeraden \end{array}\right\}$$

$$\frac{dx_2}{dx_1} = -\frac{q_1}{q_2}$$

Mit der Beziehung (∗) aus Abschnitt 7.3.4 ergibt sich

$$\frac{\partial f/\partial x_1}{\partial f/\partial x_2} = \frac{q_1}{q_2} \qquad (\ast\ast)$$

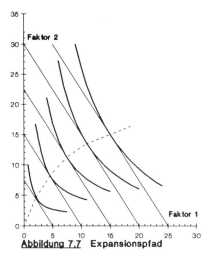

Abbildung 7.7 Expansionspfad

Für die Minimalkostenkombination gilt:
1. Bei gegebenen q_1, q_2 und KS bestimmt die Minimalkostenkombination die Faktormengen mit maximalem Output.
2. Bei gegebenen q_1, q_2 und Output y bestimmt die Minimalkostenkombination die Faktormengen mit minimalen Kosten.

Eine Veränderung der KS führt bei konstanten Faktorpreisen zu einer Parallelverschiebung der Isokostengeraden. Bestimmen wir für alle möglichen Kostensummen, also für alle möglichen Isokostengeraden die Minimalkostenkombination, so bekommen wir den Expansionspfad. Der Expansionspfad kennzeichnet die Menge der Faktorkombinationen, die
1. zu gegebenen Kosten den Output maximieren
2. zu gegebenem Output die Kosten minimieren.

Aufgabe 7.22

Die Produktionsfunktion $f(x_1, x_2) = x_1^{1/2} \cdot x_2^{1/2}$ und die Faktorpreise $q_1 = 2$ und $q_2 = 4,5$ seien gegeben.
  a. Bestimmen Sie, von der Beziehung (∗∗) ausgehend, den Expansionspfad und stellen Sie diesen graphisch dar.
  b. Bestimmen Sie den rechnerisch maximalen Output, der mit 18 Geldeinheiten produziert werden kann und überprüfen Sie das Ergebnis graphisch.
  c. Bestimmen Sie die Kosten, die mindestens bei der Produktion von 6 Gütereinheiten erforderlich sind.
  d. Bestimmen Sie in gleicher Weise wie in Aufgabenteil c. allgemein die Kosten, die mindestens bei der Produktion von y Gütereinheiten bei den Faktorpreisen erforderlich sind.

7.3.7 Kostenfunktion, Erlösfunktion und Gewinnmaximierung

Der in Teil c. der letzten Aufgabe (für eine bestimmte Produktionsfunktion) ermittelte Zusammenhang zwischen Produktionsfunktion und Minimalkosten heißt Kostenfunktion C(y). Die Kostenfunktion gibt also für jede Ausbringungsmenge y an, welche Ausgaben mindestens erforderlich sind, um die benötigten Faktoren zu den Faktorpreisen q_1 und q_2 zu erwerben. Wir wollen jetzt den Verlauf der Kostenfunktion bei verschiedenen Skalenerträgen untersuchen. Dabei unterstellen wir die ceteris-paribus-Annahme, daß die Faktorpreise sich nicht ändern. Bei den Überlegungen gehen wir jeweils davon aus, daß z. B. 1 Gütereinheit einen bestimmten Faktorinput (x_1^*, x_2^*) erfordert und dafür Ausgaben in Höhe von C^* nötig sind. Werden die Faktoren verdoppelt (verdreifacht etc.), so verdoppeln (verdreifachen etc.) sich bei unveränderten Faktorpreisen auch die nötigen Ausgaben.

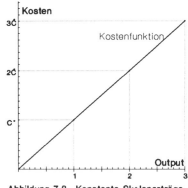

Abbildung 7.8 Konstante Skalenerträge

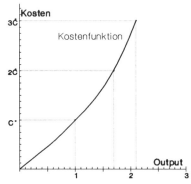

Abbildung 7.9 Abnehmende Skalenerträge

a. konstante Skalenerträge Verdoppelung der Inputs (also Verdoppelung der Kosten) führt zu Verdoppelung des Outputs. Man hat also einen linearen Zusammenhang zwischen Output und Kosten.

b. abnehmende Skalenerträge Verdoppelung der Kosten durch Verdoppelung des Inputs führt zu weniger als Verdoppelung des Outputs (also z. B. zu einem Output von 1,8 wie in der Abbildung angenommen). Es ergibt sich somit der nebenstehende Kostenverlauf.

c. zunehmende Skalenerträge Verdoppelung der Kosten durch Verdoppelung des Inputs führt zu mehr als zu Verdoppelung des Outputs, also z. B. zu 2,5 Gütereinheiten. Es ergibt sich der nebenstehende Kostenverlauf.

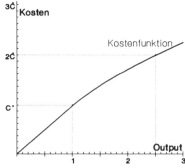

Abbildung 7.10 Zunehmende Skalenerträge

(Hinweis: Die Argumentation ist nur bei sogenannten homogenen Produktionsfunktionen ganz korrekt. Bei allgemeinen Produktionsfunktionen könnte es vielleicht günstiger sein, den größeren Output mit geändertem Inputverhältnis zu produzieren. Die Argumentation kann dieser Möglichkeit an-

gepaßt werden, das Ergebnis ändert sich im Prinzip nicht.)
Fassen wir die drei Möglichkeiten zusammen, so bekommen wir die nebenstehende S-förmige Kostenfunktion. Zusätzlich wurden in dieser Abbildung
noch sogenannte **Fixkosten** berücksichtigt. Fixkosten sind die Anteile an
den Kosten, die unabhängig vom Output y sind und die sogar beim Nicht-
produzieren (mindestens kurzfristig) nicht zu vermeiden sind. Beispiele dafür
sind z. B. die Zinszahlungen für eine Fabrikhalle oder Lohnzahlungen für
langfristig Angestellte.

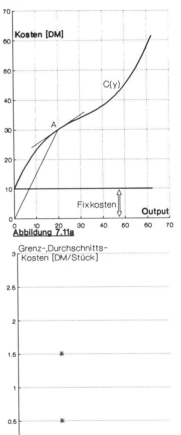

Abbildung 7.11a

Abbildung 7.11b

Ausgehend von einer Kostenfunktion
definiert man **Grenzkosten** und
Durchschnittskosten

$$\text{Grenzkosten} = \frac{dC}{dy}$$

$$\text{Durchschnittskosten} = \frac{C}{y}$$

Bei einem bestimmten Output geben die Grenzkosten an, was eine
<u>zusätzliche</u> (marginale) Outputeinheit
kostet, die Durchschnittskosten geben
an, was eine Outputeinheit im Durchschnitt kostet; entsprechend spricht
man bei Durchschnittskosten häufig
von **Stückkosten**.
In Abb. 7.11a kostet die Produktion
von 20 Einheiten Output 30 DM. Jede
Einheit kostet im Durchschnitt 30/20
= 1,50 DM. Diese Größe entspricht der
Steigung der Geraden durch 0 und A.
Die Steigung der Tangenten durch A
ist (etwa) 1/2: Soll bei der Produktion von 20 Einheiten eine zusätzliche
Einheit produziert werden, so erfordert diese zusätzliche Einheit zusätzliche Kosten in Höhe von 0,5 DM.
In Abb. 7.11b sind für den Output 20
sowohl die Grenzkosten wie die Durchschnittskosten eingetragen.

Aufgabe 7.23

*Skizzieren Sie graphisch zur Kostenfunktion C(y) in Abb. 7.11a den Verlauf
der <u>Grenzkosten</u> dC/dy und der <u>Durchschnittskosten</u> C/y, indem Sie für
y = 0, 10, 30, 40, 50, 60 Grenz- und Durchschnittskosten bestimmen und die
Werte in Abb. 7.11b einzeichnen und verbinden.*
*Wann sind die Grenzkosten höher und wann niedriger als die Durchschnitts-
kosten? Interpretieren Sie ökonomisch.*

Aufgabe 7.24

Wie ändert sich die Lage der Kostenfunktion, wenn alle Faktoren billiger bzw.
wenn alle Faktoren teurer werden?

Wie aus der Aufgabe hervorgeht, hängt der Verlauf der Kostenfunktion von
den Faktorpreisen ab. Dies bringt man manchmal dadurch zum Ausdruck,
daß man die Kostenfunktion in Abhängigkeit von Ausbringungsmenge und
Faktorpreisen als $C(y, q_1, q_2)$ schreibt. Wir vermeiden diese Schreibweise und
unterstellen zunächst, daß die Faktorpreise konstant sind.

Während die Kosten C(y) angeben, was der Unternehmer für die Produktion
von y aufwenden muß, gibt der Erlös E(y) an, was er beim Verkauf von y
erzielt. Somit ist der **Erlös** gegeben als

$$E(y) = p \cdot y$$

Der **Gewinn** G(y) ist die Differenz von Erlös und Kosten

$$G(y) = E(y) - C(y)$$

Man beachte, daß nach dieser Definitionsgleichung der Gewinn auch negativ
sein kann, nämlich dann, wenn die Kosten den Erlös übersteigen.

Aus der Definitionsgleichung für den Gewinn können wir durch Differenzieren
nach y und Nullsetzen sehr leicht eine Bedingung für den gewinnmaximalen
Output bestimmen.

$$\frac{dG}{dy} = \frac{dE}{dy} - \frac{dC}{dy} \overset{!}{=} 0$$

Daraus folgt als notwendige Bedingung für ein Gewinnmaximum:

$$\frac{dE}{dy} = \frac{dC}{dy}$$

Der Gewinn ist maximal, wenn der Grenzerlös gleich den Grenzkosten ist.

7.3.8 Vollständige Konkurrenz und Gewinn

Nach Schumpeter (1934, S. 209) muß der Unternehmer, der seinen Gewinn
maximieren will, drei Bedingungen beachten, von denen wir hier die erste
und dritte noch einmal aufgreifen:

1. "darf der Produktionspreis ... nicht oder doch nicht so [sehr] sinken ..."
3. "darf unser Mann, der die Preissteigerung auf dem Produktionsmittelmarkt, die seinem Auftreten folgt, vorhersehen und schätzen muß, nicht
   einfach jene frühern Löhne und Renten in seine Berechnung einsetzen".

Der Produzent muß also berücksichtigen, daß seine Produktionsentscheidun-
gen die Marktpreise beeinflussen und zwar sowohl die Preise der produzierten
Güter wie die der Faktoren. Je größer ein Produzent auf einem Markt ist,
um so stärker werden vermutlich die Preise reagieren. Verdoppelt z. B. ein
Bauer seine Kartoffelproduktion, so wird das kaum einen Einfluß auf den
Preis haben, verdoppelt aber z. B. das Volkswagenwerk die Produktion des

Golfs, so wird es diese Menge wohl nur bei deutlichen Preisnachlässen absetzen können.

Es würde die Analyse offensichtlich drastisch vereinfachen, wenn man davon ausgehen könnte, daß zusätzliches Angebot eines Unternehmers weder die Faktorpreise, noch den Preis des angebotenen Gutes und auch nicht die Preise anderer Produkte beeinflussen würde. Dies ist aber nur dann möglich, wenn die Angebotsänderungen des Anbieters am Markt nur einen unbedeutenden Effekt haben. Darum definiert man: **Vollständige Konkurrenz**
Auf einem Markt herrscht vollständige Konkurrenz, wenn es extrem viele Anbieter und Nachfrager gibt und jeder Marktteilnehmer einen so kleinen Marktanteil besitzt, daß Produktionsänderungen des einzelnen keinen Einfluß auf die Preise haben.
Die Preise p, q_1, q_2 sind also bei vollständiger Konkurrenz unabhängig vom Produktionsniveau y.

Wir werden diese Definition später noch um eine Annahme über den Marktzutritt ergänzen.

Wir bestimmen jetzt die optimale Outputmenge eines Produzenten unter vollständiger Konkurrenz. Der Erlös des Produzenten ist

$$E(y) = p \cdot y$$

Der Preis ist annahmegemäß unabhängig von y. Also ergibt sich für den sogenannten Grenzerlös dE/dy

$$\frac{dE}{dy} = p$$

In der Abb. 7.12a ist zusätzlich zur S-förmigen Kostenfunktion eine Erlösfunktion eingezeichnet. Die Erlösfunktion ist eine Gerade, die durch den Nullpunkt geht und die Steigung p hat; je größer der Marktpreis p, um so steiler die Gerade. Steigt also der Preis p des Gutes, so dreht sich die Gerade gegen den Uhrzeigersinn, sinkt der Preis, so dreht die Gerade sich mit dem Uhrzeigersinn.

Den Gewinn hatten wir als Differenz von Erlös und Kosten definiert. Graphisch ergibt sich der Gewinn als Abstand der Erlösfunktion von der Kostenfunktion. In der Abbildung 7.12a ist zusätzlich die Gewinnfunktion G(y) eingezeichnet. Unser Ziel ist es, analytisch und graphisch das Verhalten des gewinnmaximierenden Unternehmers zu untersuchen. Dazu wurden in Abb. 7.12b die zugehörigen Grenzkosten-, Durchschnittskosten- und Grenzerlöskurven gekennzeichnet.

Die Kostenkurve hat im Punkt F einen Wendepunkt, hier ist die Steigung am geringsten. Entsprechend hat die Grenzkostenkurve bei f ein Minimum, links von f fällt die Grenzkostenkurve - das ist der Bereich zunehmender Skalenerträge - rechts von f steigt C'(y) - das ist der Bereich abnehmender Skalenerträge. Der Punkt H ist von allen Punkten der Kostenkurve dadurch ausgezeichnet, daß die Verbindungsgerade zum Ursprung die geringste Steigung hat; die Durchschnittskosten sind also in diesem Punkt am

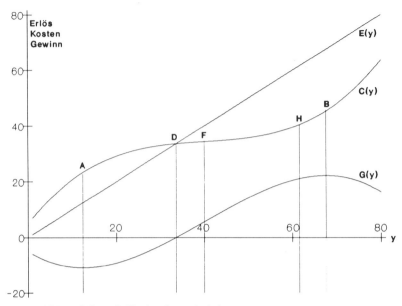

Abbildung 7.12a   S-förmige Kostenfunktion

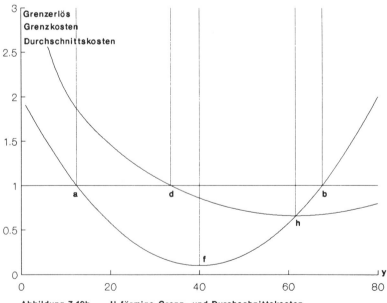

Abbildung 7.12b   U-förmige Grenz- und Durchschnittskosten

geringsten. Gleichzeitig ist dies der einzige Punkt, in dem Durchschnittsko-sten und Grenzkosten gleich sind. Entsprechend schneidet in Abbildung 7.12b im Punkte h die Grenzkostenkurve die Durchschnittskostenkurve im Mini-mum der Durchschnittskostenkurve. Im Punkt D schneidet die Erlösfunk-tion die Kostenfunktion, Erlös ist gleich Kosten, somit ist der Gewinn gleich Null; die Gewinnfunktion schneidet die y-Achse. In diesem Punkt D sind die Durchschnittskosten (dargestellt durch die Steigung der Geraden durch O und D) gleich dem Preis (Steigung der Erlösfunktion, also wiederum Stei-gung der Geraden durch O und D), entsprechend schneidet in d in Abb. 7.12b die Durchschnittskostenkurve die Grenzerlöskurve (diese Grenzerlöskurve ist konstant gleich dem Preis). In der folgenden Aufgabe sollen Sie die Analyse der Graphik weiter fortsetzen.

Aufgabe 7.25

  a. Bestimmen Sie in der Graphik 7.12a bzw. 7.12b den Output y* mit maximalem Gewinn.

  b. Wie verlaufen Kostenfunktion und Erlösfunktion beim gewinnmaximalen Output y*?

  c. Wie verhalten sich Grenzkostenfunktion und Grenzerlösfunktion beim ge-winnmaximalen Output?

Zur analytischen Bestimmung des Gewinnmaximums eines Unternehmens un-ter vollständiger Konkurrenz gehen wir von der im letzten Abschnitt abge-leiteten allgemeinen Bedingung aus:

$$\frac{dE}{dy} = \frac{dC}{dy}$$

Grenzerlös = Grenzkosten

Jetzt berücksichtigen wir, daß bei vollständiger Konkurrenz die Preise nicht von der Änderung des Outputs y eines Unternehmens abhängen. Also gilt:

$$p = \frac{dC}{dy}$$

Für das Gewinnmaximum einer Unternehmung unter vollstän-diger Konkurrenz gilt, daß die Grenzkosten gleich dem Güter-preis sind.

Aufgabe 7.26

  a. Untersuchen Sie die folgende Aussage auf Gültigkeit: "Ist der Güter-preis p gleich den Grenzkosten C'(y), so ist y der gewinnmaximierende Output."

  b. Korrigieren Sie eventuell die obige Aussage, indem Sie

    ba. die Art der Skalenerträge

    bb. die zweite Ableitung der Kostenfunktion

  berücksichtigen.

Produziert der Unternehmer **im Bereich abnehmender Skalenerträge** einen Output, für den die Bedingung Preis = Grenzkosten gilt, so maximiert er seinen Gewinn. Dieser Gewinn kann positiv (vgl. Abb. 7.12a) oder negativ (vgl. Abb. 7.13) sein.

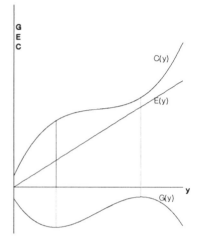

Wir kommen jetzt zu einer weiteren Annahme, die meistens (aber nicht immer) für den Zustand vollständiger Konkurrenz gefordert wird.

Fehlende Zutrittsbeschränkungen
Im Zustand vollständiger Konkurrenz gibt es für die Unternehmungen keinerlei Zutrittsbeschränkungen zu einem Markt. Keine Unternehmung kann aus rechtlichen, ökonomischen oder anderen Gründen gehindert werden, die Produktion aufzunehmen oder den Output zu senken oder zu erhöhen und auf dem Markt anzubieten.

Abbildung 7.13 **Negativer maximaler Gewinn**

Aufgabe 7.27

   a. Untersuchen Sie, inwieweit diese Annahme in der Realität gültig ist. Denken Sie z. B. an Nahrungsmittel, Autos, elektronische Geräte.

   b. Wie verträgt sich die gemachte Annahme mit dem Patentsystem und dem Copyright-Schutz? Denken Sie dabei aber auch an die Laufzeit von Patenten und Copyrights.

   c. Bestimmen Sie, welche von den beiden für vollständige Konkurrenz gemachten Annahmen mehr die kurzfristigen und welche mehr die langfristigen Verhältnisse beschreibt.

Wir gehen jetzt davon aus, daß für Herstellung oder Nutzung eines neuen Produkts oder eines neuen Verfahrens keine Beschränkungen (wie z.B. Patentschutz) mehr existieren.

"Nun aber folgt der zweite Akt des Dramas. Der Bann ist gebrochen, und immer neue Betriebe ... entstehen unter dem Impuls des lockenden Gewinns. ... Das endliche Resultat muß ein neuer Gleichgewichtszustand sein, in dem bei neuen Daten wieder das Kostengesetz herrscht, so daß die Produktpreise nun gleich sind den Löhnen und Renten der Arbeits- und Bodenleistungen, die in den Webstühlen stecken. ... Nicht ehe dieser Zustand erreicht ist, wird jener Impuls zum Produzieren immer weiterer Produktmengen aufhören, nicht eher auch der Preisdruck infolge wachsenden Angebots."
Schumpeter (1934, S. 211) beschreibt, indem er implizit voraussetzt, daß keine wesentlichen Marktzutrittsbeschränkungen existieren, welche Folgen ein positiver Gewinn hat. Es werden viele neue Unternehmen angelockt, alle zusammen erhöhen die angebotene Menge beträchtlich, und wegen des

Nachfragegesetzes sinkt der Preis p (warum widerspricht das nicht der ersten Annahme bezüglich vollständiger Konkurrenz?): Es kommt zu einer flacher laufenden Erlösfunktion E(y). Gleichzeitig konkurrieren die neuen Unternehmen untereinander und auch mit den schon bestehenden um die Arbeitskräfte, um die Maschinen, um Bodenschätze und um Grund und Boden; dadurch werden die Faktorpreise erhöht, es kommt zu einer Verlagerung der Kostenfunktion nach oben. Das führt zu einer Verringerung des Gewinns. Dieser Prozeß geht so lange weiter, bis der positive Gewinn vollständig verschwunden ist. In Abb. 7.14 ist dieser Vorgang dargestellt. Dabei ist zur Vereinfachung angenommen, daß sich nur der Preis p ändert, die Faktorpreise aber gleich bleiben und sich damit die Kostenfunktion nicht verlagert. Dieser Vorgang setzt sich so lange fort, wie positive Gewinnmöglichkeiten zusätzliche Unternehmen anlocken. Erst wenn der Gewinn auf Null gesunken ist, ist der Zustand erreicht, in dem das Kostengesetz gilt (vgl. Abb. 7.15). In diesem Zustand sind die Grenzkosten gleich den Durchschnittskosten, gleich dem Preis.

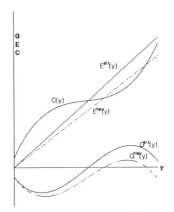

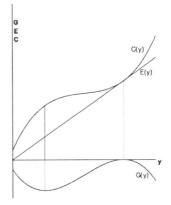

Abbildung 7.14 Entwicklung des Gewinns   Abbildung 7.15 Maximaler Gewinn von Null

7.3.9 Wertgrenzprodukt und Faktorpreis

Wir wollen bestimmen, welche Faktormengen ein gewinnmaximierender Unternehmer einsetzt, wenn er mit einer Produktionsfunktion $y = f(x_1, x_2, ...)$ mit abnehmenden Skalenerträgen produziert. Es gilt für den Gewinn des Unternehmens bei zwei Faktoren

$$G = p \cdot y - q_1 \cdot x_1 - q_2 \cdot x_2$$

Der optimale Gewinn in Abhängigkeit vom Faktoreinsatz kann durch Ableiten nach dem Faktoreinsatz bestimmt werden. Unter vollständiger Konkurrenz ist diese Ableitung sehr einfach, da die Preise durch den Markt gegeben sind. Wir bekommen für Faktor 1

$$\frac{\partial G}{\partial x_1} = p \cdot \frac{\partial y}{\partial x_1} - q_1 \overset{!}{=} 0$$

Daraus und aus der entsprechenden Ableitung für Faktor 2 folgt:

$$p \cdot \frac{\partial y}{\partial x_1} = q_1 \qquad\qquad p \cdot \frac{\partial y}{\partial x_2} = q_2 \qquad (***)$$

$\partial y / \partial x_1$ bezeichnet die Menge des Produktes, die eine zusätzliche Einheit von Faktor 1 produziert. $p \cdot \partial y / \partial x_1$ bezeichnet den Wert dieses zusätzlichen Produkts und heißt darum Wertgrenzprodukt des Faktors 1. Die Aussage $(***)$ kann also verbal so zusammengefaßt werden

Wertgrenzprodukt eines Faktors = Faktorpreis

oder etwas ausführlicher:
Bei Gewinnmaximierung unter vollständiger Konkurrenz wird jeder Faktor genau mit dem entlohnt, was eine zusätzliche Faktoreinheit an zusätzlichem Wert schafft.

Für die Produktion mit einem Faktor demonstriert Abb. 7.16 diese wichtige Beziehung. Um das zu sehen, gehen wir von der Gewinndefinition

$$G = p \cdot y - q_1 \cdot x_1$$

aus und lösen nach y auf:

$$y = \frac{q_1}{p} x_1 + \frac{G}{p}$$

Für konstantes G stellt die letzte Beziehung eine Gerade mit der Steigung q_1/p und dem Achsenabschnitt G/p dar; wir nennen sie darum Iso-Gewinngerade.

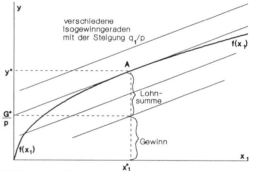

Abbildung 7.16 Wertgrenzproduktregel

Je höher der Gewinn, um so weiter oben liegt die Gewinngerade. Ein Unternehmer maximiert dann den Gewinn, wenn er den Punkt auf seiner Produktionsfunktion aufsucht, der auf der höchsten noch erreichbaren Iso-Gewinngeraden liegt. Das ist offensichtlich im Punkt A der Fall. In diesem Punkt ist die Steigung der Produktionsfunktion gleich der Steigung der Iso-Gewinngeraden also

$$\frac{q_1}{p} = \frac{\partial f}{\partial x_1}$$

Dies ist nur eine andere Schreibweise der obigen Regel. In der Abb. 7.16 gibt x_1^* die Faktormenge an, die der Unternehmer nachfragt. Der Achsabschnitt der höchsten erreichbaren Iso-Gewinngeraden mit der Ordinaten gibt den Realgewinn G^*/p an.

7.3.10 Gewinnsicherung durch Marktschließung

Ein Markt heißt geschlossen, wenn Marktzutrittsbeschränkungen existieren; existieren keine Marktzutrittsbeschränkungen, so spricht man von einem offenen Markt.

Aufgabe 7.28

a. *Zeigen Sie, daß der Übergang zwischen einem offenen und einem geschlossenen Markt fließend ist.*
b. *Suchen Sie Beispiele für offene und geschlossene Märkte.*
c. *Zeigen Sie, daß auch Examina und andere Prüfungen als Marktzutrittsbeschränkungen interpretiert werden können.*
d. *Überlegen Sie, inwieweit Normen (z. B. VDE-Bestimmungen und DIN-Normen) Marktzutrittsbeschränkungen darstellen.*
e. *Wer hat Interesse an Marktzutrittsbeschränkungen? Berücksichtigen Sie bei der Antwort auch die Aufgabenteile c. und d.*

In der Regel werden Marktzutrittsbeschränkungen damit begründet, daß gewisse Qualitätsanforderungen bezüglich der Anbieter und der angebotenen Güter erfüllt sein müssen. Arzt kann nur werden, wer bestimmte Examina abgelegt hat, ein Börsenmakler muß einen guten Leumund haben und ein bestimmtes Geldvermögen besitzen, um eingegangene Verpflichtungen erfüllen zu können. Arzneien müssen geprüft und zugelassen sein, Kraftfahrzeuge und Elektrogeräte bestimmte Normen erfüllen. Der einzelne kann häufig auf dem Markt bestimmte Qualitäten nicht oder nur mit hohen Kosten erkennen; Marktzutrittsbeschränkungen sollen sicherstellen, daß gewisse Eigenschaften der angebotenen Güter bzw. Dienstleistungen gewährleistet sind. Arzneien sind dafür ein besonders einleuchtendes Beispiel: Der Kunde kann die Qualität eines Mittels kaum selber überprüfen, ist aber extrem an den Effekten (und Nebeneffekten) interessiert.

Staatliche Behörden und Standesorganisationen setzen Qualitätsstandards und reduzieren damit Unsicherheit bezüglich der Qualität der angebotenen Waren. Durch diese Maßnahmen kommt es dann zu Marktzutrittsbeschränkungen.

Marktzutrittsbeschränkungen führen aber zwangsläufig zu einer Einschränkung des Wettbewerbs.

Aufgabe 7.29

a. *Geben Sie Beispiele, wie Standesorganisationen, Staaten und Staatenbunde Qualitätsnormen und Standards benutzen können, um unliebsame Konkurrenz fernzuhalten. Denken Sie z. B. an den Export europäischer Autos nach Japan oder den Export von italienischen Elektrogeräten nach Deutschland.*
b. *"Marktzutrittsbeschränkungen sind schlecht, da sie den Wettbewerb behindern." Diskutieren Sie diese Aussage!*

7.4 Unvollständige Konkurrenz - Das Monopol

Wir geben jetzt die Annahme auf, daß die Preise für den Unternehmer gegeben sind. Vielmehr unterstellen wir, daß er als "Schumpeterscher Unternehmer" der einzige ist, der die Möglichkeit eines neuen Produktes gesehen, alle Widerstände bei der Produktion und bei der Markteinführung überwunden hat und jetzt für längere Zeit der alleinige Anbieter ist.

Der Unternehmer stellt bald fest, daß er bei hohem Preis nur eine geringe Menge absetzen kann, sein Erlös also trotz des hohen Preises gering ist. Bei einem geringen Preis ist zwar der Absatz hoch, der Erlös wegen des niedrigen Preises auch nur gering. Will der Unternehmer seinen Gewinn maximieren, so muß er jetzt also berücksichtigen, daß neben den Kosten auch der Erlös vom Output abhängig ist. Gehen wir von bekannter Kostenfunktion aus, so muß noch der Zusammenhang zwischen Nachfrage und Erlös untersucht werden.

Um einfacher rechnen zu können, unterstellen wir parallel zur allgemeinen Nachfragefunktion $y = y(p)$ den Spezialfall einer linearen Nachfragefunktion

$$y = -\frac{1}{a}p + \frac{b}{a} \qquad a > 0, b > 0$$

(vgl. Abb. 7.17a)

Die Nachfragefunktion, der sich der Unternehmer gegenüber sieht, sei

$$y = y(p)$$

mit

$$\varepsilon = \frac{dy}{dp} \cdot \frac{p}{y} < 0$$

(vgl. Abb. 7.18a)

Hängt die Nachfrage vom Preis ab, so kann der Unternehmer, der als einziger das Gut produziert, bestimmen, welchen Preis er erzielen kann, wenn er eine bestimmte Menge absetzen will. Um diesen Preis zu bestimmen, muß

er die explizit gegebene lineare Nachfragefunktion nach p auflösen

$$p = -ay + b$$

er zu y = y(p) die Umkehrfunktion

$$p = p(y)$$

betrachten.

Der Erlös des Unternehmens E beim Preise p ergibt sich aus der nachgefragten Menge y multipliziert mit dem Preis p

$$E = p \cdot y = -ay^2 + by$$

$$E(p) = p(y) \cdot y$$

Es ergibt sich, wie in Abb. 7.17b dargestellt, eine nach unten geöffnete Parabel. Ist der Preis p gleich b (oder höher), so ist die Nachfrage Null und somit der Erlös Null; ist der Preis Null, so ist natürlich auch der Erlös Null. Der Erlös ist maximal an der Stelle, an der die Parabel ihren Scheitelpunkt hat.

Es ergibt sich etwa (abhängig von der Elastizität) eine Erlösfunktion, wie in Abb. 7.18b eingezeichnet. Bei sehr niedrigem Preis ist trotz hoher Nachfrage, bei sehr hohem wegen der mangelnden Nachfrage der Erlös gering. Wie wir im nächsten Schritt zeigen, ist der Erlös maximal, wenn die Nachfrageelastizität gleich -1 ist.

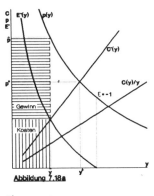

Abbildung 7.17a

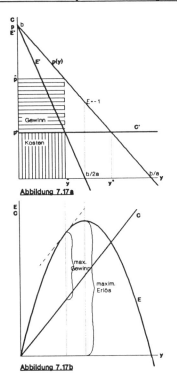

Abbildung 7.17b

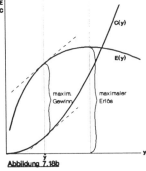

Abbildung 7.18a

Abbildung 7.18b

Wegen der Symmetrie der Parabel ist dies bei $y = \frac{b}{2a}$ der Fall. An dieser Stelle hat die Nachfragefunktion die Elastizität von -1. (Begründen Sie die letzte Aussage.)

Als nächstes bestimmen wir den Grenzerlös

$$\frac{dE}{dy} = -2ay + b$$

Hieraus ergibt sich, daß der Grenzerlös eine Gerade ist, die doppelt so steil fällt wie die Nachfragekurve und die Abszisse bei b/2a schneidet. Dort ist der Erlös maximal.

Dazu bestimmen wir den Grenzerlös, indem wir die Erlösfunktion ableiten. Wir benutzen die Produktenregel und beachten, daß der Preis p abhängig von y ist.

$$\frac{dE}{dy} = p \cdot 1 + \frac{dp}{dy} \cdot y = p \cdot \left(1 + \frac{dp}{dy} \cdot \frac{y}{p}\right)$$

Wir erkennen, daß der zweite Ausdruck in der Klammer gleich dem Inversen der Elastizität ist, also

$$\frac{dE}{dy} = p \cdot \left(1 + \frac{1}{\varepsilon}\right)$$

Da für endliche Elastizität der Ausdruck $1 + 1/\varepsilon$ kleiner als Eins ist, fällt die Grenzerlösfunktion stärker als die Nachfragefunktion. Die Grenzerlösfunktion schneidet die x-Achse bei dem Wert von x, bei dem die Nachfragefunktion eine Elastizität von -1 hat.

Maximaler Erlös bedeutet nicht, daß dort der Gewinn maximal ist. Dazu müssen auch die Kosten berücksichtigt werden. Als Bedingung für ein Gewinnmaximum hatten wir die Gleichheit von Grenzerlös und Grenzkosten hergeleitet. In dem obigen Diagramm zeichnen wir darum noch eine Grenzkostenkurve ein. Wir schließen im folgenden den Fall zunehmender Skalenerträge aus und betrachten einerseits den Fall konstanter Skalenerträge und andererseits den Fall abnehmender Skalenerträge. Da die lineare Nachfragefunktion in Abb. 7.17a analytisch einfacher zu behandeln ist, zeichnen wir in diese Graphik auch die graphisch einfacher zu behandelnde Grenzkostenfunktion bei konstanten Skalenerträgen ein.

Bei konstanten Skalenerträgen ist die Grenzkostenkurve C' gleich der Durchschnittskostenkurve C/y und hat einen waagerechten Verlauf (vgl. die Abbildung 7.17a).

Bei abnehmenden Skalenerträgen steigt sowohl die Grenzkostenkurve C' wie auch die Durchschnittskostenkurve C/y, wobei die Grenzkostenkurve oberhalb der Durchschnittskostenkurve verläuft.

Der Schnittpunkt der Grenzerlöskurve mit der Grenzkostenkurve - der sogenannte Cournot-Punkt - bestimmt den gewinnmaximalen Output $\hat{y}$. Der zu diesem Output gehörige Preis $\hat{p}$ wird dann mit Hilfe der Nachfragefunktion p(y) bestimmt.

Der Punkt ($\hat{x}$,$\hat{p}$) heißt **monopolistisches Gleichgewicht.**

Mit Hilfe der Durchschnittskostenkurve und der Nachfragekurve kann der Gewinn des Monopolisten als schraffierte Fläche gekennzeichnet werden.

Es gilt nämlich:

Erlös = $p(y) \cdot y \equiv$ gesamter schraffierter Bereich

Kosten = $\frac{C}{y} \cdot y \equiv$ senkrecht-schraffierter Bereich

Gewinn = Erlös-Kosten $\equiv$ waagerecht-schraffierter Bereich.

Vom allgemeinen Gleichgewichtsbegriff (siehe Kapitel 1) hebt sich dieses monopolistische Gleichgewicht durch zwei Verhaltensannahmen ab:

1. Die Nachfrager passen ihre Nachfrage den vorgegebenen Preisen an; sie befinden sich also in ihrem Haushaltsoptimum.

2. Der Anbieter sieht sich wegen des Verhaltens der Nachfrager einer geneigten Nachfragekurve gegenüber und wählt die Preis-Mengen-Kombination, die seinen Gewinn maximiert.

Jedes Individuum bestimmt also individuell rational sein Optimum. Zu fragen ist nach dem 'Wirken der unsichtbaren Hand'. Ergibt sich damit ein gesellschaftlich optimaler Zustand oder gibt es etwa einen Zustand, der für alle besser ist?

Dazu ändern wir unsere Verhaltensannahmen:
a. Die Konsumenten schließen sich zu einer einheitlichen Gruppe zusammen.
b. Diese Gruppe tritt in Verhandlung mit dem Monopolisten.

Als erstes wird dem Monopolisten zugesagt, (mindestens) die Menge $\hat{y}$ zum Preis von $\hat{p}$ abzunehmen, das entspricht genau dem monopolistischen Gleichgewicht und sichert dem Unternehmer (mindestens) seinen Monopolgewinn und der Gruppe der Konsumenten die Güterversorgung $\hat{y}$ zum Preise $\hat{p}$. Danach wird festgestellt, daß eine Produktionsausdehnung sich für beide Parteien lohnt. Eine zusätzliche Einheit des Produkts ist der Gruppe des Konsumenten einen Preis von $\hat{p}$ wert, kostet in der Herstellung aber nur C'. Bei einem Abnahmepreis irgendwo zwischen $\hat{p}$ und C' profitieren also beide Parteien. Beide Parteien können in dieser Weise ihre Verhandlungen fortsetzen, solange die Nachfragekurve oberhalb der Grenzkostenkurve liegt, d. h. bis zum Schnittpunkt der Grenzkostenfunktion und der Funktion p(y). Dieser pareto-optimale Zustand (y^*,p^*) liegt rechts unterhalb des Punktes $(\hat{y}$ $,\hat{p})$, d. h. die abgesetzte Menge y^* ist größer als $\hat{y}$ und der Preis p^* ist kleiner als $\hat{p}$.

Damit ist gezeigt:

a. **Das monopolistische Gleichgewicht ist kein Pareto-Optimum. Im Fall des Monopols führt die 'unsichtbare Hand', also die Maximierung des einzelwirtschaftlichen Interesses, nicht zum gesamtwirtschaftlichen Optimum.**
b. **Ein Pareto-Optimum ist (wie im Fall der vollständigen Konkurrenz) gegeben durch die Gleichheit von Grenzkosten und Preis.**
c. **Im Pareto-Optimum ist die produzierte Menge höher und der Preis geringer als im monopolistischen Gleichgewicht.**

7.5 Wirtschaft und Ethik

Das Wort "Ethik" kommt aus dem Griechischen und bedeutet "Sittenlehre". Ethik beschäftigt sich mit dem sittlichen Handeln von Menschen und Gesellschaften, beschreibt Verhalten und stellt Forderungen für das Zusammenleben auf. Die ethischen Maßstäbe wechseln nach Ort und Zeit; uns ist die christliche Ethik am geläufigsten. Eine der zahlreichen Unterscheidungen im Bereich der Ethik ist die in Individual- und Sozialethik. Während für die erste die Bedürfnisse des Individuums der Maßstab des Handelns sind, geht die Sozialethik von den Bedürfnissen einer Gruppe aus.

Auf dem allerersten Blick scheinen Ethik und Wirtschaftswissenschaften nichts oder wenig miteinander zu tun zu haben. Sind die wichtigsten Ziele der Wirtschaft nicht der Nutzen, die Gewinne, die Effektivität? Werden diese Ziele nicht erreicht durch Methoden der Konkurrenz, während die Ethik z. B. versucht, "höhere Werte" wie Gerechtigkeit und Glück für alle z. B. durch Rücksichtnahme auf Schwache durchzusetzen?

Aber nur auf den allerersten Blick klaffen diese Bereiche so sehr auseinander. Die Nationalökonomie war ursprünglich ein Teil der Philosophie; und wenn wir die Werke Adam Smiths ansehen, stoßen wir z. B. auf einen Titel wie "The Theory of Moral Sentiments". Adam Smith war, wie seine Mitstreiter, ein Moralphilosoph, der durch eine bessere Versorgung mit materiellen Gütern den allgemeinen Wohlstand heben, dadurch weiten Kreisen ein menschenwürdigeres Dasein ermöglichen und so höhere Gerechtigkeit und endlich eine gottgewollte Harmonie erreichen wollte. Die natürliche Harmonie und Ordnung hoffte Smith zu erlangen, indem er das Individuum aus den Zwängen der merkantilistischen Wirtschaftsordnung befreite und es nach seinen eigenen Bedürfnissen ökonomische Entscheidungen treffen ließ.

Wie aber sieht es mit der Kraft aus, die helfen soll, Freiheit und Gerechtigkeit zu erlangen, nämlich mit dem Egoismus oder Eigeninteresse des Menschen? Widerspricht dieses Mittel nicht den angestrebten Zielen? Für A. Smith ist dieser Egoismus oder besser dieses Eigeninteresse nicht unbegrenzt, sondern wird durch die folgenden vier Faktoren kontrolliert (nach Recktenwald, 1988, S. 53 ff.):

a. Das Mitgefühl, eine Kraft, die man auch als Gewissen bezeichnen könnte, hilft, die Empfindungen der Mitmenschen zu verstehen und die Konsequenzen des eigenen Handelns zu überprüfen.

b. Allgemein akzeptierte Regeln einer Gesellschaft kontrollieren den einzelnen.

c. Positive Gesetze des Staates verhindern Ungerechtigkeiten.

d. Der Wettbewerb zwingt den einzelnen, sich ständig auf neue Situationen einzustellen, innovativ zu werden und so seine Leistungen zu verbessern.

Mit Hilfe dieser Kontrollinstanzen konnte das angeborene Eigeninteresse eine gesellschaftlich segensreich wirkende Kraft werden; jedoch blieben nicht die Einschränkungen im Bewußtsein erhalten, sondern gerieten zugunsten des

Egoismus in Vergessenheit. Während der Wirtschaftskrisen in der ersten Hälfte des 19. Jahrhunderts versagten die kontrollierenden Kräfte weitgehend, der Konkurrenzkampf wurde mörderisch, die Besitzenden konnten ohne Mitgefühl ökonomische und politische Entscheidungen fällen. Beispiel für den ungehemmten Liberalismus ist die englische Gesetzgebung, die Arbeitslose oder Arbeitsunfähige vor die Alternative Verhungern oder Auswandern stellte. Der Versuch, eine harmonisch-gottgewollte Ordnung zu schaffen, indem man dem einzelnen Freiheit und Selbstverantwortung gab, endete für einen großen Teil der Bevölkerung in Entwurzelung und Verelendung.

Der nicht durch soziale Verantwortung gebremste Liberalismus bewirkte den Ausschlag ins andere Extrem. Der Kommunismus nach Karl Marx ging den umgekehrten Weg, um Gerechtigkeit und Harmonie zu erreichen. Die individuelle Entscheidung, das Eigeninteresse, das Streben nach Eigentum, bisher Motor des Fortschritts, wurden jetzt die Quellen des Bösen. Der Kommunismus versuchte, Individualentscheidung und Individualbesitz zugunsten von gesellschaftlicher Entscheidung und gesellschaftlichem Besitz abzuschaffen. Diese Maßnahmen sollten Unterdrückung und Ausbeutung wirtschaftlich Schwacher verhindern. Die hieraus resultierenden Fehlentwicklungen können wir in den sozialistischen Staaten studieren.

Diese beiden Ansatzpunkte, der liberal-individualistische und der kommunistische, sind seit Jahrzehnten die Grundlage für verschiedene Versuche, ethische Forderungen aufzustellen und die Welt im weitesten Sinne zu verbessern. Der Kampf dieser Prinzipien dauert unvermindert an. Versuche, die Gegensätze zu verbinden, gab es immer wieder auf privater Basis, wie z. B. bei Thünen, der seine Landarbeiter am Gewinn beteiligte. Solche Versuche blieben vereinzelt. Der erste große und gelungene Versuch, Individualentscheidung und Gemeinschaftsverantwortung zu vereinigen, war Bismarcks Sozialgesetzgebung.

Kapitel 8: Die sichtbare Hand, Teil 2: Der Staat

8.0 Lernziele

1. Erfahren, daß im zwanzigsten Jahrhundert (gerade im Zusammenhang mit Kriegen und Krisen) die wirtschaftliche Bedeutung der Staatstätigkeit extrem gewachsen ist.

2. Die Grundzüge und die wesentlichen Unterschiede der neo-klassischen, der keynessianischen Theorie und der Theorie der neuen politischen Ökonomie kennenlernen.

3. Die Bedeutung von Staatsaktivitäten für ökonomisches Handeln erkennen.

4. Ansatzweise die Grenzen und Probleme bei der Zielfindung und Durchführung staatlicher Aktivitäten erkennen und erörtern.

5. Die Downs'sche Theorie der Demokratie diskutieren.

6. Gründe für die Existenz von Staaten aus ökonomischer Sicht erfassen.

7. Den Begriff "Marktversagen" kennenlernen.

8. Probleme der Gerechtigkeit durchdenken.

9. Das Konzept "öffentliches Gut" erfassen.

10. "Externe Effekte" als Erklärungsansatz für die Umweltproblematik kennenlernen.

8.1 Wirtschafts- und geistesgeschichtlicher Hintergrund

8.1.1 Die Neo-Klassik

Der Ausdruck "Neo-klassische Theorie" wurde wohl ursprünglich von Veblen für die von A. Marshall entwickelten Lehren geprägt und später von bekannten Ökonomen wie Dobb, Hicks, Keynes in ihren Diskussionen benutzt: "Was die Cambridge Schule von Marshall ausgehend gemacht hat, ist, die klassische politische Ökonomie von ihren augenscheinlichen Unvollkommenheiten zu befreien, ihre Verbindung zur Philosophie des Naturrechts zu durchtrennen und sie mit Methoden der Differentialrechnung neu zu formulieren. Ihre Abstammungslinien kommen ziemlich direkt von Smith, Malthus und Ricardo" (M. Dobb, zitiert nach Aspromourgos, 1987, S. 625, unsere Übersetzung). Nach dem zweiten Weltkrieg wurde dieser Ausdruck im Zusammenhang mit heftigen Diskussionen (über Kapitaltheorie, Wachstumstheorie und Verteilungstheorie) zu einem Begriff für eine bestimmte ökonomische Sichtweise. Ohne große Übertreibung kann man sagen, daß die neoklassische Sichtweise die ökonomische Wissenschaft der westlichen Welt beherrscht, ja sogar schon deutliche Auswirkungen auf die ökonomische Theorie in den sozialistischen Ländern zeigt. Da viele der im Augenblick forschenden und lehrenden Wissenschaftler in den Kategorien der Neo-Klassik denken, ist diese Theorie notwendigerweise eine Lehre, die in kontinuierlichem Fluß und stetiger Veränderung begriffen ist; ihre Grenzen zu beschreiben und ihren Bereich zu definieren, ist somit im Prinzip unmöglich.

Trotzdem kann man mit entsprechender Vorsicht die neo-klassische Theorie auf folgende Annahmen und Ideen zurückführen.

A. Der "klassische" Teil

   1. Wirtschaftliches Handeln wird durch das Handeln einzelner Individuen bestimmt.

   2. Die einzelnen verfolgen mit ihrem Handeln bestimmte vom Eigeninteresse diktierte Ziele.

B. Der "neo" oder marginale Teil

   1. Ihre begrenzten Mittel (an Zeit oder allgemein an Ressourcen bzw. dem daraus gewonnenen Einkommen) können die Individuen alternativ einsetzen. Sie wählen gemäß einer Präferenzordnung ihr optimales Güterbündel; somit bestimmen die marginalen Gütereinheiten die Güterpreise von der Nutzenseite. Die Individuen setzen ihre Ressourcen so ein, daß bei alternativer Verwendungsmöglichkeit der Grenzertrag einer Ressourceneinheit in jeder Verwendung gleich ist. Es ergibt sich, daß der Faktorpreis z. B. der Arbeit - der Lohn - gleich dem Nutzenentgang bei irgendeiner anderen Verwendung ist.

   2. Mit begrenzten Mitteln an Ressourcen produzieren die Unternehmer Güter in der Weise, daß die die Produktion bestimmenden Individuen (Eigentümer bzw. Verfügungsberechtigte) den größten (Geld- bzw. Nutzen-) Gewinn erhalten. Dabei wird zwischen alternativen

Ressourcen so substituiert, daß der marginale Grenzerlös je Geldeinheit bei jeder Ressource gleich ist. Langfristig ergibt sich bei
Konkurrenz das Kostengesetz: Die Güterpreise sind gleich den Produktionskosten. Damit sind die Güterpreise von der Kostenseite
bestimmt.

C. Die Analyse-Methode

Abgesehen von graphischen Methoden bei einfachen oder vereinfachten Problemen werden Methoden der Mathematik benutzt. Dabei werden insbesondere Optimierungsmethoden im n-dimensionalen Vektorraum und damit
zusammenhängende Methoden der Analysis und der konvexen Theorie eingesetzt.

D. Der Analyse-Rahmen

Die Analyse in der neo-klassischen Theorie wird innerhalb eines bestimmten
Rahmens, also innerhalb eines sogenannten Datenkranzes durchgeführt. Dieser Rahmen kann je nach Untersuchungsziel verschieden sein, in der Regel
geht man aber von folgenden Gegebenheiten aus

  a. vorgegebene Präferenzen
  b. vorgegebene Technologie
  c. vorgegebene Vermögensverteilung
  d. vorgegebene Rechtsordnung und stabile politische Situation.

E. Zielsetzung

Die Zielsetzung der neo-klassischen Theorie ist im weitesten Sinne die Analyse der 'unsichtbaren Hand', also des Funktionierens von Märkten. Dabei
interessieren insbesondere folgende Problembereiche:

  1. Preiserklärung
  2. Wohlfahrtsuntersuchung
  3. Existenz von Gleichgewichten.

8.1.2 Der Wohlfahrtsstaat

8.1.2.1 Entstehung

Die Lage der Arbeiter in Deutschland besserte sich langfristig seit 1860
deutlich.

Die Reallöhne stiegen von 1871 bis 1913 nach Desai (1968, S. 36) um
fast 100 %, selbst der Marxist Kuczynski konzidiert in seiner 'Darstellung der
Lage der Arbeiter in Deutschland' eine Steigerung um 37 % (Bd. 4, S. 385 ff.).
Trotz dieser Verbesserung der Lebensumstände waren die Arbeiter stark von
Unsicherheit bedroht: Es gab keine Lohnfortzahlung im Krankheitsfall, langfristige Krankheit führte somit zu existenzieller Not. Mit 45 Jahren waren
die Arbeiter verbraucht und wurden von der Industrie fallengelassen.

Mit den 'Sozialgesetzen' versuchte Bismarck nach 1883 der Not großer
Teile der Bevölkerung zu begegnen und damit gleichzeitig auch den Angriffen
der Sozialisten die Spitze zu nehmen: "Geben Sie dem Arbeiter das Recht
auf Arbeit ... geben Sie ihm Arbeit, solange er gesund ist ... sichern Sie

ihm Pflege, wenn er krank, Versorgung, wenn er alt ist, ... dann werden die Herren vom Wydener Programm ihre Lockpfeife vergebens pfeifen [in Wyden/Schweiz fand 1880 der Kongreß der in die Illegalität getriebenen SPD statt] " (Bismarck, zitiert nach Dietzel, 1909).

Nach allgemein akzeptierter Vorstellung markieren diese Gesetze die Entstehung des modernen Wohlfahrtsstaates. Eine bekannte Definition führt aus:

"Ein 'Wohlfahrtsstaat' ist ein Staat, in dem organisierte Macht mit Vorbedacht (mit Hilfe der Politik und Verwaltung) eingesetzt wird, um das Spiel der Marktkräfte in wenigstens drei Richtungen abzuändern - erstens, den Individuen und Familien ein Minimaleinkommen unabhängig vom Marktwert ihres Besitzes zu garantieren, zweitens, das Ausmaß der Unsicherheit einzuschränken, indem den Individuen und Familien ermöglicht wird, gewissen "sozialen Eventualitäten" (beispielsweise Krankheit, Alter und Arbeitslosigkeit) zu begegnen, die andernfalls zu individuellen und familiären Krisen führen würden, und drittens, allen Bürgern ohne Standes- und Klassenunterschied den - bezogen auf einen gewissen akzeptierten Bereich - bestmöglichen Standard von Sozialdiensten anzubieten" (Briggs, 1961, zitiert nach Gough, 1967, S. 895, unsere Übersetzung).

In der folgenden Tabelle kann für einige wichtige Staaten die Entstehung des Wohlfahrtsstaates anhand einiger Indikatoren abgelesen werden.

Einführung von	Deutschland	Großbrit.	Schweden	Frankreich	Italien	USA	Kanada
Arbeitsunfallversicherung	1884	1906	1901	1946	1898	1930	1930
Krankheitsversicherung	1883	1911	1910	1930	1943	-	1971
Altersversicherung	1889	1908	1913	1910	1919	1935	1927
Arbeitslosenversicherung	1927	1911	1934	1967	1919	1935	1940
Familienzuschläge	1954	1945	1947	1932	1936	-	1944
Gesundheitsdienst	1880	1948	1962	1945	1945	-	1972
Allg. Einkommenssteuer ununterbrochen seit	1920 (1873)*	1918	1903	1960	1923	1913	kA
Weniger als 20 % erw. Analphabeten seit	1850	1880	1880	kA	kA	1870	kA
Mehr als 10 % auf weiterf. Schulen seit	1925	1923	1937	kA	kA	1915	kA
Mehr als 10 % Univ.-ausbildung seit	1975	1973	1968	kA	kA	1946	kA

*in Preußen

Quelle: Gough, 1987, S.895

Aufgabe 8.1

Mit Hilfe einer Edgeworth-Box wurde in Kapitel 6 eine Marktwirtschaft modelliert. Vergegenwärtigen Sie sich die Ausführungen und beantworten Sie:

a. *Welcher Zusammenhang besteht zwischen individuellen Präferenzen, gesamtwirtschaftlichem Gleichgewicht, Optimum und Preisen?*
b. *Inwieweit spielen bei der Analyse gesellschaftliche Regeln bzw. staatliches Handeln eine Rolle?*
c. *Welche Fragen und Probleme bleiben offen? Denken Sie an die benutzten Definitionen, Annahmen und die gewonnenen Aussagen.*
d. *"Man kann pareto-optimal verhungern." Demonstrieren Sie diese Möglichkeit mit Hilfe einer Edgeworth-Box, indem Sie ein bestimmtes Subsistenzniveau annehmen und zeigen, daß es Pareto-Optima gibt, in denen für eines der Individuen das Subsistenzniveau nicht erreicht ist, obwohl im Prinzip genügend für beide vorhanden ist.*

8.1.2.2 Gerechtigkeit und Verteilung

Zwei Prinzipien spielen bei Gerechtigkeitsüberlegungen in der Ökonomie eine besondere Rolle:

Jeder nach Leistung. Jedem nach seinen Bedürfnissen.

Zwischen diesen beiden Prinzipien pendeln die meisten Überlegungen zur ökonomischen Gerechtigkeit. Solche Überlegungen sind nicht nur für marktwirtschaftliche Systeme relevant, auch sozialistische Theoretiker von Marx bis Mao beschäftigten sich mit dem Problem.

Jeder nach seiner Leistung.

In einer idealtypischen Marktwirtschaft wird die Verteilung im Gleichgewicht nach dem Prinzip "Jeder nach seiner Leistung" geregelt.

Die Wertgrenzproduktregel besagt ja genau, daß die Realentlohnung eines jeden Faktors durch seine Grenzleistung bestimmt ist:

$$\frac{w_i}{p} = \frac{\partial f}{\partial x_i}$$

Bei der Analyse der Edgeworth-Box hatten wir gesehen, daß im Gleichgewicht Äquivalententausch stattfindet. Mit Preisen bewertet ist das, was man aufgibt, genausoviel wert, wie das, was man bekommt.

Selbst wenn wir davon ausgehen, daß bestimmte - nicht selbstverständliche - Annahmen zur Ableitung dieser Ergebnisse erforderlich waren, bleiben noch fundamentale Probleme.

a. Problem des Eigentums und der gerechten Eigentumsverteilung
Wer ist Eigentümer der Faktoren? Die Frage ist scheinbar einfach bei Arbeit zu beantworten, wird aber sicherlich bei allen anderen Faktoren schwierig. Eigentum wird durch die Rechtsordnung der Gesellschaft und des Staates definiert und beeinflußt. Unterschiedliches Erbrecht kann zu extrem unterschiedlicher Eigentumsverteilung führen. Das gleiche gilt bei fehlendem oder unterschiedlichem Urheber- und Patentrecht.

Ähnliche Probleme tauchen aber auch bei dem Faktor Arbeit auf. Ein ausgebildeter Spezialist kann mehr leisten als ein ungelernter Arbeiter. Die Ausbildung hat aber in aller Regel die Gesellschaft mindestens zum Teil getragen. Gehört damit der Gesellschaft nicht aber ein Teil der Arbeitskraft?

Außerdem konnte der dynamische Unternehmer, indem er mit Kreativität, Geschick und List, aber auch manchmal mit Täuschung und Betrug die Widerstände überwand, ein Unternehmensimperium aufbauen, viele Menschen von sich abhängig machen und ungeheure Reichtümer ansammeln. Konnte man einen solchen Zustand für gerecht erachten, selbst wenn er durch die Leistung des einzelnen und mit gesetzlichen Methoden erworben wurde? Noch komplizierter wird die Frage, wenn man die Erben betrachtet, die eventuell ohne jede persönliche Leistung zu großer Macht und zu Reichtum kommen.

Lange aber bevor es den dynamischen Unternehmer gab, gab es den dynamischen Eroberer, Staatsmann und Feudalherren. Die heutige Vermögensverteilung ist durch eine lange Geschichte zu einem nicht unbeträchtlichen Teil vorbestimmt:

"Wenn die gesamte gesellschaftliche Koordination ausschließlich über den freiwilligen Austausch erfolgt, kann niemand einem anderen seinen Willen aufzwingen. Aber man muß sich doch fragen, wie solch ein glücklicher Zustand möglich ist. Doch nur, weil die Konflikte darüber, wer was bekommt, bereits durch die Verteilung der Vermögensrechte innerhalb der Gesellschaft geregelt worden sind. Ist diese Verteilung konfliktfrei vor sich gegangen? Natürlich nicht! Wurden sie ohne Zwangsanwendung erreicht? Natürlich nicht! Die Vermögensverteilung im heutigen England ist zum Beispiel das Ergebnis eines jahrhundertelangen Konfliktes, zu dem die Raubzüge der Wikinger, die normannische Eroberung, die frühe Macht der Krone und des Adels, zwei Wellen der Enteignung all derjenigen, die das Land bebauten, sowie die Erbgesetze gehören." (Lindblom, 1983, S. 89) Die Entstehung der Vermögensverteilung lief in anderen Ländern natürlich anders ab, jedoch nirgendwo konfliktfrei und ohne Zwangsanwendung.

b. Problem der Individuen ohne Leistung

Viele Personen können Leistung weder durch Verkauf von Arbeitskraft noch von anderen Faktoren erbringen; dazu gehören Kinder, Kranke, Alte. Wird das Einkommen allein nach Leistung bezahlt, so erhalten diese Personen kein Einkommen, sind also auf die Fürsorge anderer angewiesen. Teilweise könnte man diese Probleme auch allein durch Privatinitiative ohne Eingriff des Staates regeln.

Die Versorgung und Ausbildung der Kinder kann man den Eltern überlassen, die in der Regel in diesem Zeitabschnitt ihren leistungsfähigsten Lebensabschnitt durchlaufen. Hierfür sind dann die Kinder durch sittliche Norm, religiöses oder staatliches Gesetz verpflichtet, ihre Eltern im Alter zu unterstützen. In ähnlicher Weise wird ja in vielen Gesellschaften der Vergangenheit und Gegenwart verfahren. In einem marktwirtschaftlichen System könnte ein solches Prinzip noch durch Kranken-, Lebens-, Invaliditäts- und Ausbildungsversicherung 'abgefedert' werden. Dies könnte auch auf vollständiger freiwilliger Basis verlaufen; ein Staat wäre wiederum nur zur Überwachung und Kontrolle der Gesetze erforderlich.

Nicht in dieses System passen jedoch die elternlosen Kinder, die langfristig oder dauerhaft Kranken und diejenigen, die aus den verschiedensten Gründen nie Vorsorge für das Alter treffen können. Diese Personen fallen ins Elend oder waren in allen Zeiten auf Hilfe der anderen angewiesen (Almosen, Waisenhäuser, Spitäler, Siechenhäuser). Selbst wenn diese Hilfe gesellschaftlich organisiert wurde, so passierte dies doch häufig auf kommunaler bzw. kirchlicher Basis, ein zentraler Staat war nicht erforderlich.

Im 19. Jahrhundert wurden die Systeme der Sorge und Vorsorge auf individueller und altruistischer Basis immer stärker in Frage gestellt. Das auf dieser Basis beruhende System wurde zunehmend als ungerecht angesehen. Die bewußte Lenkung durch die 'sichtbare Hand' wurde gefordert. Entweder sollte - so die Forderung der Sozialisten - ein vollständig neues System mit bewußter Lenkung der Produktion geschaffen werden, oder es sollte der Staat mindestens regelnd und ordnend in das System eingreifen. Bismarck spricht in diesem Zusammenhang immer wieder von Staatssozialismus.

Jedem nach seinen Bedürfnissen.

In dem Augenblick, in dem die 'sichtbare Hand' regelnd in das Wirtschaftssystem eingreift, taucht das Problem der 'Bedürfnisbestimmung' auf. Welches sind die Bedürfnisse, welches sind die Mindestbedürfnisse, welches ist das Subsistenzniveau? Hiermit hatte sich u. a. schon Marx beschäftigt und war auch nur zu recht vagen Ergebnissen gekommen, so z. B. daß das Minimum neben dem rein physikalischen Minimum in jedem Land durch die traditionelle Lebenshaltung bestimmt wird. "Sie die Lebenshaltung besteht nicht im bloßen physischen Leben, sondern in der Befriedigung gewisser Bedürfnisse, die aus gesellschaftlichen Umständen herrühren, in denen die Menschen leben und aufgezogen sind. Die englische Lebenshaltung kann auf die irische, die Lebenshaltung eines deutschen Bauern auf die eines irländischen Bauern reduziert werden." (Marx, Lohn, Preis und Profit, S. 125 f.)

Wenn es jedoch keine objektiven Kriterien dafür gibt, welche Bedürfnisse der einzelne tatsächlich hat und welche befriedigt werden müssen, so ergibt sich das Problem, wer darüber bestimmt und woher die Kriterien stammen, die er benutzt.

8.1.3 Krieg und Weltwirtschaftskrise

8.1.3.1 Der Erste Weltkrieg

Am Anfang des 20. Jahrhunderts bestimmten die europäischen Mächte weitgehend die Politik und Wirtschaft der Welt. England hatte ein Kolonialreich aufgebaut, das größer war als alle Weltreiche vorher. Deutschland war aus dem deutsch-französischen Krieg gestärkt und vor allem geeinigt hervorgegangen. Seine Kriegsverluste hatte es sich von Frankreich durch Reparationszahlung von fünf Milliarden Francs ersetzen lassen. Das zufließende Gold - Grundlage der neugeschaffenen Währung, der Reichsmark - hatte zum Wirtschaftsaufschwung beigetragen (aber auch Wirtschaftskrisen ausgelöst). Das englische Weltreich wurde von den Deutschen mit Bewunderung, aber vor allem mit einer Mischung von Neid und Mißgunst betrachtet. Nach Bismarcks Abgang versuchten die Deutschen unter dem jungen ehrgeizigen Kaiser Wilhelm II. sich den Platz in der internationalen Politik zu sichern, der ihnen nach eigener Meinung zustand: Man baute eine Flotte auf, die mit der englischen Flotte mithalten sollte und suchte vor der endgültigen Aufteilung der Welt ein Kolonialreich aufzubauen. In vielen Bereichen von Technik, Wissenschaft und Wirtschaft hatte man bald mit den ungeliebten Vorbildern, vor allem England wie auch Frankreich, gleichgezogen. Diese Erfolge schmeichelten den Deutschen und förderten den Nationalismus. Für Frankreich war der Krieg von 1870/71 ein schmerzlicher Einschnitt. Die Niederlage kam unerwartet; es mußte die Gebiete Elsaß-Lothringen an den erstarkten Nachbarn im Osten abtreten. Obwohl aber der Krieg mit seinen Verwüstungen in Frankreich gewütet hatte, Paris beschossen und ausgehungert war und Reparationszahlungen aufgebracht werden mußten, wurde Frankreich mit den wirtschaftlichen Folgen des Krieges überraschend schnell fertig; für die erlittene Schmach und für die Gebietsverluste sann es auf Revanche. Im Osten und Südosten Europas waren die alten Großmächte Rußland, Österreich, vor allem aber die Türkei vorwiegend mit inneren Problemen beschäftigt. Das österreichische Reich schaffte es nur mühsam, den aufkeimenden Nationalismus, vor allem der slawischen Untertanen, zu unterdrücken. Rußland sah die Möglichkeit, sich als Hüter und Schützer aller Slawen auszugeben und seinen Einflußbereich auszudehnen.

Um ihre Interessen zu wahren und sich vor Angriffen zu schützen, hatten die Staaten gegenseitige Abmachungen und Verträge geschlossen. Besonders Bismarck hatte die Interessen des Reiches durch eine kluge Bündnispolitik abgesichert; seine Nachfolger hatten seine Bemühungen nicht in gleicher Weise fortsetzen können bzw. wollen; sie vertrauten stärker auf die neu gewonnene Kraft.

Durch die Ermordung des österreichischen Thronfolgers Franz Ferdinand wurde 1914 eine Krise ausgelöst, die bei den bestehenden Interessengegensätzen schnell zum Krieg führte. Die nationalistisch gesonnenen Völker dachten alle an einen kurzen Krieg und an einen leichten und profitablen Sieg und zogen begeistert in den Kampf; selbst die Sozialisten, die sich am stärksten international organisiert hatten und den Nationalismus ablehnten, scharten sich um die Fahnen ihres Vaterlandes.

Der Krieg entwickelte sich für keine Seite zu dem erwarteten Spaziergang. Er wurde vielmehr nach kurzer Zeit zu einer sich über Jahre hinziehenden Menschen- und Materialschlacht. In besonderer Weise wurden neue Techniken in Chemie (bei der Munition, beim Giftgas etc.), beim Fahrzeugbau (Eisenbahn, Kraftfahrzeuge, Panzer) und beim Flugzeugbau (Zeppelin, Flug-

zeuge) für einen mörderischen Krieg eingesetzt. Es kam zu einem Stellungs-
und Grabenkrieg, der für lange Zeit keiner Seite Vorteile brachte. Die Volks-
wirtschaften bluteten aus, und trotz immer neuer Kriegsanleihen konnte der
Krieg nur finanziert werden, indem die Regierungen große Mengen von un-
gedecktem Papiergeld ausgaben und ihre Währungen ruinierten.

Deutschland war schließlich nicht mehr in der Lage, die Verluste an Menschen und Material zu ersetzen und die Bevölkerung zu weiteren Opfern zu
motivieren. Die Soldaten verweigerten den Gehorsam, der Kaiser mußte abdanken und die Sozialdemokraten übernahmen die Gewalt. Die Tatsache,
daß der Zusammenbruch erfolgte, obwohl der Krieg nicht durch Schlachten
entschieden war und ohne daß ein feindlicher Soldat auf deutschem Boden
stand, sondern daß die Führung von der unzufriedenen Bevölkerung und von
meuternden Matrosen und Soldaten unter Führung von Kommunisten und
Sozialdemokraten hinweggefegt wurde, führte dazu, daß die Feinde der Republik später behaupteten, die an den Fronten unbesiegte Armee sei durch
einen Dolchstoß von hinten um den Sieg gebracht worden. Diese "Dolchstoßlegende" hat später auch viel zur Destabilisierung der entstehenden Weimarer Republik beigetragen. Dabei hatte die neue Republik genug Probleme:

a. Das neue politische System wurde von den bisher staatstragenden Schichten nicht akzeptiert; die neue Führung wurde als vaterlandslos denun-
   ziert und ihr wurde die Schuld an der Niederlage zugewiesen.

b. Die Wirtschaft war schwer geschädigt, die Produktion durch Auflagen
   der Sieger behindert, die Produktionsanlagen zerstört oder demontiert.

c. Die Währung war zerrüttet, der Staat katastrophal überschuldet.

d. Die Sieger forderten hohe Reparation, um sich - wie die Deutschen im
   Krieg von 1870/71 - die erlittenen Verluste kompensieren zu lassen.

8.1.3.2 "Kriegssozialismus"

Durch den Krieg kommt es zur deutlichen Veränderung des Wirtschaftssystems. Die Produktion kriegswichtiger Güter wird gefördert, davon profitieren die Elektro-, Maschinen-, Metall- und Chemieindustrien. Am Ende
des Krieges sind 8 Millionen von etwa 16 Millionen der männlichen Deutschen zwischen 15 und 60 Jahren zum Kriegsdienst eingezogen. Um die
Lücken in der Arbeiterschaft zu schließen, werden verstärkt Frauen zur Produktion herangezogen; dadurch werden die schon vorher vorhandenen (und
z. B. von den Sozialisten geförderten) Emanzipationsbestrebungen verstärkt,
in der Weimarer Republik bekommen die Frauen das Wahlrecht.

Die Bedürfnisse der Bevölkerung und des Heeres erzwingen immer mehr
Eingriffe des Staates in das Wirtschaftsleben. Es kommt zur Zuteilung von
Konsumgütern, Rohstoffbewirtschaftung, Wohnungsbewirtschaftung und Ar-
beitsverpflichtung. Es entwickelt sich ein sogenannter "Kriegssozialismus".

Dieser Eingriff in das Wirtschaftsleben bringt zwangsläufig die Ausbildung eines zentralen Verwaltungsapparats mit sich. Als neue Reichs-
behörden entstehen ein Kriegsernährungsamt, ein Reichswirtschaftsamt und

ein Reichsarbeitsamt. Der Leiter der Kriegsrohstoffabteilung (und spätere Außenminister) Walther Rathenau will eine neue staatlich geleitete Gemeinwirtschaft als dritten Weg zwischen Kapitalismus und Sozialismus (vgl. Zorn, 1976, S. 157).

Die zunehmende Bedeutung des Staates kann auch an der wachsenden Größe des Staatsanteils erkannt werden. Bei der Gründung des Reiches 1872 waren nur 7 % des Bruttosozialprodukts öffentliche Ausgaben. Bis zum Ersten Weltkrieg steigt der Anteil bei rasch wachsendem Bruttosozialprodukt auf etwa 16 %. Die nächsten 20

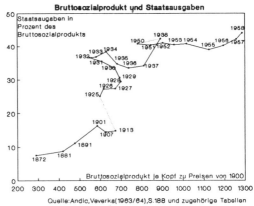

Jahre des Weltkrieges und der Weimarer Republik sehen bei stagnierendem Bruttosozialprodukt eine Steigerung der öffentlichen Ausgaben auf fast 40 %.

8.1.3.3 Entwicklung des Währungssystems

Geld war bis zum Beginn des Ersten Weltkrieges für alle europäischen Länder - zumindest von der Idee her - geprägtes Edelmetall. Banknoten galten in der Regel nur dann als Geld, wenn sie jederzeit zu einem festen Verhältnis in Goldmünzen (oder Silbermünzen) konvertiert werden konnten. Im folgenden verstehen wir unter Edelmetall immer Gold; die Berücksichtigung von Silber oder anderen Metallen würden die Überlegungen verkomplizieren, ohne daß die Überlegungen sich wesentlich ändern würden. Außerdem spielte Silber vor dem Ersten Weltkrieg als Währungmetall eine untergeordnete und andere Metalle gegenüber Gold keine Rolle. Die Geldtheorie von Carl Menger unterschied sich insoweit kaum von den Ausführungen von Adam Smith. "Der Satz, daß das Geld eine Ware sei ... ist ... auch heute noch wahr" (Menger, 1909, S. 566). Die Worte "auch heute noch" zeigen jedoch auf, daß diese Meinung nicht unumstritten war und daß auch Menger eine Entwicklung des Geldes vom Warengeld weg beobachtete. Fast alle Länder hatten zwar auch schon Zeiten des reinen Papiergeldes erlebt; aber die Erfahrungen, die man damit gemacht hatte (z. B. in Frankreich während der Revolution mit den Assignaten), waren kaum geeignet, ohne Not mit einer anderen Geldverfassung zu experimentieren. Schließlich hatte das System durch bestimmte inhärente Automatismen auch augenfällige Vorteile: Durch die Möglichkeit, daß Edelmetall von einem Währungsgebiet zum anderen verschickt werden konnte, kam es ohne staatlichen Eingriff zu nahezu festen Wechselkursen. Durch solche Edelmetallversendungen änderte sich die Geldmenge, und das führte zu einer Angleichung der konjunkturellen Entwicklung. Schließlich bewirkte die relativ konstante Geldmenge ein stabiles Preisniveau. Abgesehen

von der Änderung der Paritätsvorschriften ist z. B. Geldmengenerhöhung
nur möglich durch Edelmetallförderung, verbunden mit hohen Förderungs-
kosten. Ohne sehr stark von der Realität abzuweichen, kann man sagen, daß
der Staat in diesem Währungssystem von der Pflicht der Geldpolitik entbun-
den war; er besaß damit aber auch nicht die Möglichkeiten der Geldpolitik.
Aufgabe des Staates war allein die Kontrolle der Spielregeln; war diese Kontrolle gesichert, so konnte das Geldsystem selbst in die Hände von privaten
Banken gelegt werden, und tatsächlich waren viele Zentral- und Notenban-
ken zu dieser Zeit private Institute, wenn auch unter starker Kontrolle des
Staates.

Recht früh schon hatten Ökonomen Zusammenhänge zwischen Geldmenge und Grad der ökonomischen Aktivität sowie der Preisentwicklung
festgestellt. Ziel der Regierungen war es darum häufig, die Nation hinreichend mit Geld zu versorgen. Ein viel stärkeres Motiv für eine Änderung
in die Geldverfassung war aber zu allen Zeiten die Möglichkeit des Staates, bei Bedarf durch Eingriff in das Geldsystem schnell Finanzierungspro-
bleme zu lösen. Solch ein Bedarf war bei den Staaten dauernd gegeben
und bei größeren Kriegen immer nachweisbar. Zu Beginn des Weltkrieges
wurde vor allem aus diesem Grund die Konvertibilität der Banknoten von
den kriegführenden Nationen sofort aufgehoben und der Krieg in großem
Maße durch "Gelddrucken" finanziert.

Sobald die Kopplung des Geldes an das Gold aufgegeben wurde, mußte
der Staat aktive zielgerichtete Geldpolitik betreiben. Ziel war zuerst die
Finanzierung von Krieg und Kriegsfolgen bei möglichst geringer Störung
der Wirtschaftsaktivitäten und des Preisniveaus, später dann das Konstant-
halten des Preisniveaus vor dem Hintergrund der Staatsfinanzen und der
Wirtschaftsentwicklung. Schließlich war Produktion und Beschäftigung bei
Berücksichtigung von Preisniveau und Staatsfinanzen das Ziel der Staatsak-
tivität. Auch wenn den Wirtschaftswissenschaftlern Zusammenhänge zwischen Staatsaktivitäten, Geldmengen und Wirtschaftsentwicklungen seit langem bewußt waren, waren die genauen Beziehungen doch unklar und mußten
erst analysiert werden.

Nach Aufgabe der Goldwährung konnte und mußte der Staat
eine zielgerichtete Geldpolitik betreiben. Die Wirtschaftswissenschaftler müssen die Zusammenhänge von Staatsaktivitäten und wirtschaftlichen Aktivitäten untersuchen.

8.1.3.4 Die Hyperinflation

Am Ende des Krieges war Deutschland besiegt. In den Friedensverträgen
wurde ihm die Kriegsschuld zugewiesen; es mußte sich zu Reparationszahlungen in zunächst unbestimmter Höhe verpflichten. Die neuentstandene Republik hatte damit eine dreifache Hypothek zu tragen:

a. Sie mußte die Schulden und Verpflichtungen, die das Reich während des Krieges eingegangen war, übernehmen, fand eine ausgeblutete Wirtschaft, eine zu demobilisierende Armee und eine zu versorgende Bevölkerung vor und mußte gleichzeitig die Wirtschaft wieder in Gang bringen.

b. Sie mußte Reparationszahlungen leisten. Konnte oder wollte sie solche Zahlungen nicht leisten, so hatten die Sieger das Recht, sich Industrieanlagen als Pfänder zu nehmen.

c. Sie wurde von einem großen Teil der Bevölkerung direkt für die Niederlage des alten Reiches verantwortlich gemacht und abgelehnt. Aus diesem Grunde glaubten die Verantwortlichen der Republik, sich notwendige, aber schmerzliche fiskalische Maßnahmen nicht leisten zu können.

Der Reichsfinanzminister Erzberger versuchte trotz der schwierigen Situation einen ausgeglichenen Haushalt, einschließlich der Möglichkeit der Schuldentilgung und Reparationszahlung, zu erreichen. Die Erzbergersche Steuerreform, Grundlage des Einkommensteuersystems letztlich der Bundesrepublik, führte eine reichseinheitliche Steuerprogression zwischen 10 und 60 % und eine progressive Erbschaftssteuer ein. Er zielte dabei bewußt und ausdrücklich vor allem auf die besitzenden und auf die im Kriege reich gewordenen Schichten, provozierte aber auch Kapitalflucht und heftige Opposition und Haß bei den Betroffenen, die ihm auch seine Beteiligung an den Waffenstillstandsverhandlungen vorhielten. Diese Steuerreformen machten die ganze Regierung unpopulär, erreichten ihr Ziel - den ausgeglichenen Haushalt - aber nicht. Die Besitzer größerer Vermögen entzogen sich der Steuer durch Kapitalflucht; Bewertungsprobleme beim Erfassen von Realkapital, Boden und Industrieanlagen verhinderten die volle Besteuerung. Der Staat konnte sich weiterhin nur durch Verschuldung bei der Reichsbank und damit durch Aufblähung der Geldmenge im Innern und dem Ausland gegenüber finanzieren. Die hierdurch ausgelöste Inflation wurde begleitet und verstärkt durch Inflationserwartung, durch Spekulation gegen die Mark und durch ein immer stärker werdendes Mißtrauen des Auslands gegen das deutsche Geld.

Im Januar 1923 marschierten französische und belgische Truppen ins Ruhrgebiet ein, um sich nach einem relativ geringen Verstoß des Reiches gegen eingegangene Reparationsverpflichtungen ein Faustpfand zu sichern. Der vom Reich finanzierte "passive Widerstand" gab der deutschen Währung den Gnadenstoß. Das Wertverhältnis von 1 Dollar ≙ 10.000 Mark vom Beginn des Jahres ging auf schließlich 1 Dollar ≙ 200.000.000.000 Mark im September 1923.

Das Geld hatte damit seine Geldfunktionen weitgehend verloren. Bedingt diente es noch als Tauschmittel; als Recheneinheit, und als Wertaufbewahrungsmittel war es längst durch den Dollar ersetzt. Diese Zustände waren für die Regierung und auch für die Wirtschaft insgesamt unhaltbar geworden, und man ging daran, eine neue Währung zu schaffen.

Es hat immer wieder Erstaunen hervorgerufen, wie im Ganzen gesehen problemlos eine neue stabile Währungseinheit etabliert werden konnte. Worauf ist dieser Erfolg zurückzuführen?

1. Die Möglichkeiten der Regierung, sich über Geldschöpfung zu finanzieren, wurden praktisch unterbunden.
2. Dem Geld wurde eine - im wesentlichen fiktive -. Deckung gegeben und somit das Vertrauen der Bevölkerung in das Geld wiederhergestellt. Die Deckung bestand darin, daß die Währung durch Hypotheken auf landwirtschaftlichem und industriellen Besitz abgesichert war. Fiktiv war diese Deckung, da man die Rentenmark im Unterschied zur metallgedeckten Währung nicht zum festen Kurs bei der Zentralbank einlösen konnte. Man konnte sie allerdings in zinstragende Rentenbriefe eintauschen.
3. Die Reichsbank wurde der Regierung gegenüber autonom (schon im Mai 1923), und der mit der Durchführung der Reform beauftragte Reichswährungskommissar bekam so der Regierung gegenüber eine starke Stellung.

Mit zum Erfolg hat bestimmt auch beigetragen, daß diese Währungsreform von einem breiten Zusammenschluß von Rechts bis Links getragen wurde. Geplant weitgehend von dem Geldtheoretiker Karl Hellferich (als Deutschnationaler ein erbitterter Feind von Erzberger), wurde die Reform von Hjalmar Schacht (bis dahin Chef der Darmstädter und Nationalbank, Mitbegründer der in der bürgerlichen Mitte stehenden Deutschen Demokratischen Partei) als Reichsbankpräsident unter der Großen Koalition von Gustav Stresemann durchgeführt.

Aus den Erfahrungen vor und nach der Stabilisierung der Währung und aus vielen ähnlichen Entwicklungen kann man schließen:

Ein Staat kann ein stabiles Währungssystem aufbauen, das nicht auf Edelmetall basiert. In einem solchen System gibt es die Möglichkeit der Geldpolitik für den Staat. Staatliche Geldpolitik kann zur Schädigung, ja zum Zusammenbruch eines Währungssystems führen.

8.1.3.5 Die Weltwirtschaftskrise

"Die Weltwirtschaftskrise, die am letzten Freitag des Monats Oktober 1929 in New York ausbrach und vier, fünf Jahre dauerte, wird als eines der großen Ereignisse der neueren Weltgeschichte in unserer Erinnerung bleiben. Sie ist in ihren Auswirkungen für uns gewiß nicht unbedeutender als Luthers 1517 beginnende Reformation für die Menschen um 1560 oder die französische Revolution von 1789 für einen Mann, der eben die Revolutionsereignisse von 1848 erlebt, oder das kommunistische Manifest von 1848 für die Menschen in der sozialen Unruhe um die Wende vom 19. zum 20. Jahrhundert" (Treue, 1976, S. 11).

Aus dem Ersten Weltkrieg waren die Vereinigten Staaten als einzige Macht gestärkt hervorgegangen. Ihr Eingreifen war mit entscheidend für den Ausgang des Krieges, sie waren jetzt unumstritten die wichtigste Weltmacht. In den in ganz Europa so bedrückenden zwanziger Jahren wuchs die amerikanische Industrie, der Lebensstandard stieg und mit ihm die Sparkonten und die Börsenkurse. Es war leicht, bei steigenden Kursen an der Börse Geld zu verdienen, je größer die eingesetzten Summen, um so höher war der Gewinn; also spekulierte man auch und vor allem mit geliehenem Geld. Immer mehr Leute wollten profitieren und trieben die Kurse damit nach oben. In einem solchen Klima der sich selbst verstärkenden Hausse genügen jedoch schon geringfügige Ursachen, eine sich ebenfalls selbstverstärkende Baisse auszulösen. In dem Augenblick, in dem Kurse zu sinken anfangen, versuchen vorsichtige Investoren größere Verluste zu vermeiden und verkaufen. Banken verlangen bei gefallenen Kursen neue Sicherheiten und zwingen einige ihrer Kunden zu Notverkäufen, und immer mehr Anleger versuchen schnell, vor der beschleunigten Talfahrt abzuspringen.

Die Krise traf die Amerikaner in ihrem Erfolgsrausch wie ein Schock. Im Jahre 1930 glitt die Wirtschaft in eine tiefe Depression, es kam zu Produktionseinschränkungen und zur Massenarbeitslosigkeit. "Das Land der unbegrenzten Möglichkeiten hatte Grenzen wie jedes andere - es konnte, wie der bekannte deutsche Reiseschriftsteller A. E. Johann später mitten in der Krisis schrieb, seinen

Die kontrahierende Spirale des Welthandels

Gesamtimport von 75 Ländern, Januar 1929 bis März 1933
Abstand von Mittelpunkt jeweils in Milliarden Gold-Dollar
Quelle Kindleberger, 1973, S.172

Untergang im Überfluß finden. Was sich hier abspielte, war aus mehreren Gründen nahezu unbegreiflich. Denn in der Tat verhungerten viele Menschen, während neben ihnen die unverkäuflich gewordenen Lebensmittel lagerten oder vernichtet wurden, um die Preise zu behaupten, die von den Arbeitslosen nicht bezahlt werden konnten" (Treue, 1967, S. 13 f.).

Von Amerika ausgehend ergriff die Krise die ganze Welt. Europa wurde durch die Rückforderung kurzfristiger amerikanischer Kredite in einer schon bestehenden Phase des wirtschaftlichen Abschwungs getroffen. Unternehmen und Banken gerieten in Zahlungsschwierigkeiten. Im Juli 1931 kam es in Deutschland zu einer offenen Währungs- und Bankenkrise: Am 13. Juli stellte die deutsche Großbank 'Darmstädter und Nationalbank' ihre Zahlungen ein, am 15. Juli führte Deutschland die Devisenbewirtschaftung ein. Großbritannien verließ im September den Goldstandard; viele weitere Länder folgten diesem Schritt.

Mit der Weltwirtschaftskrise ging das durch Weltkrieg und Nachkriegszeit erschütterte Freihandelssystem zu Ende. Die USA versuchten, ihre Ausfuhr zu steigern und sich gegen Einfuhren durch hohe Zölle abzusichern. In seiner ersten Antrittsrede erklärt Präsident F. D. Roosevelt 1931: "Unsere internationalen Handelsbeziehungen sind - obwohl extrem wichtig - bezogen auf den Moment und die Notwendigkeit zweitrangig gegenüber der Gesundung der nationalen Wirtschaft. Als praktikable Politik bevorzuge ich das Erste zuerst anzugehen. Ich werden keine Mühe scheuen, den Welthandel durch internationale Anpassung wiederherzustellen; der Notstand zu Haus kann jedoch nicht auf jenes Ergebnis warten" (Roosevelt, 1938, S. 14, unsere Übersetzung).

In der Folge griff jeder Staat zum Mittel der Handelsbeschränkung, um die einheimische Industrie zu fördern und um die Beschäftigung zu verbessern. Diese Handelsbeschränkungen bestanden in der Regel in Importbeschränkungen bei Förderungen des Exports, man versuchte also seiner eigenen Wirtschaft auf Kosten der anderen Nationen zu helfen. Diese "Beggar-thy-neighbour" Politik führte zu einer klaren Gefangenen-Dilemma-Situation: Da jeder Staat zu dieser Politik griff - zumindest als Antwort auf die Handelsbeschränkungen des anderen, profitierte kein Land, vielmehr litt jedes Land unter dem in diesen Jahren dramatisch abnehmenden Welthandel. Staaten, deren Industrien vergleichsweise unabhängig vom Welthandel waren, wurden weniger betroffen; das förderte in vielen Ländern den

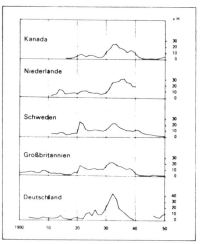

Arbeitslosenquote 1900-1950
in verschiedenen Ländern
Quelle: Borchardt, 1967, S.688

Autarkie-Gedanken. Die Auswirkungen dieser Krise erschütterten das soziale Klima und die politischen Systeme. Besonders groß war die Not der Arbeitslosen in den industrialisierten Ländern, also in den USA, England und Deutschland. Im Jahr 1932 gab es etwa 30 Millionen Arbeitslose auf der Welt, in Deutschland allein waren es zeitweilig mehr als sechs Millionen.

Die Politiker standen der Krise hilflos gegenüber, ja ihre Maßnahmen der strengen monetären Restriktionen, der Handelsbeschränkungen und der Ausgabenbegrenzung trugen nach heutiger Sicht nicht wenig zur Verschärfung der Krise bei. Dabei kann den Politikern kaum ein Vorwurf gemacht werden. Die auf die Selbstheilungskräfte des Marktes vertrauenden Wirtschaftstheoretiker gingen auch diesmal davon aus, daß langfristig wieder ein Gleichgewicht erreicht würde. Dieser passiven Haltung trat Keynes mit dem berühmt gewordenen Satz "Langfristig sind wir alle tot" entgegen und forderte aktive Beschäftigungs- und Konjunkturpolitik des Staates.

8.1.4 Keynes und das Keynes'sche System

John Maynard Keynes wurde 1883 als Sohn des Ökonomen und Marshall Schülers John Neville Keynes in Cambridge geboren. Er besuchte das Internat von Eton und erwarb 1905 am King's College in Cambridge einen Abschluß in Mathematik. Danach studierte er bei Alfred Marshall und Arthur Pigou in Cambridge Ökonomie. Nach seinem Studium trat Keynes in den Staatsdienst, kehrte dann als Dozent nach Cambridge zurück und wurde 1919 der Hauptvertreter des Schatzamtes bei den Friedensverhandlungen von Versailles. Da er die Bestimmungen des Vertrages für schädlich hielt, trat er von seinem Amt zurück und veröffentlichte 1919 "Economic Consequences of the Peace". Diese Beurteilung der Ergebnisse des Friedensvertrages machten ihn fast über Nacht in der ganzen Welt berühmt; Keynes war von da an eine bekannte Persönlichkeit, deren Ratschläge zu wirtschaftlichen und politischen Fragen nicht ungehört blieben.

In seinem gesamten ökonomischen Werk beschäftigte sich Keynes mit den wirtschaftspolitischen Fragen seiner Zeit. Ein Problem bestand für fast alle Länder darin, das durch den Krieg in Unordnung gebrachte Währungssystem neu zu ordnen. Vorschläge dazu entwickelte Keynes z. B. in seinem "Tract on Monetary Reform" (1923). Dieses Werk steht noch vollständig in der Tradition seiner Lehrer in Cambridge. Eigene Ideen entwickelt Keynes dann in seinem "Treatise on Money" (1930). Dieses Buch fand nicht die Aufnahme, die Keynes erwartet hatte, und er selbst scheint auch nicht überzeugt gewesen zu sein, sein Anliegen genügend klar gemacht zu haben.

Sehr schnell begann Keynes darum mit der Arbeit an dem Werk, das die ökonomische Diskussion der nächsten Jahrzehnte prägen sollte, der "General Theory". Im folgenden soll und kann nicht der Inhalt der "General Theory of Employment Interest and Money" (1936) dargestellt werden; zum einen ist bis heute teilweise unklar "what Keynes really meant"; viele seiner Ideen haben nur über Umwege und somit mit gewissen Transformationen Zugang zu den Lehrbüchern gewonnen. (Sehr prägend war z. B. J.R. Hicks "Mr. Keynes and the 'Classics'; a suggested interpretation" (1937).) Hicks entwickelte z. B. die IS-LM Diagramme. Keynes selber benutzt überhaupt keine graphischen Darstellungen zur Demonstration seiner Theorie. Außerdem sind der Keynesschen Theorie andere Lehrbücher gewidmet. Was hier untersucht werden soll, ist lediglich, inwieweit sich der Ansatz von Keynes von dem Ansatz unterscheidet, den wir hier benutzen.

"In Bezug auf die Höhe der gesamten Kaufkraft und Beschäftigung verneint Keynes das Walten einer unsichtbaren Hand, welche die eigenständigen Handlungen eines jeden Individuums so lenkt, daß sie zu einem sozialen Optimum führen. Das ist die Quintessenz und der Gehalt seiner Häresie. Immer wieder stößt man in seinen Schriften auf die Redewendung, daß das, was nottue, bestimmte 'rules of the road' und staatliche Maßnahmen seien, die jedem nützen, die indes niemand allein aufstellen oder erfüllen kann. Überläßt man die Leute während einer Depression sich selbst, werden sie zu sparen versuchen und damit aber nur auf ein tieferes Niveau der Kapitalbildung und des Sparens in der Gesellschaft geraten. In einer Inflation hingegen veranlaßt das Selbstinteresse offensichtlich jeden zum Handeln, was die gefährliche Aufwärtsbewegung nur noch verstärkt" (Samuelson, 1946, S. 562 f.). Konsequenterweise baut Keynes seine Analyse nicht auf individuellen Nachfragefunktionen auf, die von Preisen abhängen. Ausgangspunkt ist vielmehr

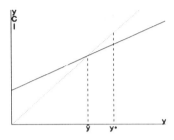

das bekannte Schema, das einen Zusammenhang zwischen gesamtwirtschaftlichem Konsum und gesamtwirtschaftlichem Einkommen annimmt. Bei einer solchen Konsumfunktion kann sich in der Keynes'schen Theorie ein Gleichgewicht auf dem Gütermarkt ergeben, das nicht zur Vollbeschäftigung führt (die z. B. bei der Güterproduktion y^* liegen könnte).

Soll Vollbeschäftigung erreicht werden, muß zusätzlich Nachfrage entfaltet werden. Dies kann z. B. dadurch erreicht werden, daß der Staat aktiv in das Wirtschaftsgeschehen eingreift.

In den letzten Jahren wird intensiv daran gearbeitet, die Keynes'sche Theorie in die neo-klassische Theorie zu integrieren. Dazu wird z. B. versucht, die Keynes'sche Konsumfunktion darauf zurückzuführen, daß die Konsumenten zwar im Prinzip ihren Konsum an Preisen ausrichten, daß aber im Ungleichgewicht der Preisanpassungsmechanismus nicht schnell genug funktioniert. Einer der bekanntesten keynesianischen Theoretiker - nämlich Don Patinkin - führt die Gedankengänge von Keynes letztlich auf ein Versagen der unsichtbaren Hand in einer Gefangenen-Dilemma-Situation zurück: "Ich vermute, Keynes wäre nicht von dem Einwand ... beeindruckt, der Markt ließe eine Unterbeschäftigungssituation nicht bestehen, da sonst Abschlüsse getätigt werden könnten, die jeden besser stellen würden. Da Keynes gesehen hatte, wie die zivilisiertesten Länder der Welt sich vier Jahre lang während eines unentschiedenen Grabenkrieges in das Abschlachten der besten ihrer jungen Leute eingelassen haben, war er - so vermute ich - nicht von vorneherein geneigt, an die natürlichen Kräfte zu glauben, die die Wirtschaftssubjekte zum Aufsuchen gegenseitig vorteilhafter Situationen veranlassen. Aus der Unsicherheit der Reaktion anderer auf unsere eigenen Handlungen konnte für Keynes die tatsächliche Welt im makroökonomischen Zusammenhang leicht zu den global irrationalen Ergebnissen des Gefangenen-Dilemmas führen und nicht zu dem rationalen Ergebnis des Walrasianischen Auktionators" (Don Patinkin, 1987, S. 28). Die Unterschiede zwischen der (neo-klassischen) Mikrotheorie und der Keynes'schen Makrotheorie können in folgender Tabelle zusammengefaßt werden. Dabei muß man jedoch beachten, daß eine solche "schubladenmäßige" Klassifizierung immer problematisch ist und man Einwände gegen jedes benutzte Charakteristikum finden kann. Z. B. hätte Keynes selber wohl kaum Marx als Vorgänger akzeptiert. Viele moderne Theoretiker der 'Neuen Politischen Ökonomie' würden andererseits nicht akzeptieren, daß die Mikrotheorie den Staat nicht analysiert. Als Ganzes genommen gibt die Tabelle aber wohl ein treffendes Bild.

		Mikrotheorie	(keynes.) Makrotheorie
andere Namen bzw. Namen verwandter Gebiete		Preistheorie, Allokationstheorie	Beschäftigungstheorie Konjunkturtheorie
(ursprüngliches) Erklärungsziel		Untersuchung der ″unsichtbaren Hand″	Analyse von Krisen, vor allem Unterbeschäftigungssituationen
Entstehung	Vorläufer	Adam Smith, J. B. Say	Merkantilisten, Malthus, Marx
	Schöpfer	Marginalisten	J.M. Keynes
untersuchte Variable		einzelne Größen (Preise, Mengen etc.)	Aggregate (Sozialprodukt, Preisniveau etc.)
unterstelltes Ziel des Wirtschaftssystems		individuelle Nutzen- und Gewinnmaximierung	Vollbeschäftigung Stabilität
(angestrebtes) Modell		Gleichgewichtstheorie	Ungleichgewichtstheorie
(üblicherweise) nicht untersuchte Größen		Geld, Inflation, Staat, Erwartungsbildung	einzelwirtschaftliches Verhalten

Exkurs: Grabenkrieg, Gefangenen-Dilemma, individuelle Rationalität und staatliche Intervention.

Interessant in diesem Zusammenhang ist allerdings folgender von Axelrod (1984) dargestellter Vorgang.

Die Feinde im Grabenkrieg in Flandern befanden sich tatsächlich in einer Gefangenen-Dilemma-Situation. Normalerweise die Sprache des anderen nicht verstehend, standen sie sich feindlich gegenüber, zur (sprachlichen) Verständigung konnte es somit nicht kommen. Außerdem kam es darauf an, auf den Feind zu schießen und möglichst zu treffen, andernfalls würde man mit gewisser Wahrscheinlichkeit selbst getötet werden. Schießen war also dominante Strategie und rational handelnde Individuen mußten versuchen, sich gegenseitig zu vernichten, obwohl alle sicherer in Frieden hätten leben können.

Erstaunlicherweise (oder auch nicht) konnte man etwas anderes beobachten. Meist anläßlich von bestimmten Feuerpausen wurde den einfachen Soldaten bewußt, daß sie ohne gegenseitigen Beschuß angenehmer lebten, sie nahmen den Kampf nur mit Zögern wieder auf und kämpften nur scheinbar, indem sie erkennbar ungezielt schossen. Es bildete sich eine nicht verbale Kommunikation zwischen den Feinden heraus: 'Wir schießen so lange nicht (bzw. nicht gezielt), so lange ihr nicht (gezielt) schießt'. Wich der Feind unabsichtlich oder absichtlich von dieser stillschweigenden Konvention ab und landete einen Treffer, so wurde einmal scharf zurückgeschossen und dann das stillschweigende Einverständnis wieder aufgenommen. Beide Parteien hatten ohne verbale Kommunikation erkannt, daß es in einer sich stets wiederholenden Gefangenen-Dilemma-Situation günstiger ist, eine 'Wie du mir - so ich dir'-Strategie (im Englischen 'tit for tat') zu wählen: 'Spielst Du unkooperativ, antworte ich einmal mit unkooperativ, spielst Du kooperativ, spiele ich kooperativ'.

Im Grabenkrieg in Flandern bildete sich in vielen Bereichen ein solches stillschweigendes Einverständnis heraus, das so lange hielt, bis die Armeeführungen eingriffen und die Truppen so in Bewegung hielten, daß sich solche 'Fraternisierungstendenzen' gar nicht erst entwickeln konnten.

Aus diesem Beispiel ergeben sich zwei wichtige Erkenntnisse:

1. Ein sich stets (ohne vorhersehbares Ende) wiederholendes Gefangenen-Dilemma kann unter bestimmten Bedingungen ohne Eingriff von außen und ohne explizite Verständigung durch die 'tit for tat' oder 'Auge um Auge - Zahn um Zahn'-Strategie überwunden werden.

2. Staatliche Intervention muß nicht unbedingt aus Gefangenen-Dilemma-Situationen herausführen. (Im Grabenkrieg waren es gerade die staatlichen Autoritäten, die die beginnende Kooperation unterbanden.) Neben den Erkenntnis- und Handlungsmöglichkeiten der Verantwortlichen sind auch ihre Motive zu berücksichtigen. Es kann problematisch sein, sich zu stark auf staatliche Intervention zu verlassen.

8.1.5 Neue politische Ökonomie - Public Choice

Bei der Analyse ökonomischer Phänomene geht man von bestimmten Gegebenheiten aus. Dazu gehören z. B. die Größe der Bevölkerung, die Verteilung der Güter, die Schulausbildung, der Stand des Wissens, das politische System, die geographischen und klimatischen Bedingungen etc. Fast jede dieser Gegebenheiten hängt mehr oder weniger stark vom ökonomischen Handeln einzelner oder aller ab. Diese Abhängigkeit ist bei der Verteilung der Güter sofort augenfällig, ist aber auch plausibel für Bereiche wie Bevölkerungsgröße, Schulbildung etc. Die Diskussion der letzten Jahre über die Treibgase, über die Versteppung großer Gebiete, über die Rodung der Amazonaswälder belegt, daß sogar die klimatischen Bedingungen von ökonomischen Aktivitäten abhängen oder zumindest beeinflußt werden können. Es ist somit eine unzulässige Vereinfachung anzunehmen, daß es einen Datenkranz gibt, der unabhängig von ökonomischen Aktivitäten ist. Bei diesen Versuchen, immer mehr Rahmenbedingungen zu berücksichtigen, entstand die Neue Politische Ökonomie, die mit Hilfe der ökonomischen Methoden der Neo-Klassik versucht, das politische Handeln von Wählern und Gewählten, Regierten und Regierungen zu beschreiben, zu analysieren und vorherzusagen. Ausgangspunkt für die neue Theorie waren drei Bücher:

Kenneth J. Arrow: Social Choice and Individual Value, New York (1951) 1963

Anthony Downs: An Economic Theory of Democracy, New York, 1957

James M. Buchanan und Gordon Tullock, The Calculus of Consent, Ann Arbor, 1962

Wir bringen hier stichpunktartig ein Beispiel, das zeigt, welche großen Ähnlichkeiten es zwischen dem wirtschaftlichen und politischen Handeln geben kann.

Verbraucher	Wähler
Wettbewerb Der Unternehmer möchte Marktanteil und Gewinn vergrößern	Wahlkampf Der Politiker möchte den Stimmenanteil und seinen Einfluß vergrößern
Geringe Übersicht über alle Produkte, ihre Zusammensetzung und Neben- wirkungen	Geringe Übersicht über alle Parteien, ihre Absichten und evtl. Folgen von deren Verwirklichung
Großer Aufwand, hohe Kosten durch genauen Produktvergleich	Großer Aufwand, genaue Information
Produktwerbung durch Zielen auf Emotionen	Wahlkampf, der auf Erregung von Emotionen beruht
Produkte bekommen ein Image	Parteien bekommen eine Ideologie
Produkttreue	Unreflektierte Anhänglichkeit an eine Partei
Bei Enttäuschung oder zu hohem Preis Produktwechsel	Bei Enttäuschung Abwahl der Partei

Die Entdeckung dieser platten Übereinstimmungen erlaubte es, das politische Geschehen schärfer zu analysieren und vorherzusagen. Schließlich befreite die neue Analyse den Staat aus der Rolle des "Übervaters", der ständig die Übersicht und die Verantwortung für das Ganze haben und das Wohl aller mehren sollte. Die Neue Politische Ökonomie kam bisweilen im Sinne von Adam Smith zu dem Schluß, daß der Egoismus des einzelnen politisch Handelnden zu einem optimalen Zustand führen könne.

Die Neue Politische Ökonomie stützt ihre Analysen auf folgende Zweige der Wirtschaftswissenschaft (vgl. Frey, 1974, S. 32):

1. Die Budgets des Staates und ihre Verwendung werden von der Finanzwissenschaft untersucht.

2. Das Verhalten des Individuum unter Berücksichtigung von Preisen und Kosten wird von der Mikroökonomie untersucht.

3. Die Wohlfahrtsökonomik befaßt sich unter anderem mit dem Fragenkomplex öffentliche Güter - individuelle Präferenzen - gesellschaftliche Wohlfahrtsfunktion.

4. Die Ökonometrie liefert statistische Methoden und Tests.

5. Die Spieltheorie entwickelt Methoden, um die Entscheidungen der Individuen durchzuspielen.

Wesentliche Aspekte des Buches 'An Economic Theory of Democracy' werden im folgenden von Downs selbst vorgestellt.

8.2 Lektüre

8.2.1 Anthony Downs

Anthony Downs wurde 1930 in Illinois geboren und erhielt seine akademische Ausbildung vor allem in Stanford. 1957 veröffentlichte er sein Buch "An Economic Theory of Democracy". Hierzu schreibt Blaug (1985, S. 56, unsere Übersetzung): "Anthony Downs herausragendes Werk 'An Economic Theory of Democracy' war das erste Signal des intellektuellen Imperialismus, der bald für die Ökonomie nach dem Kriege typisch wurde und bei dem die Ökonomen in die Gebiete anderer Sozialwissenschaften wie Politologie, Soziologie, Anthropologie eindrangen und sie besetzten."

Downs war der erste Forscher, der die ökonomischen Prinzipien des Nutzenmaximierens, des Gewinns und der Kosten auf Parteien, Wähler und politische Entscheidungen anwandte. Das Buch rief heftige Kontroversen hervor; seine stärksten Auswirkungen hatte es auf die Public Choice-Theorie. Später beschäftigte sich Downs mit Rassenproblemen (Racism in America, 1970) und untersuchte die Entwicklung der Städte (Urban Problems and Prospects, 1970).

8.2.2 ANTHONY DOWNS: Eine ökonomische Theorie des politischen Handelns in der Demokratie[1]

I

121 Trotz der außerordentlichen Bedeutung von Regierungsentscheidungen für alle Bereiche des wirtschaflichen Lebens ist es den Ökonomen bisher nicht gelungen, staatliche und private Entscheidungsträger in einer allgemeinen Gleichgewichtstheorie zu integrieren. Man hat das Handeln des Staates vielmehr als exogene Variable betrachtet, die von politischen Überlegungen außerhalb des Ökonomischen bestimmt wird. Diese Auffassung ist schlechterdings ein Überbleibsel der klassischen Annahme, der private Sektor sei ein sich selbst regulierender Mechanismus und jede Maßnahme der Regierung, die sich nicht auf die Aufrechterhaltung von Recht und Ordnung beschränkt, sei eine Beeinträchtigung und nicht ein wesentlicher Bestandteil dieses Mechanismus.[2]

Es handelt sich nicht um eine übermäßige Verzerrung der Realität, wenn man behauptet, daß die meisten Wohlfahrtsökonomen und viele Theoretiker der öffentlichen Finanzwirtschaft implizit annehmen, die "eigentliche" Funktion der Regierung bestehe darin, die soziale Wohlfahrt zu maximieren. Insofern sie die staatliche Entscheidungsfindung überhaupt in Betracht ziehen, akzeptieren sie fast alle in irgendeiner Form dieses normative Prinzip.

Der Rekurs auf diese Norm hat zu zwei großen Schwierigkeiten geführt. Erstens ist weder klar, was unter "sozialer Wohlfahrt" verstanden wird, noch besteht zweitens auch nur annähernde Übereinstimmung darüber, wie diese zu "maximieren" ist. In der Tat hat die lange Kontroverse über die Natur der sozialen Wohlfahrt in der "Neueren Wohlfahrtsökonomie" zu Kenneth
122 Arrows Schluß geführt, daß möglicherweise keine rationale Methode zur Maximierung der sozialen Wohlfahrt gefunden werden kann, es sei denn, man beschränke die Präferenzordnungen der Individuen gewaltsam.[3]

Die Komplexität dieses Problems hat die Aufmerksamkeit von der zweiten Schwierigkeit abgelenkt, die in der Meinung besteht, die Regierung müsse die soziale Wohlfahrt maximieren. Denn selbst wenn man die soziale Wohlfahrt definieren und sich über Methoden zu ihrer Maximierung einigen könnte, welchen Grund gibt es anzunehmen, daß die Regierenden veranlaßt wären, nun auch die Wohlfahrt zu maximieren? Die einfache Forderung, daß sie es tun "sollten", heißt noch lange nicht, daß sie es tun werden. Schumpeter, einer der wenigen Ökonomen, die dieses Problem gesehen haben, hat betont:

Aber es folgt nicht daraus, daß der soziale Sinn eines Tätigkeits-Typs notwendig auch das treibende Motiv und folglich die Erklärung des letzteren darstellt. Wenn dies nicht der Fall ist, dann kann eine Theorie, die sich mit einer Analyse des sozialen Zieles oder des zu befriedigenden sozialen Bedürfnisses begnügt, nicht als hinreichende Begründung für die Tätigkeit, die diesem Ziel dient, akzeptiert werden.[4]

Schumpeter erhellt hier einen fundamentalen Fehler der meisten Ansätze, die sich mit staatlichen Maßnahmen in der ökonomischen Theorie auseinandersetzen: Sie wenden auf das Zustandekommen der Regierungsentscheidungen nicht wirklich das Prinzip der Funktionsteilung an. Wenn man von dem Phänomen der Funktionsteilung ausgeht, hat jeder Handelnde ein privates Handlungsmotiv und eine soziale Funktion. So besteht beispielsweise die soziale Aufgabe eines Bergarbeiters darin, Kohle aus der Erde zu holen, denn diese Tätigkeit stiftet anderen Nutzen. Die treibende Kraft bei der Ausübung dieser Funktion ist jedoch nicht* der Wunsch, den Nutzen anderer zu mehren. Ähnlich erfüllt jeder andere Handelnde bei Funktionsteilung seine soziale Funktion primär als Mittel, um seine eigenen privaten Ziele - als da sind Genuß von Einkommen, Prestige oder Macht - zu erreichen. Ein großer Teil der ökonomischen Theorie beschäftigt sich im wesentlichen mit dem Nachweis, daß die Wirtschaftssubjekte, obwohl sie ihre eigenen Ziele verfolgen, sehr wohl ihre soziale Funktion mit großer Effizienz erfüllen, zumindest unter bestimmten Bedingungen.

Im Lichte dieser Argumentation muß jeder Versuch, über eine Theorie der Regierungsentscheidung, der nicht gleichzeitig die Motive derer, die die Regierungsgeschäfte führen, berücksichtigt, als unvereinbar mit den Hauptbestandteilen der ökonomischen Analyse angesehen werden. Jeder so geartete Versuch übersieht die Tatsache, daß Regierungen konkrete Institutionen sind, die von Menschen geleitet werden. Er behandelt sie nämlich nur auf einer rein normativen Ebene. Demzufolge können diese Ansätze niemals zu einer Verknüpfung der Entscheidungsprozesse von Staat und Individuen in einer allgemeinen Gleichgewichtstheorie führen. Eine solche Integration erfordert einen positiven Ansatz, welcher erklärt, wie die Regierenden dazu kommen, nach ihren eigenen selbstsüchtigen Motiven zu handeln. In den folgenden Abschnitten werde ich ein Modell staatlicher Entscheidungsfindung entwickeln, das auf diesem Ansatz beruht.

II

Um dieses Modell zu konstruieren, gehe ich von folgenden Definitionen aus:

1. Die Regierung ist die Instanz in der Funktionsteilung, welche die Macht hat, die Aktionen aller anderen Mitglieder der Gesellschaft einzuschränken. Sie ist die Konzentration von "höchster" Macht in einem bestimmten Bereich.[5]

2. Demokratie ist eine Staatsform mit folgenden Charakteristika:

    a) Zwei oder mehrere Parteien wetteifern in periodisch stattfindenden Wahlen um die Regierungsgewalt.

    b) Die Partei (oder die Koalition von Parteien), die die Mehrheit der Stimmen auf sich vereinigt, erhält die Regierungsgewalt bis zur nächsten Wahl.

    c) Die verlierenden Parteien unternehmen nie den Versuch, die Gewinner an der Übernahme der Regierungsgeschäfte zu hindern, genausowenig, wie die Gewinner ihre Regierungsgewalt dazu mißbrauchen, die Fähigkeit der Verlierer, bei der nächsten Wahl als Konkurrenten aufzutreten, zu beeinträchtigen.

d) Alle zurechnungsfähigen, loyalen Erwachsenen sind Staatsbürger. Jeder Staatsbürger hat in jeder Wahl nur eine Stimme.

Obwohl beide Definitionen nicht ganz exakt sind, so genügen sie doch für diese Untersuchung. Folgende Axiome werden nun aufgestellt:

124   1. Jede politische Partei ist ein Team von Menschen, die ein politisches Amt anstreben, allein um in den Genuß von Einkommen, Prestige und Macht zu gelangen. Die Übernahme der Regierungsgeschäfte bringt diese Vorteile mit sich.[6]

2. Die siegreiche Partei (oder Koalition) übt bis zur nächsten Wahl die volle Regierungsgewalt aus. Zwischen den Wahlen gibt es weder von seiten der Legislative noch von seiten der Wählerschaft Vertrauensvoten, so daß die Regierungspartei vor der nächsten Wahl nicht aus ihrem Amt verdrängt werden kann. Ebenso wird ihren Anordnungen nicht durch eine feindselige Bürokratie geheim oder offen Widerstand geleistet.

3. Die wirtschaftliche Macht der Regierung ist unbegrenzt. Sie kann alles verstaatlichen, ebenso wie sie alles in Privathand überführen oder irgendeine Maßnahme zwischen diesen beiden Extremen ergreifen kann.

4. Die einzige Schranke in der Machtausübung der Regierung besteht darin, daß die mit der Führung der Regierungsgeschäfte beauftragte Partei in keiner Weise die politischen Freiheiten der Oppositionsparteien oder einzelner Staatsbürger einschränken kann, es sei denn mit Gewalt.

5. Jede Handlungseinheit in dem Modell - ob Individuum, Partei oder private Koalition - verhält sich stets rational; d. h. sie versucht ihre Ziele mit einem minimalen Aufwand von knappen Mitteln zu erreichen und unternimmt nur Aktionen, deren Grenzertrag die Grenzkosten übersteigt.[7]

Aus diesen Definitionen und Axiomen leite ich meine zentrale Hypothese ab: Die politischen Parteien in einer Demokratie benutzen die Politik nur als Mittel, um Stimmen zu gewinnen. Sie trachten nicht danach, die Regierungsgewalt zu übernehmen, um vorher konzipierte politische Programme zu verwirklichen oder um bestimmten Interessengruppen zu dienen. Vielmehr konzipieren sie Programme und dienen Interessengruppen, um die Regierungsgeschäfte übernehmen zu können. Folglich wird ihre soziale Funktion - die 125 darin besteht, Politiken zu entwerfen und aufgrund geeigneter Maßnahmen durchzuführen - erfüllt als Nebenprodukt ihrer privaten Motivation. Letztere ist gekennzeichnet durch den Wunsch, Einkommen, Macht und Prestige der Amtsausübung zu erlangen.

Die aufgestellte Hypothese impliziert, daß die regierende Partei in einer Demokratie immer so handelt, daß die Zahl der für sie abgegebenen

Stimmen maximiert wird. In der Tat gleicht die Regierung einem Unternehmer, der Politik für Wählerstimmen anstelle von Produkten für Geld verkauft. Außerdem muß die Regierungspartei noch mit anderen Parteien in den Konkurrenzkampf um die Stimmen treten, ganz genau wie zwei oder mehrere Oligopolisten auf einem Markt um den Absatz ihrer Waren konkurrieren. Ob nun eine solche Regierung die soziale Wohlfahrt maximiert (vorausgesetzt natürlich, daß man diesen Prozeß genau spezifizieren kann), hängt entscheidend davon ab, wie der Konkurrenzkampf um Macht und Amt ihr Verhalten beeinflußt. Wir können nicht a priori davon ausgehen, daß dieses Verhalten sozial optimal ist, genausowenig wie wir a priori annehmen können, daß eine gegebene Unternehmung den sozial optimalen Output erstellt. Ich werde den Charakter der staatlichen Entscheidungsfindung in zwei theoretischen Konzepten analysieren: a) unter der Annahme, daß vollkommenes Wissen herrscht und die Informationsbeschaffung kostenlos ist, und b) unter der Annahme, daß das Wissen unvollkommen ist und die Information Kosten verursacht.

III

Der Prozeß der staatlichen Entscheidungsfindung bei vollkommener Information wird nur deshalb analysiert, um die wesentlichen Beziehungen zwischen einer demokratischen Regierung und ihren Bürgern aufzuzeigen. Diese Beziehung kann man durch folgende Behauptungen spezifizieren:

1. Die Handlungen der Regierung sind eine Funktion des erwarteten Wahlverhaltens und der Strategie der Opposition.

2. Die Regierung rechnet damit, daß die Wähler a) entsprechend der Veränderungen ihres Nutzenzuwachses aus Regierungstätigkeit, b) entsprechend der Strategien der oppositionellen Parteien entscheiden.

3. Die Wähler entscheiden tatsächlich a) entsprechend der Veränderung ihres Nutzenzuwachses aus der Regierungstätigkeit und b) entsprechend der von der Opposition gebotenen Alternativen.[8]

4. Die Nutzenzuwächse der Wähler aus Regierungstätigkeit hängen von den Entscheidungen ab, die von der Regierung während der Legislaturperiode getroffen werden.

5. Die Strategien der Oppositionsparteien wiederum werden bestimmt durch ihre Einschätzungen des zusätzlichen Nutzens, der für die Wähler aus Regierungstätigkeit entsteht und durch die von der augenblicklichen Regierung getroffenen Entscheidungen.

Diese Behauptungen bilden in der Tat ein System von fünf Gleichungen, die fünf Unbekannte enthalten: die erwarteten Stimmen, die tatsächlichen Stimmabgaben, die Strategien der Opposition, die Entscheidungen der Regierung und die Vergrößerung der individuellen Nutzen durch Regierungstätigkeit. Demnach kann die politische Struktur einer Demokratie mit Hilfe eines Systems simultaner Gleichungen interpretiert werden. Diese Gleichungen

sind denen sehr ähnlich, die in vielen Fällen verwandt werden, um eine ökonomische Struktur zu analysieren.

Da wir in unserer Modelldemokratie von der Annahme ausgehen, die
Staatsbürger handeln rational, erachtet jeder von ihnen Wahlen zweifellos
als ein Mittel, um die Regierung zu wählen, die ihm den meisten Nutzen
stiftet. Jeder Bürger schätzt den Nutzeffekt ab, der ihm aus einer möglichen Regierungstätigkeit jeder der in Frage kommenden Parteien während
der nächsten Legislaturperiode entstehen würde. M. a. W. zuerst schätzt
er den Nutzenzuwachs, den er durch die Partei A erlangt, dann den, den
ihm die Partei B bereiten würde usw. Er wählt dann die Partei, von der
er annimmt, daß sie ihm den höchsten Zuwachs an Nutzen aufgrund ihrer
Regierungstätigkeit verschafft. Der Hauptfaktor, der seine Prognosen über
die zukünftige Leistungsfähigkeit einer Partei beeinflußt, sind nicht die jeweiligen Versprechungen in der Wahlkampagne, sondern die Leistungen in
der gerade ausgelaufenen Legislaturperiode. Seine Wahlentscheidung basiert folglich auf einem Vergleich des tatsächlichen Nutzenzuwachses, den
er aufgrund der Tätigkeit der gerade amtierenden Partei erlangt hat, und
der möglichen Nutzenzunahme, die er hätte erlangen können, wenn jede der
Oppositionsparteien an der Macht gewesen wäre. (Dabei gehe ich davon aus,
daß zu allen konkreten Maßnahmen der amtierenden Partei jede der Oppositionsparteien verbal Stellung bezogen hat.) Dieses Verfahren erlaubt dem
Wähler, daß er seine Entscheidungen auf Fakten und nicht auf Vermutungen
basiert. Selbstverständlich modifiziert der Wähler seine Analyse über den
vergangenen Erfolg einer jeden Partei aufgrund seiner Schätzungen über deren mögliche Verhaltensänderungen. Trotz allem sind die laufend erzielten
Ergebnisse der Regierungspartei der wichtigste Bestandteil seiner kritischen
Bewertung.

Wir gehen auch von der Annahme aus, daß die Regierung ihre Entschei-
127 dungen rational fällt. Eine Analyse ihres Verhaltens erweist sich jedoch als
schwieriger, weil sie in die politische Auseinandersetzung mit ihren Gegnern
verwickelt ist. Jede Partei gleicht einem Spieler in einem N-Personen-Spiel
oder einem Oligopolisten bei ruinöser Konkurrenz. Da sich die Regierungspartei jedoch vor den Oppositionsparteien mit jeder Maßnahme festlegt, wird
der auf Erwartungen basierende Entscheidungsprozeß etwas vereinfacht. Eine
Partei, die an der Macht ist, muß in allen Situationen, in denen sich ein Ent-
scheidungsproblem stellt, handeln, denn das Versäumnis zu handeln wird
gleichermaßen als eine Form des Handelns gewertet. Die Oppositionspartei,
die nicht für die Regierung verantwortlich ist, kann dagegen abwarten, bis
der Druck der Ereignisse die Regierungspartei gezwungen hat, sich auf eine
Maßnahme festzulegen. Aufgrund dieses Vorteils erweist sich die Analyse der
zwischenparteilichen Auseinandersetzung einfacher, als dies bei gleichzeitiger
Offenlegung der Strategien aller Parteien der Fall wäre.

Das strategische Verhalten der Parteien bei vollkommener Information
werde ich jedoch nicht untersuchen, denn fast alle Schlußfolgerungen, die

daraus abgeleitet werden könnten, sind für eine Gesellschaft mit unvollkommener Information unbrauchbar. Auf letztere richtet sich aber unser primäres Interesse. In unserem Modell bedeutet unvollkommene Information, 1) daß die Parteien nicht immer genau die Bedürfnisse der Bürger kennen; 2) daß die Bürger nicht immer wissen, was die Regierung oder die Opposition unternommen haben, unternehmen oder unternehmen sollten, um ihren Interessen zu dienen; und 3) daß die notwendige Information zur Bewältigung beider Probleme der Unwissenheit Kosten verursacht. Anders ausgedrückt, knappe Ressourcen müssen zur Beschaffung und Verarbeitung von Informationen eingesetzt werden. Ungeachtet der Tatsache, daß diese Bedingungen zahlreiche Effekte auf die Regierungstätigkeit in unserem Modell haben, konzentriere ich meine Betrachtung auf nur drei Effekte: Überredung, Ideologien und rationale Unwissenheit.

IV

Solange wir die Annahme vollkommener Information aufrechterhalten, kann potentiell kein Staatsbürger die Wahlentscheidung eines anderen beeinflussen. Jeder weiß, was ihm selbst den meisten Nutzen stiftet, was die Regierungspartei unternimmt, und wie die anderen Parteien handeln würden, wenn sie an der Macht wären. Daraus folgt, daß die politische Präferenzstruktur des Staatsbürgers, die ich als unveränderlich annehme, ihm unmittelbar eine eindeutige Wahlentscheidung ermöglicht. Wenn er sich rational verhält, können 128 Überzeugungsversuche seine Meinung nicht ändern. Sobald man jedoch in das Modell das Faktum der Unwissenheit aufnimmt, wird der direkte Weg von der Präferenzstruktur zur Wahlentscheidung aufgrund des Mangels an Einsicht beeinträchtigt. Einige Wähler mögen zwar den Sieg einer Partei wünschen, weil deren politische Maßnahmen für sie am meisten Nutzen bringen, andere Wähler aber sind sich völlig im unklaren darüber, welcher Partei sie den Vorzug geben sollen. Sie kennen weder die Wirkungen der Regierungstätigkeit auf ihren eigenen Nutzen, noch wissen sie, wie dieser beeinflußt würde, wenn eine andere Partei an der Macht wäre. Um eine eindeutige Präferenzskala aufstellen zu können, bedürfen sie weiterer Fakten. Die Lieferung dieser Fakten ermöglicht eine Überredungs- und Überzeugungstätigkeit von Wahlhelfern (persuaders).

Nicht um der Sache willen sind die Wahlhelfer daran interessiert, den Bürgern ohne eindeutige Präferenzstruktur zu helfen. Sie wollen vielmehr eine Entscheidung zustande bringen, die ihnen nützt. Deshalb werden auch nur Informationen über solche Fakten geliefert, welche für die Gruppe günstig sind, die die Wahlhelfer gerade unterstützen. Selbst unter der Annahme, daß keine irrtümlichen oder falschen Angaben gemacht werden, kann allein schon die Auswahl der Fakten einen enormen Einfluß haben.

Diese Möglichkeit ist in verschiedener Hinsicht von außergewöhnlicher Bedeutung für die Tätigkeit der Regierungspartei. Erstens resultiert daraus, daß einige Leute politisch wichtiger sind als andere, weil sie mehr Stimmen beeinflussen als sie selbst abgeben können. Da knappe Mittel eingesetzt werden müssen, um unentschlossenen Bürgern Informationen zu liefern, haben diejenigen, die über diese Ressourcen verfügen, ceteris paribus ein mehr als proportionales politisches Gewicht. Eine sich rational verhaltende Regierung kann dieses Faktum bei der Konzipierung ihrer Politik nicht außer acht lassen. Als Ergebnis kann man festhalten, daß Gleichheit im Stimmenrecht nicht länger Gleichheit in bezug auf die Beeinflussungsmöglichkeit von Regierungsentscheidungen sichert. In der Tat erweist es sich bei unvollkommener Information für eine demokratische Regierung als irrational, alle ihre Bürger in gleicher Weise zu berücksichtigen.

Zweitens weiß die Regierung selbst nicht genau, welche Handlungen die Bürger von ihr erwarten. Deshalb muß sie Vertreter beauftragen, (1) die Wählerschaft und deren Wünsche zu erkunden und (2) diese zu überzeugen, in der gleichen Art wiederzuwählen. M. a. W. der Mangel an Information transformiert eine demokratische Regierung in eine repräsentative. Er zwingt nämlich das zentrale Planungsorgan (central planning board) der Regierungspartei dazu, sich auf Agenten zu stützen, die unter die Wählerschaft verteilt 129 sind. Ein derartiger auf Vertrauen basierender Prozeß läuft auf eine Dezentralisierung der Regierungsgewalt von dem Planungsorgan zu den Agenten hinaus.[9]

Das Zentralorgan wird so lange bereit sein, seine Macht zu dezentralisieren, bis der Grenzstimmengewinn aus größerer Anpassung an allgemein bestehende Wünsche gleich dem Grenzstimmenverlust ist, der aus der verringerten Fähigkeit entsteht, die einzelnen Aktionen zu koordinieren.

Diese Überlegung impliziert, daß immer dann, wenn die Kommunikation zwischen den Wählern und den Regierungen nicht vollkommen ist, eine demokratische Regierung in einer rationalen Welt auf einer halb-repräsentativen, halb-dezentralisierten Basis geführt wird. Das ist der Fall, unabhängig von der formal konstitutionellen Struktur der Regierung. Ein anderer bedeutender Faktor, der in die gleiche Richtung wirkt, ist die Arbeitsteilung. Um effizient zu sein, muß sich eine Nation zur Erkundung, Weiterleitung und Analyse der allgemeinen Meinung Spezialisten heranziehen, genauso wie sie für alles andere Spezialisten ausbildet. Diese Spezialisten sind Repräsentanten. Ihre Machtausübung ist um so größer und die der zentralen Planungsstelle um so geringer, je mangelhafter die Kommunikation in der Gesellschaft funktioniert.

Die dritte Konsequenz aus unvollkommener Information und der daraus resultierenden Notwendigkeit zur Aufklärung besteht in Wirklichkeit in einer Kombination der ersten beiden. Da es nämlich einige Wähler gibt, die beeinflußt werden können, treten Spezialisten auf, die das tun. Da zudem die Regierung auf Mittelsträger zwischen ihr und dem Volk angewiesen ist, geben sich einige dieser Wahlhelfer als "Repräsentanten" der Bürgerschaft aus. Einerseits versuchen sie, die Regierung davon zu überzeugen, daß die Politik, die sie vertreten - welche unmittelbar ihren eigenen Interessen dient

- sowohl für einen großen Teil der Wähler gut als auch von diesem erwünscht sei. Andererseits bemühen sie sich, die Wählerschaft davon zu überzeugen, daß die entsprechenden politischen Maßnahmen tatsächlich erstrebenswert sind. Demnach läuft eine ihrer Methoden, mit der sie die Regierung glauben machen wollen, daß die Öffentlichkeit sie unterstüzt, darauf hinaus, durch Überredungsversuche günstige Meinungen zu schaffen. Ungeachtet der Tatsache, daß eine rationale Regierung die privaten Ziele der Wahlhelfer gering erachtet, kann sie letztere nicht vollkommen ignorieren. Aus verschiedenen Gründen muß sie die Wahlhelfer bei der Konzipierung der Politik in starkem Maß berücksichtigen. Besonderes Gewicht kommt ihnen zu, weil es immerhin möglich ist, daß sie bei der schweigenden Masse der Wähler günstige Meinun-

130 gen erzeugt haben und weil ihre Stimmungsmache eine hohe Intensität der Wünsche vortäuscht. Natürlich sind die Personen, die im Gegensatz zu anderen ein starkes Interesse an einer bestimmten Politik haben, eher geneigt, ihre Stimme nur für diese Politik abzugeben. Um nicht irrational zu sein, muß ihnen die Regierung größere Aufmerksamkeit schenken.

Schließlich bewirkt unvollkommene Information, daß die Regierung für Bestechung anfällig wird. Will eine Regierungspartei die Wähler von der Qualität ihrer Politik überzeugen, dann muß sie knappe Mittel, wie Fernsehzeit, Geld für Propaganda und Gehälter für Wahlkreisleiter, einsetzen. Eine der Möglichkeiten, um in den Besitz solcher Mittel zu gelangen, besteht darin, denjenigen politische Vergünstigungen zu verkaufen, die dafür in Form von Mitwirkung bei der Wahlkampagne, vorteilhafter Redaktionspolitik oder direkter Einflußnahme bezahlen können. Die so Begünstigten brauchen sich nicht einmal als Repräsentanten des Volkes auszugeben. Sie tauschen lediglich ihre politische Unterstützung gegen politische Privilegien - eine Transaktion, die man als bemerkenswert rational für beide Seiten bezeichnen kann.

Die Ungleichheit des politischen Einflusses resultiert im Grunde genommen mit Notwendigkeit aus der unvollkommenen Information, setzt man eine gegebene ungleiche Wohlfahrts- und Einkommensverteilung in der Gesellschaft voraus. Bei unvollkommener Information erfordert erfolgreiches politisches Handeln den Einsatz ökonomischer Ressourcen zur Bestreitung der Informationskosten. Deshalb können diejenigen, die über solche Ressourcen verfügen, mehr Wähler auf ihre Seite ziehen, als es ihrem politischen Gewicht eigentlich entsprechen würde. Das ist nicht das Resultat von Irrationalität und Unredlichkeit. Im Gegenteil, in einer Demokratie kann man die Aktivität der Lobby ebenso wie die Erfüllung der Forderungen der Lobbyisten durch die Regierung als eine äußerst rationale Antwort auf den Mangel an vollkommener Information bezeichnen. Von einer anderen Hypothese auszugehen bedeutet, daß man die Existenz von Informationskosten ignoriert - was so viel heißt, daß man nicht über eine reale, sondern über eine mythische Welt Theorien aufstellt. Unvollkommene Information bewirkt, daß die ungleiche Verteilung von Einkommen, Stellung und Einfluß - die in einer durch starke Arbeitsteilung gekennzeichneten Wirtschaft unvermeidbar ist - in einem Bereich an der höchsten Gewalt partizipiert, für den man doch die gleiche Verteilung des Stimmrechts als ausschlaggebend ansah.

V

131 Da wir unserem Modell unterstellen, daß die Parteien an sich kein Interesse daran haben, irgendeine bestimmte Gesellschaftsordnung zu schaffen, scheint die weite Verbreitung von Ideologien innerhalb demokratischer Politik meiner These zu widersprechen. Dieser Anschein erweist sich jedoch als falsch. Denn nicht allein die Existenz von Ideologien, sondern auch viele ihrer speziellen Charakteristika können aus der Prämisse abgeleitet werden, daß die Parteien nur nach dem Regierungsamt streben, um Einkommen, Macht und Prestige zu erlangen, welche dieses mit sich bringt.[10] Wiederum stellt sich die Unvollkommenheit der Information als entscheidender Faktor heraus.

In einer komplexen Gesellschaft ist allein der Zeitaufwand, um alle unterschiedlichen Programmpunkte der konkurrierenden Parteien zu vergleichen, beunruhigend groß. Zudem besitzen die Bürger nicht immer ausreichende Informationen, um die von ihnen bemerkten Unterschiede zu bewerten. Hinzu kommt, daß sie im voraus nicht wissen, an welche Probleme die Regierung wahrscheinlich in der kommenden Legislaturperiode herangehen wird.

Unter diesen Bedingungen werden Parteiideologien für Wähler nützlich, denn sie ersetzen die notwendige Überprüfung jedes Programms an den eigenen Vorstellungen über die "gute Gesellschaft". Ideologien erleichtern es dem Wähler, seine Aufmerksamkeit auf die Unterschiede zwischen den Parteien zu konzentrieren. Deshalb können sie als Kriterium für alle differierenden Standpunkte dienen. Wenn der Wähler außerdem eine Korrelation zwischen der Ideologie jeder Partei und ihren politischen Maßnahmen feststellt, wird es ihm möglich, aufgrund eines Vergleichs von Ideologien anstatt von politischen Maßnahmen rational zu wählen. In beiden Fällen kann er seinen Aufwand an politischer Information weitgehend reduzieren, indem er sich nur über die Ideologien und nicht über den großen Bereich von Programmen informiert. Informationsmangel bewirkt also in der Wählerschaft eine Nachfrage nach Ideologien. Die auf Stimmengewinn erpichten politischen Parteien reagieren mit einem Angebot. Die Parteien erfinden Ideologien, um die Stimmen der Bürger zu gewinnen, die sich durch eine ideologisch bestimmte Wahl Vorteile versprechen.[11]

Diese Überlegung soll nicht bedeuten, daß Parteien die Ideologien wechseln können, so als ob diese Masken wären, die man nach der Gunst des Augenblicks ständig wechseln kann. Wenn eine Partei einmal ihre Ideologie 132 "auf den Markt" gebracht hat, kann sie nicht plötzlich wieder von ihr ablassen oder sie radikal ändern, wenn sie nicht die Wähler zu der Überzeugung bringen will, sie selbst sei unzuverlässig. Da wir vom rationalen Verhalten der Wähler ausgegangen sind, werden sich diese weigern, unzuverlässige Parteien zu unterstützen. Keine Partei kann es sich also leisten, in den Ruf der Unredlichkeit zu kommen. Zudem muß eine nachhaltige Korrelation zwischen der Ideologie einer Partei und ihren späteren Maßnahmen bestehen; ansonsten können nämlich die Wähler ideologisch bestimmtes Wahlverhalten als irrational meiden. Schließlich können sich die Parteien nicht gleicher Ideologien bedienen. Sie müssen vielmehr ihr Produkt genügend differenzieren, damit man ihren Output von dem ihrer Rivalen unterscheiden und dadurch Wählerstimmen werben kann. Doch genau wie auf dem Produktmarkt wird auch hier jede ausgesprochen erfolgreiche Ideologie sehr bald imitiert, und die Differenzierung wird immer feiner.

Die Analyse politischer Ideologien kann sogar mit den Mitteln einer räumlichen Analogie für politisches Handeln weitergeführt werden.

Im gegenwärtigen Zeitpunkt sind in einer Demokratie die politische Position und Stabilität der Regierung relativ unabhängig von der Zahl der Parteien. Sie werden vielmehr in erster Linie von der Art der Verteilung der Wähler entlang der Links-rechts-Skala bestimmt.[12] Wenn eine Mehrheit von Wählern sich innerhalb eines engen Bereichs dieser Skala konzentriert, ist eine demokratische Regierung unabhängig von der Anzahl der existierenden Parteien wahrscheinlich stabil und erfolgreich. Wie schon früher festgestellt, kann die Regierung ein politisches Programm konzipieren, das sich an eine Mehrheit von Wählern wendet, ohne Maßnahmen zu enthalten, die grundverschiedene Standpunkte verkörpern. Kann jedoch die Regierung die Unterstützung einer Mehrheit nur gewinnen, wenn sie ein zersplittertes, aus einem breiten Spektrum von Standpunkten ausgewähltes politisches Programm adaptiert, dann werden die politischen Maßnahmen sich gegenseitig aufheben. In diesem Fall ist die tatsächliche Fähigkeit der Regierung, soziale Probleme zu lösen, gering. Folglich kann man sagen, daß die Verteilung der Wähler - die ihrerseits bei langfristiger Betrachtung eine Variable ist - bestimmt, ob Demokratie eine erfolgreiche Regierungsführung ermöglicht.

VI

133 Geht man von der Annahme aus, daß die Informationsbeschaffung Kosten verursacht, so kann sich kein Entscheidungsträger die Mittel leisten, alles zu erfahren, was möglicherweise seine Entscheidung beeinflußt. Er kann seinen Entscheid nur auf eine kleine Auswahl aus der Vielzahl von Daten stützen. Das trifft auch dann zu, wenn er sich die Daten kostenlos beschaffen kann, denn allein ihre Verarbeitung erfordert Zeit und verursacht deshalb Kosten.

Die rational vertretbare Informationsmenge wird durch folgendes ökonomisches Axiom bestimmt: Eine Handlung ist immer dann rational, wenn der Grenzertrag größer als die Grenzkosten ist. Die Grenzkosten für ein "bit" an Informationen bestehen in dem verlorenen Ertrag der eingesetzten Ressourcen - speziell von Zeit -, um es zu erlangen und zu nutzen. Der Grenzertrag eines "bit" ist das Mehr an Nutzen, das erzielt wird, weil die Information den Entscheidenden in die Lage versetzt, seine Entscheidung zu verbessern. Bei unvollkommener Information sind zwar weder die genauen Kosten noch die genauen Erträge im voraus bekannt, trotzdem können sich die Entscheidungen unserer Regel bedienen und mit erwarteten Kosten und Erträgen rechnen.

Diese Überlegung gilt sowohl für die politische als auch für die ökonomische Theorie. Wenn man von dem Durchschnittsbürger ausgeht, gibt es zwei politische Entscheidungen, die der Information bedürfen. Die erste bezieht sich auf die Frage, welche Partei gewählt werden soll; bei der zweiten muß entschieden werden, auf welche politischen Maßnahmen bei der Konzipierung des Regierungsprogramms direkter Einfluß ausgeübt werden soll (d. h. in welche Richtung die Abgeordneten zu beeinflussen sind). Zunächst wollen wir die Wahlentscheidung prüfen.

Man muß sich bewußt sein, daß in jeder Gesellschaft ein Strom "freier" Informationen ständig unter alle Bürger verbreitet wird. Obwohl diese "freien" Informationsdaten Verarbeitungszeit beanspruchen, ist diese Zeit nicht direkt auf jede spezielle Entscheidungsfindung anrechenbar. Es handelt sich nämlich um unvermeidbare Kosten, die das gesellschaftliche Leben mit sich bringt. So kann man Besprechungen mit Geschäftspartnern, Gespräche mit Fremden, Zeitungslektüre beim Friseur und Radiohören während der Fahrt zur Arbeit als Informationsquellen ansehen, die der Durchschnittsbürger mehr zufällig ohne besondere Anstrengung wahrnimmt. Deshalb können wir sie als Teil der "freien" Information einstufen und von der Analyse der Frage, wieviel Information jemand speziell zur Verbesserung seiner Entscheidung benötigt, ausschließen.

Man mißt den Grenzertrag von Informationen für Wahlzwecke an dem erwarteten Gewinn aus einer "korrekten" anstelle einer "inkorrekten" Wahlentscheidung. Es handelt sich, anders ausgedrückt, um den Nutzenzuwachs, den ein Wähler zu erhalten hofft, wenn er genau die Partei unterstützt, die ihm tatsächlich den höchsten Nutzenzugang verschafft. Sofern jedoch seine 134 Stimmabgabe nicht den Wahlausgang entscheidet, bewirkt sie nicht, daß anstelle einer "falschen" Partei die "richtige" gewählt wird. Ob die richtige Partei im Endeffekt gewinnt, hängt nicht von seiner Wahlentscheidung ab. Daraus folgt, daß eine "korrekte" Wahlentscheidung trotz allem keinen Nutzenzuwachs sichert; der Bürger könnte genauso gut falsch gewählt haben.

Dies ist die Folge der geringen Bedeutung, die jedem Wähler innerhalb einer großen Wählerschaft zukommt. Da die Wahlkosten selbst sehr niedrig sind, können es sich Hunderte, Tausende oder sogar Millionen von Bürgern leisten zu wählen. Die Wahrscheinlichkeit, daß die Stimme irgendeines Bürgers den Ausschlag gibt, ist sehr gering. Sie ist von null verschieden und kann sogar eine gewisse Größe aufweisen, wenn der Bürger annimmt, die Wahl werde knapp entschieden. In der Regel kommt der einzelnen Stimme jedoch eine so geringfügige Bedeutung zu, daß der Ertrag aus einer "korrekten" Wahlentscheidung infinitesimal klein wird. Das ist der Fall, unabhängig von der Größe des Nutzenentgangs, den der Wähler erlebt, wenn die "falsche"

Partei gewählt wird. Erweist sich zudem dieser Verlust als gering - wie es bei starker Ähnlichkeit der Parteiprogramme oder bei lokalen Wahlen möglich ist -, dann verschwindet praktisch der Anreiz, gut informiert zu sein.

Wir kommen also zu der erstaunlichen Schlußfolgerung, daß es für die meisten Bürger irrational ist, politische Informationen für Wahlzwecke zu erwerben. Solange nämlich jeder das Verhalten anderer als gegeben unterstellt, lohnt es sich für ihn einfach nicht, Informationen zu erwerben, um selbst "korrekt" zu wählen. Die Wahrscheinlichkeit, daß seine Stimme ausschlaggebend dafür ist, welche Partei die Regierung übernimmt, ist so gering, daß sogar geringe Kosten zur Informationsbeschaffung ihren Ertrag überwiegen. Deshalb ist politische Unwissenheit nicht die Folge von unpatriotischer Gleichgültigkeit. Es handelt sich vielmehr um eine äußerst rationale Antwort auf die Tatsachen des politischen Lebens in einer Massendemokratie. Dieser Schluß beinhaltet nicht, daß jeder politisch gut informierte Bürger irrational ist. Aus vier Gründen kann sich ein rationaler Bürger um gute Informationen bemühen: (1) kann er um seiner selbst wünschen, gut informiert zu werden, so daß die Information als solche ihm Nutzen stiftet; (2) kann er annehmen, die Wahl würde so knapp ausgehen, daß die Wahrscheinlichkeit, die entscheidende Stimme abzugeben, relativ hoch ist; (3) kann es sein, daß er Informationen braucht, um die Stimmabgabe anderer zu beeinflussen und so den Ausgang der Wahl zu ändern oder um die Regierung zu überzeugen, seinen Präferenzen mehr Gewicht beizumessen als denen anderer; oder (4) kann er Informationen benötigen, um auf die Konzipierung der Regierungspolitik als 135 Lobbyist einzuwirken. Sehr wahrscheinlich wird jedoch keine Wahl so knapp ausgehen, daß sie die Stimme irgendeiner Person oder die Stimmabgabe aller von dieser Person überredeten Bürger entscheiden wird. Rationales Verhalten besteht für die meisten Bürger darin, politisch uninformiert zu bleiben. Wenn man den Wahlprozeß betrachtet, würde jeder Versuch, Informationen zusätzlich zum Strom der "freien" Daten zu erhalten, eine reine Verschwendung von Ressourcen bedeuten.

Die Unvereinbarkeit dieses Ergebnisses mit der traditionellen Konzeption guter Staatsbürgerschaft in einer Demokratie ist in der Tat verblüffend. Wie kann man sie erklären? Die Vorteile, die eine Mehrheit von Bürgern aus dem Umstand erlangt, in einer Gesellschaft mit einer wohlinformierten Wählerschaft zu leben, sind der Natur nach unteilbar. Wenn die meisten Wähler wissen, welche Politik am besten ihren Interessen dient, dann muß die Regierung, um Niederlagen zu vermeiden, die entsprechenden Maßnahmen ergreifen (unter der Annahme natürlich, daß zwischen den informierten Mitgliedern ein Konsensus besteht). Das erklärt, warum die Befürworter der Demokratie meinen, die Bürger sollten wohlinformiert sein. Die Vorteile dieser Maßnahmen jedoch kommen jedem Mitglied der Mehrheit, der sie direkt dienen, zugute, unabhängig davon, ob das einzelne Mitglied zu ihrer Durchsetzung beigetragen hat oder nicht. Das Individuum kommt also in den Genuß dieser Vorteile, gleichgültig, ob es gut informiert ist oder nicht. Entscheidend ist allein, daß die meisten Bürger gut informiert sind und daß die Interessen des einzelnen Bürgers mit denen der Mehrheit annähernd übereinstimmen. Wenn andererseits keiner gut informiert ist, kann der einzelne diese Vorteile nicht erhalten, indem er sich selbst gut informiert, weil man diese nur durch gemeinsame Anstrengung erlangen kann.

Wenn also die Vorteile nicht teilbar sind, wird sich jeder bemühen, seinen Beitrag zu deren Kosten zu umgehen. Denn geht das Individuum davon aus, das Verhalten anderer sei gegeben, hängt es nicht von ihm ab, ob es irgendwelche Vorteile erlangt. Da sein Kostenbeitrag von seinen Anstrengungen abhängt, verhält er sich rational, wenn er diese Kosten minimiert. In unserem Falle heißt das, er muß politisch unwissend bleiben. Wenn nun jeder gleiches überlegt, trägt keiner irgendwelche Kosten und es wird kein Nutzen erzielt.

Normalerweise entgeht man diesem Dilemma, wenn alle mit zentral ausgeübtem Zwang einverstanden sind. Dann muß zwar jeder seinen Kostenanteil tragen, er weiß aber, daß alle anderen in der gleichen Weise zahlen müssen. Folglich steht sich jeder besser, als es ohne den Anfall von Kosten der Fall wäre, weil jeder Vorteile erhält, die (wie ich hier unterstelle) bei weitem den Kostenbeitrag wettmachen. Das ist das Grundprinzip für die 136 Anwendung von Zwang, um Einnahmen zu erzielen für die nationale Verteidigung oder für viele andere Regierungsaufgaben, die unteilbare Vorteile mit sich bringen.[13]

Diese Lösung ist allerdings auf den Fall der politischen Information nicht anwendbar. Die Regierung kann nämlich nicht jeden dazu zwingen, sich gut zu informieren, weil kaum zu messen ist, was man darunter verstehen soll. Zum einen gibt es kein allgemein anerkanntes Kriterium, um zu entscheiden, wieviel Information und welche Art Information jeder Bürger haben "sollte", zum zweiten kann der Konflikt mit persönlichen Präferenzen einen Nutzenentgang verursachen, der möglicherweise die Gewinne aus einer wohlinformierten Gesellschaft überwiegt. Das äußerste, was bisher eine Regierung zur Behebung dieses Mißstandes unternommen hat, besteht in dem Schulzwang für die Jugend, den Unterricht in Bürgerkunde, Staatsformen und Geschichte zu besuchen.

Ungeachtet der Tatsache also, daß die meisten Bürger entscheidend gewinnen würden, wenn alle Wähler gut informiert wären, handelt jeder rational, wenn er die Investitionen in politische Information minimiert. Als Ergebnis kann man festhalten, daß politische Systeme in der Demokratie gezwungen sind, mit weniger als maximaler Effizienz zu regieren. Die Regierung dient den Interessen der Mehrheit nicht so gut, wie sie es tun würde, wenn die Mehrheit gut informiert wäre. Das wird jedoch niemals der Fall sein. Sich gut zu informieren, erweist sich kollektiv zwar als rational, individuell jedoch als irrational. Fehlt ein Mechanismus zur Sicherung gemeinsamen Handelns, dann überwiegt die individuelle Rationalität.

VII

Wenn wir die ökonomische Rationalitätskonzeption auf die zweite politische Verwendung von Information, auf die Aktivität der Lobbyisten, anwenden, sind die Ergebnisse gleichermaßen mit der traditionellen Auffassung von Demokratie nicht zu vereinbaren. Um als Lobbyist erfolgreich zu sein, muß ein Bürger die Regierungspartei davon überzeugen, daß die von ihm angestrebten politischen Maßnahmen entweder schon von einer großen Zahl anderer Bürger gewünscht werden oder für den Rest der Wähler so vorteilhaft sind, daß sie schlimmstenfalls diese Maßnahme nicht übelnehmen würden. Um überzeugen zu können, muß der potentielle Lobbyist über alle politischen Bereiche, die er beeinflussen möchte, sehr gut informiert sein. Er muß ein politisches Programm entwerfen können, das für ihn vorteilhafter als jedes andere ist. Er muß jedem Argument des gegnerischen Lobbyisten begegnen 137 und für ihn akzeptable Kompromisse formulieren und anerkennen können. Daher ist der Informationsbedarf eines Lobbyisten viel größer als der eines Wählers, denn selbst gut informierte Wähler brauchen nur die von anderen vertretenen Alternativen zu vergleichen.

Deshalb ist auch der Aufwand eines erfolgreichen Lobbyisten für ausreichende Information relativ hoch. Ein Lobbyist muß auf dem politischen Gebiete, auf dem er Einfluß anstrebt, Experte sein. Da es wenige gibt, die die Zeit und das notwendige Geld aufbringen können, um Experte auf mehr als einem politischen Gebiet zu werden (oder um die zu engagieren, die schon Experten sind), müssen sich die meisten auf sehr wenigen Gebieten spezialisieren. Solch ein Verhalten kann man als rational bezeichnen, obwohl die Bürger bis zu einem gewissen Grade von politischen Maßnahmen aus vielen Bereichen betroffen werden. Umgekehrt werden in jedem politischen Bereich nur wenige Spezialisten aktiv Druck auf die Regierung ausüben. Diesmal kann man als Ergebnis festhalten: nicht jeder muß, wie es in bezug auf Wahlentscheidungen der Fall ist, seinen politischen Einsatz wegen der vielen anderen Personen, die die Entscheidung beeinflussen, verringern. Im Gegenteil, für die wenigen Lobbyisten, die auf irgendeinem Gebiete spezialisiert sind, kann sich der potentielle Ertrag aus politischer Information als sehr hoch herausstellen - vor allem weil sie nur wenige sind. Die Leute, die es sich am ehesten leisten können, politisch als Lobbyist aktiv zu werden, sind die, deren Einkommen aus dem entsprechenden Bereich stammen. Das trifft deshalb zu, weil fast jeder Bürger sein ganzes Einkommen aus einer oder zwei Quellen bezieht; folglich hat er an jeder Regierungspolitik, die diese Quellen beeinträchtigt, ein vitales Interesse. Im Gegensatz dazu gibt jeder sein Einkommen in sehr vielen politischen Bereichen aus. Entsprechend bedeutet eine Änderung in einem dieser Bereiche nicht allzuviel für ihn. Daraus folgt, daß die Bürger als Produzenten viel eher Einfluß auf die Regierungspolitik ausüben denn als Konsumenten. Gewöhnlich ist eine demokratische Regierung also mehr für die Produzenten- und weniger für die Konsumenteninteressen voreingenommen, obwohl die Verbraucher eines beliebigen Gutes normalerweise dessen

Produzenten der Zahl nach übertreffen. Ein Beispiel für diese Tendenz ist die Steuergesetzgebung. Es sollte jedoch betont werden, daß diese systematische Ausbeutung der Konsumenten durch die die Regierungspolitik beeinflussenden Produzenten nicht auf eine törichte Gleichgültigkeit auf seiten der Verbraucher zurückzuführen ist. Vielmehr trifft gerade das Gegenteil zu. Die Regierung ist den Konsumenten gegenüber voreingenommen, weil diese rational nur die Information haben wollen, deren Ertrag größer als die Kosten
138 ist. Die Ersparnis, die ein Konsument durch Informierung über den Einfluß von Regierungsmaßnahmen auf die von ihm gekauften Güter machen könnte, decken nicht seinen Informationsaufwand, da sein persönlicher Einfluß auf die Regierung wahrscheinlich gering ist. Wenn das für nahezu jedes Gut zutrifft, das er kauft, treibt er eine Strategie der rationalen Unwissenheit, die ihn starker Ausbeutung aussetzt. Ein anderes Verhalten wäre jedoch aus seiner Sicht irrational. Lobbyisten haben also in einer Demokratie deshalb Erfolg, weil sich alle Handelnden, die Ausbeuter, die Ausgebeuteten und die Regierung, rational verhalten.

VIII

Natürlich wird unter rationalem Verhalten in einer Demokratie nicht das verstanden, was die meisten normativen Theoretiker darunter verstehen. Namentlich Politologen haben oft Modelle konstruiert, wie sich die Bürger in einer Demokratie verhalten sollten, ohne die ökonomischen Aspekte des politischen Handelns zu beachten. Folglich zeigen in Wirklichkeit viele der Beweise, die oft angeführt werden, um zu erklären, wie demokratische Maßnahmen von irrationalen (nicht logischen) Kräften bestimmt werden, daß die Bürger rational (effizient) auf die Erfordernisse des Lebens in einer unvollkommen informierten Welt reagieren.[14] Gleichgültigkeit der Bürger gegenüber Wahlen, Unkenntnis der Programme, die Tendenz der Parteien in einem Zwei-Parteien-System, sich einander anzugleichen, die Voreingenommenheit bei Regierungsentscheidungen zuungunsten der Konsumenten können in einer Massendemokratie alle logisch als effiziente Reaktionen auf unvollkommene Information erklärt werden. Jede normative Theorie, die diese Reaktionen als Ausdruck eines unintelligenten politischen Verhaltens ansieht, berücksichtigt nicht, daß in der Realität die Beschaffung von Information etwas kostet. Es war ein Mangel der politischen Theorie, daß sie gewisse ökonomische Gegebenheiten nicht in Betracht gezogen hat. Andererseits hat es sich für die ökonomische Theorie negativ ausgewirkt, daß sie die politischen Realitäten der staatli-
139 chen Entscheidungsfindung nicht berücksichtigt hat. Die Ökonomen haben sich damit zufriedengegeben, die Maßnahmen der Regierung so zu diskutieren, als würden die Geschäfte von vollkommenen Altruisten geführt, deren einzige Motivation die Maximierung der sozialen Wohlfahrt sei. Die Ökonomen konnten folglich die staatlichen Aktionen in die ökonomische Theorie nicht integrieren, weil sie davon ausgingen, daß die Menschen primär aus Eigeninteresse handeln. Außerdem haben sie den falschen Schluß gezogen, die staatliche Entscheidung würde in allen Gesellschaftsordnugnen den glei-

chen Prinzipien folgen, weil ihr Ziel immer die Maximierung der sozialen Wohlfahrt sei. Wenn meine Hypothese zutrifft, dann ist das Ziel der staatlichen Entscheidungsträger, Einkommen, Macht und Prestige zu erlangen, die das Amt mit sich bringt. Da die Mittel zur Erreichung dieses Ziels in demokratischen, totalitären und aristokratischen Staaten stark differenzieren, kann nicht eine einzige Theorie entwickelt werden, die den staatlichen Entscheidungsprozeß in allen Gesellschaftsordnungen erklärt. Ebensowenig kann eine Theorie staatlicher Entscheidung von der Politik getrennt werden. Die tatsächlichen Entscheidungen einer Regierung hängen vom Charakter der wesentlichen Machtbeziehungen zwischen Regierenden und Regierten in der entsprechenden Gesellschaft ab, d. h. von den politischen Institutionen der Gesellschaft. Demzufolge muß man für jede politische Verfassung eine andere Theorie des politischen Handelns aufstellen.

Ich schließe mit der Behauptung, daß eine wirklich brauchbare Entscheidungstheorie in einer Demokratie oder in irgendeiner anderen Gesellschaftsordnung sowohl ökonomischer als auch politischer Natur sein muß. In diesem Aufsatz habe ich versucht, eine solche Theorie zu umreißen. Auch wenn der Ansatz noch bescheiden ist, so wird doch klar, wie stark Ökonomen und Politologen bei der Analyse staatlicher Entscheidungen, die momentan die wichtigste ökonomische und politische Aufgabe ist, voneinander abhängen.

Anthony Downs, An Economic Theory of Political Action in a Democracy, The Journal of Political Economy (The University of Chicago Press). Vol. LXV (1957), pp. 135-150, gekürzt. Nach der von Regina Molitor für den Band Finanzpolitik, hrsg. von Horst Claus Recktenwald, Verlag Kiepenheuer und Witsch, Köln/Berlin 1969, angefertigten Übersetzung.

* Das Wort 'nicht' wurde hier nach Kontrolle am englischsprachigen Original in die benutzte Vorlage eingefügt.

1 Die Argumentation in diesem Artikel ist in meinem Buch, An Economic Theory of Democracy, New York 1957, weiterentwickelt.

2 Vgl. Gerhard Colm, Essays in Public Finance and Fiscal Policy, New York: Oxford University Press 1955, S. 6-8.

3 Social Choice and Individual Values, New York: John Wiley & Sons, 1951.

4 Joseph A. Schumpeter, Capitalism, Socialism and Democracy, New York: Harper and Bros., 1950, S. 282. Die Übersetzung ist der 2. erweiterten Auflage, Bern 1950, S. 448, entnommen (d. Übers.).

5 Diese Definition stammt aus Robert A. Dahl und Charles E. Lindblom, Politics, Economics and Welfare, New York: Harper & Bros., 1953, S. 42. In meiner Analyse bezieht sich das Wort "Regierung" jedoch vorwiegend auf die regierende Partei und nicht, wie in dieser Definition, auf die Institution.

6 Unter "Team" wird eine Koalition verstanden, deren Mitglieder die gleichen Ziele haben. Eine "Koalition" ist eine Gruppe von Menschen, die zusammenarbeiten, weil

sie gewisse gemeinsame Zielvorstellungen haben. Diese Definitionen sind von J. Marschak, "Towards an Economic Theory of Organization and Information", in: Decision Processes, ed. R. M. Thrall, C. H. Coombs und R. L. Davis, New York: John Wiley & Sons, 1954, S. 188-89. In meiner Definition benutze ich "Team" anstelle von "Koalition" um innerparteiliche Machtkämpfe aus der Betrachtung auszuschalten, während in Marschaks Terminologie Parteien tatsächlich Koalitionen und nicht Teams sind.

7 Der Begriff "rational" wird in dieser Untersuchung synonym zu dem Begriff "effizient" verwandt. Diese ökonomische Definition darf nicht mit der logischen (z. B. die logischen Regeln betreffend) oder der psychologischen (z. B. rechnend oder nicht emotional) verwechselt werden.

8 Bei vollkommener Information verhalten sich die Wähler immer genau so, wie es die Regierungspartei erwartet. Folglich stimmen die unter Punkt 2 und 3 aufgezeigten Beziehungen überein. Bei unvollkommener Information kann die Regierung allerdings nicht die Entscheidungen der Wähler voraussehen. Deshalb können die Punkte 2 und 3 divergieren.

9 Die Dezentralisierung kann geographisch oder nach sozialen Gruppen erfolgen: dies hängt jeweils davon ab, in welche homogenen Gruppen die Gesellschaft aufgeteilt ist.

10 Unter "Ideologien" werden die Vorstellungen von "der guten Gesellschaft" und die wichtigsten Programme zu ihrer Verwirklichung verstanden.

11 In der Realität entsprechen Parteiideologien ursprünglich wahrscheinlich den Interessen der Personen, die die Partei gründeten. Ist jedoch eine politische Partei einmal etabliert, führt sie eine eigene Existenz und wird möglicherweise von jedem speziellen Gruppeninteresse ziemlich unabhängig. Wenn eine solche Autonomie besteht, ist meine Analyse der Ideologien voll anwendbar.

12 Da jedoch die Präferenzen der heranwachsenden Generationen von den ihnen gebotenen Alternativen beeinflußt werden, ist die Zahl der Parteien einer der Faktoren, die die Form der Verteilung von Wähler bestimmen.

13 Vgl. P. A. Samuelson, The Pure Theory of Public Expenditures, Review of Economics and Statistics, Vol. XXXVI, Nov. 1954, S. 387-89.

14 Wie die Synonyma in Klammern zeigen, wird in diesem Satz das Wort "irrational" nicht als Gegensatz zu "rational" verstanden. Zugegeben, eine solche zweifache Verwendung kann verwirren. Ich habe jedoch in diesem Artikel das Wort "rational" anstelle seines Synonyms "effizient" verwandt, um zu betonen, daß ein intelligenter Bürger immer so handelt, daß die Grenzerträge die Grenzkosten übersteigen. Seine Entscheidungen sind nicht immer transitiv, weil unter bestimmten Bedingungen die Grenzerträge solcher Entscheide kleiner sind als die Grenzkosten. Es erweist sich manchmal als rational (effizient), irrational (nicht logisch) zu handeln. In solchen Fällen meidet ein intelligenter Bürger die Rationalität im traditionellen Sinn, um sie im ökonomischen Sinn zu erfüllen. Das entspricht genau dem, was mit dem Satz, auf den sich diese Fußnote bezieht, gemeint ist.

8.2.3 Aufgaben und Fragen zum Text

Aufgabe 8.2
*Der Beitrag ist von Downs durch römische Zahlen in 7 Abschnitte geteilt.
Finden Sie für jeden Abschnitt eine passende Überschrift!*

Aufgabe 8.3
*Welches ist - so die Ausführungen von Downs - die Annahme vieler Theore-
tiker über die eigentliche Funktion der Regierung?*

Aufgabe 8.4
*In der "Neueren Wirtschaftsökonomie" kommt Arrow zu dem Schluß, daß
keine rationale Methode zur Maximierung der sozialen Wohlfahrt gefunden
werden kann. Greifen Sie auf die Aufgabe 5.32 in Kapitel 5 zurück und zeigen Sie, daß zumindest die paarweise Abstimmung keine rationale Methode
zur Bestimmung der sozialen Wohlfahrt ist. Was bedeutet in diesem Zusammenhang "rational"?*

Aufgabe 8.5
*Welches ist nach Downs und nach Schumpeter das eigentliche Problem bei
der Forderung, daß die Regierung die soziale Wohlfahrt zu maximieren habe?*

Aufgabe 8.6
  a. *Wie definiert Downs Regierung und wie Demokratie?*
  b. *Belegen Sie Downs Auffassung, daß "beide Definitionen nicht ganz exakt
     sind".*
  c. *Von welchen Axiomen geht Downs aus, wenn er die Funktion der Regie-
     rung in der Demokratie modelliert?*
  d. *Welche zentrale Hypothese gewinnt Downs aus seinem Modell?*

Aufgabe 8.7
*Zu welchen Aussagen gelangt Downs bei der Analyse seiner Modelldemokratie
unter der Annahme vollkommener Information?*

Aufgabe 8.8
*Benennen und diskutieren Sie die vier Konsequenzen, die sich bei Downs
in Abschnitt IV ergeben, "sobald man ... in das Modell das Faktum der
Unwissenheit aufnimmt".*

Aufgabe 8.9
*'Die weite Verbreitung von Ideologien innerhalb demokratischer Politik wi-
derspricht offensichtlich der These von Downs, daß Parteien nach dem Regierungsamt streben, um Einkommen, Macht und Prestige zu erlangen.' Wie
beantwortet Downs diesen Einwand?*

Aufgabe 8.10

Downs kommt zu dem Schluß, "daß es für die meisten Bürger irrational ist, politische Informationen für Wahlzwecke zu erwerben".

   a. Welches Kriterium für rationales Handeln benutzt Downs hier? Wie überträgt er es auf Informationsverarbeitung?

   b. Wie begründet Downs seinen Schluß?

   c. Im Zusammenhang mit der Informationsgewinnung der Wähler erkennt Downs ein 'Dilemma'. Um was für ein Dilemma handelt es sich? Wie entgeht man nach Downs diesem Dilemma?

Aufgabe 8.11

"Lobbyisten haben also in einer Demokratie deshalb Erfolg, weil sich alle Handelnden, die Ausbeuter, die Ausgebeuteten und die Regierung, rational verhalten." Erläutern Sie diese Aussage von Downs.

Aufgabe 8.12

Fassen Sie die Ergebnisse von Downs zusammen. Vergleichen Sie die in Kap. 1 untersuchten Ausführungen von Adam Smith mit denen von Downs. Inwieweit gehen beide von ähnlichen Voraussetzungen aus, inwieweit unterscheiden sich die Überlegungen?

Aufgabe 8.13

"Wie war das doch mit der 'ökonomischen Theorie der Demokratie' von Schumpeter, Arrow und Downs? Die Parteien seien bloße Wahlvereine, Organisationshülsen zum Zweck des Machterwerbs und des Machtwechsels. Stimmen seien wie Dollars und Politiker wie Unternehmer (wenn solche Metaphern im Klima bundesdeutscher Korruptionen noch erlaubt sind). Sie sollen maximiert werden. ... Doch die Verhältnisse, die sind nicht so. Die Theorien haben etwas entschieden angelsächsisches an sich, ... Was aber, wenn es Katholiken oder Bauern oder Basken oder andere soziale Gruppen gibt, die ihre Präferenzen immer auf dieselbe Weise Ausdruck verleihen wollen, durch eine eigene Partei oder durch verläßliche Loyalität für eine bestimmte Partei?" (Rolf Dahrendorf in 'Die Zeit', Nr.34, 1988, S.3)

   a. Erläutern Sie, wieso die Theorie von Downs etwas "entschieden angelsächsisches" an sich hat.

   b. Untersuchen Sie, ob es Parteien in der kontinentaleuropäischen Politik gibt, denen man kaum die Strategie der Stimmenmaximierung unterstellen kann.

   c. Welche Ziele und welche Einflußmöglichkeiten haben solche Parteien? Wie hängen die Einflußmöglichkeiten vom Wahlrecht ab?

8.3 Theorie: Marktversagen

8.3.1 Einführung

Nach der Vorstellung von Adam Smith führt die unsichtbare Hand, also der Eigennutz kombiniert mit einem System von Tauschraten zu einem gesellschaftlichen Optimum. Wird unter gesellschaftlichem Optimum Pareto-Optimum verstanden, so kann diese Aussage auch bewiesen werden:

Ein Marktgleichgewicht ist pareto-optimal.

Die Aussage gilt jedoch nur unter bestimmten Voraussetzungen, und diese Voraussetzungen sind in der Realität keineswegs immer gegeben. Somit können sich Situationen ergeben, in denen der durch Preise gesteuerte Markt nicht zum Pareto-Optimum führt; man spricht von Marktversagen. Im folgenden wollen wir wichtige Gründe von Marktversagen untersuchen.

8.3.2 Eigentumsrechte und ihre Durchsetzung

8.3.2.1 Eigentum als Bündel von Rechten

"Eigentum kann als ein exklusives Recht, ein ökonomisches Gut zu kontrollieren, definiert werden: es ist der Name für ein Konzept, das auf Rechte und Verpflichtungen, Privilegien und Restriktionen verweist, welche die Beziehungen zwischen Menschen bezüglich wertvoller Dinge regeln" (Yiannopoulous, A. N., Encyclopaedia Britannica, Bd. 15, S. 46, zitiert nach P. Weise 1979, S. 130).

Aufgabe 8.14

Gehen Sie bei den Antworten vom obigen Zitat aus.

  a. Verweist das Konzept Eigentum auf eine Beziehung zwischen Menschen oder zwischen Menschen und Gütern?

  b. Untersuchen Sie die Bedeutung des Begriffs Eigentum für Robinson Crusoe vor der Zeit mit Freitag und danach. Gehen Sie bei Ihren Überlegungen von der Antwort auf a. aus.

  c. Nennen Sie "Rechte und Verpflichtungen, Privilegien und Restriktionen" auf die das Konzept verweist.

Eigentum besteht aus einem Bündel von Rechten, die jeweils mehr oder weniger stark vertreten sind.

a. Das Recht, ein Gut zu gebrauchen.

b. Das Recht, Erträge aus diesem Gut zu ziehen.

c. Das Recht, Form und Substanz des Gutes zu verändern.

d. Das Recht, das Gut zu einem wechselseitig vereinbarten Preis an andere zu übertragen.

Manchmal wird dieser Liste noch hinzugefügt:

e. Das Recht, externe Effekte zu verursachen.

Den Ausdruck externe Effekte werden wir noch erklären.

Aufgabe 8.15

a. Untersuchen Sie das durch die Beziehungen a. bis d. gegebene Bündel von Rechten am Beispiel des Eigentums eines Mietshauses. Welche Rechte sind eingeschränkt?

b. Was ist Enteignung?

8.3.2.2 Das Rivalitätsprinzip

Wir beginnen wieder mit einer Aufgabe.

Aufgabe 8.16

Wenn Sie ein Computerprogramm kaufen, müssen Sie durch den Kaufvertrag in der Regel Bedingungen wie die folgende akzeptieren: "Die Verarbeitungsprogramme dürfen nur auf jeweils einem Computer benutzt werden. Mit dem Verkauf an Dritte erlöschen alle Nutzungsrechte des Veräußerers."

Warum muß man solche Verpflichtungen z. B. nicht beim Erwerb von Brot oder eines Autos eingehen? Wie unterscheiden sich in diesem Zusammenhang Computerprogramme oder auch Bücher von Gütern wie z. B. Brot, Kleidung oder Wohnung?

Bisher hatten wir Güter betrachtet, bei denen die Individuen um den Konsum rivalisieren. Darunter verstehen wir folgendes: Eine bestimmte Menge Brot kann nur von einem Individuum gegessen werden; wird die Menge geteilt, bekommt jeder entsprechend weniger; die Menge, die einer konsumiert, kann nicht auch ein anderer konsumieren. Die Individuen rivalisieren um den Konsum. Solche Rivalität existiert auch bei dauerhaften Gütern. Eine Wohnung, die von einer Familie bewohnt wird, kann nicht gleichzeitig von einer anderen Familie bewohnt werden, ohne daß die Nutzung beider Familien beeinträchtigt wird.

Beispiele für eine andere Art von Gütern sind z. B.:

Der <u>Inhalt</u> eines Buches. Ein Buch kann von mehreren gelesen werden, der Inhalt kann abgeschrieben oder fotokopiert werden. Jedes Individuum kann seinen Fähigkeiten entsprechend das Wissen, das in dem Buch enthalten ist, benutzen, ohne einem anderen Leser etwas wegzunehmen. Wiederum interessieren wir uns hier nicht dafür, ob das Kopieren (oder eventuell die Benutzung überhaupt) aus bestimmten Gründen verhindert werden kann oder soll.

Ein Computer-Programm: Ein Computer-Programm kann von jedem Besitzer eines zugehörigen Computers benutzt werden, ohne daß andere Benutzer gehindert werden, an ihrem Rechner mit dem gleichen Programm zu arbeiten.

Um solche Güter erfassen zu können, definieren wir das Rivalitätsprinzip:

<u>Rivalitätsprinzip</u>

Für ein Gut gilt das Rivalitätsprinzip, wenn die Mengen des Gutes, die ein Individuum konsumiert, nicht von einem anderen Individuum konsumiert werden können.

Güter, für die das Rivalitätsprinzip nicht gilt, heißen öffentliche Güter; Güter, für die das Prinzip gilt, heißen private Güter.

Aufgabe 8.17

  a. Suchen Sie Beispiele für öffentliche Güter und für private Güter.

  b. Untersuchen Sie, in welche der beiden Kategorien folgende Güter fallen

  ba. Theatervorführung

  bb. Auto-Brücke

  bc. Schwimmbad

  bd. Naturschutzpark

Die Beispiele aus Teil b. der letzten Aufgabe zeigen, daß es Güter gibt, die bis zu einer gewissen Benutzungsintensität als öffentliche Güter angesehen werden können: Einzelne Benutzer können gleichzeitig einer Theateraufführung beiwohnen, eine Brücke benutzen, einen Park besuchen oder im Schwimmbecken baden, ohne um dieses Gut zu rivalisieren. Erst ab einer gewissen Anzahl behindert man sich gegenseitig und rivalisiert um den Konsum. Solche Güter nennt man häufig gemischt öffentlich-private Güter.

Folgende Verwechslungen liegen nahe, sollten aber vermieden werden:

  a. öffentliche Güter sind nicht (jedenfalls nicht unbedingt) Güter, die von der "öffentlichen Hand" produziert und bereitgestellt werden.

  b. öffentliche Güter sind nicht (unbedingt) durch die Eigenschaft "dauerhaft" ausgezeichnet. Ein Gut, das nacheinander von verschiedenen Personen benutzt werden kann, bei dem aber in den einzelnen Zeitpunkten die Individuen um den Konsum rivalisieren, ist ein privates Gut.

  c. Ein freies Gut, also ein Gut, das scheinbar im Überfluß vorhanden ist und darum einen Preis von Null hat, ist nicht unbedingt ein öffentliches Gut.

Aufgabe 8.18

  a. Zeigen Sie durch Beispiele, daß die öffentliche Hand sowohl private wie öffentliche Güter produziert und bereitstellt und daß öffentliche Güter auch von privaten Anbietern bereitgestellt werden können.

  b. Geben Sie jeweils Beispiele für private Güter und öffentliche Güter, die dauerhaft bzw. nicht dauerhaft sind.

  c. Geben Sie jeweils Beispiele für private und öffentliche Güter, die freie Güter bzw. knappe Güter sind.

8.3.2.3 Das Ausschlußprinzip

In der Aufgabe 8.18c hatten wir gesehen, daß öffentliche Güter in der Regel knappe Güter sind, die nur durch Einsatz knapper Ressourcen produziert bzw. vermehrt werden können. Der Produzent hat dann in aller Regel Interesse daran, daß nur der die Güter nutzen kann, der dafür bezahlt.

Aufgabe 8.19
Untersuchen Sie, welche Möglichkeiten es für die Produzenten von Fernsehen,
Büchern, Computerprogrammen gibt, "unberechtigte" Personen vom Konsum
der knappen öffentlichen Güter auszuschließen. Denken Sie dabei sowohl an
gesetzgeberische wie an physikalisch-technische Maßnahmen.

Sowohl bei privaten wie auch bei öffentlichen Gütern können Beispiele
so gefunden werden, daß es aus technischen Gründen und/oder rechtlichen
Gründen nicht möglich oder nicht lohnend ist, Konsumenten vom Konsum
auszuschließen.

Ausschlußprinzip:
Für ein Gut gilt das Ausschlußprinzip, wenn es möglich ist, für dieses Gut
Eigentumsrechte zu definieren und durchzusetzen. Güter, für die das Ausschlußprinzip gilt, heißen marktfähige Güter, da es möglich ist, mit ihnen
zu handeln: derjenige, der den geforderten Preis nicht entrichtet, kann an
der Nutzung gehindert werden. Güter, für die das Prinzip nicht gilt, heißen
nicht-marktfähig. Öffentliche nicht-marktfähige Güter nennen wir kollektive
Güter.

Aufgabe 8.20
Suchen Sie Beispiele für
a. nicht-marktfähige private Güter
b. Kollektivgüter.

Die eingeführten Begriffe zur Güterklassifikation fassen wir jetzt in einem
Schema (vgl. Weise, Brandes, Eger, Kraft 1991, S. 425) zusammen und geben
dazu jeweils typische Beispiele an.

	marktfähige öffentliche Güter	marktfähige private Güter
markt-fähige Güter	kopiergeschützte Software patentierbares Wissen Kabelfernsehen	Brot, Kleidung
nicht-markt-fähige Güter	**Kollektivgüter** Straßenbeleuchtung, Deich nicht-patentierbares Wissen innere Sicherheit	**nicht-marktfähige private Güter** Erzvorkommen auf dem Meeresboden der Hochsee
	öffentliche Güter	**private Güter**

Ausschlußprinzip gilt / gilt nicht

Rivalitätsprinzip
gilt nicht   gilt

Aufgabe 8.21

a. *Zeigen Sie: Die Bereitstellung eines kollektiven Gutes kann zu einem Gefangenen-Dilemma führen. (Hinweis: Erinnern Sie sich an die Einführung des Gefangenen-Dilemmas in Kap. 1)*

b. *Überlegen Sie, wie man von der Existenz öffentlicher Güter ausgehend die Existenz eines Staates begründen könnte. Folgt aus dieser Begründung, daß Staaten tatsächlich deswegen entstanden sind?*

c. *Wie wird die Versorgung mit öffentlichen Gütern sein, wenn es keine Staaten oder Institutionen gibt, die diese bereitstellen?*

Aufgabe 8.22

a. *Begründen Sie mit Hilfe der eingeführten Güterklassifikation*
   aa. *die Existenz von Patentämtern,*
   ab. *die Existenz der GEMA.*

b. *Würde es ohne Institutionen wie Patentamt und GEMA keine Erfindungen, Musikstücke und Schauspiele geben?*

8.3.3 Externe Effekte

Wir kommen jetzt zu einem Begriff, der in den letzten Jahren gerade auch im Zusammenhang mit der Umweltproblematik zu besonderer Bedeutung gelangt ist.

8.3.3.1 Obstbauer und Imker

Das folgende vereinfachte Beispiel erläutert positive externe Effekte. Betrachtet werden zwei landwirtschaftliche Produzenten.

Der Imker produziert mit Arbeit und Hilfe von Bienen Honig. Je mehr Arbeit er einsetzt, um so mehr Bienen(völker) besitzt er, um so mehr Honig produziert er also. Wir können die (aufsteigend verlaufende) Produktionsfunktion des Imkers I folgendermaßen schreiben:

$$y_I = f_I(x_I)$$

Dabei steht x_I für Arbeit des Imkers, y_I für den Output an Honig, außerdem gehen wir hier wie auch bei den folgenden Produktionsfunktionen davon aus, daß unter abnehmenden Skalenerträgen produziert wird. Wir vernachlässigen bei obiger Schreibweise jedoch, daß der Imker auch noch Kapital und Material eingesetzt hat; wir könnten das aufnehmen, es würde die folgende Analyse erschweren aber im Prinzip nicht ändern. Der zweite landwirtschaftliche Produzent sei ein Obstbauer. Je mehr Obstbäume er mit seiner Arbeit x_A pflegt, um so mehr Äpfel kann er ernten; Kapital und Geräte seien wieder vernachlässigt. Seine (aufsteigend verlaufende und abnehmende Skalenerträge besitzende) Produktionsfunktion ist:

$$y_A = f_A(x_A)$$

Wir müssen allerdings bedenken, daß der Imker und auch die Bienen Honig nur mit Hilfe der Natur produzieren können. Je mehr Apfelblüten es gibt, um so mehr Honig kann gesammelt werden; die Anzahl der Apfelbäume hängt aber vom Arbeitseinsatz x_A des Obstbauern ab. Die Produktionsfunktion müßte genauer spezifiziert also so lauten:

$$y_I = f_I(x_I; x_A) \quad \text{mit} \quad \frac{\partial y_I}{\partial x_A} > 0$$

Der Input x_A ist durch Semikolon abgetrennt, um anzudeuten, daß der Imker keinen direkten Einfluß auf die Anzahl der Obstbäume hat. Der Ausdruck $\frac{\partial y_I}{\partial x_A}$ gibt an, um wieviel Einheiten sich die Honigproduktion ändert, wenn der Obstbauer die eingesetzte Arbeit um eine Einheit erhöht; dieser Ausdruck ist positiv, da zusätzlicher Arbeitseinsatz des Obstbauern die Anzahl der blütentragenden Bäume und damit die Honigproduktion annahmegemäß vergrößert.

Auch beim Obstbauern muß jedoch berücksichtigt werden, daß die Bäume in geringerem Maße Äpfel tragen, wenn sie nicht von Bienen bestäubt werden. Je mehr Bienen in der Nähe sind, um so mehr Äpfel werden geerntet; die Anzahl der Bienen jedoch hängt vom Arbeitseinsatz x_I des Imkers ab. Genauer spezifiziert haben wir somit die Produktionsfunktion:

$$y_A = f_A(x_A; x_I) \quad \text{mit} \quad \frac{\partial y_A}{\partial x_I} > 0$$

Auf die Arbeit des Imkers x_I habe der Obstbauer keinen direkten Einfluß, der Input x_I wird darum mit Semikolon abgetrennt.

In unserem Beispiel bewirkt die ökonomische Aktivität des Imkers eine Produktionssteigerung beim Apfelbauern. Umgekehrt wirkt auch die Produktion des Obstbauern produktionssteigernd auf die des Imkers. Dieser Effekt ergibt sich aus Aktivitäten außerhalb des Entscheidungsbereichs der jeweiligen Produzenten. Darum sprechen wir von .zeiseitigen positiven externen Effekten.

Beide Produzenten gewinnen durch die Arbeit des anderen, beide werden gegen die wirtschaftliche Aktivität des anderen nichts einzuwenden haben. Auf den ersten Blick ist es also erstaunlich, dieses Beispiel unter dem Abschnitt "Versagen der unsichtbaren Hand" wiederzufinden. Dies wird klarer, wenn wir zunächst noch ein anderes Beispiel ansprechen.

8.3.3.2 Fischer und Chemiewerk

Wir betrachten einen größeren Fluß mit einem Chemiewerk. Dieses Chemiewerk produziert allein mit Arbeit x_c einen bestimmten Output (die anderen Materialien seien ausreichend vorhanden, werden also nicht spezifiziert). Wir haben also die Produktionsfunktion:

$$y_c = f_c(x_c)$$

Gehen wir davon aus, daß zusätzlicher Einsatz von Arbeit die Produktion
steigert und daß die Produktionsfunktion abnehmende Skalenerträge besitzt,
so ergibt sich ein Verlauf der Produktion wie in Abb. 8.1. Gleichzeitig benutzt das Chemiewerk - so wird angenommen - Wasser aus dem Fluß und
leitet das verschmutzte Wasser als Abwasser wieder zurück. Da das Chemiewerk nicht dafür zahlen muß, berücksichtigt es das nicht in der Produktionsfunktion.

Genaugenommen müßte die Produktionsfunktion also lauten

$$y_c = f_c(x_c; w_c)$$

wobei w_c die Menge an Wasser ist, die aus dem Fluß entnommen und ver-
schmutzt zurückgegeben wird.

Unterhalb des Chemiewerks benutzt ein Fischer den Fluß als Fangrevier.
Mit seiner Arbeitskraft produziert er also Fisch (Boot und Netze werden nicht
berücksichtigt). Er habe eine mit zunehmendem Arbeitseinsatz steigende,
abnehmende Skalenerträge besitzende Produktionsfunktion

$$y_F = f_F(x_F)$$

Die Größe des Fanges hänge von der Verschmutzung und diese Verschmutzung vom Arbeitseinsatz x_c im Chemiewerk ab.

$$y_F = f_F(x_F; x_c) \quad \text{mit} \quad \frac{\partial y_F}{\partial x_c} \neq 0$$

Die Beziehung $\frac{\partial y_F}{\partial x_c} \neq 0$ besagt, daß der Fischfang davon abhängt, wieviel
Schmutzwasser vom Chemiewerk in den Fluß geleitet also wieviel Arbeit in
der Chemie eingesetzt wird. Realistischerweise wird man davon ausgehen,
daß der Fischfang zurückgeht, wenn mehr Abwasser vom Chemiewerk eingeleitet wird. Im Prinzip denkbar ist allerdings auch der Fall, daß das Abwasser
z. B. einer Zellulosefabrik Nährstoffe enthält, die zu einer Vergrößerung des
Fischbestandes und damit des Fischfangs führen.

In Abb. 8.2 ist die Produktionsfunktion des Fischers für verschiedene
Verschmutzungsintensitäten eingezeichnet. Da man plausiblerweise davon
ausgehen kann, daß der Fischbestand bei sauberem Wasser am höchsten ist,
bekommt man mit zunehmender Verschmutzung einen immer tiefer liegenden
und flacher ansteigenden Verlauf.

8.3.3.3 Einzelinteresse und vereinigtes Interesse

Wir betrachten weiter das Fischer-Chemiewerk-Beispiel und unterstellen, daß das Chemiewerk seinen Gewinn G_c und der Fischer seinen Gewinn
G_F maximieren, indem sie den von ihnen kontrollierten Input x_c bzw. x_F
optimal einsetzen. Damit ergeben bei vollständiger Konkurrenz sich als Wertgrenzproduktregel

$$p_c \cdot \frac{\partial f_c}{\partial x_c} = w$$

$$p_F \cdot \frac{\partial f_F}{\partial x_F} = w$$

p_c, p_F sind die Preise des Chemieprodukts bzw. des Fischs, w ist der Faktorpreis der Arbeit.

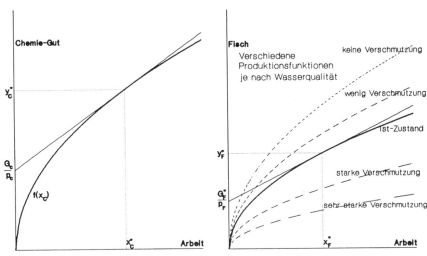

Abbildung 8.1 Optimale Chemieproduktion   Abbildung 8.2 Optimale Fischproduktion

Wir bekommen damit die schon bekannte Aussage, daß der Einsatz des Faktors so gewählt wird, daß eine zusätzliche Faktoreinheit real genausoviel kostet wie sie in der Produktion erbringt. Bei nur einem (spezifizierten) Input ist damit der optimale Output y_c^* bzw. y_F^* und der zugehörige maximale reale Gewinn $\frac{G_c^*}{p_c}$ bzw. $\frac{G_F^*}{p_F}$ bestimmt (vgl. die Abbildungen 8.1 und 8.2)

Wir erhalten aber neue Erkenntnisse, wenn wir untersuchen, ob das Ergebnis nicht nur einzelwirtschaftliche Gewinnmaxima darstellt, sondern ob es pareto-optimal ist.

Dazu untersuchen wir, ob die Unternehmen bei einem Zusammenschluß ihren Gewinn erhöhen könnten. Dabei ist die rechtliche Form des Zusammenschlusses unwichtig, wichtig aber ist, daß man bei der Bestimmung des Gewinnes, z. B. der Fischabteilung des Betriebes, kontrollieren kann, was die Chemieabteilung unternimmt und das gemeinsame Optimum in Kooperation beider Abteilungen herstellt. Das bedeutet, daß die zu betrachtende Produktionsfunktion des Fischers diese Form hat:

$$y_F = f_F(x_F; x_c)$$

Der Gewinn ergibt sich für die zusammengeschlossenen Unternehmen aus dem Erlös der Chemieabteilung $p_c \cdot f_c$ minus den Lohnkosten der Chemieabteilung $w \cdot x_c$ plus dem Erlös der Fischabteilung $p_F \cdot f_F$ minus den Lohnkosten der Fischabteilung $w \cdot x_F$:

$$G = p_c f_c(x_c) + p_F f_F(x_F; x_c) - w x_c - w x_F$$

Als notwendige und bei abnehmenden Skalenerträgen auch hinreichende Optimalitätsregel ergibt sich durch Ableiten nach x_F und umstellen

$$p_F \cdot \frac{\partial f_F}{\partial x_F} = w \qquad (*)$$

Durch Ableiten nach x_c ergibt sich

$$p_c \cdot \frac{\partial f_c}{\partial x_c} + p_F \cdot \frac{\partial f_F}{\partial x_c} = w$$

Wir stellen um:

$$p_c \cdot \frac{\partial f_c}{\partial x_c} = w + \left(-p_F \cdot \frac{\partial f_F}{\partial x_c} \right) \qquad (**)$$

Die Beziehung $(*)$ ist nicht neu. Hingegen muß $(**)$ intensiver untersucht werden. Als erstes bemerken wir, daß $(**)$ sich nur durch den Ausdruck $-p_F \cdot \frac{\partial f_F}{\partial x_c}$ von der üblichen Wertgrenzproduktregel unterscheidet. Dieser Ausdruck muß also interpretiert werden:

$\frac{\partial f_F}{\partial x_c}$ beschreibt, wie sich der Output des Fischers gemessen in Einheiten Fisch ändert, wenn eine zusätzliche Einheit Arbeit in der Chemieproduktion eingesetzt wird; der Wert ist negativ, wenn die Aktivität des Chemiewerks den Fischbestand schädigt (sonst positiv). $\frac{\partial f_F}{\partial x_c}$ mißt also die negativen (bzw. positiven) externen Effekte. Dieser, in Einheiten Fisch gemessene Effekt, wird mit dem Preis p_F des Fisches bewertet. $-p_F \cdot \frac{\partial f_F}{\partial x_c}$ ist also (bei Schädigung) eine positive Größe, die die Auswirkung einer Produktionsausdehnung im Chemiebereich auf den Wert der Fischproduktion beschreibt. Somit kann dieser Ausdruck als Kosten interpretiert werden. Zu den direkten Kosten w_c einer zusätzlich eingesetzten Einheit x_c kommen noch die indirekten Kosten übertragen durch das Wasser (also die Umwelt) auf die Fischproduktion. Negative externe Effekte werden darum auch konsequenterweise als externe Kosten klassifiziert.

Als nächstes betrachten wir die Auswirkungen auf das Produktionsniveau von Chemiegütern und Fischen, die durch den Zusammenschluß bewirkt wurden. Betrachten wir zuerst das Chemiewerk (als Abteilung des Zusammenschlusses).

Die Kosten für das Chemiewerk steigen (in der internen Abrechnung des Zusammenschlusses). Das Optimum liegt also an einem Punkt, an dem das

Grenzprodukt größer ist, das ist bei einem geringeren Input $\hat{x}_c$ der Fall; dort wird ein geringerer Output $\hat{y}_c$ produziert.

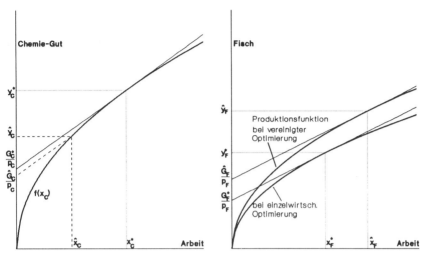

Abbildung 8.3 Optimale Chemieproduktion   Abbildung 8.4 Optimale Fischproduktion

Ist der Input des Chemiewerks geringer, so ist die Wasserverschmutzung geringer und der Fischer hat bei jedem Arbeitsinput einen höheren Output als bei starker Verschmutzung. Wir erhalten also den höher liegenden Verlauf der Produktionsfunktion. Bei gleichem Fischpreis und gleichem Fischerlohn führt das zu verstärktem Arbeitseinsatz $\hat{x}_F$ und damit zu vergrößertem Fischfang $\hat{y}_F$. Wenn die beiden Firmen kooperieren, haben sie natürlich die Möglichkeit, die Lösung zu wählen, die sich bei einzelwirtschaftlichem Optimieren ergibt. Da wir bei kooperativem Optimieren aber eine andere Lösung bestimmt haben, ergibt sich somit zwingend, daß der Gewinn bei Kooperation höher ist.

Dies kann auch dadurch bewiesen werden, daß aufgezeigt wird, wie von der einzelwirtschaftlichen Lösung ausgehend eine Gewinnsteigerung möglich ist.

Wir gehen also aus von der einzelwirtschaftlichen Lösung aus

$$p_c \cdot \frac{\partial f_c}{\partial x_c} = w = p_F \cdot \frac{\partial f_F}{\partial x_F}$$

Wir reduzieren x_c um eine marginale Einheit und erhöhen x_F um diese marginale Einheit. Damit erniedrigt sich der Erlös des Chemiewerks um $p_c \cdot \frac{\partial f_c}{\partial x_c}$. Durch den verstärkten Arbeitseinsatz erhöht sich der Erlös des Fischers um $p_F \cdot \frac{\partial f_F}{\partial x_F}$. Wegen der Optimalitätsbedingung stimmen die beiden Größen überein. Das, was beim Chemiewerk durch verringerten Arbeitseinsatz verloren geht, wird durch verstärkten Arbeitseinsatz beim Fischer gewonnen. Beim Fischer wird allerdings noch ein weiterer Effekt, der externe

Effekt, wirksam. Durch die geringere Verschmutzung steigt der Erlös um $\left| p_F \cdot \frac{\partial f_F}{\partial x_c} \right|$. Um diese Größe steigt also der Gewinn, wenn die Produktion vom einzelwirtschaftlichen Gleichgewicht um eine Einheit zum gesellschaftlichen Optimum verlagert wird.

8.3.3.4 Internalisierung: Zusammenschluß, Staatseingriff und Verhandlungslösung

1. Zusammenschluß

Bei der obigen Diskussion ist deutlich geworden, daß Marktverzerrungen, die durch externe Effekte bewirkt werden, durch Zusammenschluß der Betroffenen entzerrt werden können. Die Effekte, die vorher außerhalb des Einflußbereiches lagen, werden zu Entscheidungsparametern, sie werden internalisiert.

Durch Zusammenschluß von Unternehmen können externe Effekte internalisiert werden.

2. Staatseingriff

Bei negativen externen Effekten kann der Staat eingreifen, um diese Effekte zu verhindern oder erträglicher zu gestalten. Eine Möglichkeit ist das Verbot von Produktionen mit negativen externen Effekten. Obwohl immer wieder gefordert, kann eine solche Maßnahme nur als "ultima ratio" angesehen werden: sind die Auswirkungen von Produktionen unzumutbar, so muß der Staat zum Schutz der Bevölkerung eingreifen; Beispiele sind z.B. die Benutzung von Baumaterial mit Asbest oder die Verwendung von Spraydosen mit Fluorchlorkohlenwasserstoffen. In der Regel ist ein Verbot von externen Effekten nicht sinnvoll. Es müßte dann das Autofahren, sogar das Spielen der Kinder, ja fast jede menschliche Aktivität verboten werden. Der Staat kann aber durch steuerliche Maßnahmen die Produktion im Prinzip so steuern, daß ein pareto-optimaler Zustand erreicht wird. Dazu muß dem Produzenten (im Beispiel dem Chemiewerk), der einen negativen externen Effekt auf andere ausübt (im Beispiel auf den Fischer), eine Steuer in Höhe von:

$$-p_F \cdot \frac{\partial f_F}{\partial x_c}$$

auferlegt werden, bei positiven Effekten muß eine Subvention in dieser Höhe gezahlt werden. Ein Problem bei dieser Lösung besteht darin, daß ein Staat dann sämtliche externen Effekte abschätzen können muß. Außerdem muß der Staat bzw. die handelnden Politiker ein hinreichend großes Interesse für entsprechende Handlungen besitzen.

3. Verhandlungslösung

Als nächstes gehen wir davon aus, daß die beiden Produzenten gegenseitig die Produktionsbedingungen kennen und in Verhandlungen treten. Solche Verhandlungen sind in der Regel nur erfolgversprechend, wenn sie innerhalb eines gesetzlichen Rahmens stattfinden. Dieser gesetzliche Rahmen muß z. B. festlegen, welche Rechte das Chemiewerk bezüglich der Wassernutzung und welche Rechte der Fischer bezüglich der Wasserqualität hat. Wir gehen dabei davon aus, daß:

i die Individuen sich tatsächlich an die Rechtsnormen halten und darüber hinaus keine weiteren Normen (Moral bzw. Naturrecht etc.) berücksichtigen,

ii die Individuen im Rahmen von Verhandlungen über Rechte und Pflichten Absprachen treffen und diese Absprachen durchsetzen können,

iii die Individuen gegenseitig die Produktionsbedingungen einschließlich der externen Effekte kennen,

iv keine Informationskosten (bei iii) und keine Transaktionskosten (bei ii) auftreten.

a. Das Recht, uneingeschränkt externe Effekte zu verursachen.
Das Chemiewerk habe das unbeschränkte Recht, Abwässer in den Fluß einzuleiten (ohne dafür Gebühren zu zahlen). Der Fischer kann dagegen innerhalb der Rechtsordnung nichts unternehmen, es sei denn, er schließt mit dem Chemiewerk ein Abkommen zum gegenseitigen Vorteil. Da das Chemiewerk berechtigt ist, Abwässer einzuleiten und keinerlei andere Normen berücksichtigt, kann der Fischer das Chemiewerk nur insoweit zur Produktionsänderung bewegen, wie er das Chemiewerk mindestens für Verluste kompensiert. Ist der Zustand beim Vorliegen von externen Effekten nicht pareto-optimal, so ist es dem Fischer möglich, das Chemiewerk durch Zahlungen tatsächlich zur Produktionseinschränkung zu bewegen und dabei einen zusätzlichen Profit zu machen, bis schließlich ein pareto-optimaler Zustand hergestellt wird.

b. Das Recht, von externen Effekten verschont zu bleiben.
Der Fischer habe das Recht auf einen sauberen Fluß ohne irgendwelche Verschmutzungen. Will das Chemiewerk produzieren und existiert kein Verfahren, ohne daß Abwasser entsteht, so muß das Chemiewerk mit dem Fischer eine Vereinbarung über die Möglichkeit der Verschmutzung eingehen. Dabei läßt sich der Fischer den entgangenen Fang natürlich mindestens ersetzen. Dies ist dem Chemiewerk auch möglich, solange der Zustand noch nicht pareto-optimal ist. Werden die Verhandlungen fortgesetzt, solange beide profitieren können, so kommt es schließlich auch hier zu einem pareto-optimalen Zustand.

Es ergibt sich somit in beiden Rechtsordnungen ein pareto-optimaler Zustand, und zwar mit den gleichen Produktionsniveaus (das wurde hier nicht gezeigt). Unterschiedlich sind jedoch die Gewinne, da bei a. der Fischer und bei b. das Chemiewerk Kompensationszahlungen leisten muß. Diese Aussagen sind als Coase-Theorem bekannt geworden.

8.4 Aufgaben zur Theorie

Aufgabe 8.23 (Das Märchen von den Äpfeln und den Bienen)
Steven N. S. Cheung hat das immer wieder benutzte Beispiel der Bienen und Äpfel für positive externe Effekte an der Realität überprüft, indem er das Verhalten der Imker im Staat Washington untersucht hat. Seine Ergebnisse sind in folgender Tabelle zusammengefaßt:

Jahreszeit	Frucht	Mehrertrag an Honig	Bestäub. gebühr	Bienenstands- Rente
frühes Frühjahr	Mandeln (Kalifornien)	0	$5 - $8	-
	Kirschen	0	$6 - $8	-
spätes Frühjahr (Hauptbestäu- bungsperiode)	Äpfel etc.	0	$9 - $10	-
	Blaubeeren (mit Ahorn)	40	$5	-
	Kohl	15	$8	-
	Kirschen	0	$9 - $10	-
	Preißelbeere	5	$9	-
Sommer und früher Herbst	Luzerne (als Grünfutter)	60	-	13¢ - 60¢
	Luzerne (mit Bestäubung)	25 - 35	$3 - $5	-
	Wald-Weidenröschen	60	-	25¢ - 63¢
	Minze	70 - 75	-	15¢ - 65¢
	Roter Klee	60	-	65¢
	Roter Klee (mit Bestäub.)	0 - 35	$3 - $6	-
	Süßer Klee	60	-	20¢ - 25¢

a. *Untersuchen Sie die Tabelle. Welchen Effekt hat z. B. die Apfelblüte auf den Ertrag des Imkers?*

b. *Zeigen Sie, daß der Markt externe Effekte durchaus mit Preisen bewertet.*

c. *Überlegen Sie, ob die im letzten Abschnitt angeführten Voraussetzungen für eine Verhandlungslösung in diesem Fall (mindestens näherungsweise) erfüllt sind.*

d. *Kann man davon ausgehen, daß es auch im Fall von negativen externen Effekten (Flußverschmutzung) über Kompensationszahlungen zu ähnlichen Verhandlungslösungen kommen kann? Denken Sie dabei an die genannten Voraussetzungen für Verhandlungslösungen.*

Kapitel 9:
Ressourcenknappheit und intertemporale Theorie

9.0 Lernziele

1. Erfahren, daß die Schädigung der Umwelt durch den Menschen ein altes Problem ist, das sich aber mit der industriellen Revolution deutlich verschärft hat.

2. Erkennen, daß heutige Entscheidungen, heutige Versäumnisse und heutige Fehler unser zukünftiges Leben und das unserer Nachfahren mitbestimmen.

3. Grundzüge einer intertemporalen ökonomischen Theorie kennenlernen.

4. Das Wesen des Zinses in einem einfachen Zwei-Perioden-Modell erkennen.

5. Zins als einen intertemporalen Steuerungsmechanismus kennenlernen.

6. Grundkenntnisse der Zins- und Zinseszinsrechnung erlernen.

7. Den Zusammenhang zwischen Zins, Preis und Ressourcennachfrage in einem einfachen Modell kennenlernen.

8. Die grundsätzliche Kritik von Georgescu-Roegen an der neo-klassischen Wirtschaftstheorie diskutieren.

9.1 Ökologie und intertemporale Theorie

9.1.1 Ökologie - ein historischer Überblick

In den letzten Jahrzehnten werden Wirtschaftswissenschaftler, Unternehmer und Politiker immer häufiger aufgefordert, bei ihren Ideen und Vorhaben den "ökologischen" Zusammenhang zu berücksichtigen. Was heißt "Ökologie"? "Ökologie" stammt aus dem Griechischen und bedeutet "Haushaltslehre". Diese sieht ihre Aufgabe darin, zu erklären, wie ein ausgewogenes Gleichgewicht zwischen Einnahmen und Ausgaben erreicht wird. Damit hat das Wort "Ökologie" ursprünglich fast die gleiche Bedeutung wie "Ökonomie", aber wir gebrauchen es jetzt, um das Verhältnis von Lebewesen zu ihrer Umwelt zu beschreiben. Überwiegend beschreibt "Ökologie" die Auswirkungen wirtschaftlicher Tätigkeiten auf die Umwelt und versucht, Störungen des natürlichen Gleichgewichts zu verhindern oder wenigstens seine Ursachen aufzudecken. "Gleichgewicht" hat hier eine andere Bedeutung als die, die wir in der Ökonomie kennengelernt haben. Da sich die Welt ständig verändert, die Evolution nicht abgeschlossen ist, gibt es im eigentlichen Sinne des Wortes kein Gleichgewicht. Kreeb (1979, S. 91) definiert das annähernde Gleichgewicht so: "In für menschliches Ermessen unvorstellbar großen Zeiträumen bleibt ein ungestörtes Ökosystem in sich, d. h. von seiner Struktur und seinen Funktionen her gesehen, konstant."

Beim Lesen der vielen Veröffentlichungen zum Thema "Störung des ökologischen Gleichgewichts" kann leicht der Eindruck entstehen, daß uns die industrielle Revolution diese Probleme beschert hat. Das ist jedoch ein Irrtum; es handelt sich hier um ein uraltes Problem. Als in den Hochkulturen zwischen Euphrat und Tigris keine geregelte Entwässerung mehr durchgeführt wurde, kam es zur Versalzung und damit zur Unfruchtbarkeit des Bodens, der bis in unsere Zeit nur noch wenige Menschen ernähren konnte. Noch viel gravierender waren die Folgen der Waldrodungen. In der Antike und im Mittelalter war der Holzbedarf ungeheuer; Holz war oft der einzige Energieträger, wurde beim Haus- und vor allem beim Schiffsbau benötigt. Die gerodeten Flächen wurden nicht wieder aufgeforstet, sondern dienten als Weiden für Schafe und Ziegen, die nicht nur jede aufkeimende Pflanze fraßen, sondern den Grund so zertraten, daß Regen und Wind den fruchtbaren Boden forttragen konnten. In höheren Lagen trat nacktes Gestein zutage, während die Ackerkrume zu sumpfigen Flußdeltas fortgeschwemmt wurde. Der sinkende Grundwasserspiegel erschwerte schließlich auch in tieferen Lagen Ackerbau und Viehzucht. Diese Situation finden wir in fast allen Mittelmeerländern. Durch hemmungslose Entnahme des Rohstoffs Holz geriet das Gleichgewicht aus den Fugen, die Menschen zerstörten nicht nur die Umwelt, sondern ihre Lebensgrundlage. Entscheidend für das Ausmaß der Zerstörung ist nicht die Bevölkerungsdichte, sondern der Umgang mit den Ressourcen. Ein Hirten- und Nomadenvolk mit extensiver Bodennutzung kann die Umwelt viel stärker zerstören als in eng besiedelten südlichen Ländern die Kleinbauern, die die Abhänge terrassierten, pflegten und so die Bodenerosion aufhielten.

Die Schäden durch Industrie waren in der Antike und im Mittelalter lokal begrenzt; erst seit der industriellen Revolution haben sie weltweite Ausmaße angenommen. Im Moment klaffen auf der Erde die Gegensätze: In den unterentwickelten Ländern unterscheidet sich die Situation nicht sehr von dem oben beschriebenen Raubbau; Wälder und Ackerflächen gehen verloren, der Grundwasserspiegel sinkt, um heute zu überleben, müssen Menschen Saatgut und Vieh verzehren, das sie dringend für morgen benötigen. Monokulturen ruinieren Böden vollends, der Wüstengürtel scheint breiter zu werden, Hungersnöte dezimieren immer häufiger die Bevölkerung. In den hochentwickelten Ländern wurde mit Hilfe von Industrie und Technik ein bisher einzigartiger Lebensstandard erreicht: Seuchen und Hungersnöte sind verschwunden, die Medizin verhilft zu langer Lebenserwartung, die Versorgung mit Lebensmitteln, Kleidung, Wohnungen, Energie und Konsumgütern scheint gesichert. Der Preis für diese Sicherheit sind eine geschädigte Umwelt, verschmutztes Wasser und verschmutzte Luft, belastete Lebensmittel, wachsende Müllhalden.

Trotz der Polarisierung in arme und reiche Länder ist beiden Gruppen die Störung des Gleichgewichts gemein. Weltweit lassen sich drei große, eng miteinander verflochtene Problemkreise der Ökologie ausmachen, nämlich die Energie, die Ressourcen- und die Nahrungsmittelfrage. Die Energie nimmt eine zentrale Stellung ein, denn ohne Energie können Rohstoffe weder gewonnen noch verarbeitet noch transportiert werden. Im Moment wird hauptsächlich Energie fossilen Ursprungs verwendet. Mit Kohle, Erdöl, Erdgas entnehmen wir der Erde Güter, die nur begrenzt vorhanden und nicht ersetzbar sind. Auch die in den fünfziger und sechziger Jahren so problemlos erscheinende Nutzung der Atomenergie hängt vom begrenzt vorhandenen Uran ab und hat den Nachteil, daß bei fehlerhafter Abfallbeseitigung und Unfällen weite Gebiete für Jahrtausende unbewohnbar werden können. Ressourcen, z. B. Metalle, sind auch nur beschränkt in erreichbaren Lagen abbaubar; werden aber bei uns so verwendet, als sei der Vorrat endlos. Metalle, die mit hohem Energieaufwand verarbeitet wurden, wandern oft nach kürzestem Gebrauch auf die Müllhalden.

Die Nahrungsmittelversorgung ist in den Entwicklungsländern das drängendste Problem. Pestel (1976, S. 11 f.) führt diese Ursachen für den Hunger an: "Analphabetentum, unsoziale Besitzverhältnisse, fehlende Infrastruktur, Kapitalmangel, rapide Verteuerung von Energie und landwirtschaftlichen Betriebsmitteln, ungünstige Boden- und Klimaverhältnisse, zurückgebliebene wirtschaftliche und industrielle Entwicklung und schließlich die verschwindend schwache Kaufkraft von 80-90 % der Bevölkerung vereinen sich mit der raschen Bevölkerungszunahme."

Wie kann man diese Probleme lösen? Schon die Ursachen für den Hunger zeigen, daß ein Zusammenspiel von wirtschaftlichen, sozialen, politischen, kulturellen Faktoren nötig ist, um Abhilfe zu schaffen. Pestel schlägt in seinem Bericht an den Club of Rome (1976, S. 14) vor, daß die Verantwortlichen zunächst anstelle von sich oft widersprechenden Einzelzielen "systemar ver-

netzte, miteinander verträgliche Ziele formulieren. Nur solche sind es wert,
verfolgt zu werden, weil nur sie in der Zukunft Bestand haben können beziehungsweise eine gute Ausgangsbasis für weitere Entwicklungen darstellen.
Mit der Verkopplung in die Zukunft, das heißt mit einer Orientierung unseres
Handelns an einem System zukunftsbezogener Zielvorstellungen, können wir
dann die Einzelschritte wieder logisch-kausal vornehmen, also uns in unserem
weiteren Planen und Handeln auch auf die in der Vergangenheit gewonnene
Erfahrung abstützen."

Um erreichbare Ziele zu formulieren, muß man zunächst eine Bestands-
aufnahme machen. Da die wirtschaftliche Entwicklung in den armen Ländern
mit der Bevölkerungsexplosion nicht mithalten kann, scheint eine Drosselung
des Bevölkerungswachstums ein notwendiger Schritt zu sein. Einleuchtend
ist es, den Verbrauch von nicht reproduzierbaren Rohstoffen einzuschränken,
indem man Artikel mit längerer Lebensdauer herstellt oder die Materialien
mehrmals verwendet. Notwendig ist die Erforschung von Energien, die auf
nicht erschöpfbaren Ressourcen beruhen und die Umwelt wenig oder gar nicht
belasten. Wasser-, Wind- und Sonnenenergie scheinen im Moment vielver-
sprechende Möglichkeiten zu sein. Da von einer Idee bis zu ihrer großräumigen Anwendung durchaus 20 Jahre vergehen können, ist es wichtig, intensiv
in mehrere Richtungen zu forschen, um für möglichst viele Probleme der
Zukunft gewappnet zu sein.

Umstritten ist bei den Forschern die Rolle des Wirtschaftswachstums in
den Industrieländern; während einige glauben, daß ungelenktes Wachstum
lediglich zur Produktion von Überflüssigem und damit zur Vergeudung von
Ressourcen führt, sehen andere im Wachstum die Möglichkeit, Mittel für den
Schutz der Umwelt zu verdienen.

Pestel (1976, S. 12) macht Hoffnung und warnt zugleich: "Sicherlich
liegt ein Vermeiden von großräumigen und langzeitigen Katastrophen im Bereich unserer technischen und wirtschaftlichen Möglichkeiten, die allerdings
kaum Chance auf Verwirklichung haben, wenn der gegenwärtige politische
Stil des kurzatmigen Planens und Handelns weiter fortbesteht." Wir erleben immer wieder, daß als sinnvoll und notwendig erkannte Maßnahmen mit
Rücksicht auf Interessengruppen und die nächste Wahl nicht durchgeführt
werden können. So ist es in den reichsten Ländern sehr schwierig, einen
außerordentlich umweltschädigenden Stoff wie FCKW zu verbieten. Unsere
Bereitschaft zu neuen Produktionstechniken mit Hinblick auf das bedrohte
Ökosystem muß noch sehr zunehmen.

Nitsche (zitiert nach Kreeb, 1979, S. 163) beschreibt unsere Situation
so: "Die Menschheit steht an einem Wendepunkt. Sie kann die zweite industrielle Revolution bis zur Vernichtung ihrer Gattung weitertreiben. Sie
kann aber auch durch eine dritte industrielle Revolution die Versöhnung von
Technologie und Ökologie erreichen."

Diese Analyse der ökologischen Situation der Welt klingt bedrückend;
trotzdem lassen wir uns dadurch meistens nicht für längere Zeit beunruhi-
gen, denn wir wissen, daß zu unseren Lebzeiten und vermutlich auch zu denen

unserer Kinder die unmittelbar bedrohlichen Ereignisse nicht eintreten werden. Es ist nötig, diese Probleme zukünftiger Generationen in einem Modell zu behandeln, daß die Zeit explizit berücksichtigt.

9.1.2 Der intertemporale Ansatz

Der kurze historische Überblick hat deutlich gezeigt, daß ökologische Probleme immer sehr stark mit intertemporalen Problemen verbunden sind: Die Welt, in der wir leben, wurde durch das Handeln unserer Vorfahren mitbestimmt, unsere heutigen Entscheidungen betreffen in positiver wie negativer Weise unsere Nachkommen. Damit stoßen wir auf das schon im ersten Kapitel angesprochene Koordinationsproblem in einem intertemporalen Kontext: Wer bestimmt, was, wieviel und für wen produziert wird, wieviel dürfen wir von den knappen Ressourcen verbrauchen, wieviel an Kapital müssen, wieviel an Müll dürfen wir hinterlassen? Wer soll koordinieren? Gibt es eine "intertemporale unsichtbare Hand", also einen automatisch wirkenden intertemporalen marktwirtschaftlichen Koordinationsmechanismus?

Im diesem abschließenden Kapitel soll darum die intertemporale ökonomische Theorie vorgestellt und dabei insbesondere der Zins als intertemporaler Allokationsmechanismus eingeführt werden. Ausgehend vom Zins werden dann Begriffe wie "Gegenwartswert", "aufzinsen", "abdiskontieren" und darauf aufbauend "intertemporale Nutzenfunktion" behandelt.

Dieses Kapitel wird durch einen Aufsatz von Georgescu-Roegen abgeschlossen, in dem vor dem Hintergrund der ökologischen Probleme Zusammenhänge zwischen Ökonomie und Naturwissenschaften sehr kritisch diskutiert werden.

9.2 Der Zins

9.2.1 Das Zinsproblem

Der Zins, der uns im täglichen Leben begegnet, besteht aus einer Reihe von Komponenten. Einige dieser Komponenten betreffen das Zinsproblem nach allgemeiner Auffassung nur an der Oberfläche. Wir müssen hier kurz auf diese Komponenten eingehen, um das eigentliche Zinsphänomen besser erfassen zu können.

In Ländern mit hoher Inflation sind die Zinssätze in aller Regel höher als in solchen mit niedriger. Der Zins enthält also eine Inflationskomponente.

Kredite für riskante Projekte oder gefährdete Firmen sind teurer als Kredite an "erstklassige Adressen". Der Zins enthält eine Risikoprämie.

Kleinkredite sind teurer als große Kredite (bei gleicher Bonität), Ratenkredite sind besonders teuer. Im Zins ist also (explizit oder implizit) eine Gebühr für Bereitstellung, Prüfung und Bearbeitung des Kredits enthalten. Der Zins enthält eine Bearbeitungsgebühr.

Man kann jedoch feststellen, daß auch dann, wenn man Situationen betrachtet, bei denen Inflation, Unsicherheit und Bereitstellungskosten keine (oder eine vernachlässigbar kleine) Rolle spielen, das Phänomen des Zinses auftaucht. Zins kann damit nicht allein aus einer Bearbeitungsgebühr, aus einer Risikoprämie oder als Inflationsausgleich erklärt werden; es muß eine andere Ursache für das Zinsphänomen geben. Dabei ist Zinsnehmen kein modernes Phänomen, sondern hat in der bekannten Wirtschaftsgeschichte immer eine (nicht immer akzeptierte) Rolle gespielt.

"Die älteste Form des Darlehen war auch in Griechenland das Fruchtdarlehen. Der Bauer, der kein Brotkorn mehr hatte, ging zu dem wohlhabenderen Nachbarn und lieh was er brauchte, mit dem Versprechen, das Geliehene nach der Ernte zurückzugeben. Damit war beiden Teilen gedient; der Darleiher bekam statt des alten frisches Getreide, und der Entleiher konnte sich bis zur Ernte durchschlagen. ...

Indes wurde es schon früh üblich, bei Rückerstattung des Darlehens mehr zu geben, als man empfangen hatte, um den Gläubiger zu künftigen Darlehen geneigt zu machen. Was zuerst freiwillig geschehen war, wurde dann gefordert, sobald die Entwickelung des Handels und der Industrie der landwirtschaftlichen Produktion einen aufnahmefähigen Markt gegeben hatte. So entstand der Zins. Und es lag in der Natur der Sache, daß der geforderte Zins hoch war; handelte es sich doch um Notstandsdarlehen, bei denen der Gläubiger in der Lage war, die Bedingungen zu diktieren." (Beloch, 1911, S. 1017)

"Dieses Einkommen zeichnet sich durch einige merkwürdige Eigenschaften aus.

Es entsteht unabhängig von irgendeiner persönlichen Tätigkeit des Kapitalisten; es fließt ihm zu, auch wenn er keine Hand zu seiner Entstehung gerührt hat, und scheint daher in ausgezeichnetem Sinne dem Kapitale zu entspringen, oder - nach einem uralten Vergleiche - von diesem gezeugt zu werden. Es kann aus jedem Kapital erlangt werden, gleichviel aus welchen Gütersorten dieses besteht: aus natürlich fruchtbaren Gütern so gut wie aus unfruchtbaren, aus verbrauchlichen so gut wie aus dauerbaren, aus vertretbaren so gut wie aus nicht vertretbaren, aus Geld so gut wie aus Waren. Es fließt endlich, ohne das Kapital, aus dem es hervorgeht, jemals zu erschöpfen, und ohne daher in seiner Dauer an irgendeine Grenze gebunden zu sein; es ist, soweit man sich in irdischen Dingen überhaupt dieses Ausdruckes bedienen darf, einer ewigen Dauer fähig. ...

Woher und warum empfängt der Kapitalist jenen end- und mühelosen Güterzufluß? Diese Worte enthalten das theoretische Problem des Kapitalzinses." (Böhm-Bawerk, 1921, S. 1)

Dieses Zinsproblem enthält noch ein positives und ein normatives Zinsproblem:

Positives Zinsproblem
Warum gibt es in praktisch allen Wirtschaftssystemen Zins?

Normatives Zinsproblem
Sollte es Zins und Zinsnehmer geben, oder sollte das Zinsnehmen untersagt werden und mit religiösen, moralischen oder juristischen Sanktionen belegt werden?

Das normative Zinsproblem hat in der abendländischen Geschichte eine große Rolle gespielt. In ursprünglichen Gesellschaften ist der Gläubiger in aller Regel reich, der Schuldner arm, das Darlehen somit häufig zur Überbrückung einer Notsituation erforderlich. Das Zinsnehmen wurde darum als Ausnutzen einer Notsituation gewertet und festgestellt, daß der Reiche von der Not der Armen profitiert.

Aufbauend auf antike Philosophen (insbesondere Aristoteles) und auf die Bibel ("Und leiht ihr denen, von welchen ihr das Geliehene wieder zu erhalten hofft, welchen Dank wollt ihr dafür erwarten?" (Lukas, 6, 34)) setzte die christliche Kirche zuerst als moralisches Gebot, später als Verpflichtung für Kleriker und schließlich für alle Christen ein Verbot des Zinsnehmens durch.

Da das Zinsnehmen in der christlichen Welt lange Zeit verboten und fast bis zum 20. Jahrhundert verpönt war, haben sich die Ökonomen und die Philosophen intensiv mit der Frage der Zinsentstehung beschäftigt. Trotzdem ist es bis heute nicht gelungen, dieses Phänomen in einem umfassenderen mikrotheoretischen Modell befriedigend zu erklären. Dabei treten Probleme insbesondere dann auf, wenn man zur Erklärung eines einheitlichen Zinses in der Produktion aus den verschiedenen produzierten Produktionsmitteln (die wir in Kapitel 2 'Kapitalgüter' nannten) eine einheitliche Größe 'Kapital' bilden will. Auf dieses Aggregationsproblem des Kapitals soll hier jedoch nicht eingegangen werden.

9.2.2 Transformation von Gütern über die Zeit

Im folgenden betrachten wir an Hand eines sehr vereinfachten Beispiels die prinzipiellen Möglichkeiten der Transformation von Gütern über die Zeit. Der Besitzer eines Gutes - also z. B. die Kunstfigur des Patriarchen aus Kapitel 1 oder ein Hofbesitzer wie Heinrich von Thünen (Kapitel 2) - möge vor der Aufgabe stehen, innerhalb ihrer Möglichkeiten über die Versorgung mit Korn in diesem Jahr und im folgenden Jahr zu entscheiden. Wir gehen davon aus, daß in diesem Jahr (dem Jahre 0) eine größere Menge $x_o = 10\ t$ an Korn zur Verfügung steht. Zur Vereinfachung betrachten wir nur zwei Perioden und gebrauchen jeweils die Ausdrücke "Periode 0", "in diesem Jahr", "heute" und die Ausdücke "Periode 1", "im nächsten Jahr", "morgen" synonym.

9.2.2.1 Lagerhaltung und Horten

Der Hofbesitzer kann durch Lagern einen Teil des Korns auf die folgende Periode übertragen. Dabei treten Verluste auf: Ein Teil des Korns verdirbt, außerdem wird Korn zur Bezahlung und Ernährung der Arbeiter benötigt.

Wir gehen im folgenden davon aus, daß der Hofbesitzer entweder selber nicht arbeitet oder sich für seine Arbeit einen Unternehmerlohn zahlt; damit trennen wir eventuelles Zinseinkommen von Arbeitseinkommen. Nehmen wir an, daß jeweils 50 % einer Einheit Korn als Kosten bzw. durch Verderb verloren gehen, so ergibt sich eine Transformationskurve wie bei nebenstehender Abbildung 9.1.

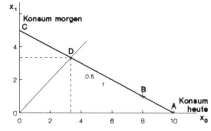

Abbildung 9.1 Lagerung und Intertemp. Transformation

Der Punkt A entspricht einer Güterversorgung von 10 t heute und 0 t morgen; es wird also alles Vorhandene heute verbraucht und nichts gelagert. Werden heute nur 8 t Korn verbraucht, so stehen 2 t zum Lagern zur Verfügung. Kosten und Lagerverluste reduzieren diese Menge auf 1 t Korn im nächsten Jahr; es ergibt sich der Punkt B. Wird in diesem Jahr nichts verbraucht, sondern 10 t eingelagert, so stehen im nächsten Jahr 5 t zur Verfügung; das entspricht dem Punkt C. Der Punkt D ist dadurch gekennzeichnet, daß in beiden Perioden die gleiche Menge an Korn, nämlich 3,333 t zur Verfügung stehen: Von den 10 t werden 3,333 t sofort verbraucht, die eingelagerten 6,667 t sind durch Kosten und Verluste in einem Jahr auf die Hälfte, also 3,333 t zusammengeschmolzen. Der Punkt D, bei dem in beiden betrachteten Perioden die konsumierte Menge gleich ist, heißt <u>stationäres Gleichgewicht</u>. Graphisch ist das stationäre Gleichgewicht durch den Schnittpunkt der Transformationsgeraden (also $x_1 = -0,5x_0 + 5$) und der 45°-Winkelhalbierenden gegeben; hieraus ergibt sich $1,5x_0 = 5$ und somit $x_0 = 10/3$.

Lagerhaltung dient dazu, Güter über die Zeit hin zu transformieren. Bei Lagerhaltung wird insgesamt mehr an Gütern hineingesteckt als später zurückgewonnen wird. Dies bedeutet jedoch nicht,· daß Lagerhaltung unsinnig ist. Lagerhaltung dient dazu, Perioden verminderter Produktion zu überbrücken und Reserven für unvorhersehbare Produktionsschwankungen anzulegen.

Aus Lagerhaltung kann das Phänomen des Zinses nicht erklärt werden, da bei Lagerhaltung generell mindestens soviel investiert wird wie letztlich wieder herauskommt.

Aufgabe 9.1

Nehmen Sie an, daß sowohl in diesem wie im nächsten Jahr zur Ernährung mindestens Korn in einer Menge von jeweils 2 t zur Verfügung stehen muß und daß Lagern die einzige Möglichkeit ist, die Kornversorgung im nächsten Jahr zu sichern. Wie ändert sich unter diesen Annahmen die Transformationskurve?

9.2.2.2 Investieren

Abgesehen von der Periode zwischen den Ernten und als Reserve zur Überbrückung von Notperioden wird ein Gutsbesitzer eines isolierten Gutes kein Getreide lagern, sondern Getreide, das nicht zum Verbrauch bis zur nächsten Ernte bestimmt ist, 'investieren'. Diese 'Investition' kann verschiedene Formen annehmen: Der Landwirt kann Getreide am Markt gegen Maschinen (Pflüge etc.) eintauschen, er kann Arbeiter anstellen, um die Böden zu roden oder trocken zu legen und vieles andere. Solche Investitionen unterscheiden sich in den Kosten und der Laufzeit der Investition. Das Trockenlegen eines Sumpfes ist z. B. eine Investition, die sich erst nach vielen Perioden bezahlt macht.

Um die Komplikationen zu vermeiden, die sich aus der Betrachtung mehrerer Perioden ergeben würden, betrachten wir hier nur das wichtigste Beispiel landwirtschaftlicher 'Investition': nämlich das Säen und Ernten. Wir gehen dabei von folgender Produktion aus: Mit 1 kg Saatkorn wird ein Ernteertrag von 12 kg produziert. Für das Bestellen des Bodens einschließlich des Säens und Erntens werden Arbeitskräfte gebraucht; zu diesen Arbeitskräften kann - wie bereits ausgeführt - auch der Gutsbesitzer selbst gehören.

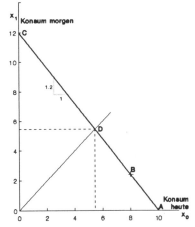

Abbildung 9.2 Investition und intertemp. Transformation

Die Arbeitskräfte werden mit Korn bezahlt. Um 1 kg Saatgut in die Erde zu bringen, bis zur Ernte zu pflegen und das daraus entstandene Getreide zu mähen, einzufahren und zu dreschen, möge eine Arbeitszeit erforderlich sein, für die 9 kg Korn als Lohn bezahlt werden müssen. Damit ergibt sich die Transformation

$$10 \text{ kg Korn heute} \rightarrow \left\langle \begin{array}{l} \longrightarrow 1 \text{ kg Saatgut} \\ \longrightarrow 9 \text{ kg Lohn} \end{array} \right\rangle \longrightarrow 12 \text{ kg Korn morgen}$$

Durch Investition von Korn in Saatgut und Arbeit kann 'Korn heute' in 'Korn morgen' transformiert werden. Als intertemporale Transformationskurve ergibt sich in Abbildung 9.2 die Gerade $\overline{AB}$. Der Punkt A bezeichnet die Alternative, das ganze heute zur Verfügung stehende Korn von 10 t sofort zu verbrauchen und damit nichts in der nächsten Periode zu haben. Verbraucht man in diesem Jahr nur 8 t Korn, verzichtet man also auf 2 t Konsum heute und investiert dieses Korn in Saatgut und Arbeitslohn, so erhält man dadurch einen Ernteertrag von 2,4 t. Es ergibt sich somit Punkt B. Punkt C beschreibt die Alternative, heute nichts zu verbrauchen, sondern alles vorhandene in Saatgut und Arbeitslohn zu investieren und damit morgen 12 t Getreide zu erzielen. Punkt D bezeichnet das stationäre Gleichgewicht. Im stationären Gleichgewicht werden von dem jetzt zur Verfügung stehenden Korn in Höhe von 10 t sofort 5,454 t verbraucht, die anderen 4,545 t werden für Saatgut und Lohn investiert; es ergibt sich eine Ernte von $1,2 \cdot 4,545 = 5,454$ t Korn. Bei dem vorgestellten Beispiel führt heutiger Konsumverzicht mittels Investition in Arbeitslohn, Saatgut (und eventuell andere Kapitalgüter) dazu, daß in der nächsten Periode mehr an Konsumgut zur Verfügung steht als heute investiert wurde. Darum spricht man von (intertemporal) mehrergiebiger Produktion. Mehrergiebige Produktion ist durch eine Transformationskurve gekennzeichnet, die eine Steigung kleiner als -1 besitzt.

9.2.3 Intertemporale Allokation

9.2.3.1 Intertemporale Transformationskurve

Man kann heute nicht vollständig auf Konsum verzichten, wenn man das nächste Jahr erleben will, andererseits wäre es sehr problematisch, heute alles zu verbrauchen und im nächsten Jahr vor dem Hungertod zu stehen. Wir gehen davon aus, daß in jeder Periode mindestens 2 t Korn als Subsistenzniveau zur Verfügung stehen müssen. Es ist dann nicht zulässig, sofort die vorhandenen 10 t Korn zu verbrauchen;

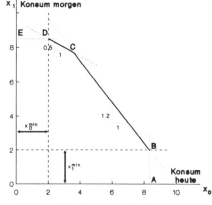

Abbildung 9.3   Intertemporale Allokation

um im nächsten Jahr mindestens 2 t Korn zu haben, müssen in diesem Jahr mindestens $2/1,2 = 1,667$ t Korn investiert werden.

Die intertemporale Transformationskurve (vgl. Abb. 9.3) beginnt damit nicht auf der Abszisse im Punkt (10; 0) sondern im Punkt $B = (8,333; 2)$. Da es annahmegemäß möglich ist, durch Einsatz von 1 kg Korn bei der Feldbestellung 1,2 kg an Ertrag zu bekommen, verläuft die Transformationskurve vom Punkt B mit einer Steigung von -1,2 in Richtung des Punktes (0; 12) jedoch nicht bis zu dem Punkt, da jedoch in der Gegenwart Korn zum Konsum benötigt wird. Um eine stärker strukturierte Transformationskurve mit unterschiedlichen Transformationsraten zu erhalten, nehmen wir jetzt noch zusätzlich an, daß es (z. B. aus Arbeitskräftemangel oder durch die Begrenzung des Ackerbodens) nicht möglich ist, mehr als 6,5 t Korn im Ackerbau zu investieren; will man mehr als 6,5 t Korn heute für die Zukunft ersparen, so muß man Korn lagern, beim Lagern jedoch geht annahmegemäß die Hälfte verloren. Das die Transformation durch Säen und Ernten beschreibende Kurvenstück endet also im Punkt $C = (10\text{-}6,5;\ 6,5\cdot1,2) = (3,5;\ 7,8)$; vom Punkt C an ergibt sich ein Transformationskurvenstück mit der Steigung 0,5. Da in der ersten Periode mindestens 2 t Korn verbraucht werden, endet die Transformationskurve im Punkt D. Die Punkte auf den Geradenstücken $\overline{BC}$ und $\overline{CD}$ heißen intertemporal effiziente Allokationen, da der Konsum in einer Periode nur auf Kosten des Konsums der anderen Periode gesteigert werden kann.

9.2.3.2 Intertemporale Präferenzen

In den vergangenen Kapiteln sind wir davon ausgegangen, daß Individuen zwischen verschiedenen Güterbündeln zum gleichen Zeitpunkt entscheiden können. Wir gehen jetzt davon aus, daß die Individuen auch zwischen Güterbündeln (gleich oder verschieden) an verschiedenen Zeitpunkten entscheiden können. Individuen sind also, so nehmen wir an, in der Lage, z. B. zwischen der Alternative (5 t Korn heute, 2 t Korn morgen) und einer anderen Alternative (2 t Korn heute, 4 t Korn morgen) zu wählen. Eine solche intertemporale Präferenzordnung soll die Annahmen 1-5 aus Abschnitt 5.5 erfüllen, jetzt nicht nur auf verschiedene Güter bezogen, son-

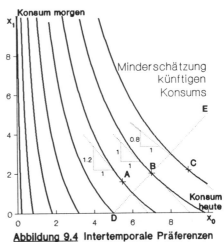

Abbildung 9.4 Intertemporale Präferenzen

dern auf Güter (physisch gleich oder unterschiedlich) zu verschiedenen Zeitpunkten. Eine solche intertemporale Präferenzordnung kann dann durch Indifferenzkurven wie in Abb. 9.4 dargestellt werden.

Untersuchen wir einige Eigenschaften des dargestellten Systems: Bekommt das Individuum in Periode 0 weniger als das Existenzminimum, so ist es kaum bereit, heute Konsum aufzugeben, fast zu verhungern, um in Periode 1 eventuell üppig leben zu können; darum sind links des von uns mit 2 t Korn angenommenen Subsistenzniveaus die Indifferenzkurven fast senkrecht eingezeichnet (Man kann sogar argumentieren, daß Indifferenzkurven gar nicht existieren, da die in Abschnitt 5.4.4.2 postulierte Annahme der Tauschbereitschaft fehlt:

Ich bin als Verhungernder nicht bereit, auf Konsum zu verzichten, um in einer Zukunft, die ich nicht mehr erlebe, mehr zur Verfügung zu haben). Bin ich hingegen in Periode 0 gut versorgt, so denke ich auch an das nächste Jahr, die Indifferenzkurven verlaufen also um so flacher, je höher x_0 ist. Betrachten wir einige Punkte.

In Punkt A ist das Individuum bereit, auf 1.2 Einheiten zukünftigen Konsums zu verzichten, wenn es 1 Einheit heutigen Konsums zusätzlich bekommt. Es schätzt heutigen Konsum höher als zukünftigen Konsum. Eine solche Einstellung nennt man darum "Minderschätzung künftigen Konsums" oder auch "impatience to consume". Im Punkt B wird zukünftiger und gegenwärtiger Konsum gleich geschätzt, in Punkt C wird zukünftiger höher eingeschätzt als gegenwärtiger Konsum. Es hängt natürlich von der gegenwärtigen und der erwarteten zukünftigen Konsumausstattung ab, ob man zukünftigen Konsum minder schätzt als gegenwärtigen. Im Punkt C ist der gegenwärtige Konsum hoch, der zukünftige sehr niedrig, es ist darum plausibel, daß man bereit ist, für eine Einheit in Zukunft mehr als eine Einheit in der Gegenwart aufzugeben. Im Punkt A (weniger gegenwärtiger Konsum als in B und C) ist man bereit, mehr als 1 Einheit in Zukunft für eine zusätzliche gegenwärtige Gütereinheit zu bezahlen. Wie man sieht, beschreiben die Indifferenzkurven die individuelle Einstellung zum Sparen.

Individuen sind normalerweise nur dann bereit zu sparen, wenn sie für den Verzicht einer Einheit Konsum heute mehr als eine Einheit Konsum in Zukunft bekommen, man unterstellt also Minderschätzung künftigen Konsums. Intertemporale Indifferenzkurven haben also etwa den in Abb. 9.4 skizzierten Verlauf, d. h. sie haben über einen weiten Bereich (oberhalb der Geraden $\overline{DE}$) eine Steigung kleiner als minus Eins. Nur dann, wenn viel gegenwärtigem Konsum wenig zukünftiger Konsum gegenübersteht, sind die Individuen bereit zu sparen, ohne entsprechend kompensiert zu werden. (Man denke an die biblischen "sieben fetten und sieben mageren Jahre" und das Einlagern von Korn durch Moses.)

9.2.3.3 Intertemporal optimale Allokation

In Abbildung 9.5 ist die Möglichkeit der Transformation über die Zeit mit einem intertemporalen Präferenzschema kombiniert.

Die intertemporal optimale Allokation ist die Allokation, die das Individuum unter allen erreichbaren Allokationen am höchsten schätzt. Somit ist die intertemporal optimale Allokation durch den Tangentialpunkt von

intertemporaler Transformationskurve und intertemporaler Indifferenzkurve
gegeben. In Abbildung 9.5 ist der optimale Punkt bei vorgegebener Transformationskurve und vorgegebenen Indifferenzkurven bestimmt. In diesem
Punkt ist sowohl die Steigung der Transformationskurve wie die Steigung der
Indifferenzkurve gleich -1,2. Dies bedeutet, daß ich· für eine zusätzlich investierte Einheit Korn nach einem Jahr 1,2 Einheiten zurückbekomme. Damit
ist ein Zins von

$$r = 0,2 \equiv 20\%$$

bestimmt. Das Optimum bestimmt einen positiven Zins. Die Steigung von
Transformationskurve und Indifferenzkurve im Optimum bestimmt somit
den Zins. Bei einer Transformationsrate von dx_1/dx_o gilt

$$1 + r = \left| \frac{dx_1}{dx_o} \right|$$

bzw.

$$r = \left| \frac{dx_1}{dx_o} \right| - 1$$

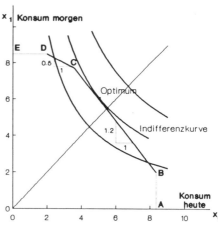

Abbildung 9.5   Intertemporale Allokation

Die Höhe des Zinses ergibt sich somit aus dem Zusammenspiel von intertemporalen Transformationsmöglichkeiten (erfaßt durch die Transformationskurve) und Präferenzen (erfaßt durch die Indifferenzkurve).

Es ist jedoch durchaus denkbar,
daß der Zins Null oder sogar negativ ist. Die Möglichkeit eines negativen Zinses wird in Abb. 9.6 aufgezeigt. Bei den dort unterstellten Indifferenzkurven ergibt sich ein Tangentialpunkt auf dem Geradenstück $\overline{CD}$
mit der Steigung -0,5: Eine zusätzlich
investierte Einheit Korn führt zu einem zukünftigen Ertrag von einer halben Einheit Korn. Es ergibt sich ein
Zinssatz von:

$$r = -0,5 \stackrel{\wedge}{=} -50\%$$

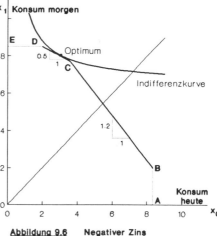

Abbildung 9.6   Negativer Zins

Man sieht sofort zwei Eigenschaften eines solchen intertemporalen Optimums:

a. Es wird eine über die Zeit hin minderergiebige Produktionsmethode - im konkreten Beispiel das Lagern - gewählt.

b. Das Individuum hat eine starke Präferenz für die Zukunft, "Minderschätzung künftigen Konsums" ist nicht gegeben.

Sind aber - wie in unserem Beispiel vom Aussäen des Korns - mehrergiebige Produktionsmethoden vorhanden, so werden diese soweit wie möglich angewandt und damit viel Konsum heute in Konsum morgen transformiert; die Versorgung in der Zukunft ist dann normalerweise mit mehrergiebigen Produktionen gesichert, minderergiebige wie zum Beispiel das Horten werden nur bei extremer Höherschätzung der Zukunft auftreten.

In der Regel geht man von der Existenz mehrergiebiger Produktionsmethoden in nicht unbeträchtlichem Umfang und der Minderschätzung künftigen Konsums aus. Daraus folgt dann die Existenz eines positiven Zinssatzes. Für ein extrem vereinfachtes Problem haben wir somit eine Antwort auf das positive Zinsproblem gefunden:

Ein Zins entsteht aus dem Zusammenwirken von intertemporalen Produktionsmethoden und intertemporalen Präferenzen.

Aus mehrergiebigen Produktionsmethoden und der Minderschätzung künftigen Konsums läßt sich ein positiver Zins erklären.

Spielt sich auf dem Markt durch das Zusammenwirken der intertemporalen Transformationsmöglichkeiten und intertemporalen Präferenzen ein Zins ein, so steuert dieser wie eine unsichtbare Hand die Entscheidung der einzelnen Individuen über Sparen und Investieren und über Konsum und Konsumverzicht. Wir vernachlässigen im folgenden den durch Transaktionskosten bedingten Unterschied zwischen Soll- und Habenzinsen und nehmen an, daß jedes Individuum beliebige Beträge zum gleichen Zinssatz leihen und verleihen kann, sofern es später den Kredit zurückzahlen kann. Da wir nur zwei Perioden betrachten, bedeutet "später" in der letzten Periode, der Periode 1. Nehmen wir an, daß dem Individuum aus irgendeinem Grund in Periode 0 Korn in Höhe von 2 t und in Periode 1 Korn in Höhe von 8 t zur Verfügung stehen. Beim Zins von $r = 0,2$ könnte es dann 2 t verleihen, um dafür in Periode 1 die Menge $2 \cdot 1,2 = 2,4$ t zurückzuerhalten.

Bei dieser Transaktion hat es in Periode 0 kein Korn, in Periode 1 dafür $8 + 2,4 = 10,4$ t Korn zur Verfügung (Punkt B der Abb. 9.7). Andererseits kann das Individuum sich in Periode 0 Korn leihen. Es muß das Geliehene in der Periode 1 zurückgeben, somit ist der maximale Kredit gegeben durch

$$x \cdot (1 + r) = 8$$

$$x = 8/(1 + r)$$

Beim Zins von $r = 0{,}2$ kann das Individuum also $8/1.2 = 6{,}66667$ t Korn leihen und hat damit in Periode 0 die Menge von 8,6667 t und in Periode 1 kein Korn zur Verfügung (Punkt A). Je nachdem, wie die Verleih-Leih-Entscheidung ausfällt, kann das Individuum jeden Punkt auf der Strecke realisieren. Die Strecke $\overline{BQ}$ entspricht einem Kreditgeben, Strecke $\overline{QA}$ einem Kreditnehmen in der ersten Periode. Bei den eingezeichneten Präferenzen ist P das intertemporale Optimum,

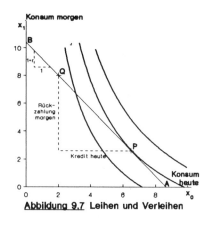

Abbildung 9.7 Leihen und Verleihen

d. h. das Individuum wird 4,5 t Korn leihen und 5,4 t Korn in Periode 1 zurückzahlen.

9.2.3.4 Das normative Zinsproblem

Es muß jetzt noch auf das normative Zinsproblem eingegangen werden, also auf die Frage "Sollte es einen positiven Zins geben?"

Um diese Frage beantworten zu können, müßte man auf ein konsistentes Wertesystem zurückgreifen; da wir von einem solchen Wertesystem nicht ausgegangen sind, kann hier nur ein Teilaspekt betrachtet werden: Was würde passieren, wenn eine Instanz eine bestimmte Höhe des Zinses vorschriebe (also z. B. mit der Zinshöhe $r = 0$ das Zinsnehmen ganz untersagt) und diese Vorschrift auch tatsächlich durchsetzen kann?

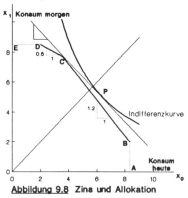

Abbildung 9.8 Zins und Allokation

Nehmen wir weiterhin an, daß durch das Verbot des Zinsnehmens das Kreditgeschäft nicht zum Erliegen kommt. Dann ist es möglich, sich heute Korn zu leihen und die Schuld in gleicher Höhe in der nächsten Periode zurückzuzahlen. Unter diesen Bedingungen würde ein Individuum, daß die in Abb. 9.8 eingezeichnete intertemporale Transformationskurve und die Indifferenzkurve besitzt, nicht das dort eingezeichnete Optimum P realisieren. Stellen wir uns nämlich vor, das Individuum befindet sich in P. Dann ist es günstig für das Individuum, sich Korn zu leihen, dieses in der Ackerbestellung zu investieren, und für je 1 kg geliehenes und investiertes Korn einen Ertrag von 1,2 kg zu erzielen, von denen 1 kg zur Rückzahlung des Kredites dienen. In dieser Weise dehnt das Individuum durch Kredit seine Produktion aus, bis es den Punkt C erreicht. Weitere Investition lohnt sich dann nicht. Bei einem Zins von Null ist Punkt C die optimale Produktionsalternative. Beim Zins Null ist Punkt C aber nicht die optimale Wahl des Individuums für die Aufteilung des Konsums in gegenwärtigen und zukünftigen Konsum. Vom Punkt C ausgehend kann das Individuum durch Leihen von Korn zukünftigen Konsum in gegenwärtigen Konsum transferieren. Dies geschieht beim Zins Null im Verhältnis Eins zu Eins, also entlang der Geraden $\overline{CP}$. Im Punkt P ist die höchstmögliche Indifferenzkurve erreicht.

Wir erkennen, daß eine Senkung des Zinses (im Beispiel eine Senkung auf Null) Auswirkungen auf die intertemporalen Entscheidungen der Individuen hat: Es wird mehr Kredit nachgefragt, um 1. mehrergiebige Produktionsmöglichkeiten auszunutzen und um 2. beim Vorliegen von Minderschätzung künftigen Konsums, Konsum heute auf Kosten von zukünftigen Konsum zu ermöglichen. Bei einem Zinsverbot wird kaum ein Individuum bereit sein, Kredit zu gewähren; es wird mindestens zu Rationierung von Krediten kommen; Kreditsuchende haben Probleme, Kredite zu bekommen, sie werden auf einen grauen oder schwarzen Markt für Kredite abgedrängt, müssen also eventuell verbotene Kreditgeschäfte, verbunden mit Wucherzinsen, eingehen.

9.2.4 Vergleich von Zahlungen über die Zeit

9.2.4.1 Die Hauptzinseszins-Formel

Im folgenden benötigen wir einige Grundlagen der Zinsrechnung. Dazu beginnen wir mit einem einfachen Problem:

Wir legen heute eine Geldsumme von z. B. 100 DM zu einem festen Zins von r = 0.05 für T = 10 Jahre fest an und vereinbaren, daß jeweils am Ende des Jahres der Zins dem Kapital hinzugefügt wird und in den folgenden Jahren mitverzinst wird. Auf welchen Betrag wächst unser Kapital in T Jahren?

Aufgaben wie diese führen schnell zu Problemen, wenn man den naheliegenden Ansatz wählt, jeweils nach einem Jahr zum Kapital die Zinsen zu addieren, nach einem weiteren Jahr die Zinsen des Kapitals und die Zinsen des Zinses (Zinseszins) hinzufügt etc. Schon nach wenigen Perioden erhält man eine kaum zu überschauende Summe von Kapital, Zins, Zinseszins etc. Statt von der Überlegung auszugehen, welche <u>Summe</u> am Ende einer Periode jeweils dem Kapital hinzugefügt wird, ist es in aller Regel einfacher zu untersuchen, um welchen <u>Faktor</u> in jeweils einer Periode sich das Kapital vergrößert. Dieses werden wir jetzt demonstrieren:

Ein Kapital K_o von z. B. 100 DM angelegt zum Zinssatz r = 5% = 5/100 wächst in einem Jahr auf

$$K_1 = 100 + 100 \cdot 0,05 = (1 + 0,05) \cdot 100 = 105$$

oder allgemein

$$K_1 = (1 + r) \cdot K_o \qquad (*)$$

(1 + 0,05) oder allgemein 1 + r nennen wir den Zinsfaktor. Der Zinsfaktor entsteht, indem der Zins r zu Eins addiert wird. Der Zinsfaktor ist der Faktor, mit dem das eingesetzte Kapital pro Zeiteinheit wächst. Wird das Kapital der ersten Periode K_1 für eine weitere Periode verzinst, so ergibt sich

$$K_2 = (1 + r) \cdot K_1$$

und damit

$$K_2 = (1 + r) \cdot (1 + r) K_o$$

$$= (1 + r)^2 \cdot K_o \qquad (**)$$

(Diesen Ausdruck könnte man ausmultiplizieren, und die entstehenden Summanden als Kapital, Zins auf das Kapital für zwei Perioden und Zinseszins für eine Periode interpretieren.) Für drei Perioden ergibt sich mit (**)

$$K_3 = (1 + r) K_2 = (1 + r) \cdot (1 + r)^2 K_o = (1 + r)^3 K_o$$

Nach T Perioden erhält man entsprechend

$$K_T = (1 + r)^T \cdot K_o \qquad\qquad (* * *)$$

Hiermit haben wir eine einfache, aber grundlegende Formel für die Zinsrechnung hergeleitet. Sie stellt einen Zusammenhang zwischen dem Anfangskapital, dem Zinssatz, der Laufzeit und dem Endkapital her. Sind drei von den vier Größen bekannt, so kann die vierte berechnet werden. Mit Hilfe moderner Taschenrechner kann der Ausdruck $(1 + r)^T$ einfach berechnet werden; die folgenden Aufgaben 9.2 und 9.3 dienen zur Übung. Die Formel kann recht einfach dahingehend erweitert werden, daß in jeder Periode ein anderer Zins gilt (siehe Aufgabe 9.4).

Aufgabe 9.2

a. *Nehmen Sie an, Sie legen heute einen Betrag von 1000 DM für 10 Jahre zum festen Zins von 7 % an. Wie hoch ist der ausgezahlte Betrag in 10 Jahren?*

b. *Welchen Betrag müssen Sie heute anlegen, damit Sie bei 5 % Zins in 10 Jahren einen Betrag von 10 000 DM ausbezahlt bekommen?*

c. *Bei welchem Zinssatz r wächst ein Kapital von 100 DM in 10 Jahren auf 200 DM?*

d. *In welcher Zeit verdoppelt sich beim Zins von 3,5 % ein Kapital von 100 DM auf 200 DM?*

e. *"Es besteht eine einfache mathematische Beziehung zwischen Wachstumsrate und Verdoppelungszeit: diese ist gleich 70 durch Wachstumsrate [in Prozent] ." (Meadows, Grenzen des Wachstums, S. 23) Gehen Sie von Aufgabenteil d. aus und beweisen Sie diese Behauptung; benutzen Sie dabei, daß für eine Zahl r nahe bei 0 gilt $\ln(1 + r) = r$.*

Aufgabe 9.3

Vor etwa 800 Jahren hat der Mönch Herimann im Kloster Helmarshausen das "Evangeliar Heinrichs des Löwen" geschaffen. Im Jahre 1983 wurde dieses Werk vom Land Niedersachsen auf einer viel beachteten Auktion in London für die erstaunliche Summe von 33 Millionen Mark erworben. Gehen Sie davon aus, daß der Mönch für seine Arbeit nur einen symbolischen Lohn von 1 DM erhalten hatte. Wir unterstellen, daß der Mönch dieses Geld zum festen Zins von 3,5 % angelegt hat.

a. *Warum ist die letzte Annahme eine üble Unterstellung?*

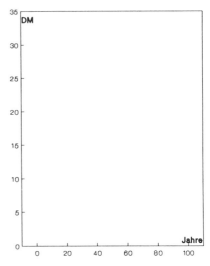

Abbildung 9.9 Zinseszins

b. *Auf welchen Wert war durch Zins- und Zinseszins seine Anlage nach 20 Jahren, nach 40 Jahren, nach 60 Jahren, nach 80 Jahren gestiegen? Tragen Sie die Werte in die Graphik ein. (Berechnen Sie den Wert jeweils auf volle DM.) Was fällt auf? Wie groß ist die "Verdoppelungszeit"?*

c. *Benutzen Sie die in Aufgabenteil b. bestimmte Verdoppelungszeit und bestimmen Sie, wie hoch der Betrag nach 800 Jahren (also heute) ist.*

d. *"Die Niedersachsen haben also wirklich günstig eingekauft" so schließt die Zeitschrift "Capital"(Heft 5/86, S. 355). Begründen Sie!*

Aufgabe 9.4
Gehen Sie davon aus, daß in jeder Periode t (0 ≤ t ≤ T − 1) ein <u>unterschiedlicher</u> Zins r_t gilt. Bestimmen Sie entsprechend zur obigen Herleitung eine Formel für K_T.

Mit Hilfe der Beziehung (∗) können wir, wie in Aufgabe 9.2 b gesehen, auch die umgekehrte Frage beantworten: Welchen Kapitalbetrag muß ich heute beim Zins r anlegen, damit nach T Perioden das Kapital auf K_o angewachsen ist? Es folgt aus (∗ ∗ ∗) unmittelbar

$$K_o = \frac{K_T}{(1+r)^T} \qquad (* * **)$$

Mit Hilfe der Formel (∗∗∗) wird ein Betrag heute durch "Aufzinsen" in einen Betrag in T Perioden umgeformt. Mit Hilfe der Formel (∗∗∗∗) wird ein Betrag in T Perioden durch "Abdiskontieren" in einen Betrag heute umgerechnet. **Beträge zu verschiedenen Zeitpunkten werden durch Aufzinsen bzw. Abdiskontieren mit einem Zinssatz vergleichbar gemacht.**

9.2.4.2 Der Gegenwartswert

In genau entsprechender Weise können wir auch eine <u>Reihe</u> von Geldbeträgen vergleichbar machen: Nehmen Sie an, Sie legen T Jahre lang in jeder Periode den Betrag K_t (0 ≤ t ≤ T) zum Zins von r an. Wie hoch ist dann insgesamt das ersparte Vermögen K nach z. B. T=10 Jahren?
Wir können diese Frage leicht beantworten, indem wir auf die verschiedenen Einzahlungen jeweils die Formel (∗ ∗ ∗) entsprechend der Anlagedauer anwenden:

$$K_o, \qquad K_1, \qquad K_2 \quad ,..., \qquad K_9, \qquad K_{10}$$

$$\downarrow \qquad\qquad \downarrow \qquad\qquad \downarrow \qquad\qquad \downarrow \qquad\qquad \downarrow$$

$$K = (1+r)^{10} \cdot K_o + (1+r)^9 \cdot K_1 + (1+r)^8 \cdot K_2 + ... + (1+r)^1 \cdot K_9 + (1+r)^0 \cdot K_{10}$$

$$= \sum_{t=0}^{T} (1+r)^{T-t} \cdot K_t$$

Durch Aufzinsen wird also zur Einzahlungsreihe $K_o, ..., K_T$ ein äquivalenter Betrag K in 10 Jahren berechnet.

Wir können auch den Gegenwartswert, d. h. den Betrag berechnen, den die Zahlungsreihe $K_o, K_1, K_2, ..., K_{10}$ heute wert ist. Dieser Gegenwartswert ist der Betrag, den ich heute zum Zins r anlegen müßte, um in 10 Jahren den Betrag von K ausbezahlt zu bekommen. Als Gegenwartswert k bekommen wir

$$k = K_o + \frac{K_1}{(1+r)} + \frac{K_2}{(1+r)^2} + ... + \frac{K_{10}}{(1+r)^{10}}$$

$$= \sum_{t=O}^{T} \frac{K_t}{(1+r)^t} = \sum_{t=0}^{T} \gamma^t \cdot K_t \quad mit \quad \gamma = \frac{1}{1+r}$$

Der Gegenwartswert ergibt sich also aus der Summe der abdiskontierten Einzahlungen. Der Diskontierungsfaktor γ ist bei positivem Zins kleiner als Eins.

Aufgabe 9.5

a. Nehmen Sie an, ein Industrieller verspricht eine Stiftung von einmalig 50 Millionen DM. Seine Erben ändern die Zusage auf einen Zahlungsstrom von jährlich 2 Millionen DM über einen Zeitraum von 25 Jahren. Vergleichen Sie die beiden Zahlungsmodalitäten. Unterstellen Sie dabei einen Marktzins von 5%.

b. Der fundamentale Wert einer Aktie wird häufig durch den Gegenwartswert der abdiskontierten zukünftigen Dividenden erklärt. Gehen wir z. B. davon aus, es sei bekannt, daß für die Aktie in den nächsten hundert (!) Jahren jeweils eine Dividende von 10 DM ausgeschüttet wird und unterstellen Sie einen Marktzins von konstant 10 %. Wie hoch ist der Wert der Aktie?

9.2.4.3 Verzinsung und Wachstum

Aufgabe 9.6 (zur Wiederholung)

Nach Malthus gilt "daß die Bevölkerung, wenn sie auf keine Hindernisse stößt, sich alle 25 Jahre verdoppelt, oder in geometrischer Progression wächst."

a. Gehen Sie z. B. von einer Erdbevölkerung von grob 1 Milliarde Menschen im Jahr 1900 aus und skizzieren Sie die Entwicklung, indem Sie die Größe der Erdbevölkerung für 1925, 1950 etc. in die Graphik eintragen.

b. Verbinden Sie die in a. eingetragenen Punkte durch eine Kurve.

Abbildung 9.10   Exponentielles Wachstum

c. *Durch welche politischen, sittlichen und medizinischen Faktoren wird die Verdoppelungszeit der Bevölkerung beeinflußt?*

In Aufgabe 9.2 hatten wir gesehen, daß ein Kapital, das mit Zins und Zinseszins festangelegt ist, sich in gleichen Abständen verdoppelt. Diese Zeitspanne nennt man Verdoppelungszeit τ.
Gehen wir von einem Kapital von 1 im Zeitpunkt 0 aus, so haben wir
im   Zeitpunkt   ein Kapital von

Zeitpunkt	ein Kapital von
0	$1 = 2^0$
τ	$2 = 2^1$
2τ	$4 = 2^2$
3τ	$8 = 2^3$
.	.
.	.
.	.
$n\tau$	2^n

Der Zusammenhang zwischen der Zeit und dem Kapital ist also durch eine Exponentialfunktion gegeben:

$$f(n\tau) = 2^n \qquad (+)$$

Aus dieser Funktion in Abhängigkeit von den Vielfachen der Verdoppelungszeit soll jetzt eine Funktion in Abhängigkeit der kontinuierlichen Zeit entwickelt werden. (Es soll also in allgemeiner Weise das durchgeführt werden, was bei der Verbindung der Punkte aus Aufgabe 9.6 a in Aufgabe 9.6 b gemacht wurde. Dabei müssen wir natürlich voraussetzen, daß (+) auch für nicht-ganze n gilt.)
Für die Verdoppelungszeit τ gilt

$$\tau = \ln(2)/r$$

also

$$f(n \cdot \ln 2/r) = 2^n$$

Diese Beziehung soll für jedes n gelten.
Wählen wir beispielsweise

$$n = \frac{t \cdot r}{\ln 2}$$

so ergibt sich

$$f(t) = 2^{\frac{t \cdot r}{\ln 2}}$$

Dies ist im Prinzip die gesuchte Funktion. Aus vielerlei Gründen arbeitet man in der Mathematik aber lieber mit Exponentialfunktionen zur Basis e. Wir können die hergeleitete Funktion einfach in eine solche Form bringen, wenn wir beachten, daß der natürliche Logarithmus nach Definition die Umkehrung der e-Funktion ist, d. h. daß gilt:

$$2 = e^{\ln 2}$$

Es ergibt sich dann

$$f(t) = e^{\ln 2 \cdot \frac{t \cdot r}{\ln 2}}$$

$$\boxed{f(t) = e^{r \cdot t}}$$

9.2.4.4 Intergenerative Nutzenfunktion

"Jeder Cadillac, der vom Band läuft, wird in Zukunft Menschenleben kosten. Wirtschaftliche Entwicklung durch industriellen Überfluß mag für uns und für diejenigen unserer Nachfahren, welche sie in nächster Zukunft noch genießen können, eine Wohltat sein. Sie verstößt aber eindeutig gegen die Interessen der Menschheit als ganzes, wenn sie solange zu überleben wünscht, als der Vorrat an niedriger Entropie es zuläßt." (Georgescu-Roegen, 1979, S. 110) Im aufgeführten Zitat vergleicht Georgescu-Roegen unser heutiges Wohlempfinden mit dem Wohlbefinden bzw. viel krasser mit den Lebensmöglichkeiten zukünftiger Generationen. Wir sind damit auf Probleme zurückgeworfen worden, die wir in Kapitel 5 geschickt umgangen hatten: Das Problem der Nutzenmessung und das Problem des Nutzenvergleichs.

Dabei tritt das Problem im intertemporalen Rahmen in besonders scharfer Form hervor: Es ist bis heute nicht einmal gelungen, eine allseits akzeptierte Methode der Nutzenmessung zu gewinnen. Berücksichtigt man jedoch außerdem zeitliche Entwicklungen, so treten zusätzliche gravierende Probleme auf:

a. Die technische Entwicklung kennt man nicht. Um technischen Fortschritt aufnehmen zu können, unterstellt man häufig, daß sich Input und Output nicht in ihrer Struktur, sondern allenfalls in ihrem Mengenverhältnis zueinander ändern. Mit diesen Fragen werden wir uns in Abschnitt 9.2.5 beschäftigen.

b. Zu einem Zeitpunkt ist die Anzahl der Individuen exogen vorgegeben. Im Zeitablauf hängt die zukünftige Bevölkerungsgröße jedoch von den heutigen Entscheidungen und/oder ethischen Wertvorstellungen ab; zudem ist sie heute unbekannt. Annahmen wie exponentielles Bevölkerungswachstum wie auch der Grenzfall des Nullwachstums sind allenfalls problematische Annäherungen an die Realität. Unterstellt man z. B. Nullwachstum, so kann man die Bevölkerungszahl auf Eins normieren und in jeder Periode von einer repräsentativen Person ausgehen.

c. Die Annahme, daß für alle existierenden Individuen kardinale Präferenzfunktionen bestimmt werden können, ist, wie wir erläutert haben, problematisch genug. Um aber eine intertemporale Wohlfahrtsfunktion festlegen zu können, müßte man für alle zukünftigen Generationen kardinale

Präferenzfunktionen bestimmen können. Um diesem Dilemma zu entgehen, unterstellt man häufig, daß die Präferenzfunktionen sich nicht über die Zeit ändern, d. h. daß alle Generationen die gleichen Nutzenvorstellungen haben und somit das gleiche Güterbündel gleich bewerten.

$$u_t(x) = u(x) \quad \text{für alle } t$$

wobei u_t die Nutzenfunktion der repräsentativen Person ist.

d. Viele physikalische, aber auch viele metaphysische Lehren gehen von der zeitlichen Begrenztheit dieser Welt aus. Es wäre darum naheliegend, für die Analyse einen Endzeitpunkt anzunehmen. Dieses Vorgehen hat jedoch eine Schwierigkeit. Es fehlen konkrete und ernstzunehmende Angaben über dieses Ende bzw. - was für uns wichtiger ist - bezüglich des Endes ökonomischer Aktivität. Solange wir das aber nicht kennen, muß die Gesellschaft planen, als ob es kein Ende gäbe; nimmt sie nämlich ein vorzeitiges Ende an, so wird sie möglicherweise am Tage danach mit leeren Händen dastehen. Ein möglicher erster Ansatz, eine intertemporale Nutzenfunktion zu definieren, könnte darin bestehen, die utilitaristische Nutzenfunktin zu übernehmen, also einfach den Nutzen aller Generationen zu addieren und somit als Nutzen der Menschheit insgesamt zu definieren:

$$W = \sum_{t=1}^{\infty} u(x^t)$$

Eine solche Summe ist jedoch offensichtlich nicht als Nutzenfunktion geeignet. Gehen wir nämlich davon aus, daß jede Generation einen positiven Mindestnutzen in Höhe eines Existenzminimums benötigt, also

$$u(x^t) \geq u_{min}^t$$

dann ergibt sich

$$\sum_{t=1}^{\infty} u(x^t) \geq \sum_{t=1}^{\infty} u_{min} = \infty \cdot u_{min} = \infty$$

Bei unendlich vielen Generationen ist die Nutzensumme als Wohlfahrtsfunktion ungeeignet, da diese Funktion auch schon dann den Wert "unendlich" annimmt, wenn die meisten Generationen gerade mit dem nötigsten versorgt werden. Dieser Schwierigkeit kann man entgehen, indem man einen Diskontierungsfaktor γ einführt. Dieser Diskontierungsfaktor entspricht dem Abzinsen. Ebenso, wie man zukünftige Erträge weniger stark gewichtet als gegenwärtige Erträge, so gewichtet man durch Diskontierung zukünftigen Nutzen weniger stark als gegenwärtigen. Betrachten wir ein Beispiel: Der Diskontierungsfaktor sei $\gamma = 1/1,1 \sim 0,9$. Dann wird eine morgige Nutzeneinheit heute nur mit 0,9 bewertet. Morgen wird eine Nutzeneinheit von übermorgen mit etwa 0,9 bewertet und dieser Wert 0,9 von morgen wird heute mit $0,9 * 0,9$, also mit 0,81 bewertet.

Sei u_o der Nutzen von heute, u_1 der Nutzen von morgen und u_2 der Nutzen von übermorgen, so ist dieser Nutzenstrom abdiskontiert heute

$$\gamma^o u_o + \gamma^1 u_1 + \gamma^2 u_2 = \sum_{t=0}^{\infty} \gamma^t u_t$$

wert.

Aber auch ohne zuverlässige Angaben über das Ende der Welt können wir die Überlegungen über die Überlebensgewißheit der Welt in unsere intertemporale Präferenzfunktion einbringen: Wir gewichten den Nutzen künftiger Generationen mit der Wahrscheinlichkeit ihrer Existenz. Gehen wir also beispielsweise davon aus, daß zu jedem Zeitpunkt t die Wahrscheinlichkeit, daß die Welt zur Zeit t+1 nicht mehr existiert, gleich ist, so können wir die Wahrscheinlichkeit als einen konstanten Diskontierungsfaktor γ interpretieren und haben eine intertemporale Nutzenfunktion

$$W = \sum_{t=0}^{\infty} \gamma^t u(x^t)$$

Wir haben damit den Diskontierungsfaktor auf die Ungewißheit der Zukunft und hier insbesondere auf die Ungewißheit des Weiterbestehens der Welt gegründet. Einer der Vertreter der klassischen utilitaristischen Schule, nämlich Sidgwick (1890, S. 412), meint dazu, "daß das Interesse der Nachkommen einen Utilitaristen ebenso betreffen muß wie das seiner Zeitgenossen, außer insoweit, wie die Auswirkungen seiner Handlungen auf die Nachkommen und sogar die Existenz davon betroffener Menschen notwendigerweise ungewisser ist." Es bleibt aber die Schwierigkeit, diese Ungewißheit des Weiterbestehens zu erfassen und die Wahrscheinlichkeiten irgendwie abzuschätzen.

9.2.5 Produktionsmöglichkeiten in der Zeit

Vor hundert Jahren waren die heutigen Produktionsmöglichkeiten zum großen Teil unbekannt; die Entwicklung der Produktionstechnologie wird mit Sicherheit weitergehen. Die Richtung der Entwicklungen sind jedoch allenfalls für die nahe Zukunft absehbar. Somit kann auch heute nicht im einzelnen vorausbestimmt werden, welche Ressourcen in Zukunft benötigt und welche eventuell obsolet werden. Das Konzept der Produktionsfunktion hilft jedoch, für das Problem der Ressourcenknappheit wesentliche Strukturen der Produktion aufzudecken.

9.2.5.1 Komplementäre und substitutionale Faktoren

Wir betrachten eine Produktion, bei der mit Hilfe von zwei Faktoren x_1 und x_2 das gewünschte Gut y produziert wird. Wir wollen im folgenden drei unterschiedliche Produktionsfunktionen betrachten und anhand ihrer Isoquanten Folgerungen für die Ökonomie knapper Ressourcen gewinnen.

a. Vollständige Substitute

In Abb. 9.11 sind die Isoquanten für vollständige Substitute eingezeichnet. Beispiel hierfür könte eine Produktion sein, die allein mit Energie ohne Einsatz eines anderen Faktors produziert; ist es dann möglich, daß als Energieträger entweder Öl oder Kohle eingesetzt wird, so sind solche Isoquanten plausibel. Ist einer der Faktoren knapp oder verbraucht, vom anderen aber genug vorhanden, so kann ohne Probleme weiterproduziert werden, indem der verbrauchte Faktor durch den noch zur Verfügung stehenden substituiert wird.

Kann ein knapper Faktor durch einen anderen nicht-knappen Faktor vollständig substituiert werden, so begrenzt der knappe Faktor nicht die Produktion.

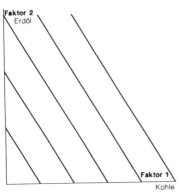

Abbildung 9.11 Vollständige Substitute

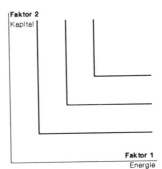

Abbildung 9.12 Komplemente

b. Komplemente

In Abb. 9.12 sind die Isoquanten für Komplemente gezeichnet. Die Produktion eines Gutes mit Hilfe einer Maschine und Treibstoff kann als Beispiel dafür dienen: Man braucht normalerweise eine genau vorgegebene Menge an Treibstoff, um mit einer Maschine ein bestimmtes Gut zu fertigen. Ist Treibstoff (bzw. ein Vorprodukt wie das Erdöl) eine knappe, nicht vermehrbare Ressource, so ist die Produktion begrenzt.

Dient die knappe, nicht vermehrbare Ressource als komplementärer Faktor in einer Produktion, so ist nur eine begrenzte Produktion möglich.

c. Cobb-Douglas-Funktion

Als drittes betrachten wir die Cobb-Douglas-Produktionsfunktion mit ihren Isoquanten (Abb. 9.13)

$$y = x_1^{\alpha} \cdot x_2^{\beta} \qquad \text{mit } \alpha, \beta > 0$$

Ist ein Faktor also z. B. x_1 gleich Null, so kann nicht produziert werden, da gilt:

$$y = x_1^\alpha \cdot x_2^\beta = 0^\alpha \cdot x_2^\beta = 0$$

Dieses Beispiel entspricht in einem wichtigen Aspekt dem Beispiel b.: Beide Faktoren sind erforderlich; ist ein Faktor vollständig erschöpft, so kann nicht mehr produziert werden.

In einem anderen Aspekt jedoch gibt es einen gewichtigen Unterschied: Bei Komplementen erfordert die Produktion eines bestimmten Outputs genau vorgegebene Mengen an Inputs. Bei der Cobb-Douglas-Produktionsfunktion hingegen kann mit beliebig wenig vom einen Faktor beliebig viel produziert werden, sofern genügend vom anderen Faktor vorhanden ist. Beispiel:

Es sei

$$y = x_1^{1/2} \cdot x_2^{1/2}$$

Es soll ein Output von y = 1.000 Einheiten produziert werden, vom Faktor 1 steht jedoch nur eine Menge von x_1 = 0, 0001 zu Verfügung. Die Faktormenge x_2, die diesen Output ermöglicht, ergibt sich als

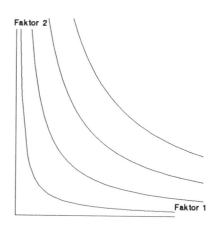

Faktor 2

$$x_2 = \frac{y^2}{x_1} = \frac{1.000.000}{0,0001} = 10.000.000.000$$

Faktor 1

Ist diese Menge vom Faktor 2 vorhanden, so kann die gewünschte Menge an Output produziert werden.

Abbildung 9.13 Cobb-Douglas Produktionsfunktion

Bei der Cobb-Douglas-Produktionsfunktion kann auf einen Faktor fast verzichtet werden, dann muß jedoch vom anderen Faktor entsprechend viel vorhanden sein.

9.2.5.2 Substitution

In den vorstehenden Beispielen erkennen wir, daß das Problem knapper Ressourcen dann gelöst werden kann, wenn für knappe Ressourcen jeweils Substitute bereitgestellt werden. In diesem Sinn wird darum auch immer wieder argumentiert. In einem viel beachteten Beitrag "The Age of Substitutability", der zuerst in der bekannten Zeitschrift 'Science' und später im 'American Economic Review' erschien, untersuchen Goeller und Weinberg die Möglichkeit, erschöpfbare Ressourcen durch nichterschöpfbare Substitute zu ersetzen. Sie betrachten ganze Gruppen von Ressourcen, aber auch einzelne wichtige Faktoren, und kommen zu dem Schluß, daß eigentlich alle Stoffe und Materialien durch nicht-erschöpfbare Materialien substituiert werden können: "Das

meiste, das wir behaupten, ist spekulativ. Dennoch gibt es einen Aspekt der Zukunft, der 'Szenarium-unabhängig' zu sein scheint: Im Gegensatz zu den Behauptungen der Neo-Malthusianer muß Ausbeutung der mineralischen Ressourcen für sich allein nicht zur Katastrophe führen, vorausgesetzt die Menschheit findet eine unerschöpfbare nicht-verschmutzende Energiequelle. Das Hauptproblem ist es, wie wir aus unserem heutigen Zustand, ... , in dem wir genügend CH_x [unterschiedliche Kohlenwasserstoffverbindungen] und andere Ressourcen an Materialien haben, zum . ... Zeitalter der Substitution übergehen, ohne in drastische soziale Instabilitäten zu geraten. Werden wir die Fähigkeit und die Voraussicht haben, den Übergang ohne solche Instabilitäten zu planen und auszuführen?" (1976, S. 688).
Hiermit weisen Goeller und Weinberg bei allem Optimismus auf zwei wesentliche Probleme, nämlich auf das Problem der Umweltverschmutzung und das Energieproblem hin. Diese beiden Probleme werden wir im folgenden von einem ganz anderen Blickwinkel aus betrachten.

9.2.6 Die Allokation von erschöpfbaren Ressourcen

Der Bericht des 'Club of Rome' zur Lage der Menschheit: "Die Grenzen des Wachstums" (Meadows, 1972) hat vielen Menschen die Begrenztheit der Ressourcen bewußt gemacht. Seitdem sind viele weitere Studien erschienen, die die Rohstoffvorräte dieser Welt abschätzen und damit die Grenzen des Wachstums aufzeigen wollen. Solchen Studien, die naturgemäß häufig von Geologen, Mineralogen und Technikern erstellt werden, setzen die Ökonomen häufig entgegen, daß wesentliche ökonomische Strukturen, wie technischer Fortschritt und vor allem das Preissystem vernachlässigt würden: es gäbe nämlich nicht nur den bekannten Wirkungszusammenhang

$$\text{zunehmende Knappheit} \longrightarrow \text{steigende Preise}$$

sondern

$$\text{steigende Preise} \longrightarrow \left\{ \begin{array}{l} \text{abnehmende Nachfrage} \\ \text{effizienter Verbrauch} \\ \text{steigende Vorräte} \end{array} \right.$$

Bei den theoretischen Überlegungen zu knappen Ressourcen unterscheidet man regenerierbare und nicht-regenerierbare Ressourcen. Regenerierbare Ressourcen wie z. B. Fischschwärme und Wald wachsen mit oder ohne menschliche Aktivität nach (es sei denn, die Grundlagen für die Regeneration sind zerstört). Nicht-regenerierbare Ressourcen sind z. B. Erzvorkommen oder auch Kohleflöze. Diese regenerieren sich nicht (Erze) oder nur in extrem langen Zeiträumen (Kohle). Wir werden im folgenden nur den Fall nicht-regenerierbarer Ressourcen untersuchen (vgl. z. B. Ströbele (1984) oder Dasgupta, Heal (1979) für allgemeinere Erörterungen).

9.2.6.1 Zins und Preisänderung bei erschöpfbaren Ressourcen

Um die prinzipiellen Zusammenhänge zwischen Ressourcenpreis und Zinsent-
wicklung zu erkennen, betrachten wir ein sehr stark vereinfachtes Beispiel.
Dazu nehmen wir an, daß der Unternehmer künftige Preise hinreichend genau vorausschätzen kann und daß er auf dem Kapitalmarkt zum gegebenen
Zins beliebige Summen leihen und verleihen kann. Außerdem gebe es viele
Ressourcenbesitzer, die insgesamt durch ihre Angebotsentscheidungen den
Marktpreis beeinflussen, keiner allein aber Preise festsetzen kann. Außerdem
sollen die Förderkosten einer Ressourceneinheit über die Zeit konstant blei-
ben.

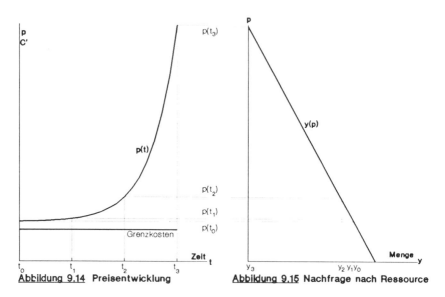

Abbildung 9.14 Preisentwicklung   Abbildung 9.15 Nachfrage nach Ressource

Der Preis der erneuerbaren Ressource zum Zeitpunkt 0 sei p_o. Außerdem
gelte ein über die Zeit hin konstanter Zins von r. Dann muß bei vollkomme-
nem Kapitalmarkt ohne Unsicherheit in Periode 1 der Preis der Ressource
gegeben sein durch

$$p_1 = p_o \cdot (1 + r) \qquad (*)$$

Diese Beziehung belegen wir, indem wir untersuchen, wie sich ein gewinnmaximierender Unternehmer verhält, wenn diese Beziehung nicht gilt. Sei
also:

$$p_1 < p_o \cdot (1 + r)$$

Dann ist es günstig, keine Ressourcen im Zeitpunkt 1 zu verkaufen, sondern
im Zeitpunkt 0 den Vorrat an verfügbaren Ressourcen zum Preis von p_o zu
veräußern und dieses Geld zum Zinssatz r anzulegen. Durch dieses Verhalten
wird in Periode 0 sehr viel, in Periode 1 tendenziell nichts angeboten, der
Preis von p_o wird sinken, der von p_1 steigen, solange bis gilt:

$$p_1 \geq p_o(1 + r) \qquad (+)$$

Sei umgekehrt

$$p_1 > p_o(1 + r)$$

so ist es günstig, seine Vorräte an Ressourcen in Periode 0 zu horten und sie in Periode 1 auf den Markt zu bringen. Da tendenziell alle gewinnmaximierenden Ressourcenbesitzer so handeln, steigt der Preis p_o und sinkt der Preis p_1 bis

$$p_1 \leq p_o(1 + r) \qquad\qquad (++)$$

Aus den Beziehungen (+) und (++) folgt (∗).

In Abb. 9.14 ist die Preisentwicklung der Ressource aufgezeichnet. Da der Preis im Gleichklang mit dem Marktzins wächst, folgt die Preisentwicklung einer Wachstumsfunktion.

In Abb. 9.15 ist eine lineare Nachfragefunktion nach der Ressource aufgezeichnet. Im Zeitpunkt t_0 wird zum Preis $p(t_o)$ die Menge y_o nachgefragt. Zum Zeitpunkt t_1 ist der Preis geringfügig gestiegen, die Nachfrage entsprechend geringfügig auf y_1 zurückgegangen; entsprechend ergibt sich zum deutlich gestiegenen Preis $p(t_2)$ eine deutlich zurückgegangene Nachfrage. Zum Zeitpunkt t_3 ist der Preis auf $p(t_3)$ gestiegen, zu diesem Preis existiert für das Gut keine Nachfrage mehr.

Bei funktionierenden Märkten regelt der Preismechanismus die intertemporale Nachfrage nach Gütern: Mit steigendem Preis wird die Nachfrage immer geringer und kann eventuell auf Null fallen.

Aufgabe 9.7

    a. Erläutern Sie, warum das Gut, dessen Nachfrage in Abbildung 9.15 dargestellt ist, kein lebensnotwendiges Gut ist.

    b. Skizzieren Sie eine Nachfragefunktion für ein lebensnotwendiges Gut.

    c. Skizzieren Sie die zeitliche Nachfrageentwicklung entsprechend den obenstehenden Ausführungen.

    d. Zu welchem Zeitpunkt wird die Nachfrage Null sein, zu welchem Zeitpunkt wird die Ressource erschöpft sein?

Obige Analyse hat gezeigt, daß mit über die Zeit steigenden Preisen die Nachfrage nach den Ressourcen zurückgeht. Für die teuer werdenden Rohstoffe werden Substitute entwickelt, Produkte, die keine oder wenig kostbare Ressourcen erfordern, verdrängen die bisherigen Produkte. Gleichzeitig müssen die Ressourcenschätzungen mit steigenden Preisen immer wieder nach oben korrigiert werden. Es ist nämlich so gut wie unmöglich, ohne die Berücksichtigung eines Preissystems Angaben darüber zu machen, wieviel förderbare Rohstoffe existieren.

Zwar ist es eventuell möglich, obere Grenzen für die auf der Welt vorhandenen Mengen an bestimmten Ressourcen anzugeben; da die Masse der Erde begrenzt ist, müssen auch alle darin enthaltenen Materialien begrenzt sein. Durch geologische und physikalische Untersuchungen können diese absoluten oberen Grenzen auch noch wesentlich stärker konkretisiert werden.

Solche geologischen Aussagen sind für den Ökonomen in der Regel wenig hilfreich. Den Wirtschaftler interessieren die Vorräte, die unter akzeptablen Kosten zu gewinnen sind. Diese akzeptablen Kosten hängen aber vom Preissystem ab. Rein materiell gesehen, kann eine Ressource gar nicht verbraucht werden: was in die Produktion und in den Konsum einfließt, muß eventuell in umgewandelter Form wieder herausfließen. So gesehen, werden die Kupfervorräte Chiles nicht "verbraucht", sondern durch den Einsatz von Arbeit, Kapital und sehr viel Energie abgebaut, verarbeitet und über die ganze Welt verteilt. Was ursprünglich konzentriert an einer Stelle vorhanden war (wenn auch vermischt und verbunden mit anderen Stoffen), ist später über die ganze Welt verstreut immer noch vorhanden. Steigt der Preis für Kupfer oder sinken die Preise der Müllaufbereitung, so lohnt es sich von einem bestimmten Punkt an, die "Kupfervorkommen" der Müllhalden zu erschließen.

Man sollte jedoch bedenken, daß die Gewinnung einen immer höheren Einsatz erfordert, je stärker die betrachtete Ressource bei der Produktion verteilt wird:

Die Rückgewinnung von Kupfer aus Kupferspulen kann schon heute ökonomisch sinnvoll sein, die Wiederverwendung von Kupferverkabelungen in Wohnungen oder Kraftfahrzeugen kann bei Steigen des Kupferpreises rentabel werden; der bei der Verarbeitung freiwerdende Kupferstaub ist nur unter extremen Aufwand, also kaum ökonomisch sinnvoll wiederzugewinnen.

9.2.6.2 Energie

Entsprechende Überlegungen können auch bei einem anderen Problembereich angestellt werden: Dem Bereich der begrenzten Energievorkommen.

In der Mechanik versteht man unter Energie die Fähigkeit, Arbeit zu verrichten und unterscheidet potentielle Energie (Energie der Lage) und kinetische Energie (Energie der Bewegung). Ein Uhrgewicht in einer bestimmten Höhe besitzt potentielle Energie. Diese kann in Bewegung umgesetzt werden (z. B. des Uhrwerks). Umgekehrt kann Bewegungsenergie z. B. des Uhrwerks benutzt werden, um einen Körper in eine bestimmte Höhe zu bringen: Sieht man von Reibung ab, so entspricht die potentielle Energie genau der kinetischen Energie, es gilt also ein Energieerhaltungsgesetz.

Da jedoch bei jeder Bewegung Reibung existiert, bei der ein Teil der kinetischen Energie in Reibungswärme umgewandelt wird, muß das Energieerhaltungsgesetz revidiert werden. Ergänzt man kinetische und potentielle Energie noch um andere Energieformen, nämlich Wärmeenergie, elektrische und chemische Energie, so erhält man ein allgemeines Energieerhaltungsgesetz.

> ### Erhaltungssatz der Energie
> In einem geschlossenen System ist die Summe der Energien konstant.

Dieser Erhaltungssatz der Energie ist aber keine Antwort auf das Energieproblem der Menschheit. Darauf macht der folgende und abschließende Aufsatz von Georgescu-Roegen aufmerksam.

9.3 Lektüre

99 **9.3.1 Georgescu-Roegen: Was geschieht mit der Materie im Wirtschaftsprozeß?**

Das überlieferte wirtschaftswissenschaftliche Denken ist oft immer noch von einem mechanistischen Leitbild aus der Physik geprägt. Obwohl dieses Prinzip durch die Entwicklung der modernen Physik relativiert wurde, hält man in der Nationalökonomie noch immer daran fest: Der Wirtschaftsprozeß wird als Pendelbewegung zwischen Produktion und Konsum dargestellt. Demgegenüber macht der Autor geltend, daß die Dimension der Natur ebenfalls berücksichtigt werden sollte. So haben schon etliche Nationalökonomen darauf hingewiesen, daß der Mensch Materie Energie auch in der Wirtschaft weder schaffen noch vernichten könnte (entsprechend dem ersten Hauptsatz der Thermodynamik). Demzufolge kann der Mensch Materielles gar nicht produzieren. Er absorbiert vielmehr Materie Energie und gibt sie fortwährend wieder von sich. Dabei beschäftigt sich der Autor mit dem Begriff der Entropie, den er - für seinen Zweck - als "Maß der nicht-verfügbaren Energie in einem thermodynamischen System" definiert. Unter diesem Gesichtspunkt treten Materie/Energie in einen Zustand der niedrigen Entropie in den Wirtschaftsprozeß und verlassen diesen in einem Zustand der hohen Entropie. Entscheidend ist dabei, daß die verfügbare Energie durch den Abbau und die Verwendung von nicht-erneuerbaren Ressourcen abnimmt. Damit stellt sich aber die Frage nach der Weiterexistenz des industriellen Systems überhaupt.

Es ist ein merkwürdiges Ereignis der Geschichte des wirtschaftstheoretischen Denkens, daß Jahre nach der Entthronung des mechanischen Dogmas in der Physik und seinem Verblassen in der Philosophie die Gründer der neoklassischen Schule darangingen, eine Wirtschaftslehre nach dem Vorbild der Mechanik zu entwickeln. Diese sollte nach den Worten Jevons' *the mechanics of utility and selfinterest* sein.[1]

Während die Nationalökonomie seither große Fortschritte machte, geschah nichts, um das wirtschaftswissenschaftliche Denken von der mechanistischen Epistemologie der Vorväter der gängigen Lehre zu befreien. Ein schlagender Beweis dafür ist das Bild, das die üblichen Lehrbücher vom ökonomischen Prozeß entwerfen: es ist ein kreisförmiges Schema, eine Pendelbewegung zwischen Produktion und Konsum in einem völlig geschlossenen System.[2]

100 Nicht anders verhält es sich mit den analytischen Stücken, die die nationalökonomische Standardliteratur zieren; auch sie reduzieren den Wirtschaftsprozeß auf ein autarkes mechanisches Analogon. Die unleugbare Tatsache, daß zwischen dem ökonomischen Prozeß und der materiellen Umwelt eine ununterbrochene, geschichtsbildende Wechselwirkung besteht, macht

dem Durchschnittsnationalökonomen keinen Eindruck. Dasselbe gilt für den marxistischen Wirtschaftstheoretiker, der auf Marxens Dogma schwört, wonach alles, was die Natur dem Menschen anbietet, ein spontanes Geschenk sei.[3] Auch in dem berühmten Reproduktionsschema, das Marx hinterlassen hat, erscheint der ökonomische Prozeß als eine kreisförmige und völlig in sich selbst ruhende Angelegenheit.[4]

Frühere Denker wiesen allerdings in eine andere Richtung, wie Sir William Petty, der erklärte, die Arbeit sei der Vater und die Natur die Mutter des Wohlstands.[5] Die gesamte Wirtschaftsgeschichte der Menschheit beweist ganz unzweifelhaft, daß die Natur eine wichtige Rolle sowohl im ökonomischen Prozeß als auch in der wirtschaftlichen Wertschöpfung spielt.

Ich glaube, es ist höchste Zeit, daß wir diese Tatsache anerkennen und über ihre Konsequenzen für das Wirtschaftsproblem der Menschheit nachdenken. Wie ich auf diesen Seiten aufzuzeigen versuchen werde, sind einige dieser Konsequenzen von außerordentlicher Bedeutung für das Verständnis der Natur und Entwicklung menschlichen Wirtschaftens.

Die gesamte Wirtschaftsgeschichte beweist, daß die Natur eine wichtige Rolle sowohl im ökonomischen Prozeß als auch in der wirtschaftlichen Wertschöpfung spielt.

Können Menschen Materielles überhaupt produzieren?

Einige Nationalökonomen haben auf die Tatsache hingewiesen, daß der Mensch Materie oder Energie weder schaffen noch vernichten kann.[6] Dies folgt aus dem Grundsatz der Erhaltung der Materie bzw. Energie, der als Erster Hauptsatz der Thermodynamik bekannt ist. Niemand scheint aber auf die im Lichte dieses Gesetzes so verwirrende Frage aufmerksam geworden zu sein: Was tut denn der ökonomische Prozeß? Alles, was wir in der Grundsatzliteratur finden, ist eine gelegentliche Äußerung des Inhalts, daß der Mensch nur Gebrauchsgüter herstellen könne - eine Bemerkung, die das Ganze nur noch mysteriöser macht. Wie ist es dem Menschen möglich, etwas Materielles zu produzieren, wenn die Tatsache feststeht*, daß er weder Materie noch Energie erschaffen kann?

Um die Antwort auf diese Frage zu finden, wollen wir den ökonomischen Prozeß als Ganzes betrachten und dies nur vom rein physischen Gesichtspunkt aus. Was wir zuallererst festhalten müssen, ist dies: dieser Prozeß ist ein Teilprozeß, der wie alle Teilprozesse durch eine Grenze umschrieben ist, über die hinweg Materie und Energie mit dem übrigen materiellen Universum ausgetauscht werden.[7]

101   Die Antwort auf die Frage, was dieser materielle Prozeß tut, ist einfach: er produziert keine Materie/Energie, und er konsumiert keine, er absorbiert nur Materie/Energie und gibt sie laufend wieder von sich. Das ist es, was die reine Physik uns lehrt.

Wirtschaftswissenschaft und reine Physik sind aber - das sei laut und deutlich gesagt - nicht dasselbe, nicht einmal, wenn wir an eine andere Art von Physik denken. Wir dürfen uns aber darauf verlassen, daß auch der engagierteste Anhänger der Lehre, Bodenschätze hätten mit Wert nichts zu tun, schließlich zugeben wird, daß zwischen dem, was in den ökonomischen Prozeß eingeht und dem, was aus ihm herausschaut, ein Unterschied besteht. Natürlich kann dieser Unterschied nur qualitativ sein.

Ein unorthodoxer Nationalökonom - wie ich einer bin - würde sagen, daß das, was in den ökonomischen Prozeß aufgenommen wird, aus wertvollen natürlichen Stoffen besteht, das, was aus ihm entlassen wird aus wertlosem Abfall. Aber dieser qualitative Unterschied wird, allerdings in anderer Formulierung, durch eine besondere (und merkwürdige) Disziplin der Physik bestätigt, die als Thermodynamik bekannt ist. Vom Gesichtspunkt der Thermodynamik aus tritt Materie/Energie in den ökonomischen Prozeß in einem Zustand niedriger Entropie ein, und sie verläßt ihn in einem Zustand hoher Entropie.[8]

Entropie: Klärung eines Begriffes

Im einzelnen zu erklären, was Entropie bedeutet, ist kein einfaches Unterfangen. Der Begriff ist derart verwickelt, daß er - wenn wir einer Autorität in Sachen Thermodynamik Glauben schenken dürfen - *nicht einmal den Physikern leicht verständlich ist*.[9] Um die Dinge noch schlimmer zu machen - nicht nur für den Laien, sondern für jedermann -, zirkuliert der Terminus nun mit mehreren Bedeutungen, die nicht alle etwas mit dem physikalischen Sachverhalt zu tun haben.[10]

Eine neuere Ausgabe von *Webster's Collegiate Dictionary* (1965) weist unter dem Stichwort Entropy drei Einträge auf. Außerdem ist die Definition des für den ökonomischen Prozeß in Frage kommenden Terminus' eher geeignet zu verwirren als aufzuklären. Wir werden uns deshalb mit Vorteil an eine ältere Ausgabe halten. *Ein Maß der nicht verfügbaren Energie in einem thermodynamischen System* heißt es in der von 1948. Das kann zwar den Fachmann nicht befriedigen, aber es reicht für allgemeine Zwecke. Um (wiederum in großen Zügen) zu erklären, was *nichtverfügbare Energie* bedeutet, ist nun ziemlich einfach.

Wie ist es denn dem Menschen möglich, etwas Materielles zu produzieren, wenn die Tatsache feststeht, daß er weder Materie noch Energie erschaffen kann?

102   Energie kommt in zwei qualitativen Zuständen vor - als *verfügbare* oder *freie* Energie, über die der Mensch fast uneingeschränkt gebietet, und *nichtverfügbare* oder *gebundene* Energie, die zu gebrauchen dem Menschen verwehrt ist. Die in einem Stück Kohle enthaltene Energie ist freie Energie, weil sie sich in Wärme oder, wenn man will, in mechanische Arbeit verwandeln läßt. Aber die phantastische Menge von Wärmeenergie, die beispielsweise im Wasser des Ozeans gefangen ist, ist gebundene Energie. Schiffe können über sie hinwegfahren, aber sie brauchen dazu freie Energie in Form von Brennstoff oder Wind.

Wenn ein Stück Kohle verbrannt wird, tritt weder eine Verringerung noch eine Vergrößerung seiner chemischen Energie ein. Aber die ursprüngliche freie Energie ist in Gestalt von Wärme, Rauch und Asche so zerstreut worden, daß sie für den Menschen unbrauchbar geworden ist. Sie ist zu gebundener Energie herabgesunken. Freie Energie ist Energie, die ein Gefälle zeigt, wie etwa das zwischen der Temperatur innerhalb und außerhalb eines Heizkessels. Gebundene Energie andererseits ist chaotisch zerstreute Energie.

Dieser Unterschied kann noch auf andere Weise ausgedrückt werden: Freie Energie setzt eine gewisse geordnete Struktur voraus, die mit der eines Ladens vergleichbar ist, wo alles Fleisch auf einem Korpus liegt, das Gemüse auf einem andern usw. Gebundene Energie ist unordentlich verzettelte Energie, wie sie in demselben Laden herrschen würde, nachdem ein Wirbelsturm darin gehaust hat. Deshalb wird Entropie auch als Maß der Unordnung bezeichnet. Das paßt zur Tatsache, daß ein Stück Kupferblech eine niedrigere Entropie aufweist als das Kupfererz, aus dem es gewonnen wurde.

Physik des ökonomischen Wertes

Die Unterscheidung zwischen freier und gebundener Energie ist gewiß *anthropomorph*. Das braucht aber den Psychologen nicht zu stören, auch nicht einmal den Physiker, der Materie in ihrer einfachen Form studiert. Jedes Element, durch das der Mensch mit der Wirklichkeit in geistigen Kontakt zu treten versucht, kann nur anthropomorph sein. Im Falle der Thermodynamik hat es damit jedoch noch eine besondere Bewandtnis.

Es war nämlich die Unterscheidung zwischen wertvollen und wertlosen Dingen, die zur Begriffsprägung der Thermodynamik Anlaß gab und nicht umgekehrt. Die Thermodynamik als Wissenschaft verdankt ihre Entstehung einer Abhandlung, in der der französische Ingenieur *Sadi Carnot* (im Jahre 1824) erstmals die Ökonomie von Wärmekraftmaschinen studierte. Die Thermodynamik begann somit als eine Physik des ökonomischen Werts und ist eine solche geblieben, obwohl sie in der Folge durch zahlreiche Beiträge abstrakterer Art bereichert wurde.

Dank Carnots Abhandlung hat das elementare Faktum, daß Wärme von selbst nur vom heißeren zum kälteren Körper wandert, unter den anerkann-
103 ten Wahrheiten der Physik Platz gefunden. Noch wichtiger war eine spätere Erkenntnis: sobald die Wärme eines abgeschlossenen Systems sich so verteilt hat, daß die Temperatur im ganzen System die gleiche ist, kann die Wärmebewegung ohne Eingriff von außen nicht umgekehrt werden. Die Eiswürfel in einem Glas Wasser werden sich, nachdem sie geschmolzen sind, nicht von selbst wieder bilden.

Der ökonomische Prozeß ist solid auf einem materiellen Fundament verankert, das bestimmten Zwängen unterliegt.

Im allgemeinen entartet die freie Wärmeenergie eines abgeschlossenen Systems kontinuierlich und unwiderruflich zu gebundener Energie. Die Übertragung dieser Feststellung von der Wärmeenergie auf alle anderen Arten von Energie führte zur Aufstellung des Zweiten Hauptsatzes der Thermodynamik, auch Entropiesatz genannt. Dieser besagt, daß die Entropie (das heißt die

Menge von gebundener Energie) eines abgeschlossenen Systems kontinuierlich wächst, bzw. daß die Ordnung eines solchen Systems immer mehr in Unordnung übergeht.

Der Ausdruck *abgeschlossenes System* ist dabei von entscheidender Bedeutung. Stellen wir uns so ein abgeschlossenes System vor: einen Raum mit einem elektrischen Herd und einem Eimer voll Wasser, das soeben zum Sieden gebracht worden ist. Nach dem Entropiesatz wird sich die Wärme des gekochten Wassers stetig über das ganze System hinweg verbreiten. Schließlich wird dieses im thermodynamischen Gleichgewicht verharren, einem Zustand, wo die Temperatur überall die gleiche (und alle Energie gebunden) ist. Das gilt für jede Art von Energie in einem abgeschlossenen System. Die freie chemische Energie eines Stücks Kohle beispielsweise wird schließlich in gebundene Energie übergehen, auch wenn die Kohle den Boden nicht verlassen hat. Freie Energie tut dies immer.

Die ungeahnten Errungenschaften der industriellen Revolution beeindruckten die Zeitgenossen so sehr mit allem, was mit Hilfe der Maschine möglich ist, daß nur noch die Fabrik in ihrem Gesichtskreis Platz hatte.

Der Entropiesatz sagt uns auch, daß das Wasser nach dem Eintreten des thermodynamischen Gleichgewichts nicht von selbst wieder zu sieden anfängt[11]. Wie jedermann weiß, können wir es aber wieder zum Sieden bringen, indem wir den Herd anzünden. Auf diese Weise haben wir den Entropiesatz jedoch nicht außer Kraft gesetzt. Wenn die Entropie des Raums gesenkt wurde, indem durch das Erhitzen des Wassers ein Temperaturgefälle entstand, dann nur deshalb, weil etwas niedrige Entropie (also freie Energie) von außen in das System gelangt war. Und wenn wir den Elektroherd mit in die Betrachtung einbeziehen, dann muß dieses erweiterte System eine niedrigere Entropie aufweisen. Aber auch hier ist die Verringerung der Entropie im Raum durch eine gesteigerte Zunahme der Entropie außerhalb des Raums erkauft.

104

Biologische Regeln nicht strenger als die wirtschaftlichen

Einige Forscher haben sich durch die Tatsache beeindrucken lassen, daß *Lebewesen* über kürzere Zeiträume hin sozusagen unverändert bleiben; sie haben daraus schließen wollen, daß das Leben dem Entropiesatz nicht unterliege. Nun mögen lebende Organismen gewisse Merkmale aufweisen, die durch Naturgesetze nicht zu erklären sind, aber schon der bloße Gedanke, daß das Leben irgendeinem Gesetz der Materie widersprechen könnte, ist völlig unsinnig.

Wahr ist, daß jeder belebte Körper danach strebt, seine eigene Entropie konstant zu halten. Er tut es, soweit es ihm gelingt, indem er niedrige Entropie aus der Umwelt aufsaugt, um die Zunahme der eigenen Entropie auszugleichen, der ein Organismus wie jeder andere Körper ausgesetzt ist.

Tatsächlich muß die Entropie des Systems rascher wachsen, wenn es Leben gibt als wenn dieses fehlen würde. Die Tatsache, daß jeder lebende Organismus die entropische Entartung seiner eigenen materiellen Struktur

bekämpft, könnte ein Charakteristikum des Lebens sein, das durch Naturgesetze nicht zu erklären ist, aber sie stellt keine Verletzung dieser Gesetze
dar.

Praktisch alle Organismen leben von niedriger Entropie in der unmittelbar in der Umwelt vorgefundenen Form. Der Mensch ist die auffälligste
Ausnahme: er kocht den größten Teil seiner Nahrung und setzt Bodenschätze
in mechanische Arbeit oder in Gebrauchsgüter um. Auch hier sollten wir uns
vor Trugschlüssen hüten.

Die Entropie von Kupfer ist niedriger als die des Erzes, aus dem es
gewonnen wurde, aber das will nicht heißen, daß die *wirtschaftliche* Tätigkeit
des Menschen dem Entropiesatz nicht unterliegt. Das Raffinieren des Erzes
verursacht einen Anstieg der Entropie in der Umwelt, der den umgekehrten
Vorgang beim Metall mehr als ausgleicht.

Die *Nationalökonomen* betonen gern, daß wir nichts für nichts erhalten.
Der Entropiesatz lehrt uns, daß die Regeln der biologischen Existenz und -
im Falle des Menschen - der wirtschaftlichen weit strenger sind. Ihm zufolge
sind die Kosten irgendeines biologischen oder ökonomischen Vorgangs stets
größer als der Nutzen, der dabei herausschaut. So betrachtet, führt jede
derartige Tätigkeit so oder so zu einem Defizit.

Die früher gemachte Feststellung - nämlich, daß der ökonomische Prozeß
vom rein physikalischen Standpunkt aus nur wertvolle natürliche Stoffe
105 (niedrige Entropie) in Abfall (hohe Entropie) verwandelt - ist damit vollumfänglich bestätigt.

Doch die *Rätselfrage*, weshalb dieser Prozeß weitergehen sollte, ist noch
nicht gelöst. Sie wird uns solange undurchsichtig bleiben, bis wir uns davon
Rechenschaft abgegeben haben, daß der eigentliche Ertrag des ökonomischen
Prozesses nicht ein materieller Strom von Abfällen, sondern ein immaterieller
ist: *der Lebensgenuß.*

Wenn wir diesen Strom nicht zur Kenntnis nehmen, gehen wir am eigentlich Wirtschaftlichen vorbei. Wir machen uns auch kein vollständiges
Bild vom ökonomischen Prozeß, wenn wir uns der Tatsache verschließen, daß
dieser Strom - der als ein entropisches Gefühl das Leben auf allen Stufen
kennzeichnen muß - nur solange aufrechterhalten bleibt, als er sich mit niedriger Entropie aus der Umwelt nähren kann.

Und wenn wir noch einen Schritt weitergehen, entdecken wir, daß jeder Gegenstand von wirtschaftlichem Wert - sei es eine gerade vom Baum
gepflückte Frucht, ein Kleidungsstück, ein Möbel undsoweiter - eine hochgradig geordnete Struktur und mithin eine niedrige Entropie aufweist.[12]

Kohle - nur einmal verwendbar

Aus dieser Untersuchung sind verschiedene Lehren zu ziehen. Die erste
lautet, daß der wirtschaftliche *Kampf des Menschen* sich um niedrige Entropie aus der Umwelt dreht. Zweitens: Niedrige Entropie in der Umwelt ist in
anderem Sinne rar als der Boden bei *Ricardo*. Sowohl das Ricardosche Land
als auch Kohlevorkommen sind beschränkt verfügbar. Der Unterschied be-

steht jedoch darin, daß ein Stück Kohle nur einmal verwendet werden kann. In der Tat erklärt der Entropiesatz, weshalb eine Maschine (und entsprechend ein lebendiger Organismus) sich schließlich abnützt und durch eine neue ersetzt werden muß, was bedeutet, daß die niedrige Entropie in der Umwelt einmal mehr angezapft werden muß.

Der stets erneute Griff des Menschen nach den Schätzen der Natur ist nicht etwas, was sich abseits der Geschichte vollzieht. Ganz im Gegenteil, er ist der langfristig für das Schicksal der Menschheit entscheidendste Faktor. Es war beispielsweise die Unwiderruflichkeit der entropischen Entwertung von Materie und Energie, die die schafzüchtenden asiatischen Steppenvölker zu Beginn des ersten Jahrtausends unserer Zeitrechnung veranlaßte, sich auf die Große Wanderung zu begeben und den europäischen Kontinent zu überschwemmen.

Derselbe Zwang - das Versiegen der natürlichen Ressourcen - spielte zweifellos eine Rolle bei anderen Wanderbewegungen, einschließlich der Emigration nach der Neuen Welt. Die fantastischen Anstrengungen, um auf den Mond zu gelangen, dürften irgendwie die Hoffnung widerspiegeln, neue Quellen niedriger Entropie erschließen zu können.

Der Knappheit niedriger Entropie in der Umwelt ist es auch zuzuschreiben, daß der Mensch sich seit den frühesten Zeiten bemüht hat, sie besser 106 zu sieben. In den meisten (wenn auch nicht allen) menschlichen Erfindungen kann man deutlich eine fortschreitend verbesserte Ausnutzung niedriger Entropie erkennen.

Eindeutige Zwänge: Unwiderrufliche Entwicklung

Nichts könnte deshalb wirklichkeitsfremder sein als die Idee, daß der ökonomische Prozeß ein isolierter, in sich selbst verlaufender Vorgang sei, wie die marxistische und landläufige Lehre es behauptet. Er ist solid auf einem materiellen Fundament verankert, das bestimmten Zwängen unterliegt. Diese Zwänge sind es, die den ökonomischen Prozeß zu einer nur in einer Richtung verlaufenden, *unwiderruflichen Entwicklung* machen.

In der Wirtschaft zirkuliert nur Geld hin und her, von einem Sektor zum andern (obwohl, genau genommen, sogar die Münzen sich abnutzen und immer wieder durch Rückgriff auf die Bodenschätze ersetzt werden müssen). Rückblickend glaubt man zu erkennen, daß die Nationalökonomen beider Observanzen dem schlimmsten Fetischismus erlegen sind, den es gibt - dem Geldfetischismus.

Die Wirtschaftstheorie ist stets durch die ökonomischen Tagesfragen beeinflußt worden. Sie wird auch - mit einiger Verspätung - durch die ideelle Entwicklung in den Naturwissenschaften mitbedingt. Ein schlagender Beweis für diese Zusammenhänge ist allein schon die Tatsache, daß die Wirtschaftswissenschaft in einem Moment die Naturumwelt aus dem ökonomischen Prozeß auszuklammern begann, als die akademische Welt als ganze einem Stimmungsumschwung unterlag. Die ungeahnten Errungenschaften der industriellen Revolution beeindruckten die Zeitgenossen so sehr mit allem, was mit Hilfe von Maschinen möglich ist, daß nur noch die Fabrik in ihrem Gesichtskreis Platz hatte.

Der Schub wissenschaftlicher Entdeckungen, welcher durch die technischen Neuerungen ausgelöst wurde, vertiefte die allgemeine Ehrfurcht vor der Macht der Technik weiter. Das verleitete die Gelehrten, die Möglichkeiten der Wissenschaft zu überschätzen und ihrer Leserschaft ein verzeichnetes Bild vorzuspiegeln. Natürlich konnte von dieser Warte aus nicht einmal der Gedanke aufkommen, daß der menschlichen Existenz irgendwo eine reale Schranke gesetzt sein könnte.

Die natürliche Wahrheit lautet anders. Sogar das Alter unserer Spezies ist geringfügig, verglichen dem einer Galaxie. Auch wenn die Weltraumfahrt große Fortschritte machen sollte, wird die Menschheit nur über ein Pünktchen im All gebieten. Die biologische Ausstattung des Menschen setzt ihm weitere Grenzen. Wenn er überleben soll, darf die Temperatur nicht zu hoch und nicht zu tief sein. Vielerlei Strahlungen bedrohen seine Existenz. Er kann nicht nur nicht nach den Sternen greifen, sondern er kann auch nicht in den Bereich des ganz Kleinen, der Elementarpartikeln, ja sogar des Atoms eindringen.

107   Weil der Mensch, wie undeutlich auch immer, stets gespürt hat, daß sein Leben von knapper, sich nicht erneuernder niedriger Entropie abhängt, hat er auch immer wieder die Hoffnung genährt, einmal eine sich selbst erhaltende Kraft zu finden. Die Entdeckung der *Elektrizität* verleitet manchen zum Glauben, diese Hoffnung habe sich erfüllt. Die seltsame Vermählung der Thermodynamik mit der Mechanik ließ in einigen Köpfen den Gedanken aufkommen, es würde tatsächlich möglich sein, gebundene Energie zu entbinden.[13]

Die Entdeckung der Atomenergie erweckte aufs neue weitherum die Hoffnung, diesmal sei die sich selbst fortpflanzende Kraft endgültig gefunden. Die Stromknappheit, die *New York* heimsucht und nach und nach auf andere Städte übergreift, sollte uns ernüchtern. Sowohl die Nukleartheoretiker als auch die Kernkraftproduzenten beteuern, alles sei nur eine Kostenfrage. Im Lichte des hier Dargelegten heißt das: eine Frage der Entropiebilanz.

Die technologische Illusion

Wenn die Naturwissenschaftler predigen, daß es ihnen möglich sein wird, den Menschen von allen Schranken zu befreien, und die Nationalökonomen es ihnen nachtun, indem sie bei der Analyse des ökonomischen Prozesses von den dem Menschen durch die materielle Umwelt gesetzten Grenzen absehen - ist es dann ein Wunder, daß niemand gemerkt hat, daß wir nicht größere und bessere Kühlschränke, Autos oder Düsenflugzeuge herstellen können, ohne damit auch größern und bessern Abfall zu erzeugen?

Als nun jedermann (in den Ländern mit größerer und besserer Industrieproduktion) die Umweltverschmutzung in unliebsam buchstäblichem Sinn zu spüren bekam, ließen sich Natur- und Wirtschaftswissenschaftler davon gleichsam im Schlaf überraschen. Auch heute noch scheint niemand einzu-

sehen, daß der Grund der Misere in unserer Unfähigkeit zu suchen ist, den
entropischen Charakter des ökonomischen Prozesses zu erkennen.

Ein überzeugender Beweis dafür sind die Ideen, die die verschiedenen
Autoritäten in Sachen Verschmutzung uns jetzt zu verkaufen suchen: einerseits Maschinen und chemische Verfahren, die keinen Abfall produzieren,
und andererseits Erlösung durch unaufhörliches Recycling des Abfalls. Es sei
nicht geleugnet, daß wir, wenigstens im Prinzip, sogar das im Sand der Meere
zerstreute Gold rezirkulieren können, genau wie wir es im oben angeführten
Beispiel mit dem siedenden Wasser tun konnten.

Doch in beiden Fällen müssen wir dabei auf eine zusätzliche Menge nied-
riger Entropie zurückgreifen, die viel größer ist als jene, die im rezirkulierten
Material enthalten sein wird. Kostenloses Recycling gibt es ebensowenig wie
Industrie ohne Abfall.

Die Erdkugel, an die die menschliche Spezies gekettet ist, schwebt
im kosmischen Reservoir freier Energie dahin, die vielleicht sogar unbegrenzt sein könnte. Aber aus den im vorangehenden Abschnitt dargelegten
Gründen kann der Mensch sich zu diesen riesenhaften Vorräten nicht Zu-
108 gang verschaffen, genau wie er nicht an alle möglichen Formen freier Energie
herankommt.

Er kann beispielsweise die ungeheure thermonukleare Energie der Sonne
nicht direkt verfügbar machen. Das wichtigste Hindernis ist (wie bei der industriellen Verwendung der Wasserstoffbombe), daß es keinen Behälter gibt,
der den Temperaturen massiver thermonuklearer Reaktionen standhält. Solche Vorgänge können sich nur im freien Raum abspielen.

Formen des Vorhandenseins von Energie: Vorräte und Kreislauf

Die freie Energie, zu der der Mensch Zugang hat, kommt aus zwei verschiedenen Quellen. Die erste ist ein *Vorrat*, der Vorrat freier Energie in den
Mineralvorkommen des Erdinnern. Die zweite ist ein *Fluß*, der Fluß der von
der Erde eingefangenen Sonnenstrahlung. Zwischen diesen beiden Quellen
gibt es verschiedene Unterschiede, auf die gut geachtet werden sollte.

Der Mensch beherrscht die Schätze der Erde nahezu unumschränkt; es
wäre denkbar, daß wir sie alle in einem Jahr aufbrauchen würden. Die Sonnenstrahlung dagegen entzieht sich praktisch seiner Kontrolle. Er ist auch
nicht imstande, die künftige Strahlung *jetzt* auszunützen.

Eine andere *Asymmetrie* zwischen beiden Quellen stellen wir hinsichtlich
ihrer besonderen Rollen fest. Nur die terrestrische liefert uns die Stoffe mit
niedriger Entropie, aus denen wir unsere wichtigsten Geräte herstellen. Die
Sonnenstrahlung dagegen ist die primäre Quelle allen Lebens auf der Erde,
das mit der Chlorophyll-Photosynthese beginnt.

*Auch heute noch scheint niemand einzusehen, daß der Grund der Misere in
unserer Unfähigkeit zu suchen ist, den entropischen Charakter des ökonomischen Prozesses zu erkennen.*

Und schließlich: der terrestrische Vorrat ist im Vergleich mit dem der
Sonne eine dürftige Quelle. Aller Wahrscheinlichkeit nach wird die Sonne

noch fünf Milliarden Jahre scheinen, und während dieser Zeit wird die Erde von ihr beträchtliche Energiemengen beziehen.[14] Der gesamte terrestrische Vorrat dagegen würde - es ist kaum zu glauben - nur für wenige Tage Sonnenlicht ausreichen.[15]

108   Dies alles wirft ein neues Licht auf das Bevölkerungsproblem, das heute so sehr im Vordergrund steht. Einige Betrachter sind beunruhigt von der Aussicht, daß die Weltbevölkerung bis 2000 auf sieben Milliarden ansteigen könnte (was die UNO-Demographen voraussagen). Auf der andern Seite gibt es jene, die wie *Colin Clark* behaupten, daß die Erde bei richtiger Verwaltung der Ressourcen sogar fünfundvierzig Milliarden Menschen zu ernähren vermöchte.[16] Doch scheint kein Bevölkerungsexperte bisher eine für die Zukunft des Menschen weit wichtigere Fragen gestellt zu haben: Wie lange kann eine bestimmte Bevölkerungszahl - sei es eine Milliarde oder 45 Milliarden - aufrechterhalten werden? Nur wenn wir so fragen, wird uns klar, wie kompliziert das Bevölkerungsproblem ist. Sogar das analytische Konzept der optimalen Bevölkerungszahl, das vielen dieser Studien zugrundegelegt wird, erweist sich als eine alberne Fiktion.

Mechanisierung der Landwirtschaft ist problematisch

Der entropische Kampf des Menschen während der letzten zwei Jahrhunderte ist in dieser Hinsicht aufschlußreich. Einerseits hat der eindrucksvolle Fortschritt der Wissenschaft ein ans Wunderbare grenzendes wirtschaftliches Entwicklungsniveau ermöglicht. Andererseits hat diese Entwicklung den Menschen genötigt, die Anzapfung der Bodenschätze in kaum faßlichem Maße zu intensivieren (denken wir etwa an die Ölbohrungen auf dem Festlandsockel).

Die dadurch hervorgerufene Bevölkerungsvermehrung hat den *Kampf um die Nahrung* verschärft, der in einigen Gegenden krisenhafte Formen angenommen hat. Die einstimmig befürwortete Lösung soll in der verstärkten Mechanisierung der Landwirtschaft bestehen. Sehen wir zu, was das unter dem Gesichtspunkt der Entropie bedeutet.

Zunächst wird, indem das Zugtier als traditioneller Partner des Bauern ausgeschaltet wird, durch die Mechanisierung der Landwirtschaft der gesamte Boden für die Nahrungsmittelproduktion verfügbar (das heißt Futter wird nur insoweit angebaut, als Fleisch benötigt wird).

Die Mechanisierung der Landwirtschaft, mag sie in der gegenwärtigen Notsituation unvermeidlich erscheinen, ist auf lange Sicht wirtschaftlich nicht zu verantworten.

Letztlich, und das ist das Entscheidende, wird aber einfach der Input an niedriger Entropie aus anderer Quelle bestritten: aus dem terrestrischen Vorrat statt aus der Sonnenstrahlung. Der Ochse oder Wasserbüffel bezieht seine mechanische Energie schließlich aus der durch die einfallende Sonnenstrahlung bewirkten Chlorophyll-Photosynthese; er wird ersetzt durch den Traktor, der mit niedriger Entropie terrestrischen Ursprungs hergestellt und angetrieben wird. Dasselbe gilt für die Umstellung vom Stall- auf den Kunstdünger.

110   Daraus ist zu schließen, daß die *Mechanisierung der Landwirtschaft*, mag sie auch in der gegenwärtigen Notsituation unvermeidlich erscheinen, auf lange Sicht wirtschaftlich nicht zu verantworten ist.´ Durch sie wird die biologische Existenz des Menschen immer mehr von der spärlicheren der beiden Quellen niedriger Entropie abhängig gemacht. Es besteht sogar die Gefahr, daß die mechanisierte Landwirtschaft die Spezies Mensch in eine Falle lockt, aus der es kein Entkommen gibt: wenn nämlich einige der biologischen Spezies, die bei der andern Anbaumethode mitwirken, zum Aussterben verurteilt sind.

Wie lange dauert noch die industrielle Phase?

Das Problem der wirtschaftlichen Verwendung des terrestrischen Vorrats an niedriger Entropie stellt sich nicht nur im Zusammenhang mit der Mechanisierung der Landwirtschaft. Es ist die eigentliche *Schicksalsfrage* der Menschheit.

Um dies klar zu machen, wollen wir den gegenwärtigen Vorrat an niedriger Entropie terrestrischer Herkunft mit S bezeichnen und die Menge, um die es sich durchschnittlich alljährlich vermindert, mit r. Wenn wir (was wir hier ohne weiteres dürfen) von der langsamen naturbedingten Abnahme von S absehen, so verstreichen *theoretisch* höchstens S/r Jahre bis der Vorrat völlig erschöpft ist. Dies ist auch die Zahl der Jahre, die vergehen wird, bis die *industrielle* Phase der Entwicklung der Menschheit gezwungenermaßen abbricht. Angesichts des fantastischen Mißverhältnisses zwischen S und der jährlichen Sonnenenergieeinstrahlung steht außer Frage, daß auch bei sehr haushälterischem Gebrauch von S die industrielle Phase der Menschheitsentwicklung schon lange zu Ende sein wird, wenn die Sonne aufhört zu scheinen.

Was dann geschieht, ist schwer zu sagen (wenn die menschliche Spezies nicht schon früher durch ein völlig resistentes Insekt oder eine heimtückische chemische Substanz ausgerottet worden ist). Der Mensch könnte wieder zum Beerensucher werden - der er einmal war. Aber eine derartige evolutionäre Kehrtwendung ist wenig wahrscheinlich.

Sei dem wie es wolle, es bleibt bei der Tatsache: je höher die wirtschaftliche Entwicklung, desto größer die jährliche Abnahme der Vorräte und demgemäß desto kürzer die Lebenserwartung der menschlichen Spezies.

Was das bedeutet, liegt auf der Hand. Jedesmal, wenn wir einen Cadillac produzieren, zerstören wir unwiderruflich eine bestimmte Menge von niedriger Entropie, die dazu dienen könnte, einen Pflug oder einen Spaten herzustellen. Mit anderen Worten: jeder Cadillac, der vom Band läuft, wird in Zukunft Menschenleben kosten. Wirtschaftliche Entwicklung durch industriellen Überfluß mag für uns und für diejenigen unserer Nachfahren, welche sie in nächster Zukunft noch genießen können, eine Wohltat sein. Sie verstößt aber ganz eindeutig gegen die Interessen der Menschheit als ganzes, wenn sie so lange zu überleben wünscht als der Vorrat an niedriger Entropie

111 es zuläßt. Dieses Paradoxon der Wirtschaftsentwicklung zeigt, welchen Preis der Mensch für das einzigartige Vorrecht zu zahlen hat, seine biologischen Schranken im Lebenskampf überschreiten zu können.

Die *Biologen* wiederholen gern, daß die natürliche Auswahl einer Serie von Fehlern gleichkommt, weil sie die zukünftigen Bedingungen nicht mitberücksichtigt. Diese Bemerkung, die als gegeben voraussetzt, daß der Mensch klüger ist als die Natur und die Sache selbst in die Hände nehmen sollte, beweist, daß unserer Eitelkeit und der Selbstsicherheit des Gelehrten keine Grenzen gesetzt sind.

Der Wettlauf um die wirtschaftliche Entwicklung, welcher der modernen Zivilisation den Stempel aufdrückt, läßt keinen Zweifel an der Kurzsichtigkeit des Menschen aufkommen. Es ist nur seiner biologischen Natur - seinen ererbten Instinkten - zuzuschreiben, daß ihm nur das Schicksal einiger seiner unmittelbaren Nachkommen am Herzen liegt; im allgemeinen gerade noch das seiner Urgroßkinder.

Und man braucht weder ein Zyniker noch ein Pessimist zu sein, um zu glauben, daß nicht einmal eine mit dem Entropieproblem vertraute Menschheit willens sein würde, ihren gegenwärtigen Luxus aufzugeben, um jenen Menschen das Leben erträglich zu machen, die in zehntausend oder auch schon in tausend Jahren die Erde bevölkern werden.

Indem der Mensch seine biologischen Schranken überwand, indem er Geräte herstellte, begab er sich ipso facto nicht* nur in die Abhängigkeit von einer sehr spärlichen Quelle des Lebensunterhalts, sondern er gewöhnte sich auch an Luxus. Es sieht so aus, als ob die Spezies Homo sapiens es darauf angelegt hätte, ein kurzes, aber anregendes Leben zu genießen. Lassen wir die weniger ehrgeizigen zoologischen Arten ein langes und wenig ereignisreiches fristen.

Man stirbt nicht plötzlich

In Fragen, wie sie hier zur Sprache kamen, ist mit langfristig wirksamen Kräften zu rechnen. Da diese Kräfte sich sehr langsam Bahn brechen, sind wir geneigt, sie zu übersehen oder wenn wir sie erkennen - jedenfalls ihre Bedeutung zu unterschätzen. Der Mensch ist so beschaffen, daß er sich stets für das interessiert, was morgen geschehen wird, nicht erst in tausend Jahren. Doch gerade die langsam wirkenden Kräfte pflegen auch die schicksalsträchtigsten zu sein. Die meisten Leute sterben nicht eines plötzlichen Todes - an einer Lungenentzündung oder durch einen Autounfall -, sondern weil sie langsam und fast unmerklich gealtert sind. Der Mensch beginnt zu sterben, sobald er geboren ist, sagte ein jainistischer Philosoph.

Es wäre nicht zu gewagt, einige Gedanken über die fernere Zukunft der menschlichen Wirtschaft anzustellen, nicht gewagter jedenfalls, als wenn man in großen Zügen den Lebenslauf eines neugeborenen Kindes voraussagen würde. Eine Überlegung würde etwa so lauten: Der zunehmende Druck
112 auf den Vorrat an Bodenschätzen, der vom industriellen Entwicklungsfieber unserer Tage ausgeht, gepaart mit dem stets akuteren Problem, wie die Um-

weltverschmutzung eingedämmt werden kann (und das wieder unter Rückgriff auf jenen Vorrat), wird den Menschen unweigerlich dazu bringen, über die bessere Verwertung der Sonnenstrahlung nachzudenken, die die ergiebigere Quelle freier Energie ist.

Einige Wissenschaftler treten nun mit der stolzen Behauptung auf den Plan, das Nahrungsproblem werde binnen kurzem endgültig gelöst sein, da Mineralöl bald in industriellem Maßstab in Nahrungseiweiß umgesetzt werden könne. Das ist ein schwachsinniger Gedanke, wenn wir ihn im Lichte des Entropieproblems betrachten. Folgerichtiges Denken würde viel eher zur Voraussage führen, daß der Mensch, der Not gehorchend, schließlich das Gegenteil davon tut, nämlich vegetabile Produkte in Benzin umsetzen wird, falls er dafür noch Verwendung haben sollte.[17]

Wir können auch nahezu mit Gewißheit annehmen, daß der Mensch Mittel und Wege finden wird, Motoren direkt durch Sonnenstrahlung anzutreiben. Eine derartige Entdeckung wird den bedeutendsten Durchbruch im Sinne des Entropieproblems darstellen, denn sie wird seinem Lebensunterhalt die reichlicher fließende Quelle freier Energie dienstbar machen. Das Recycling und der Kampf gegen die Umweltverschmutzung werden noch immer niedrige Entropie beanspruchen, aber nicht aus dem rapid zur Neige gehenden Vorrat unserer Erde.

Anmerkungen und Literaturangaben

1 Stanley Jevons, The Theory of Political Economy, 4. A., London 1924, S. 21.

2 z. B. R. T. Bye, Principles of Economics, 2. A., New York 1956, S. 253. G. L. Bach, Economics, 2. A., Englewood Cliffs, N. J. 1957, S. 60. J. H. Dodd, C. W. Hasek, T J. Hailstones, Economics, Cincinatti 1957, S. 125. R. M. Havens, J. S. Henderson, D L. Cramer, Economics, New York 1966, S. 43. Paul A. Samuelson, Economics, 8. A., New York 1970, S. 42.

3 Karl Marx, Capital, 3 Bde, Chicago 1906-1933, Bd I S. 94, 199, 230 und passin.

4 Ebda Bd. II Kap. XX.

5 The Economic writings of Sir William Petty, ed. C. H. Hull, 2 Bde. Cambridge 1899, Bd II S. 377. Merkwürdigerweise schloß sich Marx Pettys Gedankengang an, er behauptete aber, daß die Natur nur mithilft, Gebrauchswert zu schaffen, ohne zur Bildung des Tauschwerts beizutragen . Marx a. a. O. Bd I, S. 227. Vgl. ebda S. 94.

6 z. B. Alfred Marshall, Principles of Economics, 8. A., New York 1924, S. 63.

7 Zum Problem der analytischen Darstellung eines Prozesses siehe N. Georgescu-Roegen, The Entropy Law and the Economic Process, Cambridge, Mass. 1971, S. 211-231.

8 Diese Unterscheidung, zusammen mit der Tatsache, daß niemand irgendwelche Rohstoffe gegen Abfall eintauschen würde, erledigt Marxens Behauptung, daß kein Chemiker je Tauschwert in einer Perle oder einem Diamanten entdeckt hat , a. a. O. Bd I, S. 95.

9 D. ter Haar, The Quantum Nature of Matter and Radiation in: Turning Points in Physics, ed. R. J. Blin Stoyle et al., Amsterdam 1959, S. 37.

10 Eine Bedeutung, die den Terminus neuerdings sehr beliebt gemacht hat, ist the amount of information. Der Begriff wird als irreführend erwiesen und der angebliche Zusam-

menhang zwischen Information und physikalischer Entropie einer Kritik unterzogen in the Entropy Law and the Economic Process, Appendix B.

11 Diese Stellungnahme verlangt näher ausgeführt zu werden. Der Gegensatz zwischen dem Entropiesatz (mit seiner einsinnigen qualitativen Veränderung) und der Mechanik (wo jedes Ding sich hin- und herbewegen kann und dabei mit sich selbst identisch bleibt) wird von jedem Physiker und Wissenschaftsphilosophen uneingeschränkt anerkannt. Das mechanistische Dogma behielt (und behält jetzt noch) seinen Einfluß auf das wissenschaftliche Denken, auch als die Physik schon mit ihm aufgeräumt hatte. Das führte dazu, daß die Mechanik zusammen mit dem Zufall bald auch in die Thermodynamik einzog. Das ist das merkwürdigste Paar, das man sich denken kann, denn der Zufall ist die genaue Antithese zum Determinismus, der in den Gesetzen der Mechanik zum Ausdruck kommt. Natürlich kann das neue Begriffsgebäude (das als statistische Mechanik bekannt ist) die Mechanik nicht in sich schließen und gleichzeitig die Umkehrbarkeit leugnen. So muß denn die statistische Mechanik lehren, daß ein Eimer Wasser beginnen könnte, wieder von selbst zu sieden. Der Gedanke wird allerdings mit dem Argument unter den Teppich gewischt, daß das Wunder seiner äußerst geringen Wahrscheinlichkeit wegen noch nie beobachtet worden sei. Diese hat den Glauben daran genährt, daß es möglich sein würde, gebundene in freie Energie zu verwandeln oder - wie P. W. Bridgman es geistreich formulierte - die Entropie zu unterlaufen. Die logischen Trugschlüsse der statistischen Mechanik und die verschiedenen Flickversuche werden besprochen in The Entropy Law and the Economic Process, Kap. VI.

12 Das will nicht heißen, daß jedes Ding mit niedriger Entropie auch wirtschaftlichen Wert besitzen muß. Auch Giftpilze haben niedrige Entropie. Der Zusammenhang zwischen niedriger Entropie und (wirtschaftlichem) Wert ist dem zwischen Wert und Preis vergleichbar. Ein Gegenstand kann nur dann einen Preis haben, wenn er wirtschaftlichen Wert besitzt, und diesen kann er nur haben, wenn seine Entropie niedrig ist. Umkehren läßt sich der Satz aber nicht.

13 S. Anm. 11.

14 George Gamow, Matter, Earth and Sky, Englewood Cliffs, N. J. 1958, S. 493 f.

15 Vier Tage, nach Eugene Ayres Power from the Sun in Scientific American, August 1950 S. 16. Die Lage ändert sich sogar dann nicht, wenn wir annehmen, daß die Berechnung ums Tausendfache zu tief gegriffen ist.

16 Colin Clark, Agricultural Productivity in Relation to Population in: Man and His Future, ed. G. Wolstenholme, Boston 1963, S. 35.

17 Daß die Idee nicht so ausgefallen ist, zeigt die Tatsache, daß in Schweden während des Zweiten Weltkrieges für Autos ein minderwertiger Treibstoff verwendet wurde, den man durch Erhitzung von Holz mittels Holz gewann.

* Bei den so gekennzeichneten Stellen wurden offensichtliche Druckfehler der Vorlage korrigiert.

Quelle: Nicholas Georgescu-Roegen, "Was geschieht mit der Materie im Wirtschaftsprozeß?" in: Sonne! Eine Standortbestimmung für eine neue Energiepolitik, Hrsg.: Friends of the Earth u. Stephen Lyons, Magazin Brennpunkte (10. Jahrg., Bd. 17) Fischer-Alternativ, Frankfurt a. Main 1979, S. 99-113.

9.3.2 Fragen zum Text

Aufgabe 9.8

"Es ist ein merkwürdiges Ereignis der Geschichte des wirtschaftstheoretischen Denkens, daß Jahre nach der Entthronung des mechanischen Dogmas in der Physik und seinem Verblassen in der Philosophie die Gründer der neoklassischen Schule darangingen, eine Wirtschaftslehre nach dem Vorbild der Mechanik zu entwickeln. Diese sollte nach den Worten Jevons' the mechanics of utility and selfinterest sein."

  a. Was versteht man unter dem mechanischen Dogma in der Physik?
  b. Erläutern Sie das Zitat von Georgescu-Roegen.
  c. Zeigen Sie, daß in der Ihnen bekannten ökonomischen Literatur tatsächlich die Erfolge der Physik innerhalb der Mechanik Ausgangspunkt und Grundlage für ökonomisches Forschen waren und damit auch die ökonomische Theorie prägten.

Aufgabe 9.9

  a. Erklären Sie den Begriff "Entropie".
  b. Erläutern Sie den "Entropiesatz".
  c. Stellen Sie einen Zusammenhang zwischen dem Entropiesatz und der (Un-)Möglichkeit eines "perpetuum mobile" her.

Aufgabe 9.10

"Die Thermodynamik entstand somit als eine Physik des ökonomischen Wertes und ist eine solche geblieben ... "

  a. Erklären Sie diese Auffasung von Georgescu-Roegen.
  b. Warum ist, vom Entropieproblem aus gesehen, ein Ochse wesentlich wertvoller als ein Traktor?
  c. "... die Mechanisierung der Landwirtschaft auf lange Sicht wirtschaftlich nicht zu verantworten". Wie begründet Georgescu-Roegen diese Auffassung?

Aufgabe 9.11

"... jeder Cadillac, der vom Band läuft, wird in Zukunft Menschenleben kosten".

  a. Erläutern Sie diese Auffassung von Georgescu-Roegen.
  b. Inwieweit spielt bei dieser Auffasung das Konzept einer intertemporalen Wohlfahrtsfunktion eine Rolle?

Aufgabe 9.12

Welche Möglichkeiten sieht Georgescu-Roegen für die Zukunft?

9.3.3 Nicholas Georgescu-Roegen

Nicholas Georgescu-Roegen wurde 1906 in Constanza in Rumänien geboren. Nach dem Studium der Mathematik und Statistik in Bukarest und Paris wurde er 1932 Professor für Statistik in Bukarest. 1947 emigrierte er in die USA. Seine frühen Arbeiten sind sehr mathematisch ausgerichtet und beschäftigen sich mit der Nutzentheorie und der Input-Output-Analyse. Später wandte sich Georgescu-Roegen Wachstumsproblemen zu. Werke wie "The Entropy Law and the Economic Process" (1971) und "Energy and Economic Myths: Institutional and Analytical Economic Essays" (1976) trugen ihm den Ruf ein, ein "Wachstumspessimist" zu sein. Hier sind seine Grundgedanken (nach Blaug, 1985, S. 72, unsere Übersetzung): "Entropie und nicht verfügbare Materie beziehungsweise Energie tendieren zu konstantem Anstieg, während verfügbare Materie und Energie zur konstanten Abnahme tendieren.

Nur oberflächlich betrachtet steigert ökonomisches Wachstum den Output je Inputeinheit; in Wirklichkeit geschieht dieses auf Kosten des begrenzten Vorrats der Welt an Materie und Energie. Auf diese Weise werden die Industriestaaten, die von fossiler Energie und anderen Mineralstoffen abhängen, unweigerlich auf der einen Seite durch die Ausbeutung der Ressourcen dem Verfall durch die Entropie und auf der anderen Seite durch die Umweltverschmutzung unterworfen. In diesem Sinne führt sogar bei technischem Fortschritt die Produktion im Zeitablauf zu abnehmenden Erträgen."

Seine letzten Bücher, die Ökonomie mit der Physik und Biologie verbinden, haben nicht nur Kontroversen bei den Wirtschaftswissenschaftlern hervorgerufen, sondern vor allem starken Einfluß auf die ökologische Forschung ausgeübt.

Literatur

Alchian, Armen A.; Allen, William R., *University Economics*, 3. Aufl., London 1974

Armstrong, W. E., "The determinateness of the utility function", *Economic Journal* 49 (1939)

Arrow, Kenneth J., *Social Choice and Individual Values* New York 1951, 2. Auflage, New York 1963

Aspromourgos, Tony, Stichwort: "neoclassical", in: *The New Palgrave, A Dictionary of Economics*, London 1987, Bd. 3, S. 625

Axelrod, Robert, *The Evolution of Cooperation*, New York 1984

Beloch, J., "Zinsfuß, Geschichte des Zinsfußes im Altertum", in: *Handwörterbuch der Staatswissenschaften*, Bd. 8, Jena 1911, S. 1017 ff.

Bernholz, Peter; Faber, Malte und Reiß, Winfried, "A Neo-Austrian Model of Capital", in *Journal of Economic Theory*, Bd. 17, 1978, S. 38-50

Blaug, Mark, *Systematische Theoriegeschichte der Ökonomie*, München 1971, 1972, 1975

Blaug, Mark, *Great Economists since Keynes - An Introduction to the Lives & Works of One Hundred Modern Economists*, Brighton 1985

Blaug, Mark, *Great Economists before Keynes - An Introduction to the Lives & Works of one Hundred Economists of the Past*, Brighton 1986

Böhm-Bawerk, Eugen von, *Kapital und Kapitalzins, 1. Abteilung, Geschichte und Kritik der Kapitalzins Theorien*, 4. Aufl., Jena 1921

Borchardt, Knut, "Wachstum und Wechsellagen 1914-1970", in: H. Aubin und W. Zorn (Hrsg.), *Handbuch der deutschen Wirtschafts- und Sozialgeschichte*, Bd. 2, Stuttgart 1976, S. 685-740

Bouniatian, Mentor, *Wirtschaftskrisen und Überkapitalisation*, München 1908

Cheung, Steven N. S., "The Fable of the Bees: An Economic Investigation", in: *The Journal of Law and Economics*, Bd. 16, 1973, S. 11-33

Cheung, Steven N. S., Stichwort: "Coase, Ronald Harry", in: *The New Palgrave, A Dictionary of Economics*, London 1987, Bd. 1, S. 455-457

Coase, Ronald H., "The Nature of the Firm", in: *Economica*, New Series, IV (1937), S. 386-405, abgedruckt in: Readings in Price Theory, London 1953

Damaschke, Adolf, *Geschichte der Nationalökonomie*, 7. Auflage, Berlin 1913

Dasgupta, Partha S.; Heal, Geoffrey, *Economic Theory and Exhaustible Resources*, Oxford 1979

Dietzel, Heinrich, "Bismarck", in: *Handwörterbuch der Staatswissenschaften*, Bd. III, 1909, S. 47-84

Dio's Roman History, Bd. I, Cambridge (Mass.) und London 1970

Dmitriev, V. K., *Essais Economiques - Esquisse de synthèse organique de la théorie de la valeur-travail et de la théorie de l'utilité marginale*, Paris 1968

Dobb, M., "The entrepreneur myth", in: *Economica*, Bd. 4, 1924, S. 66-81

Dobias, Peter, "Sozialismus", in: Issing, Otmar, (Hrsg.), *Geschichte der Nationalökonomie*, München 1988, S. 73-90

Dobias, Peter, "Sozialismus-Marxismus", in: Issing, Otmar, (Hrsg.), *Geschichte der Nationalökonomie*, München 1988, S. 91-107

Downs, Anthony, "Eine ökonomische Theorie in der Demokratie", in: Widmaier, Hans Peter, (Hrsg.), *Politische Ökonomie des Wohlfahrtsstaates*, Frankfurt 1974

Dwyer, Gerald P.; Lindsay, Cotton M., "Robert Giffen and the Irish Potato", in: *American Economic Review*, March 1984, S. 188-192

Engel, Ernst, *Die Lebenskosten belgischer Arbeiter-Familien früher und jetzt*, Dresden 1895, enthält als unveränderten Abdruck: *Die Produktions- und Consumptionsverhältnisse des Königreichs Sachsen*, Dresden 1857

Frey, Bruno S., "Entwicklung und Stand der Neuen Politischen Ökonomie", in: Widmaier, H. P., (Hrsg.), *Politische Ökonomie des Wohlfahrtsstaates*, Frankfurt/M. 1974

Franz, Günther, *Staatsverfassungen*, München 1975

Georgescu-Roegen, Nicholas, The Entropy Law and the Economic Problem, in: Georgescu-Roegen, N., Energy and Economic Myth, New York 1976. Deutsche Übersetzung: "Was geschieht mit der Materie im Wirtschaftsprozeß?", in: Friends of the Earth und Stephen Lyons, (Hrsg.), *Sonne! Eine Standortbestimmung für eine neue Energiepolitik* Magazin Brennpunkte (10.Jahrgang, Bd. 17), Fischer Alternativ, Frankfurt/M., 1979, S. 99 -113

Goeller, H. E.; Weinberg, A. M., "The Age of Substitutability", in: *American Economic Review*,1979, Vol. 68, No. 6, S. 111 ff., (zuerst erschienen in: *Science*, Vol. 191, 1976, S. 683-689)

Gossen, Hermann Heinrich, *Entwicklung der Gesetze des menschlichen Verkehrs und der daraus fließenden Regeln für menschliches Handeln*, Braunschweig 1854 (Reprint, Amsterdam 1967)

Gough, I., Stichwort: "Welfare State", in: *The New Palgrave, A Dictionary of Economics*, London 1987, Bd. 4, S. 895-897

Hegel, Georg Wilhelm Friedrich, Vorlesungen über die Philosophie der Geschichte, in: *Sämtliche Werke*, Bd. 11, Stuttgart 1961

Hicks, John R.: "Mr. Keynes and the 'Classics': a suggested interpretation", *Econometrica*, Bd. 5, April 1937

Hildenbrand, H.; Kirman, Alan P., *Introduction to Equilibrium Analysis: Variations on Themes by Edgeworth and Walras*, Amsterdam etc. 1976

Hirshleifer, Jack, *Price Theory and Applications*, Englewood Cliffs (N. J.) 1976, Chapter 3

Hirshleifer, Jack, *Research in Law and Economics*, Greenwich 1982

Hofmann, Werner, *Sozialökonomische Studientexte*, herausgegeben und bearbeitet von Werner Hofmann, Band 1: *Wert- und Preislehre*, Berlin 1979; Band 2: *Einkommenstheorie*, Berlin 1971; Band 3: *Theorie der Wirtschaftsentwicklung*, Berlin 1979

Houthakker, H. S., Stichwort: "Engel, Ernst", in: *International Encyclopedia of the Social Sciences*, New York 1968

Hunt, E. K., *History of Economic Thought: A Critical Perspective*, Belmont (California) 1979

Issing, Otmar, *Geschichte der Nationalökonomie*, München 1984

Jevons, William Stanley, *Die Theorie der politischen Ökonomie*, Jena 1923

Kant, Immanuel, *Werke in 6 Bänden*, hrsg. von Weischedel, W., 3. Auflage, Darmstadt 1975

Keynes, Richard, "Malthus and Biological Equilibria", in: I. Dubaquier, A. Fauve-Chamoux und E. Grebenik (Hrsg.), *Malthus Past and Present*, London etc. 1983

Kindleberger, Charles P., *The World in Depression*, London 1973

Klaus, Georg; Buhr, Manfred, (Hrsg.), *Philosophisches Wörterbuch*, Leipzig 1964, Nachdruck als *Marxistisch-Leninistisches Wörterbuch der Philosophie*, Reinbek bei Hamburg 1972

Knight, Frank H., *Risk, Uncertainty and Profit*, (1921), Chicago 1971

Knight, Frank H., "The Ethics of Competition", (1923), in: *The Ethics of Competition and other Essays*, London 1935

Korsch, Karl, *Karl Marx*, 4. unv. Auflage, Frankfurt/M. 1967

Kreeb, Karl Heinz, *Ökologie und menschliche Umwelt, Geschichte - Bedeutung - Zukunftsaspekte*, Stuttgart, New York 1979

Kuczynski, Jürgen, *Die Geschichte der Lage der Arbeiter unter dem Kapitalismus*, Bd. 10, Berlin 1960

Lancaster, Kelvin, *Moderne Mikroökonomie*, Frankfurt/M. 1981

Lasalle, Ferdinand, *Gesammelte Reden und Schriften*, Berlin 1919, *Dritter Band: Offenes Antwortschreiben*, zuerst erschienen 1863 in Zürich

Lenin, Wladimir I., "Marxismus und Revisionismus", in: *Werke*, Bd. 15, (Ost-)Berlin 1972

Lenin, Wladimir I., "Drei Quellen und drei Bestandteile des Marxismus", in: *Werke*, Bd. 19, (Ost-)Berlin 1973

Lindblom, Charles E., *Jenseits von Markt und Staat*, Frankfurt etc. 1983

Luce, R. D.; Raiffa, H., *Games and Decisions*, New York 1957

Malthus, Thomas Robert, *Eine Abhandlung über das Bevölkerungsgesetz oder eine Betrachtung über seine Folgen für das menschliche Glück*, Jena 1905

Malthus, Thomas Robert, *Das Bevölkerungsgesetz*, (vollständige Ausgabe nach der ersten Auflage, London 1798), München 1977

Mandel, Ernest, *Der Spätkapitalismus*, 2. Auflage, Frankfurt/M. 1973

Marglin, Stephen A., "Was tun die Vorgesetzten? Ursprünge und Funktionen der Hierarchie in der kapitalistischen Produktion", in: Duwe, F., *Technologie und Politik*, Reinbek bei Hamburg 1977

Marshall, Alfred, *Principles of Economics*, 8. Aufl., London 1920, 9. Aufl., London 1961

Marx, Karl, "Lohn, Preis und Profit", in: Diehl, K.; Mombert P., (Hrsg.), *Ausgewählte Lesestücke zum Studium der politischen Ökonomie*, V. Band: Wert und Preis, II. Abteilung, 3. Auflage, Jena 1923, S. 92-131

Marx, Karl, Engels, Friedrich, Das kommunistische Manifest (7. deutsche Ausgabe, 1906), in: Diehl, K.; Mombert P., (Hrsg.), *Ausgewählte Lesestücke zum Studium der politischen Ökonomie*, III. Band: Sozialismus, Kommunismus, Anarchismus,

II. Abteilung, 1. Auflage, Jena 1920, S. 89-103

Marx Engels Werke (MEW), (Ost-)Berlin 1967-1973

Marx, Karl, *Grundrisse der Kritik der politischen Ökonomie*, 2. Auflage, (Ost-)Berlin 1974

Marx, Karl, *Das Kapital*, Bd. 1, MEW Bd. 23, (Ost-)Berlin 1972

Meadows, Dennis, *Die Grenzen des Wachstums, Bericht des Club of Rome zur Lage der Menschheit*, Stuttgart 1972

Meißner, Herbert, (Hrsg.), *Geschichte der politischen Ökonomie*, Berlin 1985

Menger, Carl, "Geld", *Handwörterbuch der Staatswissenschaften*, 3. Aufl., Bd. 4, Jena 1909, S. 555-610

Menger, Carl, *Grundsätze der Volkswirtschaftslehre*, 2. Ausgabe, Leipzig 1923 (Reprint, 1968)

Neelsen, K., *Kapital und Mehrwert*, (Ost-)Berlin 1973

Neumann, John v.; Morgenstern, Oskar, *The Theory of Games and Economic Behaviour*, Princeton (N. J.) 1947

Ott, A. E.; Winkel, H., *Geschichte der Theoretischen Volkswirtschaftslehre*, Göttingen 1985

Pack, Spencer J., *Reconstructing Marxian Economics*, New York 1985

Pareto, Vilfredo, *Manuale di economia politica*, Milano 1906. Hier benutzt in der französischen Ausgabe: *Manuel d'economie politique*, Paris 1927 und der englischen Ausgabe: *Manual of political Economy*, Clifton (N. J.) 1971

Pareto, Vilfredo, *Ausgewählte Schriften* - Herausgegeben und eingeleitet von Carlo Mongardini, Frankfurt/M. 1957

Patinkin, Don, Stichwort: "Keynes, John Maynard", in: *The New Palgrave, A Dictionary of Economics*, London 1987, Bd. 3, S. 19-41

Pestel, Eduard, "Das Ende der Verschwendung", in: Gabor, Dennis, u. a., (Hrsg.), *Das Ende der Verschwendung*, Stuttgart 1976

Rapŏs, Pavel, *Die kranke Wirtschaft, - Kapitalismus und Krise*, Köln 1984

Recktenwald, Horst Claus, (Hrsg.), *Geschichte der Politischen Ökonomie - Eine Einführung in Lebensbildern*, Stuttgart 1971

Recktenwald, Horst Claus, "Die Klassik der ökonomischen Wissenschaft", in: Issing, Otmar, (Hrsg.), *Geschichte der Nationalökonomie*, München 1988

Reiß, Winfried, *Umwegproduktion und Positivität des Zinses - Eine neo-österreichische Analyse*, Berlin 1981

Ricardo, David, *Grundsätze der Volkswirtschaft und Besteuerung*, Aus dem englischen Original und zwar nach der Ausgabe letzter Hand (3. Auflage 1821) ins Deutsche übertragen und eingeleitet von Heinrich Waentig, Jena 1921

Rieter, H., *Die gegenwärtige Inflationstheorie und ihre Ansätze im Werk von Thomas Tooke*, Berlin und New York 1971

Roosevelt, Franklin D., *Public Papers and Adresses of Franklin D. Roosevelt*, Vol. II, New York 1938

Salvatore, Dominick, *Microeconomics - Theory and Applications*, New York 1986

Samuelson, Paul A., "Lord Keynes and the General Theory", als deutsche Übersetzung in: Recktenwald, H. C., *Geschichte der politischen Ökonomie*, Stuttgart 1971, S. 556-564

Samuelson, Paul A., *Volkswirtschaftslehre*, 5. Auflage, Köln 1972

Samuelson, Paul A., *Economics*, 9. Auflage, Tokyo etc. 1973

Schmoller, Gustav, *Kleine Schriften zur Wirtschaftsgeschichte, Wirtschaftstheorie und Wirtschaftspolitik*, Leipzig 1985

Schneider, Dieter, *Geschichte betriebswirtschaftlicher Theorie - Allgemeine Betriebswirtschaftslehre für das Hauptstudium*, München und Wien 1981

Schneider, Erich, *Einführung in die Wirtschaftstheorie*, Tübingen 1970

Schumann, Jochen, *Grundzüge der mikroökonomischen Theorie*, Berlin etc. 1980

Schumpeter, Joseph, *Theorie der wirtschaftlichen Entwicklung*, 1. Aufl., Wien (1911), Nachdruck 1964 Berlin

Schumpeter, Joseph, *Geschichte der ökonomischen Analyse*, 1. Teilband, Göttingen 1965

Seligman, B. B., "Alfred Marshall, die gestaltgewordene Tradition", in: Montaner, A., (Hrsg.), *Geschichte der Volkswirtschaftslehre*, Köln 1967

Sidgwick, H., *The Methods of Ethics*, London 1890

Smith, Adam, *An Inquiry into the Nature and Causes of the Wealth of Nations*, London 1776

Smith, Adam, *Eine Untersuchung über Natur und Wesen des Volkswohlstandes*, Jena 1923

Smith, Adam, *Der Wohlstand der Nationen*, München 1974

Spiegel, Henry W., *The Growth Of Economic Thought*, Englewood Cliffs 1971

Sraffa, Piero, *Warenproduktion mittels Waren - Einleitung zu einer Kritik der ökonomischen Theorie*, Frankfurt/M. 1976

Stigler, George J., "Notes on the History of the Giffen Paradox", in: *Journal of Political Economy*, Vol. 55, S. 152-156

Stigler, George J., Stichwort: "Knight, Frank Hyneman", in: *The New Palgrave, A Dictionary of Economics*, London 1987, Bd. 3, S. 55-59

Ströbele, Wolfgang, *Wirtschaftswachstum bei begrenzten Energieressourcen*, Berlin 1984

Sweezy, Paul M., *Theorie der kapitalistischen Entwicklung*, Frankfurt/M. 1974

Thünen, Johann Heinrich von, *Der isolierte Staat in Beziehung auf Landwirtschaft und Nationalökonomie*, Bd. II, Rostock 1850

Treue, Wilhelm, *Wirtschaftsgeschichte der Neuzeit*, Stuttgart 1973

Treue, Wilhelm, (Hrsg.), *Deutschland in der Wirtschaftskrise*, Düsseldorf 1976

Varian, Hal, *Mikroökonomie*, 2. ed., München 1985

Walras, Léon, *Etudes d'économie sociale*, Lausanne 1896

Walras, Léon, *Etudes d'économie politique appliquée*, Lausanne und Paris 1898

Walras, Léon, *Eléments d'économie pure*, Lausanne 1874-1877

Walras, Léon, "Un economiste inconnu - Hermann Heinrich Gossen", in: *Journal des Economistes*, Paris 1885, S. 68-90

Weise, Peter, *Neue Mikroökonomie*, Würzburg 1979

Weise, Peter; Brandes, Wolfgang; Eger, Thomas; Kraft, Manfred *Neue Mikroökonomie 2. Aufl.*, Würzburg 1991

Whitten, David O., *The Emergence of the Giant Enterprise, 1860-1914*, Westport 1983

Wilson, Edward O., *Sociobiology, The New Synthesis*, Cambridge (Mass.) 1975

Zorn, Wolfgang, "Staatliche Wirtschafts- und Sozialpolitik und öffentliche Finanzen 1800-1970", in: Aubin, H.; Zorn, W., (Hrsg.), *Handbuch der deutschen Wirtschafts- und Sozialgeschichte*, Bd. 2, Stuttgart 1976, S. 148-197

Hinweis: Einige Titel der obigen Literaturliste sind im Text nicht explizit genannt, jedoch bei der Erstellung benutzt worden.

Index

Sach-Index

A

Abdiskontieren   415
abgeschlossenes System   431
Absolutismus   24, 94
Abstimmungsparadox   →   Condorcet-
  Paradox
Additivität der Produktion   107
Akkumulation, ursprüngliche   147
Aktien   127
Aktivitäten   106
Allgemeine   Deutsche   Burschenschaft
  125
Allmende   22
Allokation, intertemporal optimale   408
Allokation, intertemporale   406
Alternativkosten   80, 82, 84
Alternativkosten, subjektive   231
Alternativkostenkonzept   231
American Tobacco Company   297
Amsterdam   75
Anarchismus   133
Anfangsausstattung   284
Angebot   145
Anleihen   128
Anti-Duehring   134
Antitrust-Gesetze   295
Apologetik   208
Arbeit   55, 88, 152
Arbeit, direkte   79
Arbeit, durchschnittliche   140
Arbeit, gesellschaftliche   140, 142
Arbeit, indirekte   79
Arbeit,   kristallisierte   gesellschaftliche
  140
Arbeit, menschliche   28
Arbeit, unbezahlte   151
Arbeit, verschiedene Qualitäten von   57
Arbeit, Wert der   151
Arbeiter, zuletzt angestellter   71
Arbeitsformen, historische   150
Arbeitskraft   146
Arbeitsleid   88
Arbeitslohn   68, 70
Arbeitslohn, Theorie des   95
Arbeitsmenge   56
Arbeitsteilung und Landwirtschaft   3
Arbeitsteilung   1, 2, 28, 43, 52, 79, 119
Arbeitsteilung, Prinzip   8
Arbeitsteilung, Umstände der   4
Arbeitszeit   126
Arbeitszeit, Frauen und Kinder-   126
Arbeitszeit, notwendige   165
Aristokratie   121
Armengesetzgebung   77, 95
Arrow-Paradox → Condorcet-Paradox
Assoziationen   121
Aufklärung   1, 25, 94, 95

Aufzinsen   415
Ausbeutung   116, 120
Ausschlußprinzip   386
Ausstattung   197
Auszahlungsmatrix   41

B

Börsenspekulation   127
Bürgerkrieg, amerikanischer   294
Bandwaggon-Effekt   289
Bauch und Glieder, Fabel   50, 53
Bedürfnisse   222
Bedürfnisse, soziale Bedingtheit   224
Befreiungskriege   125
beggar-thy-neighbour-Politik   358
Bevölkerungsgesetz   77, 94
Bevölkerungsproblem   436
Bevölkerungswachstum   64, 94, 95, 96,
  400, 418
Biber-Hirsch-Beispiel   57, 79
black-box   28, 320
Boden   55, 59, 152
Boden, Preis des   97
Bourgeois   114
Bourgeoisie und Bevölkerung   118
Bourgeoisie und Eigentum   118
Bourgeoisie und Produktionsmittel   118
Bourgeoisie   119, 121, 123
Bourgeoisie, Entwicklung der   123
Bourgeoisie, Entwicklungsstufen der 116
Bourgeoisie, geschichtliche Rolle   116
Bourgeoisie, Untergang der   123
Budgetbedingung   200
Budgetgerade   257
Budgetmenge   258

C

Ceteris-paribus-Bedingung   260
Club of Rome   399, 423
Coase-Theorem   318, 395
Cobb-Douglas-Nutzenfunktion   275
Cobb-Douglas-Produktionsfunktion
  325, 421
Competition, Ethics of   317
Condorcet-Paradox   241
crise pl'ethorique   130

D

Dampfmaschine   5, 23
Demokratie   366
Deutschland   350, 352, 358
Dialektik   135
Dialektischer Materialismus   134
Diskontierungsfaktor   416, 419
dismal science   95
Dolchstoßlegende   352
Dreifelderwirtschaft   23
Durchschnittsarbeit   147, 151
Durchschnittskosten   329

*   Unterstrichene Ziffern verweisen auf Originaltexte, kursive Ziffern auf das Literatur-
verzeichnis.

E

Eden-Vertrag 27
Edgeworth-Box 278, 348
Effekte, externe 388
Effekte, negative externe 392
Effekte, positive externe 389, 392
Effekte, zweiseitige externe 389
effizient 81
Ehegesetzgebung 95
Ehernes Lohngesetz 95
Eigenliebe <u>8</u>
Eigentum als Diebstahl 133
Eigentumsordnung 37
Eigentumsrechte 384
Einhegung 22
Einheit, marginale 101
Einkommensänderung 261
Einkommenseffekt 268, 270
Einkommenselastizität 276
Einkommenskonsumkurve 262
Elastizität, Einkommens- 276
Elastizität, Kreuzpreis- 276
Elsaß-Lothringen 351
enclosure 22
Energie 399, 426, <u>428</u>
Energie, freie <u>429</u>
Energie, gebundene <u>429</u>
Energieerhaltungsgesetz 426
Engel-Kurve 250
Engelsches Gesetz 249, 262
England 22, 24, 25, 74, 75, 293, 350, 358
England, Flotte 75
England, Kolonien 75
England, Kontinentalsperre 75
England, Landwirtschaft 22
Entropie 418, <u>429</u>
Entropiebilanz <u>434</u>
Entropiesatz <u>430</u>
Entscheidungs- und Kontrollfunktion 307
Entstehung der Arten 67
Erlös 321
Erlösfunktion 328
Erste Internationale 133
Ertragsgesetz 92, 93, 103
Ertragszuwachs, Gesetz vom abnehmenden 73, 93
Ethik xix, 342
Evolution 78
Expansionspfad 327
Exploitierung der Arbeit <u>154</u>
externe Effekte 388

F

Fürst 32
Faktor, knapper 85
Faktoren 86, 89
Faktoren, komplementäre 420

Faktoren, substitutionale 420
Feudalherren 137
Feudalismus <u>150</u>
Feudalismus 137
Firm, Nature of 318
Fixkosten 329
Frankreich 75, 293, 351
Frankreich, absolutistisches 74
Frauenwahlrecht 352
freie Konsumwahl 223
Freiheit, Gleichheit, Brüderlichkeit 74, 125

G

Güter, öffentliche 386
Güter, inferiore 262
Güter, komplementäre 198, 232
Güter, normale 262
Güter, Seltenheit der 79
Güterbündel 198, 220
Ganzzahligkeit 102
Ganzzahligkeitsbedingung 82
Gebrauchswert <u>55</u>, 61
Gefangenen-Dilemma 46, 49, 51, 311, 358, 360, 361
Gegenwartswert 415
Geld <u>13</u>, 37, 38
Geld, Formen des <u>13</u>
Geld, Wägen des <u>14</u>
Geldeigenschaften 37
Geldfetischismus <u>433</u>
GEMA 388
General Theory ... 359
Gerechtigkeitsproblem 31
Gesamtnutzen 192
Gesamtnutzenkurve 193
Geschichte und Ökonomie xix
Gesellschaft, feudale <u>115</u>
Gesellschaft, vollautomatisierte 175
gesellschaftliche Arbeit <u>140</u>
Gesellschaftsformen, historische 136
Gesetz der Abnahme des Genusses <u>182</u>
Gesetz vom abnehmenden Ertragszuwachs 93
Gesetz von Schwabe 254
Gesetz, Engelsches 262
Gesetze des menschlichen Verkehrs 187
Gesetze in der Ökonomie 216
Gesetze in der Physik 216
Getreidepreis 76, 77
Gewinn 321, 330
Gewinnmaximierung 319, 321
Giffen-Güter 266
Giffen-Paradox 270
Gleichgewicht 41, 46, 48, 278
Gleichgewicht, allgemeines 190
Gleichgewicht, monopolistisches 340
Gleichgewicht, oekologisches 398
Gleichgewicht, stationäres 404

Gleichgewichtstheorie 217
Gold 14, 38
Golddeckung 76
Goldwährung 354
Gossensche Gesetz, erstes 185
Gossensche Gesetz, zweites 186, 200, 259
Grabenkrieg 361
Grenzübergang 161
Grenzboden 98
Grenzkosten 329
Grenznutzen 192, 193
Grenznutzenfunktion 193
Grenznutzentheorie 187
Grenznutzenverhältnis 237
Grenzproduktivität 322
Grundrente 152
Grundsätze der Volkswirtschaftslehre 188
Gut, freies 386
Gut, inferiores 264
Gut, lebensnotwendiges 264
Gut, marktfähiges 387
Gut, normales 264

H

Hand, sichtbare → sichtbare Hand
Hand, unsichtbare → unsichtbare Hand
Handelskompanien 25
Handelskrisen 119, 121
Hauptproblem der Volkswirtschaftslehre 86
Haushaltsoptimum 257
Haushaltstheorie, Annahmen 239
Henne-Ei-Problem 87
Historische Schule 250
Holz als Energie 398
Hyperinflation 354

I

Idealismus 134, 135
Ideologien 250, 370
Imperial Tobacco Company 297
Indifferenzkurven 213
Indizes des Nutzens 214
Industrialisierung und Arbeiterelend 125
Industriesoldaten 120
ineffizient 81
infinitesimal klein 193
Information, unvollkommene 370
Informationsbeschaffung, Kosten der 376
Infrastruktur 30, 37
Input-Output-Modell 161
Institutionen 37
Institutionen, staatliche 1
Interesse, Einzelinteresse 390
Interesse, vereinigtes 390
Internalisierung 394

Investition 405
Investitionsgüter 161
Irland 72
Irland, Hungersnot 72
Irland, Kartoffelfäule 129, 267
Isokostengerade 327
Isoquante 322
Italien 75

K

Kapital 55, 58, 88, 152
Kapital, konstantes 164
Kapital, organische Zusammensetzung 164, 167
Kapitalgüter 28
Kapitalismus 137, 150
Kapitalist 120
Karlsbader Beschlüsse 125
Kathedersozialisten 252
Kinderarbeit 126
Klassen 55, 86
Klassengegensätze 115
Klassengegensätze, antagonistische 173
Klassenherrschaft 118
Klasseninteresse 118
Klassenkampf 121
Knappheit 222
Koalitionen 121
Kohle 24
Kolonialgebiete 173
Kolonisierung 115
Kombinationen, effiziente 83
Kombinationen, zulässige 83
Kommunismus 114, 137, 343
komparative Vorteile, Theorie der 110
komplementäre Güter 198
Komplemente 421
Konkurrenz, unvollständige 338
Konkurrenz, vollständige 331
Konsistenz 228
Konstant-Summen-Spiel 42, 43, 48
konstante Ertragszuwächse 109
Konsumgüter 161
Konsumtionsausgabe 244
Konsumwahl, freie 223
Kontinentalsperre 74, 75, 127
Kontraktkosten 305
Kontraktkurve 282
Kontributionen 127
Konvergenz-Spiel 42
Konvexität 323
Koordinationsmechanismus 44
Koordinationsspiel 43, 49
Korngesetze 76
Kosten 321
Kosten, externe 392
Kosten-Nutzen-Analyse 202
Kostenfunktion 328
Kostengesetz 300

Kreuznachfragefunktion 268
Kreuzpreiselastizität 276
Kriege, imperialistische 173
Kriege, napoleonische 76, 77, 293
Kriegssozialismus 352
Krise von 1815 127
Krise von 1825 127
Krise von 1836 128
Krise von 1847 129
Krise von 1857 129
Kristallisation gesellschaftlicher Arbeit 140
Kupfer 14, 38

L

Lagerhaltung 405
Lagrange-Faktor 272
Lagrange-Verfahren 272
laisser faire 245
Landes-Ökonomie-Kollegium in Preussen, 243
Lasttraeger 43
Lebensgenuß 179, 432
Leviathan 146
Liberalismus 343
libert'e, 'egalit'e, fraternit'e 74
Lobbyisten 378
Lohn 55
Lohnarbeiter 116, 148
Lohnrate 170
Lousiana 292
Lumpenproletariat 122
Luxus 248
Luxusgut 223, 264

M

Münzen 14
Manifest, kommunistisches 114
Manufaktur 2, 33, 115
Marginalanalyse 99, 101
Markt 37, 197
Markt, Ausdehnung des 11
Markt, Größe des 30
Markt-Spiel 42
Marktgleichgewicht 287
Marktpreis einer Ware 144
Marktpreise 145
Marktschließung 337
Marktspiel 39, 49
Marktversagen 384
Marktzutrittsbeschränkungen 337
Materialismus 135
Materie 428
Mathematik und Ökonomie xx, 178, 184, 190, 346
Maximin-Strategie 45, 48
Maximum 195
Mechanisierung der Landwirtschaft 437

Mehrarbeit 149, 150
Mehrwert 148, 149, 150, 151, 153, 163
Mehrwert, absoluter 165
Mehrwert, Produktion des 148
Mehrwert, Rate des 149
Mehrwert, relativer 166
Mehrwert, Theorie des 158
Mehrwertproduktion 131
Mehrwertrate 154, 164
Merkantilismus 1, 24, 94
Methodenstreit, älterer 252
Minderschätzung künftigen Konsums 408
Minimalkostenkombination 327
Missernten 127
Mitläufer-Effekt 289
Modell 48, 78
Monopol 298, 338
Motivationsproblem 31
Mutualismus 133

N

Nützlichkeit 56
Nachfrage 145
Nachfrage, funktionale 288
Nachfrage, intertemporale 425
Nachfrage, nicht funktionale 289
Nachfragefunktion 267
Nachfragefunktion, direkte 268
Nachfragefunktion, einkommensabhängige 268
Nachfragefunktion, isoelastische 277
Nachfragegesetz 255, 264
Nachfragetheorie 257
Nationalökonomie, wesentliche Gesetze 78
Natur, Gaben der 59
Naturwissenschaften und Ökonomie xx
Nebenbedingung 200
Neo-Klassik 345
Netto-Nutzen 202
Neue Politische Ökonomie 362, 363
nicht-marktfähig 387
Nichtsättigung 224, 226
Niederlande 75
Null-Summen-Spiel 42, 46
Nullwachstum 418
Nutzen 191
Nutzen, Gesamt- 192
Nutzen, Grenz- 192
Nutzenanalyse 192
Nutzenfunktion 193, 235
Nutzenfunktion, intergenerative 418
Nutzenfunktion, intertemporale 420
Nutzenfunktion, ordinale 235
Nutzenfunktion, quadratische 194
Nutzenhügel 214
Nutzenindizes 214, 235
Nutzenmaximierung 320

Nutzenmessung 204, 418
Nutzensäulen 192
Nutzentheorie 191
Nutzenvergleich 418
Nutzenvergleich, interpersoneller 202, 238
Nutzenverlust 197
Nutzenzuwachs 193

O

objektiver Wert 197
Ökologie 398
Ökonometrie 217
Ökonomie und Geschichte xix
Ökonomie und Mathematik xx, 346
Ökonomie und Naturwissenschaften xx, 178
Ökonomie, politische 139
Optimum, gesellschaftliches 42, 46
Ordnung, natuerliche 27
Organisationsmechanismus 30
organische Zusammensetzung des Kapitals 164
Österreich 351

P

Papiergeld 76
Pareto, Vilfredo 218
Pareto-Optimum 46, 48, 280, 384
Pareto-Verbesserung 280
Partialanalyse 255, 260
Patentamt 388
Patriarch 32
Pauperismus 123
Pfahlbürger 115
Pfennig 14
Philosoph 43
Philosophie 6
Philosophie, konstruktive 250
Physiokraten 26, 144
Planung, zentrale 34
Planwirtschaft, zentrale 173
politische ökonomie 71
Präferenzen 240
Präferenzordnung, intertemporale 407
Präferenzschwellen 204
Preis 139
Preisänderung 265
Preis, natürlicher 80, 96, 144
Preis, relativer 36
Preisanpassung, dynamische Prozesse 198
Preise, reale 197
Preiselastizität, direkte 276
Preislehre 188
Preismechanismus 425
Preisrechnung 169
Preistheorie 169
Preisvektoren 220

Prisoner's-Dilemma 47, 50
prix necessaire 144
Produkt 140
Produktion 55, 79, 87, 89
Produktion, arbeitsteilige 28
Produktion, effiziente 81
Produktion, kapitalistische 149
Produktion, lineare 159
Produktion, verbundene 89
Produktionsfaktoren 86
Produktionsfaktoren, natürliche 88
Produktionsfaktoren 28
Produktionsfunktion 90, 322, 420
Produktionsinstrumente 117
Produktionsmöglichkeitskurve 82
Produktionspreise 170
Produktionsstruktur 160
Produktionsverhältnisse 117, 120
Produktivkräfte und Eigenthumsverhältnisse 118
Produktivkräfte und Produktionsverhältnisse 118
Produktivkräfte und Produktionsverhältnisse 130
Produktivkräfte, Entwicklung der 136
Produktivkräfte, Vervollkommnung der 2, 30
Produktivkraft der Arbeit 166
Profit 55, 99, 150, 151, 152
Profit, geschäftlicher 152
Profit, gewerblicher 152
Profite, Natur der 145
Profitrate 153, 154, 164, 167, 168, 170
Proletariat 119, 121, 123, 126, 137
Proletariat, Entwicklung des 120, 123
Proletariat, geschichtliche Aufgabe 138
Proletariat, Lumpen- 122
Proletariat, Sieg des 123
Proletarier 114
Prozeß, okonomischer 433
Pseudo-Wissenschaft 209
Public Choice 362, 364

Q

quadratische Nutzenfunktion 194
Quasirente 99
Quelle des Tauschwertes 79

R

Randlösung 102
rational 40
rational, individuell- 40
reale Preise 197
Reallohn 166
Rechtsordnung 37
Recycling 435
Reich der Freiheit 138
Reich der Notwendigkeit 138
Reichtum eines Landes 26

Reichtum, Verteilung des 76
Reihe, arithmetische 65
Reihe, geometrische 65
Rente 55, 59, 97, 98
Rententheorie von Ricardo 98
Reparationszahlungen 354
Reproduktionsschema 164, 428
Reproduzierung 148
Ressourcen 88
Ressourcen, natürliche 28
Ressourcen, nicht-regenerierbare 423
Ressourcen, regenerierbare 423
Ressourcen- und Nahrungsmittelfrage 399
Restauration 125
Revolution von 1848 125
Revolution, agrarische 22
Revolution, französische 62, 74, 94
Revolution, industrielle 1, 23, 27, 111, 397
Revolution, marginalistische 177, 187
Revolution, russische 173
Risk, Uncertainty and Profit 317
Rivalitätsprinzip 385
Robinson Crusoe 28
Rußland 351

S

Schmuggel 74
Schumpeterscher Unternehmer 299, 320
Seltenheit 56
Sezessionskrieg 294
Sherman-Act 298
sichtbare Hand 31, 350, 384
Silber 14, 38
Skalenerträge 103
Skalenerträge, abnehmende 105, 328
Skalenerträge, konstante 103, 328
Skalenerträge, zunehmende 104, 328
Skalierung, kardinale 234
Skalierung, nominale 234
Skalierung, ordinale 234
Sklavenbefreiung 294
Sklaverei 136, 137, 150
Snob-Effekt 289
Sozialismus , real-existierender 173
Sozialismus 173
Sozialismus, Entwicklung des 131
Sozialismus, wissenschaftlicher 133
Soziologie 217
Sparsamkeit 248
Spekulation 128
Spezialisierung 43
Spezialisten 371
Spiele als Modelle 48
Spieltheorie 39
Spinnmaschine 23
Stände 115

Staat 25, 384, 386, 388, 390, 392, 394, 396
Staatssozialismus 350
Stand, dritter 74
Stecknadelfabrikation 2
Strategie, dominante 42, 45, 48
subjektiver Wert 197
Subsistenzmittel 72
Subsistenzniveau 96
Substitute 233
Substitute, vollständige 232, 421
Substitution 422
Substitution, Grenzrate der 230
Substitutionseffekt 268, 270
Substitutionsrate 227
Substitutionsrate, technische 323, 324
Symbiose 51
System, abgeschlossenes 431

T

Tabak 296
Tangentensteigung 193
Tausch, Hang zum 8, 10
Tauschbereitschaft 227
Tauschmittel 37
Tauschoptimum 278
Tauschrate 36
Tauschrelationen 197
Tauschverhalten 197
Tauschwert einer Ware 139, 141
Tauschwert 55, 61
Teamproduktion 309, 310
Technologie 162
Teilbarkeitseigenschaft der Produktion 108
Thünensche Kreise 78
Theorie der Präferenzen 220
Theorie, marginalistische und sozialistische 208
Theorie, marginalistische 79, 187
Theory of Political Economy 189
Thermodynamik 429
Thermodynamik, erster Hauptsatz 427, 428
Thermodynamik, zweiter Hauptsatz 430
tit for tat 362
Totalanalyse 260
Totalmodell 260
Transformation von Werten 167, 169
Transformationskurve 79, 80, 82, 83
Transformationskurve, intertemporale 406, 409
Transformationsrate 85
Transitivität 229
Türkei 351

U

Überangebot	128
Überbau	123
Überproduktion	119
Überredung	370
Übervölkerung	72
Überwachungsproblem	32
Umgestaltung, revolutionäre	115
Umwelt	88
Unordnung	431
unsichtbare Hand	1, 35, 36, 49, 53, 103, 286, 340, 384
Unternehmer	300
Unternehmer, Schumpeterscher	299, 320
Unternehmer-Koordinator	305
Unternehmergewinn	301
Unternehmergewinn, Wesen des	301
Unternehmung	33
Unternehmung, Theorie der	319
Unwirthschaftlichkeit	248
Unwissenheit, rationale	370
Urgesellschaft	136
Urkommunismus	132
USA	292
USA, Bürgerkrieg	294
USA, Unabhängigkeitserklärung	292
USA	358
Utilitaristen	420
Utilitaristische Entscheidungsregel	203
Utopische Sozialisten	132

V

Veblen-Effekt	289
Verbrauchslehre	191
Verdoppelungszeit	417
Verein für Socialpolitik	251
Vereinigten Staaten	357
Verhältnisse, gesellschaftlichen	117
Verhandlungslösung	394
Verkehrswege	30
Verlagssystem	24
Verleger	24
Vermehrungskraft der Bevölkerung	63
Versailles, Frieden von	359
Verschwendung	248
Verteilung	79, 348
Verteilungsproblem	31, 32, 78, 86
Vorprodukte	159
Vulgärökonomie	208, 209

W

Wachstums, Grenzen des	423
Wachstumsfunktion	425
Wahlhelfer	370
Walrasianischen Auktionator	360
Ware	119, 140
Warenfetischismus	169

Warenkörbe	220
Warenproduktion	138
Warenumlauf	130
Wasserfracht	11
Webstuhl, mechanischer	23, 125
Weimarer Republik	352
Weizenpreis	75
Weltmarkt	115
Weltwirtschaftskrise	350, 356
Wert der Arbeit	71, 146, 150
Wert der Arbeitskraft	147, 148
Wert einer Ware	139, 143, 145, 151, 156
Wert	55, 139, 158, 183
Wert, absoluter	183
Wert, objektiver	197
Wert, subjektiver	197
Werte, relative	141
Wertgesetz	167
Wertgrenzprodukt	335
Wertlehre, subjektive	188
Wertparadox	55, 61, 196, 197
Wertrechnung	169
Widersprüche, innere	131
Wiener Kongress	125
Wirthschaftlichkeit	248
Wirtschaftskrise von 1815	127
Wirtschaftskrise von 1825	127
Wirtschaftskrise von 1836	128
Wirtschaftskrise von 1847	129
Wirtschaftskrise von 1857	129
Wirtschaftskrisen	126
Wirtschaftsmodell	78
Wirtschaftswachstum	400
wissenschaftlicher Sozialismus	133
Wohlfahrt, soziale	365
Wohlfahrtsfunktion, intertemporale	418
Wohlfahrtsmaximierung	202
Wohlfahrtsmessung	202
Wohlfahrtsstaat	346, 347
Wohlfahrtssteigerung	319
Wohlhabenheit, allgemeine	6
Wohlstand	2, 72
Wohnverhältnisse, Elend durch	126

Z

Zensuswahlrecht	125
Ziel des Wirtschaftens	35
Zielfunktion	200
Zielfunktion, gesellschaftliche	32
Zins	152, 402
Zinsfaktor	413
Zinsnehmen, Verbot des	403
Zinsproblem, normatives	403, 411
Zinsproblem, positives	403, 410
Zinsrechnung	413
Zinsverbot	412
Zirkulationshindernis	130
Zunftordnungen	74

Personen-Index

A

Abs, H. J.   319
Alchian, Armen A.   309, 311, *443*
Allen, William R.   309, 311, *443*
Aristoteles   xviii
Arkwright, Richard   24, 131, 313
Armstrong, W. E.   204, *443*
Arrow, Kenneth J.   241, 363, 365, 382, *443*
Aspromourgos, Tony   345, *443*
Aubin, H.   *443, 449*
Axelrod, Robert   361, *443*

B

Böhm-Bawerk, Eugen von   169, 174, 210, <u>314</u>, 317, 403, *443*
Bastiat   96
Bauer, Otto   <u>314</u>
Beloch, J.   402, *443*
Bentham, Jeremy   191
Bernholz, Peter   *443*
Bismarck, Otto von   343, 346
Blaug, Mark   364, 442, *443*
Borchardt, Knut   358, *443*
Bouniatian, Mentor   *443*
Brandes, Wolfgang   387, *449*
Brentano, Lujo   97
Briggs   347
Buccleuch, Herzog von   26
Buchanan, James M.   363
Buhr, Manfred   *445*

C

Cartwright   23
Cheung, Steven N. S.   318, 396, *443*
Clark, Colin   <u>436</u>
Coase, Ronald Harry   <u>304</u>, 318, *444*
Condorcet   94
Cournot, Anton Augustin   194, 255

D

Dahrendorf, Rolf   383
Damaschke, Adolf   112, *444*
Darwin, Charles   67, 135
Dasgupta, Partha S.   423, *444*
Denis, H.   176
Desai   346
Diehl, Karl   176, *446*
Dietzel, Heinrich   347, *444*
Diomedes   <u>13</u>
Dmitriev, V. K.   176, *444*
Dobb, M.   345, *444*
Dobias, Peter   *444*

Downs, Anthony   363, 364, <u>380</u>, *444*
Dubaquier, I.   *445*
Ducpetiaux. Ed.   <u>245</u>
Duehring, Eugen   134
Duke, James Buchanan   296
Duke, Washington   296
Dwyer, Gerald P.   267, *444*

E

Eden, Baronet Sir Frederic Morton   <u>243</u>
Edgeworth, F. Y.   219
Eger, Thomas   387, *449*
Engel, Ernst   <u>243</u>, <u>248</u>, 253, 261, *444*
Engels, Friedrich   xx, 22, 113, 126, 130, 130, 132, 132, 133, 134, 135, 135, 136, 137, 137, 138, 138, 173, *446*
Erzberger   355, 356
Eucken, Walter   53

F

Faber, Malte   *443*
Fauve-Chamoux, A.   *445*
Feuerbach, Ludwig   134, 135
Fletcher, M.   <u>245</u>
Fourier, Charles   130, 132, 134, 174
Franklin, Benjamin   <u>141</u>
Franz Ferdinand   351
Franz, Günther   292, *444*
Frey, Bruno S.   364, *444*
Friedman, Milton   318
Friedrich II   33, 94

G

Georgescu-Roegen, Nicholas   xxi, xx, 418, 426, <u>427</u>, 442, *444*
Giffen, Sir R.   255, 266
Glaukus   <u>13</u>
Godwin, W.   94
Goeller H. E.   422
Goeller, H. E.   *445*
Gossen, Hermann Heinrich   <u>178</u>, 185, 187, 194, 200, 210, *445*
Gough, I.   347, *445*
Grebenik, E.   *445*
Guizot   <u>114</u>, 125

H

Hargreave   23
Hauptmann, Gerhard   24
Haxthausen   <u>114</u>
Heal, Geoffrey   423, *444*
Hegel, Georg Wilhelm Friedrich   134, 135, 136, *445*
Hellferich, Karl   356
Hicks, Sir John   345, 359, 445

Hildenbrand, H.   *XXIV*, *445*
Hilferding, Rudolf   <u>314</u>
Hirshleifer, Jack   241, *445*
Hobbes, Thomas   <u>146</u>
Hofmann, Werner   94, *445*
Homer   <u>13</u>
Houthakker, H. S.   254, *445*
Hume, David   26
Hunt, E. K.   226, 241, *445*

I

Issing, Otmar   *444*, *445*

J

Jefferson   293
Jevons, William Stanley   78, 188, 191,
     194, 204, <u>427</u>, *445*
Johann, .A. E.   357

K

Kant, Immanuel   25, *445*
Kepler, Johannes   <u>178</u>
Kessel, Reuben   318
Keynes, John Maynard   53, 112, 113,
     159, 345, 358, 359
Keynes, Richard   *445*
Kindleberger, Charles P.   *445*
Kirman, Alan P.   *445*
Klaus, Georg   *445*
Knight, Frank Hyneman   <u>306</u>, 317, 317,
     318, *446*
Kopernikus, Nikolaus   <u>178</u>
Korsch, Karl   209, *446*
Kraft, Manfred   387, *449*
Kreeb, Karl Heinz   398, 400, *446*
Kuczynski, Jürgen   346, *446*

L

Lancaster, Kelvin   241, *446*
Lasalle, Ferdinand   95, *446*
Le Play   <u>246</u>
Lederer, Emil   <u>314</u>
Lenin, Wladimir I.   137, 173, 173, *446*
Lindblom, Charles E.   349, *446*
Lindsay, Cotton M.   267, *444*
Locke, John   25
Louis Philipp   125
Luce, R. D.   53, *446*
Ludwig XIV   33
Lyons, Stephen   <u>440</u>, *444*

M

Malthus, Thomas Robert   xx, 54,
     <u>62</u>, 73, 76, 90, 93, 94, 96, 112,
     112, 134, *446*

Mandel, Ernest   176, *446*
Marglin, Stephen A.   <u>312</u>, *446*
Marshall, Alfred   254, 255, 264, 277,
     359, *446*
Marx, Karl   xix, xxi, xx, 22, 89, 112,
     113, 126, 131, 132, 132, 133,
     137, 138, 158, 158, 162, 165,
     166, 166, 170, 171, 174, 210,
     217, 343, 350, <u>428</u>, *446*
Maurer   <u>114</u>
Meadows, Dennis   414, 423, *447*
Meißner, Herbert   *447*
Menger, Carl   188, 211, 252, 353, *447*
Metternich   <u>114</u>, 125
Mill, John Stuart   96, 255
Mirabeau   27
Mises, Ludwig v.   <u>314</u>
Molitor, Regina   <u>380</u>
Mombert, Paul   176, *446*
Mongardini, Carlo   217, 241, *447*
Montaner, A.   *448*
Montesquieu   26
Morgan, Charles   295
Morgenstern, Oskar   39, 205, *447*

N

Napoleon   74, 75, 125, 127, 292
Napoleon, Louis   125
Neelsen, K.   *447*
Neumann, John von   39, 205, *447*
Newton, Isaac   <u>178</u>
Nitsche   400

O

Ökonometrie   217
Ott, A. E.   *447*
Owen, Robert   131, 134

P

Pack, Spencer J.   176, *447*
Pantaleoni, Matteo   216
Pareto, Vilfredo <u>213</u>, 216, 216, 217, 218,
     241, *447*
Patinkin, Don   360, *447*
Pestel, Eduard   399, 400, *447*
Petty, Sir William   <u>428</u>
Pigou, Arthur   359
Pitt, William   27
Platon   256
Plinius   <u>14</u>
Proudhon, Pierre Joseph   <u>71</u>, 133

Q

Quesnay   27, 53

R

Raiffa, H.   53, *446*
Rapos, Pavel   173, *447*
Rathenau, Walther   353
Recktenwald, Horst Claus 53, 112, 216,
     241, 254, 315, 316, 342, 380,
     447, 448
Reiß, Winfried   *443, 447*
Ricardo, David   54, 55, 61,
     75, 79, 86, 88, 90, 93, 96, 112,
     134, 174, 255, *448*
Rieter, H.   xix, *448*
Robinson, Joan   xxi, 174
Rockefeller   295
Rodbertus, Johann Karl   210
Roosevelt, Franklin D.   358, *448*
Rousseau   94

S

Saint-Simon, Graf v.   132, 134, 174
Salin, Edgar   112
Salter, Arthur   304
Salvatore, Dominick   *448*
Samuelson, Paul A.   113, 174, *448, 448*
Say, Jean Baptist   55, 96, 132, 245
Say, Leon   245
Say, M. Horace   245
Schacht, Hjalmar   356
Schmoller, Gustav von   250, 251, *448*
Schneider, Dieter   xviii, *448*
Schneider, Erich   112, 253, *448*
Schumann, Jochen   241, *448*
Schumpeter, Joseph Alois 112, 302, 314,
     365, *448*
Seligman, B. B.   256, *448*
Servius Tullius   14
Sidgwick, H.   420, *448*
Sismondi, Simonde de   55, 132, 174
Smith, Adam   xix, xx,
     1, 2, 26, 28, 35, 39, 47, 51, 52,
     53, 55, 56, 61, 76, 79, 86, 88,
     89, 90, 96, 131, 133, 144, 174,
     196, 245, 255, 318, 342, 353,
     383, 384, *448, 448*
Spiegel, Henry W.   136, *449*
Sraffa, Piero   xxi, 158, 159, *449*
Stigler, George J.   317, 318, *449*
Ströbele, Wolfgang   423, *449*
Stresemann, Gustav   356
Stuart   55
Sweezy, Paul M.   168, 170, *449*

T

Thünen, Johann Heinrich von   54, 68,
     77, 90, 93, 99, 112, 131, 255,
     343, *449*
Timäus   14

Tooke   145
Treue, Wilhelm   53, 77, 112, 293, 295,
     356, *449*
Tullock, Gordon   363
Turgot   27, 55, 90

V

Varian, Hal   *449*
Veblen, Thorstein   xxi, 289
Visschers   245
Voltaire   26

W

Wäntig, Heinrich   *448*
Walras, L'eon   78, 187, 188, 216, 260,
     316, 317, *449*
Washington, George   292
Watt, James   23
Weinberg, A.   422, *445*
Weise, Peter 93, 220, 241, 288, 291, 319,
     384, *449*
Whitten, David O.   296, *449*
Widmaier, Hans Peter   444
Wieser, Friedrich von   314
Wilson, Edward O.   *449*
Winkel, H.   *447*

Y

Yiannopoulous, A. N.   384

Z

Zorn, Wolfgang   *443, 449*